Pelcz Katalin–Szita Szilvia

Egy szó mint száz

Magyar–angol tematikus szókincstár
Hungarian Vocabulary by Topic

Pelcz Katalin–Szita Szilvia

Egy szó mint száz

Magyar–angol tematikus szókincstár
Hungarian Vocabulary by Topic

AKADÉMIAI KIADÓ

Szaklektor:
GÖRBE TAMÁS

Angol fordítás:
CSONGÁR DÁNIEL

Anyanyelvi lektor:
BARBARA KAUFHOLD

Illusztráció:
JEAN-MARC DELTORN

Szerkesztő:
THIMAR MÁRTA

A szerzők köszönetet mondanak dr. Hegedüs Ritának, dr. Nádor Orsolyának, Mester Ágnesnek, dr. Durst Péternek és a könyvet tesztelő külföldi diákoknak segítő javaslataikért és észrevételeikért.

ISBN 978 963 05 9062 4

Kiadja az Akadémiai Kiadó,
az 1795-ben alapított Magyar Könyvkiadók
és Könyvterjesztők Egyesülése tagja
1117 Budapest, Budafoki út 187-189.
www.akademiai.hu

Első kiadás: 2011

Utánnyomás: 2018

A kiadásért felelős az Akadémiai Kiadó igazgatója
Felelős szerkesztő: Thimar Márta
Termékmenedzser: Kiss Zsuzsa, Egri Róbert
Tördelés: Inic Kft.
Borítóterv: Gerhes Gábor/Art-And

Printed in the EU

TARTALOM / CONTENTS

BEVEZETŐ / INTRODUCTION

Kedves Olvasó!

A könyv, amelyet kezében tart, tematikus szó- és kifejezésgyűjtemény. Célja, hogy megbízható segítséget nyújtson a tematikus szókincsbővítéshez.

Gyakorló nyelvtanárok lévén gyakran tapasztalhattuk, milyen nagy segítség a tanulók számára, ha egy-egy téma szókincsét rendszerezetten, feldolgozva vehetik kézbe. Ilyen munka magyar mint idegen nyelvből eddig nem született. Ez adta az indíttatást a magyar nyelv szókincsét tematikusan bemutató gyűjtemény elkészítéséhez.

Milyen koncepció szerint készült a könyv?

A fejezetek felosztásakor az ECL és az Origó nyelvvizsga témaköreit vettük alapul, s a témákat helyenként kiegészítettük.

A nyelvi szintek szerinti differenciálás érdekében a legfontosabb kb. 2500 szót kiemeltük. Ezzel egyrészt kísérletet tettünk a Közös Európai Referenciakeret B1 (küszöbszintű) szókincsének meghatározására, másrészt igyekeztünk megkönnyíteni a szavak között való eligazodást.

Kinek ajánljuk?

Könyvünket mindazoknak ajánljuk, akik

- magyar nyelvű érettségi vizsgát,
- magyar nyelvvizsgát kívánnak tenni,
- vagy „egyszerűen csak" rendszerezett módon kívánják bővíteni szókincsüket.

A könyv önálló tanulásra és órai felhasználásra is alkalmas.

Hogyan épül fel a könyv?

A tájékozódás megkönnyítése érdekében minden fejezet szerkezete hasonló.

A fejezetek alfejezetekre tagolódnak, melyek a következőképpen épülnek fel:

- a **Hasznos szavak** a témához tartozó szavak listája található. A szólistákat kisebb tematikus egységekre osztottuk, és a már említett 2500 szót kiemeltük, ezzel is megkönnyítve a tanulást.
  A szavakat szófajok szerint is elkülönítettük. A főnevek esetében néhány fontos szószerkezetet, összetett és képzett szót is megadtunk, az igék mellett pedig tipikus vonzatukat és egy-egy példamondatot tüntettünk fel.
  Ebben a részben ún. **szóbokrok** is találhatók, melyek az egy tőből származó szavak egy részét mutatják be.
  A szóbokrok rámutatnak a szavak közti összefüggésekre, és vizuálisan is segítik a bevésést.
  Szürke keretben, angol nyelven **kulturális információk**, valamint a szókinccsel kapcsolatos további tudnivalók, érdekességek olvashatók.
- A **Hasznos mondatok** a témához kapcsolódó, a mindennapi életben használatos gyakori szófordulatokat és kifejezéseket tartalmazza.

A **Függelék**ben az Olvasó elsőként beszédszándék szerint csoportosított helyzetmondatokat sajátíthat el, ezután a leggyakoribb képzőkkel ismerkedhet meg. Végezetül – a tájékozódás megkönnyítése és a nyelvvizsgára való felkészülés megkönnyítése érdekében – az ECL és az Origó nyelvvizsga témáit adtuk meg.

Mielőtt munkához lát...

Mielőtt dolgozni kezd a könyvvel, hadd hívjuk fel a figyelmét néhány fontos tudnivalóra:

- Mivel a témák között előfordulnak átfedések, egy-egy szólista teljes **ismétlését** hivatkozások megadásával igyekeztünk elkerülni. Ahol az ismétlés elkerülhetetlen, ott a szó újra szerepel.
- Az **igék**et nem követi összes lehetséges vonzatuk, hiszen a sor – mint bármely más nyelvben – hosszúra nyúlna. A bemutatott vonzatok az adott témához alkalmazkodnak, így helyenként előfordulhat, hogy egy-egy ige – a fejezettől függően – más-más vonzattal szerepel.
- Az igéket általában igekötő nélkül és/vagy a leggyakrabban használt igekötővel adtuk meg. Mivel ezek angol fordítása gyakran megegyezik, a két jelentés közötti különbséget – amennyire lehetséges – példamondatokkal igyekeztünk érzékeltetni.
- Az **angol fordítás** az amerikai angolt követi. A fordítás során törekedtünk arra, hogy lehetőleg közel maradjunk a magyar szavakhoz, példamondatokhoz. Ahol a két nyelv között nagy volt az eltérés, zárójelben a szó szerinti fordítást is megadtuk.

- A **rokon értelmű szavak**at egymás mellett adtuk meg. Mivel a fordításban a jelentésárnyalatokat nem lehet minden esetben bemutatni, az angolban a variánsokat nem perjellel, hanem vesszővel választottuk el.
- A **Hasznos mondatok** listájában – ahol szükséges volt – az egyes számú formális és informális alakot is megadtuk. Ilyenkor a formális alak az első, ezt követi a perjellel elválasztva az informális alak.
- Az angol példamondatokban – helyhiány miatt – következetesen a hímnemű személyes névmást használtuk.

Milyen nyelvtani információk szerepelnek a szó mellett?

1. A **főnevek**nél az alapszót a többes szám jele, a tárgyrag és az egyes szám harmadik személyű birtokos személyrag követi:

ablak	(~ok,	~ot,	~a)
	a többes szám jele	tárgyrag	egyes szám harmadik személyű birtokos személyrag

Összetett főnevek esetén – amennyiben a szó utolsó tagja rendhagyó – csak az utolsó tag alakjai szerepelnek, hiszen a változás csak ezt érinti. Pl.: ásványvíz (-vizek, -vizet, -vize).

2. A **melléknevek** után zárójelben a középfok jelét adtuk meg:

okos	(~abb)
	a középfok jele

3. Az **igék** mögött a múlt idejű (határozatlan ragozás, egyes szám harmadik személy) és a felszólító módú (egyes szám második személy) alak szerepel:

ír	(~t,	~j)
	a múlt idő jele	a felszólító mód jele

Sok ige igekötős és igekötő nélküli alakban is szerepel a szólistában. A nyelvtani információknál az igekötőt nem adtuk meg, hiszen ennek használata az ige végződését nem befolyásolja.
A főnevek esetében ugyan számos esetben grammatikailag lehetséges lenne a többes szám és/vagy a birtokos alak képzése, de a listákon igyekeztünk csak a valóban használt, gyakori alakokat feltüntetni.
Néhány szónak harmadik személyben két birtokos végződése is lehet (~ja/~a vagy ~je/~e). Az áttekinthetőség érdekében ilyen esetekben egyetlen alakot adtunk meg.

4. A könyvben a következő rövidítéseket használjuk:
vkit: valakit (somebody), vmit: valamit (something), vhova: valahova (somewhere), vhogyan: valahogyan (somehow), vmerre: valamerre (into a certain direction), vhonnan: valahonnan (from somewhere), sy: somebody (valaki, valakit), sg: something (valami, valamit), adj.: adjective (melléknév), lit.: literally (szó szerint)

Sikeres és örömteli magyartanulást kívánnak:

a Szerzők

Dear Readers,

It is an indisputable fact that language learning is most effective when vocabulary is presented systematically. The book you are holding in your hands, is a collection of words and phrases that, for the first time, offers a thematic approach for students who wish to learn Hungarian as a foreign language.

The concept

All topics covered in the book are part of ECL and Origó language examinations. However, some topics are discussed here more extensively than required for the exam.

In order to help you distinguish between common and less frequently used vocabulary, the most important words (appr. 2500) are highlighted in bold. Learning them will enable you to have basic conversations about a variety of everyday topics. The selected vocabulary can also be used in preparation for the B1 (threshold) level of the language exam in accordance with the Common European Framework of Reference for Languages.

Who do we recommend this book to?

This collection can serve as an effective resource for students who

- wish to take the option "Hungarian as a foreign language" for their high school final exam
- intend to take a language exam in Hungarian
- and for those who would "simply" like to expand their vocabulary systematically.

This book can be used from beginner to advanced levels in both group lessons and self-study settings.

The structure of the book

In order to facilitate the use of the book, all chapters have the same structure.

Each chapter is divided into subchapters containing the following parts:

- **Useful words** presents topic-related vocabulary lists. The lists are divided into smaller units, and the most important words are written in bold to make learning easier.
  All vocabulary lists are organized by parts of speech.
  Some nouns are followed by compound nouns and useful phrases (e.g. *szerződés - munkaszerződés, aláírja a szerződést*). Verbs are presented together with their dependent noun ending (e.g. vár *vkire*) and one or more sample sentences.
  This part also contains **diagrams** that show the connection between words derived from the same stem and offer visual support for memorizing them.
  The texts in the gray boxes are written in English. They contain **cultural information** and additional linguistic information.
- **Useful expressions** presents topic-related phrases and expressions taken from everyday language.

The **Annex** offers a collection of phrases commonly used in everyday life. This part is followed by a list of the most common affixes to form new words.

The topic lists of ECL and Origó language exams are also presented here.

Before you start working with the book...

A few thoughts about the logic of the presentation:

- Some words and even whole vocabulary lists clearly belong to more than one topic. In order to avoid **repetition**, little arrows point towards other units that complete the one you read. On some occasions repetition is inevitable, a few words are therefore listed more than once.
- **Verbs** are not always followed by all possible noun endings, otherwise the list of endings – just like in any other language – would be very long. Only those relevant to the topic are given in each chapter.
- Many verbs are presented both without a prefix and with the prefix that is most commonly used with them (e.g. *vesz, megvesz*). As the English translation usually is the same for both forms, two sample sentences illustrate the difference between them as far as possible.
- The **translation** is based on American English and stays as close as possible to the Hungarian. Whenever there is significant difference between the structure of the two languages, a literal translation is given in brackets.
- Hungarian **synonyms** are presented next to each other, separated by a forward slash. English synonyms are separated by a comma to make it clear that their meaning is not exactly the same as that of the Hungarian words.

- *Useful expressions* are given both in the formal and informal form where appropriate. The formal form *(Ön)* is presented first, followed by the informal form *(te)*.
- Due to lack of space, only the masculine pronoun *(he)* is used in the translation.

The presentation of grammar information

1. Nouns are followed by their plural, accusative and (third person singular) possessive ending:

ablak	(~ok,	~ot,	~a)
	plural ending (windows)	accusative ending (window as the direct object)	third person singular possessive ending (his window)

In case of compound nouns with irregular forms only the forms of the last (irregular) word are listed, e.g.: ásványvíz (-vizek, -vizet, -vize).

2. Adjectives are followed by the ending for the comparative:

okos	(~abb)
	ending for the comparative (more clever)

3. Verbs are followed by the ending for the past tense (third person singular, indefinite conjugation) and the imperative (second person singular) ending:

ír	(~t,	~j)
	past tense ending (he wrote)	ending for the imperative (write!)

Note that the prefix is omitted in brackets as it doesn't influence the form of the verb itself, e.g.: *felmegy (ment, menj)*.
Next to all parts of speech only authentic forms are presented. Grammatically possible but never used, unusual forms are omitted. This particularly applies to nouns with rarely or never used plural forms or possessive endings.
A few words have two possible endings for the third person possessive form (~ja/~a or ~je/~e). In such cases, we only listed one form in order to keep presentation of the information as simple as possible.

4. The following abbreviations are used in this book:
vkit: valakit (somebody), vmit: valamit (something), vhova: valahova (somewhere), vhogyan: valahogyan (somehow), vmerre: valamerre (into a certain direction), vhonnan: valahonnan (from somewhere), sy: somebody (valaki, valakit), sg: something (valami, valamit), adj.: adjective (melléknév), lit.: literally (szó szerint)

We wish you successful and pleasant learning,

The authors

AZ EGYÉN / ABOUT YOURSELF

1. Személyi adatok / Personal data

Hasznos szavak
Useful words

Milyen adatokat kell megadni egy adatlapon ?	What information do you need to give on a form?
adószám (~ok, ~ot, ~a)	**tax number**
aláírás (~ok, ~t, ~a)	**signature**
állampolgárság (~ok, ~ot, ~a)	**citizenship**
dátum (~ok, ~ot, ~a)	**date**
életkor (~ok, ~t, ~a)	**age**
e-mail cím (~ek, ~et, ~e)	**e-mail address**
emelet (~ek, ~et, ~e)	**floor**
foglalkozás (~ok, ~t, ~a)	**occupation**
házszám (~ok, ~ot, ~a)	**house number**
irányítószám (~ok, ~ot, ~a)	**zip code**
iskola (~́k, ~́t, ~́ja)	**education**
legmagasabb iskolai végzettség (~ek, ~et, ~e)	highest level educational institution
lakcím (~ek, ~et, ~e)	**address**
állandó lakcím	permanent residence
ideiglenes lakcím	temporary residence
lakcímkártya (~́k, ~́t, ~́ja)	resident card with permanent address on it
munkahely (~ek, ~et, ~e)	**place of employment**
munkáltató (~k, ~t, ~ja)	employer
név (nevek, nevet, neve)	**name**
leánykori/születési név	maiden name
anyja születési neve	mother's maiden name
nem (~ek, ~et, ~e)	**sex**
születési hely (~ek, ~et, ~e)	**place of birth**
születési idő (~k, ~t, ideje)	**date of birth**
település (~ek, ~t, ~e)	city, village
tér (terek, teret, tere)	**square**
út (utak, utat, útja) **/ utca** (~́k, ~́t, ~́ja)	**road, street**
TAJ-szám (~ok, ~ot, ~a)	social security number
telefonszám (~ok, ~ot, ~a)	**telephone number**
mobiltelefonszám/mobilszám	**cell phone number**

It might seem to be somewhat strange that you are requested to give the name of your mother on all Hungarian forms. For the Hungarian administration, your mother's (maiden) name is as important to identify you as your name or date of birth.

Hasznos mondatok ■ Első találkozás
Useful sentences ■ Meeting someone for the first time

Bemutatkozás	Introducing yourself
Azt hiszem, mi még nem ismerjük egymást: Kiss Géza vagyok.	I don't think we've ever met; I'm Géza Kiss.
Szeretnék bemutatkozni: Nagy Kata vagyok.	I would like to introduce myself: I'm Kata Nagy.
Hadd mutatkozzam be: Fehér Péter vagyok.	Let me introduce myself: I'm Péter Fehér.
Bemutatom/Bemutatlak a kollégámnak.	Let me introduce you to my colleague.

Rövid kérdések	Short questions
Hol lakik/laksz?	Where do you live?
Régóta él/élsz Sopronban?	Have you been living in Sopron for a long time?
Mivel foglalkozik/foglalkozol?	What do you do for a living?
Mit csinál szabadidejében? / Mit csinálsz szabadidődben?	What do you do in your spare time?
Melyik egyetemen tanul/tanulsz?	Which university do you attend?
Tegeződjünk, jó?	Let's speak informally (*lit.* Let's say *te* to each other), okay?

Búcsúzás	Before saying good-bye
Adok egy névjegykártyát.	I'll give you my business card.
Hadd adjak egy névjegykártyát!	Let me give you my business card.
Ezen rajta van minden elérhetőségem.	It has all my contact information.
Örülök, hogy megismerhettem/megismerhettelek.	It was nice meeting you.
Remélem, még találkozunk.	I hope we'll meet again.

A few rules as to when to use the formal and the informal form of address.
Hungarians use the informal *te* quite easily. Family members, colleagues, players in a sports team, housemates, people at a party etc. usually use this form and call one another by their first name.
Ön usually indicates distance and is used when there is a clear difference in age, rank and/or educational level between the speakers.
This form of address is also used in shops, restaurants, and at other services.
Before saying *te* to someone, think of the following rules: If you are significantly younger than the person you are talking to, always use the formal form of address first and wait until he/she offers you to address him/her by *te* instead of *Ön*.
The same rule applies if a man is talking to a woman: it is the lady who will suggest the use of the informal form of address.

Many family names indicate a profession: *Szabó (tailor), Juhász (shepherd), Kovács (smith)*. Some names indicate the family's town or village of origin: *Váradi (from Várad), Pesti (from Pest)*. Other names indicate what the ancestors looked like: *Nagy (big, tall), Kis (small, little), Szőke (blond)*.

2. Külső tulajdonságok / Physical characteristics

Hasznos szavak
Useful words

Milyen az ember külsőleg?	What does a person look like?
alacsony (~abb)	**short**
bájos (~abb)	lovely
bajuszos	moustached
borostás (~abb)	unshaved
csinos (~abb)	**pretty**
csúnya (~́bb)	**ugly**
elegáns (~abb)	**elegant**
erős (~ebb)	**strong**
fiatal (~abb)	**young**
gyenge (~́bb)	**weak**
gyönyörű (~bb)	**beautiful, gorgeous**
idős (~ebb)	**elderly**
izmos (~abb)	muscular
jóképű (~bb)	**handsome**
karcsú (~bb)	slender
kopasz (~abb)	bald
kövér (~ebb)	**fat**
középkorú	middle-aged
magas (~abb)	**tall**
molett (~ebb)	chubby
öreg (~ebb)	**old**
pocakos (~abb)	portly
ráncos (~abb)	wrinkled
sápadt (~abb)	pale
sovány (~abb)	skinny
sportos (~abb)	sporty
szakállas	bearded
szemüveges	with glasses
szép (szebb)	**beautiful, good-looking**
szeplős (~ebb)	freckled
telt (~ebb)	corpulent
vékony (~abb)	**thin**
vonzó (~bb)	attractive

Milyen lehet a haj?	What can one's hair be like?
barna (~́bb)	**brown**
sötétbarna	dark brown
világosbarna	light brown
barna hajam van	I have brown hair
barna hajú lány vagyok	I am a girl with brown hair
dús (~abb)	lush
egyenes	**straight**
fekete (~́bb)	**black**
festett	dyed
göndör (~ebb)	**curly**
hosszú (hosszabb)	**long**
hullámos (~abb)	wavy
ősz (~ebb)	**grey**
ritka (~́bb)	thin
rövid (~ebb)	**short**
sötét (~ebb)	**dark**
szőke (~́bb)	**blond**
sűrű (~bb)	thick
világos (~abb)	**light**
vörös (~ebb)	**red**

Milyen színű lehet a szem?	What color can eyes be?
barna (~́bb)	**brown**
sötétbarna	dark brown
világosbarna	light brown
barna szemem van	I have brown eyes
barna szemű fiú vagyok	I am a boy with brown eyes
fekete (~́bb)	**black**
kék (~ebb)	**blue**
szürke (~́bb)	grey
zöld (~ebb)	**green**

Hogyan változunk? Hogyan viselkedünk?	How do we change? How do we behave?
fest, befest *vmit* (~ett, fess)	**dye** *sg*
Barnára akarom festeni a hajamat.	I want to dye my hair brown.
Laura befestette a haját.	Laura has dyed her hair.
fogy, lefogy (~ott, ~j)	**lose weight**
Öt kilót fogytam, amióta sportolok.	I lost 5 kilos, since I took up sports.
Éva az utóbbi időben nagyon lefogyott.	Éva has lost a lot of weight lately.
hasonlít *vkire/vmire* (~ott, hasonlíts)	**look like** *sy/sg*
Hasonlítasz a barátnőmre.	You look like my girlfriend.
hízik, meghízik (hízott, hízz)	**gain weight**
Télen két kilót híztam.	I gained two kilos during the winter.
Amióta nem sportolok, meghíztam.	I've put on a lot of weight since I gave up sports.
kinéz *vhogyan* (~ett, nézz)	**look** *somehow*
Nagyon jól nézel ki ma.	You look great today.
kopaszodik, megkopaszodik (kopaszodott, kopaszodj)	get bald, be bald
A férjem kopaszodik.	My husband is getting bald.
A férjem teljesen megkopaszodott.	My husband is completely bald.
lebarnul (~t, ~j)	get tanned
Szépen lebarnultál a nyaralás alatt.	You got nicely tanned during your vacation.
mosolyog (mosolygott, ~j)	**smile**
Kata kedves lány: mindig mosolyog.	Kata is a nice girl, she always smiles.
öltözködik *vhogyan* (öltözködött, öltözködj)	dress *in a certain way*, wear *sg*
Petra szeret csinosan öltözködni.	Petra likes to dress fashionably.
levágatja *a haját* (~ott, vágass)	get a haircut, get *one's hair* cut
Mikor vágattad le a hajadat?	When did you get your hair cut?
öregszik/öregedik, megöregszik/megöregedik (öregedett, öregedj)	age, get old
Kata a balesete óta sokat öregedett.	Kate aged a lot since her accident.
Egyszer minden ember megöregszik.	Everybody gets old some day.
nő, megnő (~tt, ~j)	**grow**
A gyerekek gyorsan nőnek.	Children grow fast.
Nagyon megnőttél, amióta nem láttalak.	You've grown a lot since I last saw you.
növeszti, megnöveszti *a haját* (~ett, növessz)	let *one's hair* grow
Tavaly óta növesztem a hajamat.	I have been letting my hair grow since last year.
Klára megnövesztette a haját.	Klára let her hair grow.
őszül, megőszül (~t, ~j)	get gray hair
Már 30 éves koromban elkezdtem őszülni.	I started getting gray hair at the age of 30.
A nagymamám egyik napról a másikra teljesen megőszült.	My grandma's hair turned all gray in one day.
ráncosodik (ráncosodott, ráncosodj)	get wrinkles
Szerencsére nem ráncosodom.	Fortunately, I'm not getting any wrinkles.
sántít (~ott, sántíts)	limp
A nagymamám a jobb lábára sántít.	Grandma is limping on her right foot.
változik, megváltozik (változott, változz)	**change**
Az ember egész életében változik.	People change throughout their whole life.
Norbert nagyon megváltozott, amióta igazgató lett.	Norbert has changed a great deal since he became CEO.
viselkedik (viselkedett, viselkedj)	**behave**
Nem tetszik, ahogy viselkedsz.	I don't like your behavior (*lit.* how you behave).

Hasznos mondatok ▪ Személyleírás
Useful sentences ▪ Describing a person

Így mesélhetünk magunkról	The way we can tell others about ourselves
Balogh Petrának hívnak.	My name is Petra Balogh.
Balogh Petra vagyok.	I'm Petra Balogh.
Egy méter nyolcvan centi magas vagyok és 75 kiló.	I'm 180 centimeters tall, and I weigh 75 kilos.
Barna, göndör hajam van.	I have brown curly hair.
A szemem kék.	My eyes are blue.

Barna, göndör hajú, kék szemű lány vagyok.
Az arcom egy kicsit szeplős.
27 éves vagyok.
Júliusban leszek 28 éves.
Vékony vagyok.
Sportosan öltözködöm.
Szeretem a divatos ruhákat.

I'm a girl with brown curly hair and blue eyes.
I have some freckles on my face.
I am 27 years old.
I will turn 28 in July.
I'm thin.
I wear sporty clothes.
I like to wear fashionable clothes.

- Melyik lány a barátnőd?
- Az a magas, szemüveges, szőke lány, aki ott áll a pultnál.

- Which girl is your girlfriend?
- That tall, blond girl with glasses who is standing at the counter.

- Ki a főnököd?
- Az az alacsony, kövér, kopasz férfi, aki soha senkinek nem köszön a folyosón.

- Who is your boss?
- That small, fat, bald man who never greets anybody in the corridor.

- Melyik kollégáddal voltál Berlinben?
- Azzal a harminc év körüli férfival, aki mindig olyan kedvesen mosolyog.

- With which colleague have you been to Berlin?
- With that man who's around 30 years old and always smiles so kindly.

→ *Szóképzés / Forming new words: 279–282. oldal*

To describe what a person looks like we can use the following synonym sentences:
Évának szép az arca. = Évának szép arca van. (Éva has a pretty face.)
Mártának kék a szeme. = Mártának kék szeme van. (Márta has blue eyes.)
Bencének barna a haja. = Bencének barna haja van. (Bence has brown hair.)
Arnoldnak izmos a teste. = Arnoldnak izmos teste van. (Arnold has a muscular body.)
Gábornak széles a válla. = Gábornak széles válla van. (Gábor has broad shoulders.)

3. Belső tulajdonságok / Inner qualities

Hasznos szavak
Useful words

Milyen lehet az ember?	**What can a person be like?**
aranyos (~abb)	**sweet, cute**
arrogáns (~abb)	arrogant
barátságos (~abb)	**friendly**
barátságtalan (~abb)	**unfriendly**
bátor (bátrabb)	**brave**
becsületes (~ebb)	**honest**
beképzelt (~ebb)	conceited
bizonytalan (~abb)	insecure
buta (~́bb)	**dumb**
büszke (~́bb)	**proud**
családcentrikus (~abb)	family oriented
dühös (~ebb)	furious
durva (~́bb)	harsh, brutal
elégedetlen (~ebb)	unsatisfied, unhappy
elégedett (~ebb)	satisfied, happy
ellenséges (~ebb)	hostile
ellenszenves (~ebb)	unsympathetic, unloveable
érdekes (~ebb)	**interesting, intriguing**
érdeklődő (~bb) / nyitott (~abb)	open-minded
érzékeny (~ebb)	sensitive
érzéketlen (~ebb)	insensitive
fáradt (~abb)	**tired**
félénk (~ebb)	shy
feszült (~ebb)	tense
figyelmes (~ebb)	**thoughtful**
figyelmetlen (~ebb)	**careless, thoughtless**
független (~ebb)	independent
gonosz (~abb)	**evil**
gyáva (~́bb)	coward
gyors (~abb)	**quick, fast**
ideges (~ebb)	**nervous**
ingerült (~ebb)	agitated
intelligens (~ebb)	intelligent
jóindulatú (~bb)	courteous
jókedvű (~bb)	**cheerful**
kedves (~ebb)	**nice**
kiegyensúlyozatlan (~abb)	unbalanced, unstable
kiegyensúlyozott (~abb)	balanced, stable
kitartó (~bb)	perseverant
kíváncsi (~bb)	**curious**
komoly (~abb)	**serious**
konzervatív (~abb)	conservative
korrupt (~abb)	corrupt
következetes (~ebb)	consistent
következetlen (~ebb)	inconsistent
közönyös (~ebb)	indifferent
közvetlen (~ebb)	**straight, direct**
kreatív (~abb)	**creative**
lassú (~bb/lassabb)	**slow**
liberális (~abb)	liberal
lusta (~́bb)	**lazy**
magabiztos (~abb)	**self-confident**
megbízhatatlan (~abb)	unreliable
megbízható (~bb)	reliable
megértő (~bb)	understanding
mérges (~ebb)	**angry**
nyílt (~abb)	open
nyitott (~abb)	open-minded
nyugodt (~abb)	**calm**
nyugtalan (~abb)	anxious
okos (~abb)	**smart**
optimista (~́bb)	optimistic
óvatos (~abb)	cautious
önálló (~bb)	self-reliant, self sufficient
önzetlen (~ebb)	**unselfish**
önző (~bb)	**selfish**
őszinte (~́bb)	**sincere**
pesszimista (~́bb)	**pessimistic**
pontos (~abb)	**punctual, accurate**
rokonszenves (~ebb))	engaging, likeable, nice
rugalmas (~abb)	flexible
rosszkedvű (~bb)	**irritable**
segítőkész (~ebb)	helpful
szemtelen (~ebb)	insolent
szenvedélyes (~ebb)	passionate
szerelmes (~ebb)	**in love**
szerény (~ebb)	modest
szeszélyes (~ebb)	capricious, moody
szigorú (~bb)	**strict, severe**
szomorú (~bb)	**sad**
szorgalmas (~abb)	**hard-working**
takarékos (~abb)	frugal
tapasztalt (~abb)	experienced
tisztességes (~ebb)	decent
tisztességtelen (~ebb)	indecent
toleráns (~abb)	tolerant
türelmes (~ebb)	**patient**
türelmetlen (~ebb	**impatient**
udvarias (~abb)	**polite**
udvariatlan (~abb)	**impolite**
vicces (~ebb)	**funny, comic**
vidám (~abb)	**cheerful**
zárkózott (~abb)	**reserved**

The opposite of many adjectives is formed with the endings *-atlan/-talan* and *-etlen/-telen*: *barátságos ↔ barátságtalan (friendly ↔ unfriendly), kiegyensúlyozott ↔ kiegyensúlyozatlan (balanced ↔ unbalanced), udvarias ↔ udvariatlan (polite ↔ impolite), megbízható ↔ megbízhatatlan (reliable ↔ unreliable)* stb.

→ *Szóképzés / Forming new words: 279–282. oldal*

Hasznos mondatok ■ Véleményünk másokról
Useful sentences ■ Our opinion about others

Jó vélemény	Positive opinion
Mit gondol/gondolsz az új kollégáról? Az első benyomásaim nagyon jók. Megbízhatónak tűnik/látszik. Nagyon kedvesnek találom.	What do you think about the new colleague? My first impressions have been very positive. He seems reliable. I find him very nice.

Ha nincs véleményünk	Without an opinion
Mi a véleménye/véleményed az új informatikusról? Nem tudok véleményt mondani, mert még nem ismerem eléggé. Nem tudom, még soha nem beszéltem vele. Nem emlékszem rá. Ki is az?	What do you think about the new IT specialist? I don't have an opinion because I don't know him well enough. I don't know, I haven't talked to him yet. I don't remember him. Who is he?

Rossz vélemény	Negative opinion
Hogy tetszik az új kolléganő? Első látásra elég ellenszenves. Nem tett rám jó benyomást. Szerintem kicsit beképzelt. Sok jót nem tudok róla mondani. Azt hallottam, eléggé megbízhatatlan.	How do you like the new (female) colleague? She is quite unsympathetic at first sight. She did not make a good impression on me. I think she is a bit conceited. I can't say many positive things about her. I heard that she was quite unreliable.

4. Napirend / Daily routine

Hasznos szavak
Useful words

Mit csinálunk reggel?	**What do we do in the morning?**
beágyaz (~ott, ágyazz)	make the bed
Minden reggel beágyazok.	I make my bed every morning.
elindul *otthonról* (~t, ~j)	**leave** *home*
A feleségem már hét órakor elindul otthonról.	My wife already leaves home at seven o'clock.
felébred (~t, ~j)	**wake up**
Általában hét órakor ébredek fel.	I usually wake up at seven.
felébreszt *vkit* (~ett, ébressz)	wake up *sy*
Utána felébresztem a fiamat.	Then I wake up my son.
felkel (~t, ~j)	**get up**
Hét óra öt perckor kelek fel.	I get up at five past seven.
felöltözik (öltözött, öltözz)	**get dressed**
Utána felöltözöm.	Then I get dressed.
ruhát **felvesz** (vett, vegyél/végy)	**put on** *clothes*
A piros szoknyámat veszem fel.	I put my red skirt on.
fésülködik, megfésülködik (fésülködött, fésülködj)	**brush one's hair**
A tükör előtt szoktam fésülködni.	I usually brush my hair in front of the mirror.
Ma reggel elfelejtettem megfésülködni.	This morning, I forgot to brush my hair.
***fogat* mos** (~ott, moss)	**brush *one's teeth***
Fogat is mosok.	I also brush my teeth.
***hajat* mos** (~ott, moss)	**wash *one's hair***
Nem minden reggel mosok hajat.	I don't wash my hair every morning.
kávézik (kávézott, kávézz)	**have coffee**
A konyhában kávézom.	I have coffee in the kitchen.
kifesti *magát* (kifestette magát, fesd ki magadat) / kisminkeli *magát* (kisminkelte magát, sminkeld ki magadat)	make oneself up, use make-up
A tükör előtt kifestem/kisminkelem magamat.	I make myself up in front of the mirror.
mosakszik/mosakodik, megmosakszik/megmosakodik (mosakodott, mosakodj)	**wash oneself**
Még sokáig mosakszol?	Will you wash yourself for long?
Öt perc alatt megmosakodtam.	I washed myself in five minutes.
reggelizik (reggelizett, reggelizz)	**have breakfast**
Sajtos kenyeret reggelizem.	I have a cheese sandwich for breakfast.
teázik (teázott, teázz)	**have tea**
Nem szoktam teázni.	I don't usually have tea.
***vécére* megy** (ment, menj)	**go *to the toilet***
Túl sok teát ittam, húszpercenként vécére kell mennem.	I drank too much tea, I have to go to the toilet every twenty minutes.
zuhanyozik (zuhanyzott, zuhanyozz)	**take a shower**
Minden reggel zuhany(o)zom.	I take a shower every morning.

Mit csinálunk napközben?	What do we do during the day?
autózik (autózott, autózz)	drive a car, drive
Sokat autózol napközben?	Do you drive a lot during the day?
beszalad *vhova/vkihez* (~t, ~j)	drop by *somewhere/sy*
Munka után beszaladok a könyvesboltba/Dórához.	I'll drop by the bookstore/Dóra's after work.
beszél *vkivel vkiről/vmiről* (~t, ~j)	**talk** *about sy/sg with sy*
Miről beszéltél az igazgatóval?	What did you talk about with the CEO?
beszélget *vkivel vkiről/vmiről* (~ett, beszélgess)	**chat** *with sy about sy/sg*
Dórával beszélgetek az új projektről.	I'm chatting with Dóra about the new project.
dolgozik *vhol* (dolgozott, dolgozz)	**work** *somewhere*
Egy finn cégnél dolgozom.	I work for a Finnish company.
ebédel (~t, ~j)	**have lunch**
Általában dél körül ebédelek.	I usually have lunch around noon.
elintéz *vmit* (~ett, intézz)	**get done** *sg*, **take care** *of sg*
Elintézted a szobafoglalást?	Did you take care of the room reservation?
érkezik, megérkezik *vhova* (érkezett, érkezz)	**arrive** *somewhere*
János késve érkezett a megbeszélésre.	János arrived to the meeting late.
Az ügyfél még nem érkezett meg.	The client has not arrived yet.
elmegy *vkiért/vmiért* (ment, menj) / **elhoz** *vkit/vmit* (~ott, hozz)	**pick up** *sy/sg*
Elmegyek a kocsiért a szervizbe.	I'll pick up the car at the garage.
Elhozom a kocsit a szervizből.	I'll pick up the car at the garage.
elvisz *vkit/vmit vhova* (vitt, vigyél)	**take** *sy/sg somewhere*
Elviszem a fiamat óvodába.	I take my son to nursery school.
eszik *vmit* (evett, egyél)	**eat** *sg*
Az ebédlőben eszem egy gulyáslevest.	I eat a bowl of goulash soup in the canteen.
felhív *vkit* (~ott, ~j)	**call** *sy*
Felhívom az ügyfelet.	I'll call the client.
hazaér (~t, ~j)	get home, arrive home
Mikor érsz haza ma este?	When will you get home tonight?
hazamegy (ment, menj)	**go home**
Ma korán hazamegyek.	I'm going home early today.
iszik *vmit* (ivott, igyál)	**drink** *sg*
Az ebédhez vizet iszom.	I drink water with my lunch.
jön *vhova/vhonnan* (jött, jöjj/gyere)	**come** *somewhere/from somewhere*
Jössz az értekezletre?	Are you coming to the meeting?
A főnöktől jövök.	I'm coming from my supervisor.
megbeszél *vmit vkivel* (~t, ~j)	**discuss** *sg with sy*
Ezt a kérdést meg kell beszélnem a feleségemmel.	I have to discuss this matter wih my wife.
meghív *vkit vhova/vmire* (~ott, ~j)	**invite** *sy somewhere/to sg*
Meghívhatlak ebédre?	May I invite you to lunch?
megy *vhova* (ment, menj)	**go** *somewhere*
Olaszórára megyek.	I'm going to my Italian lesson.
rendet rak *vhol* (~ott, ~j)	tidy up *sg*
Néha rendet rakok a szobámban.	Sometimes, I tidy up my room.
sportol (~t, ~j)	**do sports**
Nincs időm sportolni.	I don't have time to do any sports.
találkozik *vkivel* (találkozott, találkozz)	**meet** *sy*
Találkoztál már az új kollégával?	Have you met our new colleague yet?
telefonál *vkinek* (~t, ~j)	**call** *sy*
Telefonálok a főnöknek.	I'll call my supervisor.
vár *vkire/vmire, vkit/vmit* (~t, ~j)	**wait** *for sy/sg*, **expect** *sy/sg*
A buszra/Katára várok.	I'm waiting for the bus/Kata.
A buszt/Katát várom.	I'm expecting the bus/Kata.
vásárol, bevásárol (~t, ~j)	**do the shopping**
Mikor szoktál (be)vásárolni?	When do you usually do your shopping?

Mit csinálunk este?	What do we do in the evening?
alszik (aludt, aludj)	**sleep**
Szerencsére jól alszom.	Fortunately, I'm a sound sleeper (*lit.* I sleep well.).
borozik (borozott, borozz)	have wine
Munka után borozni megyünk.	We'll go to have some wine after work.
elalszik (aludt, aludj)	**fall asleep**
Általában nehezen alszom el.	I usually have a hard time falling asleep.
főz *vmit* (~ött, főzz)	**cook** *sg*
Mit főzzünk ma este?	What shall we cook tonight?
fürdik (fürdött, füredj)	**take a bath**
Te mindig egy óráig fürdesz?	Do you always take a bath for an hour?
internetezik (internetezett, internetezz)	**be on the Internet**
Egész este internetezem.	I'm on the Internet all evening.
levetkőzik (vetkőzött, vetkőzz)	**undress**
Mielőtt lefekszem, levetkőzöm.	I undress before I go to sleep.
lefekszik (feküdt, feküdj)	**go to bed**
Éjfélkor fekszem le.	I go to bed at midnight.
néz, megnéz *vmit* (~ett, nézz)	**watch** *sg*
Épp egy filmet nézek.	I'm watching a movie right now.
Ma este megnézem a meccset.	I will watch the football game tonight.
olvas, elolvas *vmit* (~ott, olvass)	**read** *sg*
Ma este egy krimit fogok olvasni.	I'm going to read a crime story tonight.
A másik könyvemet már elolvastam.	I've already finished (*lit.* read) my other book.
sörözik (sörözött, sörözz)	have beer
Este egy kocsmában sörözünk.	We'll have a few beers at a bar tonight.
tévézik (tévézett, tévézz) / **tévét néz** (~ett, nézz)	**watch TV**
Minden este tévézem / tévét nézek.	I watch TV every night.
vacsorázik (vacsorázott, vacsorázz)	**have dinner**
Hét óra körül vacsorázom.	I have dinner around 7 o'clock.

Mit csinálunk hétvégén?	What do we do over the weekend?
bulizik (bulizott, bulizz)	**party, have a party**
Jót buliztunk péntek este.	We had a great party on Friday night.
kialussza *magát* (kialudta magát, aludd ki magadat)	sleep in
Hétvégén megpróbálom kialudni magamat.	I'll try to sleep in this weekend.
kipiheni *magát* (kipihente magát, pihend ki magadat)	get a good rest
Hétvégén kipihenem magamat.	I'll get a good rest over the weekend.
kirándul (~t, ~j)	**hike**
Szombaton a hegyekben kirándulunk.	Saturday, we will hike in the mountains.
kitakarít *vmit* (~ott, takaríts)	**clean up** *sg*
Szombaton kitakarítom a lakást.	I'll clean up the apartment on Saturday.
lustálkodik (~t, ~j)	lounge around
Egész hétvégén csak lustálkodni fogok!	This weekend, I will do nothing but lounge around!
meglátogat *vkit* (~ott, látogass)	**go/come to see** *sy*
Vasárnap meglátogatom Pétert.	I'll go to see Péter on Sunday.
pihen (~t, ~j)	**rest, get some rest**
Végre tudok egy kicsit pihenni.	At last, I can get some rest.
rendez *vmit* (~ett, rendezz)	**organize** *sg*, **throw** *(party)*
Hétvégén bulit rendezek.	I'm throwing a party this weekend.
süt *vmit* (~ött, süss)	**bake** *sg*
Vasárnap süteményt sütök.	I'll bake some cookies on Sunday.
szórakozik (szórakozott, szórakozz)	**go out**
Gyakran jársz szórakozni?	Do you often go out?

táncol (~t, ~j) — **dance**
Szeretsz táncolni? — Do you like to dance?
utazik *vhova* (utazott, utazz) — **travel** *somewhere*
Holnap Szegedre utazom. — I'm travelling to Szeged tomorrow.

→ *Vendégség / Visitation: 44–47. oldal*
→ *Tanulás és munka / Studying and work: 70–90. oldal*
→ *Benti szabadidős tevékenységek / Indoor spare time activities: 91–92. oldal*

Hungarian people usually have breakfast between 6 and 8 in the morning. Lunch takes place between 12 and 1PM where a warm meal is eaten. Most people have dinner quite early, between 6 and 8 in the evening and eat salad or a sandwich. Dinner is an occasion for the family to spend time together and talk about their day.

Hasznos mondatok ■ Mit milyen gyakran csinálunk?
Useful sentences ■ How often do we do what?

Mindennap tanulok egy kicsit magyarul. — I study a bit of Hungarian every day.
Minden másnap bevásárolok. — I go shopping every other day.
Háromnaponta felhívom a barátomat. — I call my friend every three days.
Hetente kétszer sportolok. — I do sports twice a week.
Havonta egyszer járok fodrászhoz. — I go to the hairdresser's once a month.
Évente kétszer elutazom valahova. — I go on a trip twice a year.
Hétvégén/Hétvégenként kirándulni szoktam. — I usually go hiking on the weekend.

Mindig pontos vagyok. — I'm always on time.
Legtöbbször/Többnyire hétvégén takarítom ki a lakást. — Most of the time, I clean up the apartment on the weekend.
Általában én megyek el a gyerekekért. — It is usually me who picks up the children.
Gyakran/Sokszor beszélgetek a barátaimmal. — I often chat with my friends.

Ritkán érek rá egész hétvégén. — I rarely have my whole weekend free.
Néha elmegyek golfozni. — Every now and then I go to play golf.
Soha nem megyek üzleti útra. — I never go on business trips.
Soha nem jut eszembe, hogy szoláriumba menjek. — I never think of going to the tanning salon.

Ha tehetem, biciklivel megyek a munkahelyemre. — I go to my workplace by bike whenever I can.
Ha van időm, elmegyek táncolni. — If I have time, I go dancing.

CSALÁD / FAMILY

1. Szerelem, párkapcsolat / Love, romantic relationships

Hasznos szavak
Useful words

A párkapcsolat résztvevői és tanúi	Participants and witnesses of a romantic relationship
anyakönyvvezető (~k, ~t, ~je)	registrar
barát (~ok, ~ot, ~ja)	**boyfriend, male friend**
barátnő (~k, ~t, ~je)	**girlfriend, female friend**
feleség (~ek, ~et, ~e)	**wife**
feleségül megy *vkihez*	marry a man
feleségül vesz *vkit*	marry a woman
férj (~ek, ~et, ~e)	**husband**
férjhez megy *vkihez*	marry a man
menyasszony (~ok, ~t, ~a)	**bride**
özvegy (~ek, ~et, ~e)	**widow**
pár (~ok, ~t, ~ja)	**couple**
házaspár	married couple
jegyespár	engaged couple
szerelmespár	couple in love, lovers
szerető (~k, ~t, ~je)	**lover**
szingli (~k, ~t)	single person
tanú (~k, ~t, ~ja)	witness
esküvői tanú	marriage witness
társ (~ak, ~at, ~a)	**companion, partner**
élettárs	partner, life companion
házastárs	spouse
vőlegény (~ek, ~t, ~e)	**groom**

Ami a párkapcsolathoz tartozhat	What may belong to a romantic relationship
anyakönyvi hivatal (~ok, ~t, ~a)	registry office
eljegyzés (~ek, ~t, ~e)	**engagement**
esküvő (~k, ~t, ~je)	**wedding**
egyházi esküvő	church wedding
polgári esküvő	civil wedding
jegygyűrű (~k, ~t, ~je)	wedding ring
házasélet (~ek, ~et, ~e)	marital life
házasság (~ok, ~ot, ~a)	**marriage**
házasságot köt	take marriage vows
boldog házasságban él	live in a happy marriage
házasságtörés (~ek, ~t, ~e)	adultery
házasságtörést követ el	commit adultery

kapcsolat (~ok, ~ot, ~a)	**relation, relationship, terms**
távkapcsolat	distant relationship
jó kapcsolatban vannak	they are on good terms
szoros kapcsolatban *van vkivel*	have a close relationship *with sy*
lakodalom (lakodalmak, lakodalmat, lakodalma)	**wedding party**
magánélet (~et, ~e)	**private life**
nászút (-utak, -utat, -útja)	**honeymoon**
nászútra megy	go on a honeymoon
párkapcsolat (~ok, ~ot, ~a)	**romantic relationship**
párterápia (~́k, ~́t, ~́ja)	therapy for couples
párválasztás (~ok, ~t, ~a)	choosing a partner
randevú (~k, ~t, ~ja)	**date**
szerelem (szerelmek, szerelmet, szerelme)	**love**
szerelem első látásra	love at first sight
szeretet (~et, ~e)	**love, affection**
szexualitás (~t, ~a)	sexuality
válás (~ok, ~t, ~a)	**divorce**
veszekedés (~ek, ~t, ~e)	**fight**
vita (~́k, ~́t, ~́ja)	**dispute, argument**
viszony (~ok, ~t, ~a)	**relation, terms**
jó viszonyban vannak	they are on good terms
viszonya van *vkivel*	have a (secret) relationship *with sy*

Similar to other countries, Hungary recognizes church weddings *(egyházi esküvő)* and civil weddings *(polgári esküvő)*.
Church weddings cannot replace weddings at the registry office.
Married people usually wear their wedding ring on the ring finger of their right hand.

Milyen lehet egy férfi/nő?	**What can a man/woman be like?**
bájos (~abb)	charming
boldog (~abb)	**happy**
boldogtalan (~abb)	**unhappy**
csábító (~bb)	seducing
csinos (~abb)	**pretty**
egyedülálló	**single**
elvált	**divorced**
félénk (~ebb)	shy
féltékeny (~ebb)	jealous
férfias (~abb)	masculine, manly
független (~ebb)	**independent**
gyönyörű (~bb)	**gorgeous, beautiful**
hajadon	single, unmarried *(woman)*
házas	**married**
hű (~bb), hűséges (~ebb)	faithful
hűtlen (~ebb)	unfaithful
jóképű (~bb)	**good-looking**
megértő (~bb)	**understanding**
nőies (~ebb)	feminine
nős	**married** *(man)*
nőtlen	**unmarried** *(man)*
szerelmes (~ebb)	**in love**
vonzó (~bb)	attractive
zsarnok	tyrannic

→ *Külső tulajdonságok / Physical characteristics: 13–15. oldal*
→ *Belső tulajdonságok / Inner qualities: 16–17. oldal*

Mit csinálunk egy kapcsolatban?	**What do we do in a relationship?**
családot alapít (~ott, alapíts)	start *a family*
István családot akar alapítani.	István wants to start his own family.
bead *vmit* (~ott, ~j)	file *for sg*
Jolán beadta a válópert.	Jolán filed for divorce.
beleszeret *vkibe* (~ett, szeress)	**fall in love** *with sy*
István beleszeretett Jolánba.	István fell in love with Jolán.
***együtt* él** *vkivel* (~t, ~j)	**live** *with sy*
István két évig együtt élt Jolánnal.	István and Jolán lived together for two years.
elcsábít *vkit* (~ott, csábíts)	seduce *sy*
Viktor elcsábította Jolánt.	Viktor seduced Jolán.
elhagy *vkit* (~ott, ~j)	**leave** *sy*
Istvánt elhagyta a felesége.	István's wife left him.

eljegyez *vkit* (jegyzett, jegyezz)	engage *sy*, propose *to sy*
István eljegyezte Jolánt.	István proposed to Jolán.
elválik *vkitől* (vált, válj)	**divorce** *sy*
István elvált a feleségétől.	István divorced his wife.
félrelép (~ett, ~j)	be unfaithful
Jolán félrelépett.	Jolán was unfaithful.
jár *vkivel* (~t, ~j)	**see** *sy*, **date** *sy*
Jolán Istvánnal járt.	Jolán was seeing István.
kedvel *vkit/vmit* (~t, ~j)	**like** *sy*
Nem kedvelem Jolánt.	I don't like Jolán.
kibékül *vkivel* (~t, ~j)	make it up *with sy*
Jolán nem békült ki Istvánnal.	Jolán didn't make up with István.
érzelmet kimutat (~ott, mutass)	show *emotions*
István mindig kimutatta az érzelmeit.	István always showed his emotions.
megbeszél *vmit vkivel* (~t, ~j)	**discuss** *sg with sy*
Jolán egy ideje semmit nem beszélt meg Istvánnal.	Jolán hasn't been discussing anything with István lately.
megbízik *vkiben* (bízott, bízz)	**trust** *sy*
István megbízott Jolánban.	István trusted Jolán.
megbocsát *vkinek* (~ott, bocsáss)	**forgive** *sy*
István megbocsátott Jolánnak.	István forgave Jolán.
megcsal *vkit* (~t, ~j)	cheat *on sy*
Jolán megcsalta Istvánt.	Jolán cheated on István.
megcsókol *vkit* (~t, ~j)	kiss *sy*
István egy bulin csókolta meg először Jolánt.	István kissed Jolán at a party for the first time.
megért *vkit/vmit* (~ett, érts)	**get along well** *with sg/sy*
Régen István és Jolán jól megértették egymást.	István and Jolán used to get along well with each other.
megházasodik (házasodott, házasodj)	**get married**
Jolán újra megházasodott.	Jolán got married again.
megismerkedik *vkivel* (ismerkedett, ismerkedj)	**meet** *sy for the first time*
Jolán megismerkedett egy kedves fiúval.	Jolán met a nice boy.
megnősül (~t, ~j)	**get married** *(man)*
István megnősült.	István got married.
összeházasodik (házasodott, házasodj)	**get married**
István és Jolán összeházasodott.	István and Jolán got married.
összeveszik *vkivel* (veszett, vessz) / szakít *vkivel* (~ott, szakíts)	break up *with sy*
Jolán összeveszett/szakított Istvánnal.	Jolán broke up with István.
randevúzik *vkivel* (randevúzott, randevúzz)	have a date *with sy*
Viktor májusban randevúzott először Jolánnal.	Viktor had his first date with Jolán in May.
számít *vkire/vmire* (~ott, számíts)	**count** *on sy/sg*
Mindig számíthatok Istvánra.	I can always count on István.
szeret *vkit/vmit* (~ett, szeress)	**love** *sy*
István még mindig szereti Jolánt.	István still loves Jolán.
találkozik *vkivel* (találkozott, találkozz)	**meet** *sy*
Csak egyszer találkoztam Jolánnal.	I only met Jolán once.
tetszik *vkinek vki/vmi* (tetszett, tetsszél/tessél)	**like** *sy/sg*
Istvánnak nagyon tetszett Jolán.	István liked Jolán very much.
választ *vkit/vmit* (~ott, válassz)	**choose** *sy/sg*
István Jolánt választotta.	István chose Jolán.
veszekedik/veszekszik *vkivel* (veszekedett, veszekedj)	**fight** *with sy*
Jolán sokat veszekedett Istvánnal.	Jolán used to fight a lot with István.

To indicate that a woman is married, the ending *-né* is added to the husband's name: *Kovács – Kovácsné (Mr. Kovács, Mrs. Kovács), Varga Pál – Varga Pálné (Mr. Pál Varga, Mrs. Pál Varga).*
Married women can also use their husband's family name and their own family name. The two names are usually separated by a hyphen: *Berger-Kovács Vera.*
Another option is to use the husband's family name with the ending *-né* before the maiden name: *Molnárné Lovász Etelka.*
Naturally, married women can also keep their maiden name if they wish to do so.

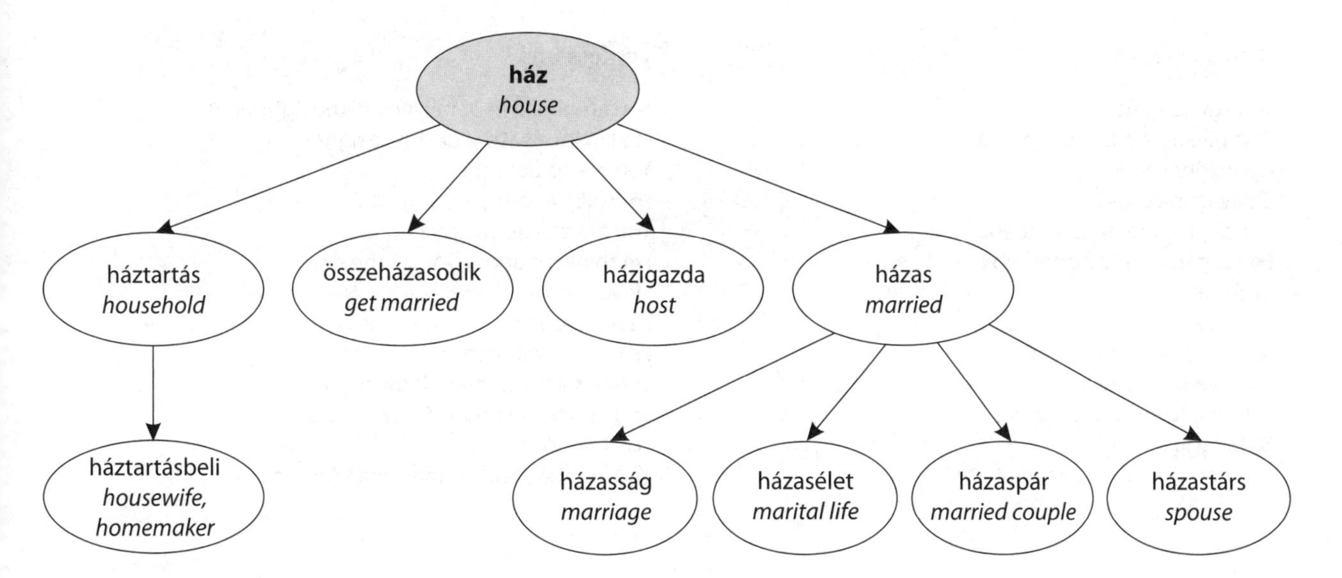

Depending on whether marriage is seen from the woman's or the man's point of view, we use different expressions. A woman who is getting married, can say: *feleségül megyek Jánoshoz* or *férjhez megyek Jánoshoz* or *hozzámegyek Jánoshoz (I'll marry John,* lit. *I go to John to be his wife)*, whereas a man can say: *elveszem Évát* or *feleségül veszem Évát. (I'll marry Eve,* lit. *I'll take Eve as my wife)*.
These expressions come from the past when the groom had to "buy" the bride from her father. After their marriage, the young couple moved to the man's house. This is why in all these expressions the man appears as the "stable" party, and the woman is the one coming to him.
Both parties can of course say *házasságot kötünk* or *összeházasodunk (we're getting married)*.

Hasznos mondatok ■ Randevú
Useful sentences ■ A date

Ha újra akar találkozni valakivel, ezt mondhatja	If you want to meet someone again, you can say
Megadná/Megadnád a telefonszámodat?	Would you give me your phone number?
Felhívhatom/Felhívhatlak holnap?	Can I call you tomorrow?
Ha elhívnám/elhívnálak koncertre, eljönne/eljönnél?	If I invited you to a concert, would you come?
Mit csinál/csinálsz holnap?	What are you doing tomorrow?
Még soha nem találkoztam olyan emberrel, mint Ön/te.	I've never met anyone like you.
Szeretném/Szeretnélek újra látni.	I'd like to see you again.
Nagyon jól éreztem magam Önnel/veled.	I had a wonderful time with you.
Találkozhatnánk holnap este?	Could we meet tomorrow night?
Meghívhatom/Meghívhatlak vacsorára holnap este?	Can I invite you for dinner tomorrow night?
Lenne kedve/kedved holnap újra találkozni velem?	Would you like to meet me again tomorrow?

Randevú elutasítása	Refusing a date
Ne haragudjon/haragudj, de van barátom/barátnőm.	I'm sorry but I have a boyfriend/girlfriend.
Nem hiszem, hogy érdemes újra találkoznunk.	I don't think it would be a good idea to meet again (*lit.* it is not worth meeting again).
Egész héten rengeteg dolgom van.	I have lots to do this week.
Nincs kedvem újra találkozni Önnel/veled.	I would rather not meet with you again (*lit.* I don' feel like meeting you again).
Annyi szép lány / kedves fiú van a világon. Biztosan talál magának / találsz magadnak valakit.	There are lots of pretty girls/nice boys out there. I'm sure you will find the right one for you (*lit.* someone for you).
Sajnos nem érek rá.	Unfortunately, I don't have time.
Ne haragudjon/haragudj, de holnap a párommal vacsorázom.	I'm sorry but tomorrow I will be having dinner with my partner.

Vallomások	Confessions
Te vagy az Igazi.	You are the love of my life (*lit.* the right one).
Első pillantásra beléd szerettem.	I fell in love with you at first sight.
Gyönyörű vagy!	You are so beautiful!
Odavagyok érted.	I'm crazy about you.
Mindig te jársz az eszemben.	You are always on my mind.
Egész nap csak rád gondolok.	I'm thinking about you all the time.
Szeretlek.	I love you.
Imádlak.	I adore you.
Nem tudok nélküled élni.	I can't live without you.
Megbabonáz a szemed.	There is a bewitching look in your eyes.
Teljesen leveszel a lábamról.	You knock me off my feet.
Boldoggá teszel.	You make me happy.
Számomra te vagy a tökéletes nő/férfi.	You are the ideal woman/man for me.

2. Családtagok, rokonok / Family members, relatives

Hasznos szavak
Useful words

Családtagok, rokonok	Family members, relatives
anya/édesanya (~́k, ~́t, anyja)	**mother**
anyós (~ok, ~t, ~a)	**mother-in-law**
apa/édesapa (~́k, ~́t, apja)	**father**
após (~ok, ~t, ~a)	**father-in-law**
bátya (~́k, ~́t, bátyja)	**older brother**
családfő (~k, ~t, ~je)	head of the family
dédnagyanya (~́k, ~́t, -anyja)	great-grandmother
dédnagyapa (~́k, ~́t, -apja)	great-grandfather
dédunoka (~́k, ~́t, ~́ja)	great-grandchild
feleség (~ek, ~et, ~e)	**wife, spouse**
férj (~ek, ~et, ~e)	**husband**
fiú (~k, ~t, ~ja)	**boy, boyfriend**
fiú (~k, ~t, fia)	**son**
fogadott/nevelt fiú	adoptive son
gyám (~ok, ~ot, ~ja)	guardian
húg (~ok, ~ot, ~a)	**younger sister**
ikertestvér (~ek, ~t, ~e)	twin sibling
ikrek (~et)	twins
keresztanya (~́k, ~́t, -anyja)	godmother
keresztapa (~́k, ~́t, -apja)	godfather
lány (~ok, ~t, ~a)	**girl, daughter**
meny (~ek, ~et, ~e)	**daughter-in-law**
nagyanya (~́k, ~́t, -anyja) / **nagymama** (~́k, ~́t, ~́ja)	**grandmother, grandma**
nagyapa (~́k, ~́t, -apja) / **nagypapa** (~́k, ~́t, ~́ja)	**grandfather, grandpa**
nagybácsi (~k, ~t, -ja/-bátyja)	**uncle**
nagynéni (~k, ~t, -nénje)	**aunt**
nagyszülő (~k, ~t, ~je)	**grandparent**
nővér (~ek, ~t, ~e)	**older sister**
öcs (~ök, ~öt, öccse)	**younger brother**
rokon (~ok, ~t, ~a)	**relative, kin**
közeli rokon	close relative
távoli rokon	distant relative
rokonság (~ok, ~ot, ~a)	relations
sógor (~ok, ~t, ~a)	**brother-in-law**
sógornő (~k, ~t, ~je)	**sister-in-law**
szülő (~k, ~t, ~je)	**parent**
nevelőszülő	legal (adoptive) parent

testvér (~ek, ~t, ~e)	**sibling**
unoka (~́k, ~́t, ~́ja)	**grandchild**
unokabátya (~́k, ~́t, -bátyja)	older male cousin
unokahúg (~ok, ~ot, ~a)	niece, younger female cousin
unokanővér (~ek, ~t, ~e)	older female cousin
unokaöcs (~ök, ~öt, -öccse)	nephew, younger male cousin
unokatestvér (~ek, ~t, ~e)	**cousin**
vő (~k/vejek, ~t/vejet, ~je/veje)	**son-in-law**

Similar to other languages, Hungarian knows many ways to address parents with words that indicate affection. Mom or Mommy is *anyu, édesanya, anyuka* or *anyuci*. Dad or Daddy is *apu, édesapa, apuka* or *apuci*. People in the Budapest region also call their Mom *mama* and their Dad *papa*. These words mean *Grandma* and *Grandpa* in other regions.

Be careful with the word *fiú* as it has two possible possessive forms with two different meanings: It is not quite the same if you say *Péter Ildi fia (Peter is Ildi's son)* or *Péter Ildi fiúja (Péter is Ildi's boyfriend).*

Hasznos mondatok ■ Családi viszonyok
Useful sentences ■ Relations in the family

Jó család	**A nice family**
Ritka jó családom van.	I have a really nice family.
Szoros kapcsolatban vagyok a családommal.	I have a very close relationship with my family.
A testvéreimmel nagyon összetartunk.	I and my brothers and sisters are very close.
Nagyon jó viszonyban vagyok az öcsémmel.	I'm on very good terms with my younger brother.
A bajban mindig számíthatok a bátyámra.	In trouble, I can always count on my older brother.
Minden családban vannak gondok, de mi mindig meg tudjuk őket beszélni.	Every family has its problems, but we are always able to discuss them.
Mindig meghallgatjuk egymást.	We always listen to each other.
Nem mindig értünk egyet, de tiszteletben tartjuk egymás véleményét.	We do not always agree, but we respect each others' opinions.
Mindenki örül, amikor összegyűlik a család.	Everybody is happy, when the family gets together.

Problémás család	**A difficult family**
Nagyon furcsa családom van.	I have a very strange family.
Ha találkozunk, öt percen belül összeveszünk.	Whenever we meet, within five minutes we are fighting.
Évente egyszer-kétszer találkozunk.	We meet once or twice a year.
Minél kevesebbet látom őket, annál jobb.	The less I see them, the better.
Én vagyok a család fekete báránya.	I'm the black sheep in the family.
A gondjaimat nem a családommal osztom meg.	I don't share my problems with my family.
Inkább a barátaimtól kérek tanácsot.	I'd rather ask my friends for advice.
Amint tudtam, elköltöztem otthonról.	As soon as I could, I moved away from home.
Egyetlen rokonommal sem tartom a kapcsolatot.	I don't keep in touch with any of my relatives.

When talking about a family, the ending *-ék* is added to the family name: *Kovácsék (Kovács family), Vargáék (Varga family).*
Note that with the ending *-ék* the verb is used in the plural, with the word *család (family)* the verb is in the singular: *Kovácsék nyaralnak. / A Kovács család nyaral. (Kovács family are on vacation.).*

3. Gyermeknevelés / Raising children

Useful words
Hasznos szavak

A gyermek fejlődési szakaszai	Phases of a child's development
bölcsődés (~ek, ~t, ~e)	child going to nursery school
csecsemő (~k, ~t, ~je)	baby, infant
egyke (~́k, ~́t, ~́je)	only child
felnőtt (~ek, ~et, ~je)	**adult**
fiatal felnőtt	young adult
fiatal (~ok, ~t, ~ja)	**youngster**
gyermek/gyerek (~ek, ~et, ~e)	**child, kid**
gyermekkor/gyerekkor (~ok, ~t, ~a)	childhood
kisgyerek/kisgyermek (~ek, ~et, ~e)	**young child**
iskolás (~ok, ~t, ~a)	**school child**
kamasz (~ok, ~t, ~a)	**teenager**
kisbaba (~́k, ~́t, ~́ja)	baby
óvodás (~ok, ~t, ~a)	child going to kindergarten
újszülött (~ek, ~et, ~je)	newborn baby

Ki/mi tartozhat a gyermekneveléshez?	Who/what is involved with raising children?
bébiszitter (~ek, ~t, ~e)	babysitter
bébiszittert fogad	hire a babysitter
bölcsőde (~́k, ~́t, ~́je)	**nursery school**
büntetés (~ek, ~t, ~e)	punishment
családi pótlék (~ok, ~ot, ~a)	family allowance
dicséret (~ek, ~et, ~e)	compliment, praise
elvárás (~ok, ~t, ~a)	expectation
nagy elvárásokat támaszt	establish high expectations
fejlődés (~ek, ~t, ~e)	**development**
gyámhatóság (~ok, ~t, ~a)	office of guardianship for the protection of children
GYED (GYED-ek, GYED-et, GYED-e) / gyermekgondozási díj (~ak, ~at, ~a)	maternity aid
iskola (~́k, ~́t, ~́ja)	**school**
általános iskola	elementary school
középiskola	high school
környezet (~ek, ~et, ~e)	**environment**
szeretetteljes környezet	loving environment
otthon (~ok, ~t, ~a)	**home**
meleg otthon	loving family (*lit.* warm home)
óvoda (~́k, ~́t, ~́ja)	**kindergarten**
pszichológus (~ok, ~t, ~a)	psychologist
gyermekpszichológus	child psychologist
támogatás (~ok, ~t, ~a)	**aid, support**
támogatást igényel	apply for aid
támogatást kap	get support, get aid
türelem (türelmet, türelme)	**patience**
verés (~ek, ~t, ~e)	beating

→ *Tanulás / Learning, studying: 70–81. oldal*

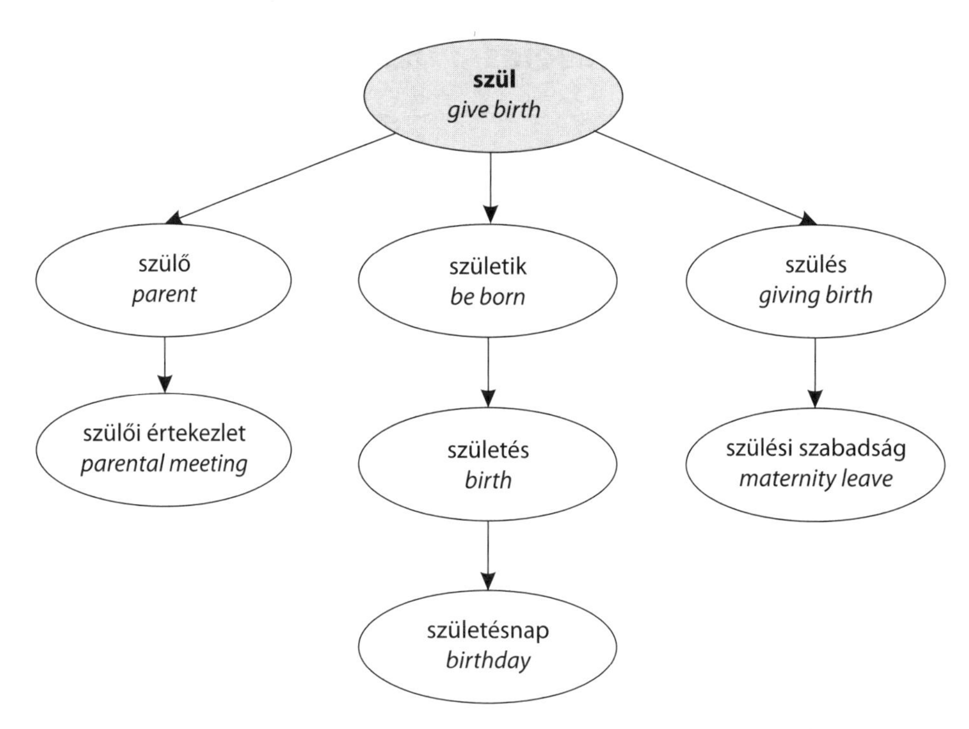

Milyen lehet egy szülő/gyerek?	What is a parent/child like?
aggódó (~bb)	worried
aranyos (~abb)	**sweet, cute**
bizonytalan (~abb)	insecure
egyedülálló	single
elkényeztetett (~ebb)	spoiled
engedékeny (~ebb)	permissive
felelős	responsible
felelőtlen (~ebb)	irresponsible
figyelmes (~ebb)	**attentive, careful, thoughtful**
figyelmetlen (~ebb)	**inattentive, careless**
gondoskodó (~bb)	caring
hálás (~abb)	grateful
hanyag (~abb)	neglectful
hisztis (~ebb)	nagging
ideges (~ebb)	**nervous, agitated**
intelligens (~ebb)	intelligent
kedves (~ebb)	**kind, nice**
kiegyensúlyozatlan (~abb)	unbalanced, unstable
kiegyensúlyozott (~abb)	balanced, stable
komoly (~abb)	**serious**
következetes (~ebb)	consistent
következetlen	inconsistent
magabiztos (~abb)	**self-confident**
megértő (~ebb)	**understanding**
nyílt (~abb)	**open**
nyugodt (~abb)	**calm**
optimista (~́bb)	optimistic
önzetlen (~ebb)	**unselfish**
önző (~bb)	**selfish**
őszinte (~́bb)	**honest**
pesszimista (~́bb)	pessimistic
sírós (~abb)	whining
szemtelen (~ebb)	insolent
szerető	loving
szigorú (~bb)	**strict, severe**
türelmes (~ebb)	**patient**
türelmetlen (~ebb)	**impatient**
udvarias (~abb)	**polite**
udvariatlan (~abb)	**impolite**
vidám (~abb)	**cheerful**
zárkózott (~abb)	**reserved**

→ *Belső tulajdonságok / Inner qualities: 16–17. oldal*

In Hungary, it is quite common for a mother to stay at home up to two years or even longer with every child. Mothers are entitled to financial support during the first tree years.

Mit csinálhatnak a gyerekek?	What can children do?
fejlődik (fejlődött, fejlődj)	**develop**
A kisbaba szépen fejlődik.	The baby is developing fine.
felesel (~t, ~j) / visszabeszél (~t, ~j)	talk back
Kisfiam, ne feleselj / ne beszélj vissza!	Don't talk back, Sonny!

felnő (~tt, ~j)	grow up
Városban nőttem fel.	I grew up in a city.
hallgat *vkire/vmire* (~ott, hallgass)	**listen** *to sy/sg*
A kamaszok nem hallgatnak a szüleikre.	Teenagers don't listen to their parents.
hasonlít *vkire/vmire* (~ott, hasonlíts)	**look like** *sy/sg*
A lányom nagyon hasonlít rám.	My daughter looks just like me.
jár *vhova* (~t, ~j)	**go** *somewhere on a regular basis*
A fiam bölcsődébe jár.	My son goes to nursery school.
játszik *vkivel/vmivel* (játszott, játssz)	**play** *with sy/sg*
Sokat játszom az öcsémmel.	I play a lot with my younger brother.
A fiam szeret kisautókkal játszani.	My son likes playing with toy cars.
kér *vkitől vmit* (~t, ~j)	**ask** *sy for sg*
Segítséget kérek aputól.	I ask Dad for help.
nő, megnő (~tt, ~j)	**grow**
A gyerekek gyorsan nőnek.	Children grow fast.
Nahát, de megnőttél!	My, how you have grown!
születik, megszületik (született, szüless)	**be born**
A fiam márciusban született.	My son was born in March.
Megszületett az első unokám.	My first grandchild was born.
tanul *vkitől/vmiből* (~t, ~j)	**learn** *from sy/sg*
Nagyapámtól tanultam a legtöbbet.	I learned the most from my grandfather.
Tanultam az esetből.	I learned from the incident.
tisztel *vkit/vmit* (~t, ~j)	**respect** *sy/sg*
Tisztelem a szüleimet.	I respect my parents.

Mit csinálhatnak a szülők?	**What can parents do?**
ad *vmit vkinek* (~ott, ~j)	**give** *sg to sy*
Tanácsot adok az unokámnak.	I give advice to my grandchild.
Apa már adott nekem zsebpénzt.	Dad has already given me my pocket money.
aggódik *vkiért/vmiért* (aggódott, aggódj)	**worry** *about sy/sg*
Nagyon aggódom a fiamért.	I worry a lot about my son.
beírat *vkit vhova* (~ott, írass)	enroll *sy somewhere*
Beíratom a lányomat óvodába.	I'll enroll my daughter in kindergarten.
beszélget *vkivel* (~ett, beszélgess)	**chat** *with sy*, **converse** *with sy*
Gyakran beszélgetek a lányommal.	I often chat with my daughter.
biztat *vkit* (~ott, biztass)	encourage *sy*
A gyerekeket biztatni kell.	Children need to be encouraged.
büntet, megbüntet *vkit* (~ett, büntess)	punish *sy*
Gyerekkoromban sokat büntettek.	I was often punished in my childhood.
Ha hazudtam, mindig megbüntettek.	I was always punished for lying (*lit.* when I lied).
dicsér, megdicsér *vkit/vmit* (~t, ~j)	**compliment** *sy/sg*, **praise** *sy/sg*
Sokat dicsérem a fiamat.	I praise my son a lot.
Megdicsérem a fiamat, mert jó jegyet kapott az iskolában.	I praised my son because he got good marks at school.
elkényeztet *vkit* (~ett, kényeztess)	spoil *sy*
Pált nagyon elkényeztették a szülei.	Pál was very much spoiled by his parents.
elfelejt *vkit/vmit* (~ett, felejts)	**forget** *sy/sg*
Elfelejtetted a lányunk születésnapját?	Did you forget our daughter's birthday?
elhanyagol *vkit/vmit* (~t, ~j)	neglect *sy/sg*
Anitát elhanyagolták a szülei.	Anita was neglected by her parents.
elmagyaráz *vkinek vmit* (~ott, magyarázz)	**explain** *sg to sy*
Elmagyarázzam neked a házi feladatot?	Shall I explain the homework to you?
elmegy *vkiért/vmiért* (ment, menj)	**pick up** *sy/sg*
Elmegyek a lányomért az óvodába.	I'll pick up my daughter at kindergarten.
elmesél *vmit* (~t, ~j)	**tell** *about sg*
MInden este elmeséljük, hogy mi történt velünk napközben.	Every night we tell each other about what happened to us during the day.
elvár *vkitől vmit* (~t, ~j)	expect *sg from sy*
Elvárom tőled, hogy pontos legyél.	I expect you to be on time. (*lit.* that you be on time.)

elvisz *vkit/vmit vhova* (vitt, vigyél)	**take** *sy/sg somewhere*
Elviszem a gyereket az óvodába.	I take the child to kindergarten.
ért, megért *vmit/vkit* (~ett, érts)	**understand** *sy/sg*
A kisbabákat sok szülő nem érti.	Many parents don't understand babies.
Egyedül nagypapa érti meg a problémáimat.	Only grandpa understands my problems.
felébreszt *vkit* (~ett, ébressz) / **felkelt** *vmit* (~ett, kelts)	**wake up** *sy*
Felébresztem/Felkeltem a gyerekeket.	I wake up the children.
felnevel *vkit* (~t, ~j)	**raise** *sy*
Két gyereket neveltem fel.	I raised two children.
felöltöztet *vkit* (~ett, öltöztess)	dress *sy*
Felöltöztetem Annát.	I'm dressing Anna.
félt *vkit/vmit* (~ett, félts)	fear *for sy/sg*
Féltem a lányomat.	I fear for my daughter.
foglalkozik *vkivel/vmivel* (foglalkozott, foglalkozz)	**spend time** *with sy/sg*
Sokat foglalkozom a fiammal.	I spend a lot of time with my son.
gondoskodik *vkiről/vmiről* (gondoskodott, gondoskodj)	**take care** *of sy/sg*
Gondoskodom a gyermekeimről.	I take care of my children.
idegeskedik *vmi/vki miatt* (idegeskedett, idegeskedj)	be worried *about sy/sg*
Anya a bizonyítványom miatt idegeskedik.	Mom is worried about my report card.
kényeztet *vkit* (~ett, kényeztess)	pamper *sy*
A nagyszülők kényeztetik az unokáikat.	Grandparents pamper their grandchildren.
készít *vkinek vmit* (~ett, készíts)	**make** *sg for sy*, **prepare** *sg for sy*
Reggelit készítek a gyerekeknek.	I prepare breakfast for the children.
kiabál *vkivel* (~t, ~j)	shout *at sy*
Apa mindig kiabál velem.	Dad is always shouting at me.
lefektet *vkit* (~ett, fektess)	put *sy* to bed
Lefektetem a gyerekeket.	I put the children to bed.
megbeszél *vmit vkivel* (~t, ~j)	**discuss** *sg with sy*
Minden gondot megbeszélek a fiammal.	I discuss all problems with my son.
megetet *vkit* (~ett, etess)	**feed** *sy*
Az anya megeteti a kisbabát.	The mother feeds her baby.
meghallgat *vmit/vkit* (~ott, hallgass)	**listen** *to sy*
Mindig meghallgatom a fiam problémáit.	I always listen to my son's problems.
megmutat *vkinek vmit* (~ott, mutass)	**show** *sg to sy*
Megmutatom a fiamnak a régi házunkat.	I'll show my son our old house.
megpofoz *vkit* (~ott, pofozz)	slap *sy* in the face
Ez a fiú pofozta meg az öcsémet.	This boy slapped my younger brother in the face.
megtanít *vkit vmire / vmit csinálni* (~ott, taníts)	**teach** *sy sg/to do sg*
Megtanítottam a lányomat az anyanyelvemre.	I taught my daughter my mother tongue.
Megtanítom a fiamat biciklizni.	I teach my son to ride a bicycle.
mérgelődik (mérgelődött, mérgelődj)	get angry
Apa mérgelődik, ha későn érek haza.	Dad gets angry when/if I come home late.
mesél *vkinek* (~t, ~j) / mesét mond *vkinek* (~ott, ~j)	**tell a story** *to sy*
Anya minden este mesél / mesét mond nekünk.	Mom tells us a story every night.
nevel *vkit (vmire)* (~t, ~j)	**raise** *sy (to be sg)*
Egyedül nevelem a lányomat.	I raise my daughter alone.
Őszinteségre nevelem a lányomat.	I'm raising my daughter to be honest.
örökbe fogad *vkit* (~ott, ~j)	adopt *sy*
Örökbe fogadtunk egy kisfiút.	We adopted a little boy.
segít *vkinek vmiben / vmit csinálni* (~ett, segíts)	**help** *sy with sg/do sg*
Segítek anyának a takarításban.	I help my mother with the cleaning.
Segítek a fiamnak leckét írni.	I help my son do his homework.
szid, megszid *vkit* (~ott, ~j)	scold *sy*
Nem jó, ha sokat szidnak egy gyereket.	It is not good to scold a child too often. (*lit.* that they scold)
Apám megszidott, mert késtem.	My father scolded me for being late.
támogat *vkit/vmit* (~ott, támogass)	**support** *sy/sg*
Mindenben támogatom a lányomat.	I support my daughter in everything.
törődik *vkivel/vmivel* (törődött, törődj)	take care *of sy/sg*
Sokat törődöm a családommal.	I take good care of my family.

ünnepel, megünnepel *vkit/vmit* (~t, ~j) — **celebrate** *sy/sg*
Holnap a fiam születésnapját ünnepeljük. — Tomorrow, we are celebrating my son's birthday.
A születésnapokat mindig megünnepeljük. — We always celebrate birthdays.

ver, megver *vkit* (~t, ~j) — beat *sy*
Sok gyereket ma is vernek a szülei. — Many children are still beaten by their parents.
A szüleim soha nem vertek meg. — My parents never beat me.

vigasztal, megvigasztal *vkit* (~t, ~j) — comfort *sy*
Dórit hiába vigasztalja az édesapja. — Dóri's father is trying to comfort her in vain.
Dórit csak az édesanyja tudja megvigasztalni. — Only her mother can comfort Dóri.

vigyáz *vkire/vmire* (~ott, vigyázz) — **look after** *sy/sg*
Holnap nagymama vigyáz a gyerekekre. — Tomorrow, Grandma will look after the children.

→ *Lakásfenntartás / Home maintenance: 64–66. oldal*

It is possible to form nouns out of most verbs by adding *-ás/-és* to the stem: *biztat → biztatás (encouragement), büntet → büntetés (punishment), kényeztet → kényeztetés (spoiling), nevel → nevelés (education, child raising), szid → szidás (scolding), születik → születés (birth), tanít → tanítás (teaching)* etc.

→ *Szóképzés / Forming new words: 279–282. oldal*

Hasznos mondatok ▪ Így mesélhet a gyermekkoráról
Useful sentences ▪ Talking about your childhood

Gyerekkoromban szerettem biciklizni. — When I was a child I liked riding a bicycle.
Imádtam énekelni. — I adored singing.
Hatéves koromban tanultam meg olvasni. — I learned to read when I was six.
Nem szerettem iskolába járni. — I didn't like going to school.
Akkoriban balerina akartam lenni. — I wanted to be a ballet dancer at that time.
Egy kis faluban laktam. — I was living in a small village.
Nyolcévesen kezdtem el gitározni. — At eight, I began to play the guitar.
Amikor kicsi voltam, még nem volt internet. — When I was little, there was no Internet yet.
A szünidőt a nagyszüleimnél töltöttem. — I spent my holidays at my grandparents.
A nagyszüleim neveltek fel. — I was raised by my grandparents.
Az édesanyám mindig türelmes volt velem. — My mother was always patient with me.
A szüleim mindent megadtak nekem. — My parents gave me everything.
Szívesen emlékszem vissza a gyermekkoromra. — I like thinking back about my childhood.
Szép emlékeket őrzök ebből az időből. — I have pleasant memories of that time.
Ez volt életem legszebb időszaka. — It was the most beautiful time of my life.

TÁRSAS KAPCSOLATOK / INTERPERSONAL RELATIONSHIPS

1. Barátok, ismerősök, munkatársak / Friends, acquaintances, colleagues

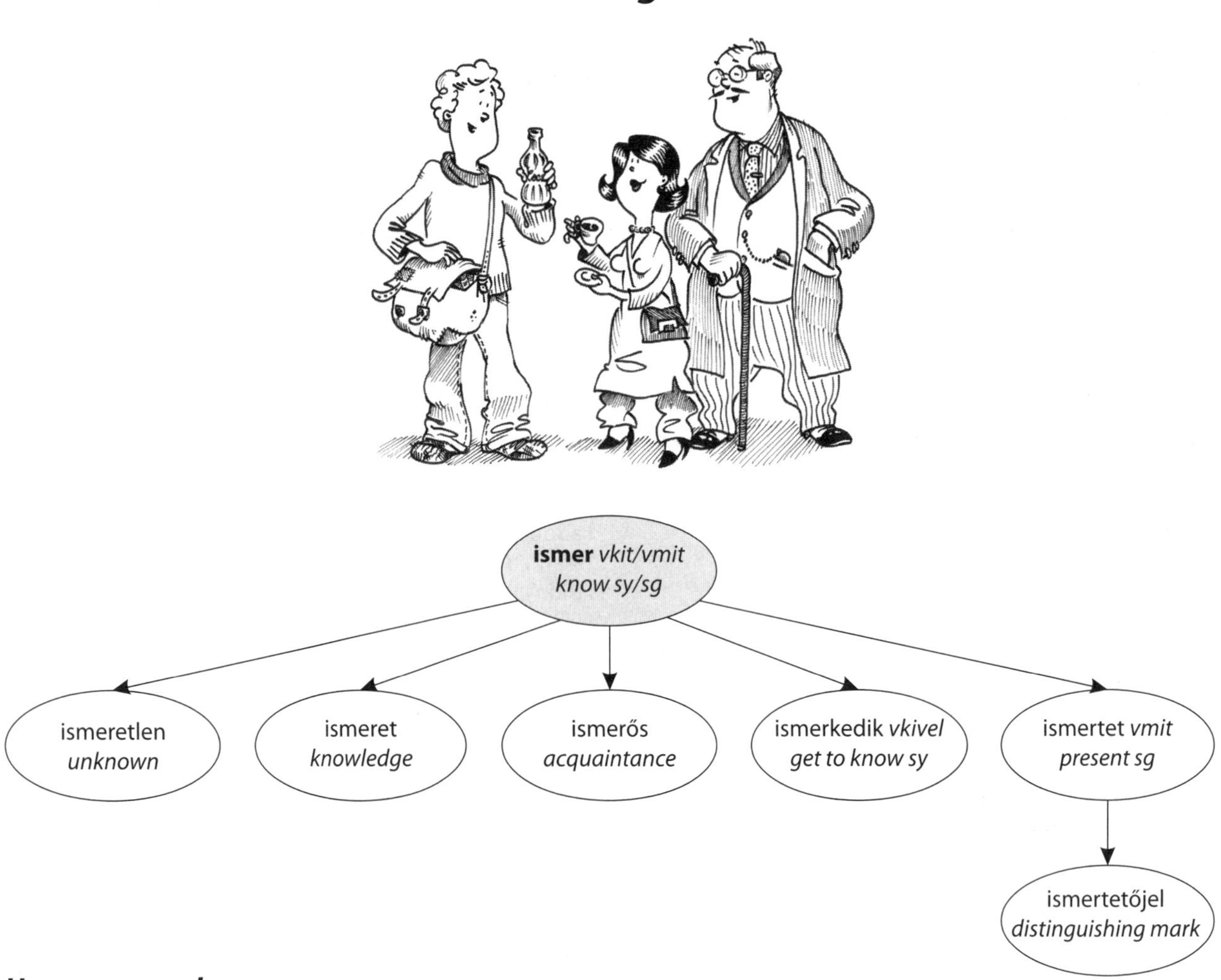

Hasznos szavak
Useful words

Kapcsolatok és viszonyok	Relationships and relations
barátság (~ok, ~ot, ~a)	**friendship**
barátságot köt *vkivel*	make friends *with sy*
bizalom (bizalmat, bizalma)	**trust, faith**
kölcsönös bizalom	mutual trust
bosszú (~t, ~ja)	vengeance
bosszút áll *vkin vmiért*	have vengeance *on sy for sg*
egyetértés (~t, ~e)	consensus, harmony
együttérzés (~t, ~e)	compassion
együttérzést tanúsít *vki iránt*	show compassion *towards sy*
együttműködés (~ek, ~t, ~e)	cooperation, collaboration
elismerés (~ek, ~t, ~e)	recognition

ellenszenv (~et, ~e)	**antipathy**
felelősség (~et, ~e)	**responsibility**
felelősséget vállal *vkiért/vmiért*	take responsibility *for sy/sg*
félreértés (~ek, ~t, ~e)	**misunderstanding**
tisztázza a félreértést	clear up a misunderstanding
flört (~ök, ~öt, ~je)	**flirt**
gyűlölet (~et, ~e) **/ utálat** (~ot, ~a)	**hatred**
harag (~ot, ~ja)	**anger**
illem (~et, ~e)	**courtesy, etiquette**
illemszabály (~ok, ~t, ~a)	rule of courtesy
betartja az illemszabályokat	comply with the rules of courtesy
irigység (~et, ~e)	**envy**
jótékonyság (~ot, ~a)	charity
kapcsolat (~ok, ~ot, ~a)	**relationship**
párkapcsolat	**romantic relationship**
üzleti kapcsolat	business relationship
kapcsolatot tart *vkivel*	keep in touch *with sy*
kapcsolatban áll *vkivel*	be in contact *with sy*
napi kapcsolatban van *vkivel*	have daily contact *with sy*
kollegialitás (~t, ~a)	collegiality
konfliktus (~ok, ~t, ~a)	**conflict**
konfliktusba kerül *vkivel/vmivel*	get in a conflict *with sy/sg*
feloldja a konfliktust	resolve the conflict
közöny (~t, ~e)	**indifference**
lojalitás (~t, ~a)	**loyalty**
megbecsülés (~t, ~e)	appreciation
megértés (~t, ~e)	**understanding**
nézeteltérés (~ek, ~t, ~e)	difference of views
rokonszenv (~et, ~e) **/ szimpátia** (~́t, ~́ja)	**sympathy**
rokonszenvet érez *vki iránt*	feel sympathy *for sy*
sajnálat (~ot, ~a)	**pity**
sértődés (~t, ~e)	**taking offense**
szánalom (szánalmat, szánalma)	pity
szerelem (szerelmek, szerelmet, szerelme)	**love**
szeretet (~et, ~e)	**affection**
szívesség (~ek, ~et, ~e)	**favor**
szívességet tesz *vkinek*	do a favor *for sy*
szolidaritás (~t, ~a)	**solidarity**
tisztelet (~et, ~e)	**respect, reverence**
türelem (türelmet, türelme)	**patience**
vágy (~ak, ~at, ~a)	**desire**
veszekedés (~ek, ~t, ~e)	**fight, argument**
vélemény (~ek, ~t, ~e)	**opinion**
véleményszabadság (~ok, ~ot, ~a)	freedom of opinion
véleménykülönbség (~ek, ~et, ~e)	difference of opinion
egy véleményen van *vkivel*	have the same opinion *as sy else*
osztja *vki* véleményét	share somebody's opinion
viszony (~ok, ~t, ~a)	affair, term
titkos viszony	secret affair
viszonya van *vkivel*	have an affair *with sy*
jó/rossz viszonyban van *vkivel*	be on good/bad terms *with sy*
baráti viszonyban van *vkivel*	be on friendly terms *with sy*
vita (~́k, ~́t, ~́ja)	debate
vonzalom (vonzalmak, vonzalmat, vonzalma)	attraction

→ *Család / Family: 22–29. oldal*

Intézmények és emberek, akikkel kapcsolatban vagyunk	Institutions and people we are in contact with
állampolgár (~ok, ~t, ~a)	**citizen**
barát (~ok, ~ot, ~ja)	(male) **friend, boyfriend**
barátokra talál	find friends
barátnő (~k, ~t, ~je)	(female) **friend, girlfriend**
csoport (~ok, ~ot, ~ja)	**group**
egyesület (~ek, ~et, ~e)	association
egyház (~ak, ~at, ~a)	**church**
ellenség (~ek, ~et, ~e)	**enemy**
ember (~ek, ~t, ~e)	**human, person**
férfi (~ak, ~t, ~ja)	**man, male**
fiú (~k, ~t, ~ja)	**boy**
főnök (~ök, ~öt, ~e)	**boss, superior, supervisor**
haver (~ok, ~t, ~ja)	pal, buddy
hölgy (~ek, ~et, ~e)	lady
ismerős (~ök, ~t, ~e)	**acquaintance**
klub (~ok, ~ot, ~ja)	club
lány (~ok, ~t, ~a)	**girl**
nő (~k, ~t, ~je)	**woman, female**
partner (~ek, ~t, ~e)	**partner**
üzleti partner	business partner
rokon (~ok, ~t, ~a)	**relative**
szervezet (~ek, ~et, ~e)	**organization**
civilszervezet	civil organization
ifjúsági szervezet	youth organization
szomszéd (~ok, ~ot, ~ja)	**neighbor**
tag (~ok, ~ot, ~ja)	**member**
családtag	**family member**
egyesületi tag	member of an association
klubtag	member of a club
társ (~ak, ~at, ~a)	**mate**
csapattárs	teammate
élettárs	companion
évfolyamtárs	fellow student
házastárs	**spouse**
iskolatárs	schoolmate
lakótárs	housemate
munkatárs/kolléga (~́k, ~́t, ~́ja)	**co-worker, colleague**
osztálytárs	**classmate**
útitárs	fellow traveler
üzlettárs	**business associate**
társadalom (társadalmak, társadalmat, társadalma)	**society**
társaság (~ok, ~ot, ~a)	**company**
társasági élet (~ek, ~et, ~e)	social life
úr (urak, urat, uram)	sir, gentleman

→ Családtagok, rokonok / Family members, relatives: 27–28. oldal
→ Tanulás és munka / Studying and work: 70–90. oldal
→ Politikai és gazdasági hírek / Political and economic news: 241–248. oldal

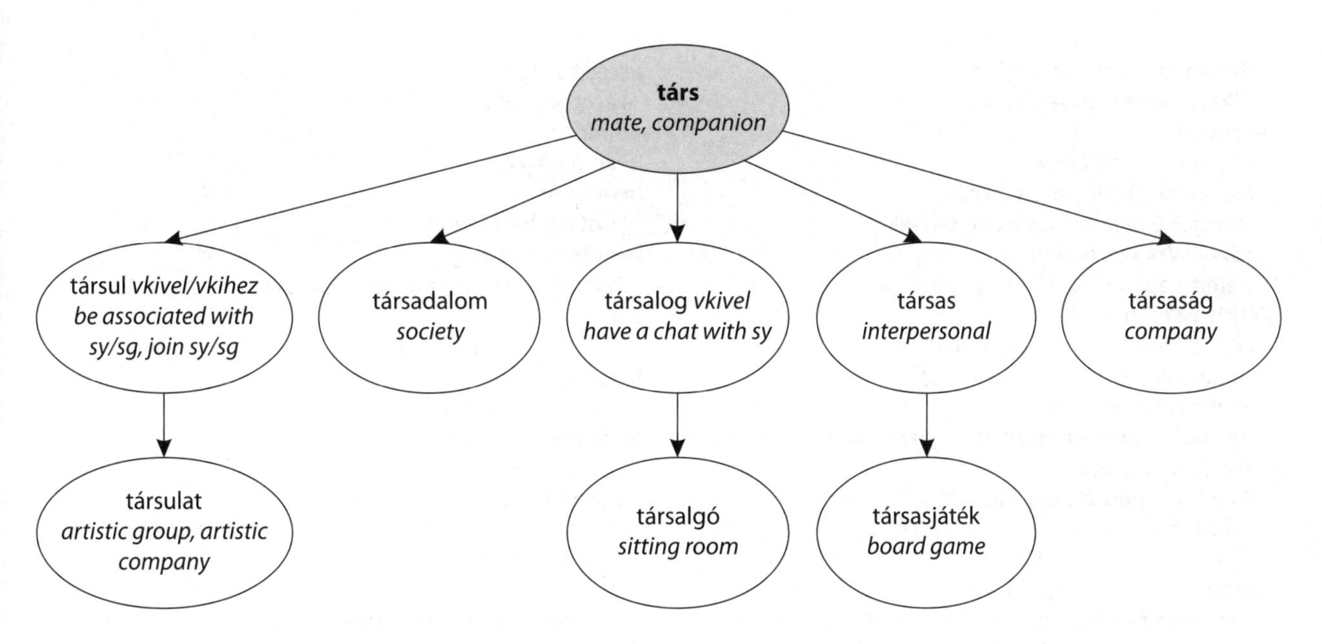

Milyen lehet egy kapcsolat?	What can a relationship be like?
alkalmi	occasional
baráti (~bb)	friendly
bensőséges (~ebb)	affectionate
bizalmas (~abb)	intimate
biztos (~abb)	stable
demokratikus (~abb)	**democratic**
egyoldalú (~bb)	**one-sided**
felszínes (~ebb)	superficial
gazdasági	**economic**
komoly (~abb)	**serious**
kölcsönös (~ebb)	**mutual**
közeli (közelebbi)	**close**
laza (~́bb)	**loose**
meglepő (~bb)	surprising
nyílt (~abb)	open
őszinte (~́bb)	**honest**
politikai	**political**
rokoni	**between relatives**
romantikus (~abb)	**romantic**
szerelmi	**love**
szeretetteljes (~ebb)	loving, affectionate
szolidáris (~abb)	showing solidarity
szoros (~abb)	**close, narrow**
társadalmi	social
távoli (~bb)	**distant, remote**
titkos (~abb)	secret
üzleti	**business**
veszélyes (~ebb)	dangerous

→ *Belső tulajdonságok / Inner qualities: 16–17. oldal*

Mit csinálunk közösségben?	What do we do in public?
beszélget *vkivel* (~ett, beszélgess)	**chat** *with sy*
Minden reggel beszélgetek egy kicsit a házmesterrel.	I chat with the concierge every morning.
betart *vmit* (~ott, tarts)	observe *sg*
A kollégám minden szabályt betart.	My colleague observes all the rules.
bízik, megbízik *vkiben/vmiben* (bízott, bízz)	**trust** *sy/sg*
Bízom a véleményedben.	I trust your opinion.
Megbízom a barátaimban.	I trust my friends.
egyetért *vkivel vmiben* (~ett, érts)	**agree** *with sy on sg*
Mindenben egyetértek a főnökkel.	I agree with the boss on everything.
együttműködik *vkivel* (működött, működj)	**collaborate** *with sy*
A cégünk együttműködik más cégekkel.	Our firm collaborates with other firms.
elárul *vkit/vmit* (~t, ~j)	betray *sy/sg*
Miért árultad el a titkomat?	Why did you betray my secret?
elbúcsúzik *vkitől* (búcsúzott, búcsúzz)	**say goodbye** *to sy*
Elbúcsúztam a volt diákjaimtól.	I said goodbye to my former students.
elfelejt *vkit/vmit* (felejtett, felejts)	**forget** *sy/sg*
Elfelejtettem a tegnapi találkozónkat.	I forgot our meeting yesterday.

elfogad *vkit/vmit* (~ott, ~j)	**accept** *sy/sg*
Elfogadom a segítségedet.	I accept your help.
elismer *vmit* (~t, ~j)	**admit** *sg*
Elismerem a hibámat.	I admit my error.
elveszít *vkit/vmit* (~ett, veszíts)	**lose** *sg/sy*
A legjobb barátomat veszítettem el.	I lost my best friend.
érdekel *vkit vmi* (~t, ~j)	**be interested** *in sg*
Pétert nagyon érdekli a jog.	Péter is very much interested in law.
felhív *vkit* (~ott, ~j)	**call** *sy*
Este felhívom az unokahúgomat.	I'll call my cousin tonight.
hallgat *vkire/vmire* (~ott, hallgass)	**listen** *to sy/sg*
Hallgatok a tanácsodra.	I listen to your advice.
haragszik, megharagszik *vkire* (haragudott, haragudj)	**be mad** *at sy*, **get mad** *at sy*
Ne haragudj rám!	Don't be mad at me.
Miért haragudtál meg Sárára?	Why did you get mad at Sára?
imád *vkit/vmit* (~ott, ~j)	**adore** *sy/sg*
Imádom a lakótársadat.	I adore your housemate.
ismer *vkit/vmit* (~t, ~j)	**know** *sy/sg*
Ismered a főnökömet?	Do you know my supervisor?
kedvel *vkit/vmit* (~t, ~j)	**like** *sy/sg*
Nem kedvelem az új osztálytársamat.	I don't like my new classmate.
képzel *vkiről vmit* (~t, ~j)	**take** *sy for sg*
Mit képzelsz te rólam?	What are you taking me for?
kér *vkitől vmit* (~t, ~j)	**ask** *sy sg*
Egy szívességet szeretnék tőled kérni.	I would like to ask you a favor.
kiáll *vki/vmi mellett* (~t, ~j)	stand up *for sy/sg*
A nővérem és én mindig kiállunk egymás mellett.	My older sister and I always stand up for each other.
megbánt *vkit* (~ott, bánts)	hurt *sy's feelings*
Nem akartam megbántani a kollégámat.	I didn't want to hurt my colleague's feelings.
megbecsül *vkit/vmit* (~t, ~j)	appreciate *sy/sg*
Helgát megbecsülik a munkahelyén.	Helga is appreciated at work.
megbeszél *vmit vkivel* (~t, ~j)	**discuss** *sg with sy*
A barátommal beszélem meg a problémáimat.	I discuss my problems with my friend.
megbocsát *vkinek* (~ott, bocsáss)	**forgive** *sy*
Sohasem bocsátok meg neked!	I will never forgive you.
megegyezik *vkivel vmiben* (egyezett, egyezz)	agree *on sg*
A részletekben megegyeztem a kollégámmal.	My colleague and I agreed on the details .
megért *vkit/vmit* (~ett, érts)	**understand** *sy/sg*
Megértem a problémádat.	I understand your problem.
meghallgat *vkit/vmit* (~ott, hallgass)	**listen** *to sy/sg*
Meghallgatom a barátom történetét.	I listen to my friend's story.
megölel *vkit* (~t, ~j)	give *sy* a hug
Búcsúzóul megöleltem Katát.	I gave Kata a hug before leaving.
megsért *vkit/vmit* (~ett, sérts)	offend *sy/sg*
Anna nagyon megsértette Pétert.	Anna offended Péter very much.
megsértődik *vkire vmi miatt* (sértődött, sértődj)	be offended *by sy because of sg*
Péter nagyon megsértődött Annára a tegnapi vicce miatt.	Péter was highly offended by Anna because of her joke yesterday.
megváltoztat *vkit/vmit* (~ott, változtass)	change *sy/sg (completely)*
Az új munkahely megváltoztatta az életemet.	The new job changed my life.
nevet *vkin/vmin* (~ett, nevess)	**laugh** *at sy/sg*
Sokat nevettünk a vicces kollégán.	We laughed a great deal at the funny colleague.
óv, megóv *vkit vmitől* (~ott, ~j) / **véd, megvéd** *vkit vmitől* (~ett, ~j)	**protect** *sy from sg*
A szélsőségektől óvom/védem a gyerekem.	I protect my child from the extremes.
Szeretném megóvni/megvédeni a gyerekemet a kábítószerektől.	I'd like to protect my child from drugs.

őriz, megőriz *vmit* (őrzött, őrizz) — **keep** *sg*, **hang on** *to sg*
A falu őrzi a hagyományait. — The village keeps its traditions.
Megőriztünk néhány családi szokást. — We did hang on to a few family customs.

pletykál (~t, ~j) — gossip
A férfiak is pletykálnak, nem csak a nők. — Men also gossip, not only women.

sajnál *vkit/vmit* (~t, ~j) — feel sorry *for sy*
Nagyon sajnálom Timit. — I feel very sorry for Timi.

sír (~t, ~j) — **cry**
Miért sírsz? — Why are you crying?

szégyelli *magát* (szégyellte magát, szégyelld magadat) — be ashamed of oneself, feel ashamed of oneself
Mit mondtál? Szégyelld magadat! — What did you just say? You ought to be ashamed of yourself.

szeret *vkit/vmit* (~ett, szeress) — **love** *sy/sg*
Szeretem a szüleimet. — I love my parents.

támogat *vkit/vmit* (~ott, támogass) — support *sy/sg*
Nem támogatom ezt a tervet. — I don't support this plan.

titkot tart (~ott, tarts) — keep *a secret*
Tudsz titkot tartani? — Can you keep a secret?

tartozik *vhova* (tartozott, tartozz) — **belong** *somewhere*
Én is a focicsapathoz tartozom. — I belong to the soccer team, too.

tisztel *vkit/vmit* (~t, ~j) — **respect** *sy/sg*
Mélyen tisztelem a professzor urat. — I deeply respect the professor.

tud *vmit vkiről/vmiről* (~ott, ~j) — **know** *sg about sy/sg*
Mindent tudok a múltadról. — I know everything about your past.

utál/gyűlöl *vkit/vmit* (~t, ~j) — **hate** *sy/sg*
Nagyon utálom/gyűlölöm a lakótársadat. — I hate your housemate a lot.

vállal, elvállal *vmit* (~t, ~j) — take *on sg*, accept *sg*
Ezt a munkát nem tudom vállalni. — I can't take on this work.
Elvállaltam egy új feladatot. — I accepted a new task.

változik, megváltozik (változott, változz) — **change**
Az időjárás gyorsan változik. — The weather changes fast.
Nagyon megváltozott az életem. — My life changed a great deal.

változtat *vmin* (~ott, változtass) — **change** *sg* (to some extent)
Szeretnék változtatni az életemen. — I'd like to change my life.

vár *vkire/vmire, vkit/vmit,* **megvár** *vkit/vmit* (~t, ~j) — **wait** *for sy/sg*, **expect** *sy/sg*
Katára várok. — I'm waiting for Kata.
Katát várom. — I'm expecting Kata.
Megvárhatlak iskola után? — Can I wait for you after school?

veszekszik/veszekedik *vkivel* (veszekedett, veszekedj) — **fight** *with sy*, **argue** *with sy*
Ne veszekedj velem! — Don't fight with me.

vigasztal, megvigasztal *vkit* (~t, ~j) — comfort *sy*
Próbáltam vigasztalni a barátnőmet. — I tried to comfort my girlfriend.
Annyira szomorú voltam, hogy nem lehetett megvigasztalni. — I was so sad that I could not be comforted.

vitatkozik *vkivel* (vitatkozott, vitatkozz) — **have a debate** *with sy*
Jókat szoktam vitatkozni az édesapámmal. — I usually have great debates with my father.

It is possible that one's partner *(barát)* is also one's friend *(also barát)* but it is not neccesarily so. To make clear that you are speaking about your partner, you can say: *a barátom / a barátnőm (my boyfriend/my girlfriend); a párom (my partner), a kedvesem (my sweetheart).*
If you are talking about a friend, you can say: *egy barátom / egy barátnőm (a friend of mine); egy nagyon kedves barátom / barátnőm (a very good friend of mine); a legjobb barátom/barátnőm (my best friend).*
If someone is not your friend, you can say: *egy ismerősöm (an acquaintance of mine); egy jó/kedves ismerősöm (a good/ dear acquaintance of mine); egy távoli ismerősöm (a remote acquaintance of mine).*

Hasznos mondatok ■ Milyen az igaz barát? Milyen a jó munkatárs?
Useful words ■ What is a true friend like? What is a great colleague like?

Az igaz barát	A true friend
Az igaz barát mindig őszinte.	A true friend is always honest.
Nyíltan beszél velem.	He/She talks openly with me.
Elmesélhetek neki mindent.	I can tell him/her everything.
Bízhatok a véleményében.	I can trust his/her opinion.
Tudom, hogy az igazat mondja még akkor is, ha nem azt szeretném hallani.	I know that he/she tells the truth, even if that's not what I want to hear.
El tudja mondani úgy a véleményét, hogy nem bánt meg vele.	He/She can expess his/her opinion without hurting me.
Az igaz baráttal jókat lehet nevetni és beszélgetni.	I can have great laughs and talks with a true friend.
Az igaz barát segít, ha bajban vagyok.	A true friend helps me when I'm in trouble.
Nem akar megváltoztatni.	He/She doesn't want to change me.
Segít a helyes utat megtalálni.	He/She helps me find the right way.
Segít a problémákat megoldani.	He/She helps me solve problems.
Az igaz barát hűséges és türelmes.	A true friend is faithful and patient.
Mindig mellettem áll, és őszintén szeret.	He/She always stands by me and loves me sincerely.

A jó munkatárs	A great colleague
A jó munkatárs jó szakember.	A great colleague is good at his/her job.
Munkáját nem kell folyton ellenőrizni, mert pontosan és jól dolgozik.	There is no need to check his/her work constantly because he/she works accurately and well.
A feladatokat a legjobb tudása szerint oldja meg.	He/She completes tasks to the best of his/her knowledge.
Kreatív, amikor erre van szükség.	He/She is creative when he/she needs to be.
Csapatban és önállóan is tud dolgozni.	He/She can work both as part of a team and on his/her own.
A jó munkatárs szeret dolgozni.	A great colleague likes to work.
Szereti, ha a munkájának eredménye van.	He/She loves if his/her work bears results.
A munkájáért vállalja a felelősséget.	He/She takes responsibility for his/her work.
Bízik a kollégái szaktudásában és munkájában.	He/She trusts the expertise and work of his/her colleagues.
Tiszteli a többieket.	He/She respects others.
Elfogadja, ha nem neki van igaza.	He/She admits being wrong, if it is so.
A jó munkatárs kellemes ember.	A great colleague is a pleasant person.
Sokat mosolyog.	He/She smiles a lot.

2. Találkozás / Encounter

Hasznos szavak
Useful words

Találkozások	Encounters
érkezés (~ek, ~t, ~e)	**arrival**
értekezlet (~ek, ~et, ~e)	**meeting**
munkahelyi értekezlet	work meeting
szülői értekezlet	parental meeting
estély (~ek, ~t, ~e)	formal evening party
eszmecsere (~́k, ~́t, ~́je)	exchange of ideas
fogadás (~ok, ~t, ~a)	**reception**
időpont (~ok, ~ot, ~ja)	**appointment, time**
időpont-egyeztetés (~ek, ~t, ~e)	making an appointment
időzítés (~ek, ~t, ~e)	timing
indulás (~ok, ~t, ~a)	**departure**
késés (~ek, ~t, ~e)	**delay**
konferencia (~́k, ~́t, ~́ja)	**conference**
kongresszus (~ok, ~t, ~a)	congress
konzultáció (~k, ~t, ~ja)	consultation
látogatás (~ok, ~t, ~a)	**visit**
megbeszélés (~ek, ~t, ~e)	**meeting, talk, discussion**
meghívás (~ok, ~t, ~a)	**invitation**
összejövetel (~ek, ~t, ~e)	gathering
összejövetelt tart	hold a gathering
pontosság (~ot, ~a)	punctuality
randevú (~k, ~t, ~ja) / találka (~́k, ~́t, ~́ja)	rendezvous, date
szabály (~ok, ~t, ~a)	**rule**
szokás (~ok, ~t, ~a)	**custom, habit**
szokás szerint	as usual (*lit.* according to custom)
találkozás (~ok, ~t, ~a)	encounter
találkozó (~k, ~t, ~ja)	**meeting**
tárgyalás (~ok, ~t, ~a)	**negotiation**
türelem (türelmet, türelme)	**patience**
vendégség (~ek, ~et, ~e)	**visitation**

Milyen lehet a találkozás/találkozó?	What can an encounter/a meeting be like?
elkerülhetetlen (~ebb)	inevitable
érdekes (~ebb)	**interesting**
fontos (~abb)	**important**
hasznos (~abb)	**useful**
kellemes (~ebb)	**pleasant**
kellemetlen (~ebb)	**unpleasant, embarrassing**
szórakoztató (~bb)	amusing, entertaining
szükséges (~ebb)	necessary
unalmas (~abb)	**boring**
véletlen	**accidental, coincidental**

A few words about formal greetings.
We usually greet others according to the time of the day. In the morning, we usually say : *Jó reggelt kívánok! / Jó reggelt! (Good morning.)*, during the day: *Jó napot kívánok! / Jó napot! (Good day.)*, and in the evening we say: *Jó estét kívánok! / Jó estét! (Good evening.)*. Beware that *Jó éjszakát kívánok! / Jó éjszakát! (Good night.)* is a way of saying goodbye and is used only before going to sleep.
Children greet adults with *Csókolom!* (lit. *I kiss you!*). However, it is improper to use it from puberty onwards towards adult men. Adults will reply with *Szia/Szervusz! (Hi!/Hello!)*
Men can use the following formal form of greeting if they want to be particularly polite towards a lady: *Kezét csókolom!* (lit. *I kiss your hand!*)
Remember that men greet women first, youngsters greet elderly people first, the inferior greets the superior first, and the one entering a room greets the ones already inside.

→ *Üdvözlés / Greetings: 264–265. oldal*

Mit csinál, aki találkozni akar valakivel?	**What do people do when they want to meet others?**
áttesz *vmit vhova* (tett, tegyél/tégy)	move *sg to another time*
A hétfői megbeszélést átteszem keddre.	I'll move the Monday meeting to Tuesday.
beugrik *vkihez* (ugrott, ugorj)	drop in *on sy*
Este beugrom Évához.	I'll drop in on Éva in the evening.
időpontot egyeztet (~ett, egyeztess)	make an *appointment*
Szeretnék időpontot egyeztetni.	I would like to make an appointment.
elhalaszt *vmit* (~ott, halassz)	postpone *sg*
Elhalasztották a megbeszélést.	They postponed the meeting.
érkezik, megérkezik (érkezett, érkezz)	**arrive**
Egész délután érkeznek a vendégek.	The guests are arriving all afternoon.
Minden vendég megérkezett.	All the guests have arrived.
felhív *vkit* (~ott, ~j)	**call** *sy*
Felhívom a barátomat.	I call my friend.
felkészül *vmire* (~t, ~j)	**prepare** *for sg*, be **prepared** *for sg*
Felkészültem a találkozóra.	I'm prepared for the meeting.
hív, meghív *vkit vhova* (~ott, ~j)	**invite** *sy somewhere*
Bettit kétszer hívtam moziba.	I invited Betti to the movies twice.
Erikát is meghívtam a születésnapomra.	I also invited Erika to my birthday gathering.
késik, elkésik *vhonnan* (késett, késs)	**be late** *for/to sg*
Legalább tíz percet fogok késni a moziból.	I'll be at least ten minutes late to the cinema.
Nóra mindig elkésik az értekezletekről.	Nóra is always late for meetings.
köszön *vkinek* (~t, ~j)	**greet** *sy*
Már köszöntem a szomszédomnak.	I've already greeted my neighbor.
lemond *vmit* (~ott, ~j)	**cancel** *sg*
Le kell mondanom a találkozót, mert beteg vagyok.	I have to cancel the meeting because I'm ill.
megismer *vkit/vmit* (~t, ~j)	**meet** *sy* **for the first time, get to know** *sy/sg*
Végre megismertem a fiam barátnőjét.	I finally met my son's girlfriend.
Jobban meg akarlak ismerni.	I want to get to know you better.
megismerkedik *vkivel* (ismerkedett, ismerkedj)	**meet** *sy* **for the first time**
Tegnap megismerkedtem az új kollégával.	I met the new colleague yesterday.
módosít *vmit* (~ott, módosíts)	change *sg* (slightly)
Szeretném módosítani a találkozó időpontját.	I would like to change the time of the meeting.
összefut *vkivel* (~ott, fuss)	run *into sy*
A boltban összefutottam a volt főnökömmel.	I ran into my former supervisor in the shop.
találkozik *vkivel* (találkozott, találkozz)	**meet** *sy*
Háromkor találkozom a barátnőmmel a főtéren.	I'll meet my girlfriend at the main square at three.
üdvözöl *vkit* (~t, ~j)	welcome *sy*, greet *sy*
Tisztelettel üdvözlök minden kollégát!	I respectfully welcome all colleagues.
zavar *vkit vmi* (~t, ~j)	dislike *sg*
Pétert nagyon zavarja a késés.	Péter dislikes it a lot when someone arrives late.
visszajelez (jelzett, jelezz)	get back, confirm
Kérem, jelezzen vissza, ha megfelel az időpont!	If the time is convenient, please get back to me!

Hasznos mondatok ■ Mikor találkozzunk?
Useful sentences ■ When shall we meet?

Időpont egyeztetése	Making an appointment
Időpontot szeretnék egyeztetni. Meg tudunk beszélni egy időpontot? Időpontot szeretnék kérni. Mit szólna/szólnál a szerdához? Jó Önnek/neked a szerda?	I'd like to make an appointment. Can we make an appointment? I'd like to ask for an appointment. What would you say about Wednesday? Does Wednesday suit you?

Lehetséges válaszok	Possible answers
Igen, a szerda megfelel. Rendben, akkor várom/várlak. Sajnos akkor nem érek rá. Lehetne inkább csütörtök? Találkozhatnánk inkább csütörtökön? Szerdán nagyon sok dolgom van. Sajnos, el kell halasztanunk a találkozót. Közbejött valami. Áttehetnénk az időpontot péntekre? Elhalaszthatnánk a találkozót péntekre? Tudnánk pénteken találkozni? Persze, semmi akadálya. Persze, semmi gond. Rendben. Pénteken sajnos nem érek rá. Aznap más elfoglaltságom van.	Yes, Wednesday is great. Alright, I'll see you then. Unfortunately, I don't have time then. Would Thursday be possible? Could we meet on Thursday instead? I have a lot of things to do on Wednesday. Unfortunately, we have to postpone the meeting. Something came up. Could we move the appointment to Friday? Could we postpone the meeting until Friday? Could we meet on Friday? Sure, that won't be a problem. Sure, no problem. Alright. Unfortunately I won't have time on Friday. I'm busy on that day.

Találkozó lemondása	Canceling an appointment
Ne haragudjon/haragudj, de le kell mondanom a találkozót. Váratlanul el kell utaznom. Nagyon sajnálom, de mégsem lesz jó a szerda. Közbejött valami. Jövő héten felhívom/felhívlak, hogy új időpontot egyeztessünk.	I'm afraid (*lit.* Don't be mad but) I have to cancel the appointment. I need to leave unexpectedly. I am terribly sorry but Wednesday won't be convenient after all. Something came up. I'll call you next week to make a new appointment.

3. Vendégség / Visitation

Hasznos szavak
Useful words

A résztvevők	Participants
házigazda (~́k, ~́t, ~́ja) / vendéglátó (~k, ~t, ~ja)	**host**
vendég (~ek, ~et, ~e)	**guest**
díszvendég	guest of honor
vendégeket vár	expecting guests
vendégül lát *vkit*	have *sy* over, have *sy* as a guest

Milyen alkalomból hívunk vendégeket?	On what occasions do we invite guests?
buli (~k, ~t, ~ja)	**party**
házibuli	house party
lakásavató buli	house warming party
ebéd (~ek, ~et, ~je)	**lunch**
eljegyzés (~ek, ~t, ~e)	engagement
esküvő (~k, ~t, ~je)	**wedding**
házassági évforduló (~k, ~t, ~ja)	wedding anniversary
keresztelő (~k, ~t, ~je)	baptism
névnap (~ok, ~ot, ~ja)	**name day**
parti (~k, ~t, ~ja)	party
kerti parti	garden party
koktélparti	cocktail party
rendezvény (~ek, ~t, ~e)	**event**
zártkörű rendezvény	private event, private party
születésnap (~ok, ~ot, ~ja)	**birthday**
temetés (~ek, ~t, ~e)	funeral
vacsora (~́k, ~́t, ~́ja)	**dinner**
üzleti vacsora	business dinner, dinner meeting

→ *Ünnepek / Holidays: 48–53. oldal*

Mit csinál a vendéglátó és a vendég?	What do hosts and guests do?
berúg (~ott, ~j)	get drunk
A tizennyolcadik születésnapomon nagyon berúgtam.	I got very drunk on my 18th birthday.
bevásárol *vmit* (~t, ~j)	**do the shopping**
A hétvégén mindent bevásároltam.	I did all the shopping on the weekend.
ebédel (~t, ~j)	**have lunch**
Az egész család együtt ebédel.	The whole family has lunch together.
elbúcsúzik *vkitől* (búcsúzott, búcsúzz)	**say goodbye** *to sy*
Vacsora után elbúcsúztunk a vendégektől.	We said goodbye to the guests after dinner.

elfogad *vmit* (~ott, ~j) — **accept** *sg*
A díszvendég elfogadta a meghívást. — The guest of honor accepted the invitation.

eszik, megeszik *vmit* (evett, egyél) — **eat** *sg*, **eat up** *sg*
A vendégek sokat ettek a sültből. — The guests ate a lot of steak.
A vendégek az egész sültet megették. — The guests ate up all the steak.

érzi *magát* *vhogyan* (érezte magát, érezd magadat) — **feel** *somehow*
Remekül éreztem magamat! — I had a wonderful time. (*lit.* I felt great!)

főz, megfőz *vmit* (~ött, főzz) — **cook** *sg*
Háromfogásos vacsorát főztem. — I cooked a three course meal.
Megfőzted már az ünnepi vacsorát? — Have you cooked the holiday meal yet?

hoz *vmit* (~ott, hozz) — **bring** *sg*
Hoztunk egy üveg bort. — We brought a bottle of wine.

iszik, megiszik *vmit* (ivott, igyál) — **drink** *sg*
A vendégek csak ásványvizet ittak. — The guests only drank mineral water.
A vacsora végére a vendégek minden ásványvizet megittak. — The guests drank all the mineral water by the end of the dinner.

ízlik *vkinek vmi* (ízlett) — **like** *sg (food or drink)*
Miklósnak nagyon ízlik a bor. — Miklós likes the wine very much.

jóllakik (lakott, lakj) — be full
Köszönöm, nagyon jóllaktam. — Thanks, I'm really full.

készít *vmit* (~ett, készíts) — **make** *sg*, **prepare** *sg*
Készítettem előételt. — I made some appetizers.

kikísér *vkit* (~t, ~j) — see out *sy*
Kikísérem a vendégeket. — I'll see the guests out.

köszön, megköszön *vmit* (~t, ~j) — **thank** *sg*
Köszönöm a vendéglátást. — Thank you for your hospitality.
Levélben is meg fogom köszönni a vendéglátást. — I'll also send them a letter to thank them for their hospitality. (*lit.:* I'll also thank for the hospitality in a letter.)

marasztal *vkit* (~t, ~j) — want *sy* to stay
A vendéglátók marasztaltak, de el kellett jönnöm. — The hosts wanted me to stay but I had to leave.

meghív *vkit vmire* (~ott, ~j) — **invite** *sy to sg*
A keresztapám meghívott vacsorára. — My godfather invited me to dinner.
A szomszédokat is meghívom a bulira. — I'll also invite the neighbors to the party.

megkínál *vkit vmivel* (~t, ~j) — **offer** *sg to sy*
Megkínálhatlak egy kis aperitiffel? — May I offer you some aperitif?

megkóstol *vmit* (~t, ~j) — **taste** *sg*
Szeretném megkóstolni a tojáslikőrt. — I 'd like to taste the egg liquor.

***vendégségbe* megy** *vkihez* (ment, menj) — **visit** *sy*, **go over to** *sy* **to have a meal**
Vasárnap a lányomhoz megyünk vendégségbe. — Sunday we go over to my daughter's for a meal.

süt *vmit* (~ött, süss) — **bake** *sg*, **roast** *sg*
Sütök egy epertortát. — I'll bake a strawberry cake.

takarít, kitakarít *vmit* (~ott, takaríts) — **clean** *sg*
Két napja megállás nélkül takarítok. — I've been cleaning for two days, non stop.
Kitakarítottam az egész lakást. — I cleaned up the entire house.

tölt *vmit* (~ött, tölts) — serve *a drink*
Tölthetek még egy pohár bort? — May I serve you another glass of wine?

ünnepel, megünnepel *vmit* (~t, ~j) — **celebrate** *sg*
Mit ünnepelünk? — What are we celebrating?
Este megünnepeljük Benjámin születésnapját. — We are celebrating Benjámin's birthday tonight.

szórakozik (szórakozott, szórakozz) — have a good time
Nagyon jól szórakoztam Kriszta születésnapján. — I had a really good time at Kriszta's birthday party.

unatkozik (unatkozott, unatkozz) — **be bored**
Nagyon unatkoztam a vacsorán. — I was quite bored at the dinner.

vacsorázik (vacsorázott, vacsorázz) — have dinner
A barátommal vacsorázom. — I have dinner with my friend.

vesz (vett, vegyél/végy) / szed (~ett, ~j) *vmiből* — **take** *sg*
Vehetek/Szedhetek még ebből a szószból? — Can I take some more of this sauce?

→ *Élelmiszerek / Food: 202–205. oldal*

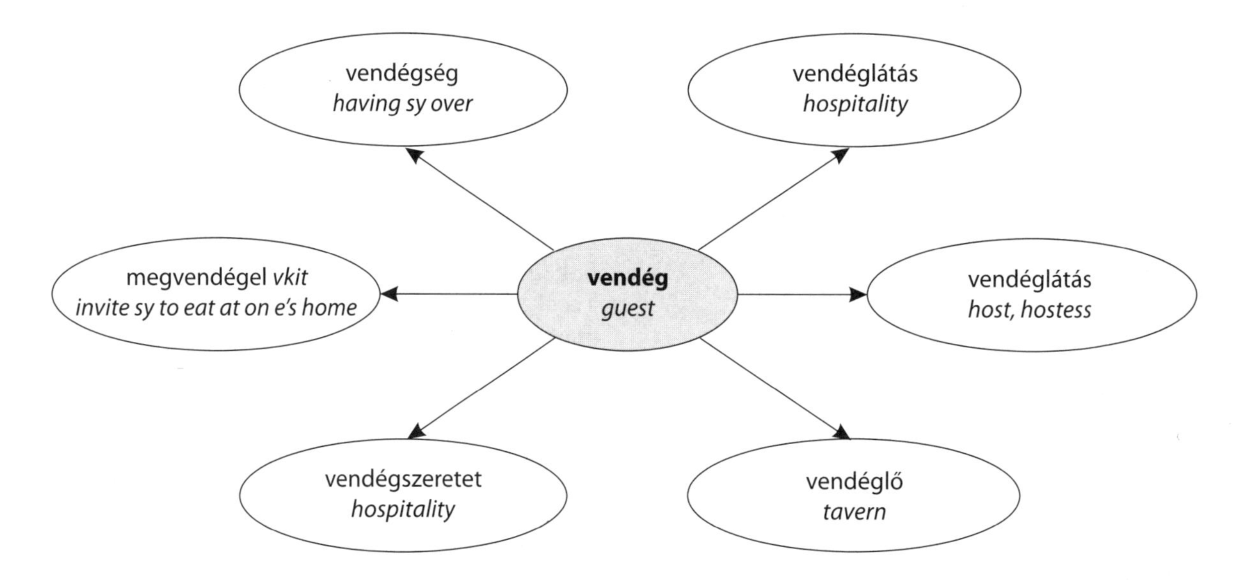

When Hungarians are invited to dinner at their friends', they usually bring the host a bottle of wine. The hostess usually gets a bunch of flowers.
Guests are expected to arrive on time. If you are invited to eat at the house of a Hungarian friend and he says to arrive at 7, try to be there at 7.

Hasznos mondatok ■ Vendégségben
Useful sentences ■ Visitation

Érkezés	Arrival
Vendég	**Guest**
Köszönjük a meghívást.	Thank you for the invitation.
Hoztunk egy üveg bort.	We brought you a bottle of wine.
A ház úrnőjének hoztunk egy csokor virágot.	We brought some flowers for the lady of the house.
Fogadják/Fogadjátok szeretettel ezt az üveg bort.	Please, accept this bottle of wine.
Ezt Önöknek/nektek hoztuk.	We brought this for you.
Házigazda	**Host**
Köszönjük, de igazán nem kellett volna.	Thank you but it wasn't necessary at all.
Jöjjenek/Gyertek beljebb!	Come on in!
Fáradjanak/Fáradjatok be!	Please, come in!
Könnyen idetaláltak/idetaláltatok?	Did you find your way here easily?
Üljenek le/Üljetek le!	Sit down!
Mivel kínálhatjuk meg Önöket/kínálhatlak meg benneteket?	What can I offer you?

Az asztalnál	At the table
Házigazda	**Host**
Kér/Kérsz még egy kis gulyást?	Would you like some more goulash?
Szedhetek/Vehetek még egy kis levest?	May I take some more soup?
Szedhetek Önöknek/nektek még egy kis levest?	May I serve you some more soup?
Tölthetek még egy kis bort?	May I serve you another glass of wine?
Vegyen/Vegyél még egy kis süteményt!	Have some more cookies.
Kóstolja/Kóstold meg a diós kalácsot is!	Have some of the walnut cake.
Ízlik a pörkölt?	Do you like the stew?
Elég sós a hús?	Is the meat salty enough?
Nem sótlan a leves?	Doesn't the soup lack salt?

Vendég	**Guest**
Nem, szerintem éppen jó.	No, it is just fine for me.
Igen, nagyon finom.	Yes, it is delicious.
Köszönöm szépen.	Thank you very much.
Kérek szépen még egy kis desszertet.	I'd like some more dessert, please.
Kérhetek még egy kis pörköltet?	May I have some more stew?
Köszönöm, de csak egy kicsit kérek.	Thank you but I'd like only a little bit.
Köszönöm, ennyi elég volt.	Thank you but I've had enough.
Köszönöm, nem kérek többet.	Thank you but I don't want any more.
Köszönöm, jóllaktam.	Thank you, I am full.

Búcsúzkodás	**Saying goodbye**
Vendég	**Guest**
Lassan mennünk kell.	It's time to set off. (*lit.* We have to leave slowly.)
Késő van, és holnap dolgoznom kell.	It's getting late, and I have to work tomorrow.
Sajnos, nem maradhatok tovább. Vár a család.	Unfortunately, I can't stay any longer. My family is waiting.
Köszönjük a vendéglátást.	Thank you for your hospitality.
Köszönjük a kellemes estét.	Thank you for the nice evening.
Házigazda	**Host**
Maradjanak/Maradjatok még egy kicsit! Hova sietnek/siettek?	Stay a bit longer. What's the rush?
Mi köszönjük, hogy eljöttek/eljöttetek.	We thank *you* for coming.
Nagyon szívesen. Jöjjenek/Gyertek máskor is!	You're welcome. Come to see us some time again!

Hungarians tend to invite their friends to their home more often than to a restaurant. The dinner itself is quite informal. Food and wine is not reserved until your plate/glass is not completely empty. But then, you must be really firm to refuse them! Your host will try to get you to eat and drink more, and will offer you everything at least two times. This is how you can refuse food and drink politely:
Köszönöm szépen, nagyon finom volt minden, de tényleg nem kérek többet. (Thank you, it was fantastic, but I really can't have any more.)
Köszönöm, de soha nem iszom egy pohár bornál többet. (Thanks, but I never drink more than a glass of wine.)
Az orvos azt mondta, hogy egy pohár bornál nem ihatok többet. (The doctor said that I can't have more than a glass of wine.)

If you liked the dinner, it is a nice gesture to write a letter or call your hosts to thank them for the evening. You can write this for example: *Kedves Tamás! Köszönöm a kellemes estét, nagyon jól éreztem magam. Baráti üdvözlettel: Ivett (Dear Tamás, Thank you for the nice evening, I had a wonderful time. Kind regards, Ivett)*

ÜNNEPEK / HOLIDAYS

Hasznos szavak
Useful words

Naptári ünnepek	Calendar holidays
anyák napja (~́k, ~́t)	**Mother's Day**
augusztus huszadika (~́k, ~́t, ~́ja)	**August 20**, Day of the Foundation of the Hungarian State
halottak napja (~́t,)	**Day of the Dead, Halloween**
húsvét (~ok, ~ot, ~ja)	**Easter**
karácsony (~ok, ~t, ~a)	**Christmas**
május elseje (~́k, ~́t, ~́je)	May 1, Worker's Day
március tizenötödike (~́k, ~́t, ~́je)	**March 15**, Day of the March Revolution 1848
Mikulás (~ok, ~t, ~a) / Télapó (~k, ~t, ~ja)	**Dec. 6, Santa Claus**
mindenszentek napja (~́t)	All Saints' Day
nőnap (~ok, ~ot, ~ja)	Women's Day
október huszonharmadika (~́k, ~́t, ~́ja)	**October 23**, Day of the 1956 Revolution
pünkösd (~ök, ~öt, ~je)	**Pentecost**
pünkösdvasárnap (~ok, ~ot, ~ja)	Pentecost Sunday, Whitsunday
pünkösdhétfő (~k, ~t, ~je)	Pentecost Monday
Szilveszter (~ek, ~t, ~e)	**New Year's Eve**
1990 szilveszterén	on 1990 New Year's Eve
újév (~ek, ~et, ~e)	**New Year**
Valentin-nap (~ok, ~ot, ~ja)	St. Valentine's Day
vízkereszt (~ek, ~et, ~je)	Epiphany

Dates of the most important religious and secular holidays:
- Január 1.: újév (January 1: New Year)
- Január 6.: vízkereszt (January 6: Epiphany)
- Február 14.: Valentin-nap (February 14: St. Valentine's Day)
- Vízkereszttől hamvazószerdáig: farsang (From Epiphany to Ash Wednesday: carnival)
- Húsvét előtt 40 nappal: hamvazószerda (40 days before Easter: Ash Wednesday)
- Hamvazószerda előtti nap: húshagyókedd (the day before Ash Wednesday: Mardi Gras)
- Március 8.: nőnap (March 8: Women's Day)
- Március 15.: az 1848-49-es forradalom és szabadságharc ünnepe (March 15: Day of the 1848–1849 Revolution and Freedom Fight)
- A tavaszi napéjegyenlőséget (március 21.) követő holdtölte utáni első vasárnap és hétfő: húsvét (The first Sunday and Monday following the first full moon after spring equinox (March 21: Easter)
- Húsvét után 50 nappal: pünkösd (50 days after Easter: Pentecost)
- Május 1.: a munka ünnepe (May 1: Worker's Day)
- Május első vasárnapja: anyák napja (First Sunday of May: Mother's Day)
- Augusztus 20.: az államalapítás, Szent István és az új kenyér ünnepe (August 20: Day of the Foundation of the Hungarian State, St. István's Day and Day of the New Bread)

- Október 23.: az 1956-os forradalom és az 1989-es Magyar Köztársaság kikiáltásának évfordulója (October 23: Day of the 1956 Revolution and Day of the 1989 Proclamation of the Hungarian Republic)
- November 1.: mindenszentek napja (November 1: All Saints' Day)
- November 2.: halottak napja (November 2: Halloween)
- December 6.: Mikulás/Télapó (December 6: Santa Claus)
- December 24.: szenteste (December 24: Christmas Eve)
- December 25-26.: karácsony (December 25, 26: Christmas)
- December 31.: szilveszter (December 31: New Year's Eve)

Karácsony	Christmas
advent (~ek, ~et, ~je)	**Advent**
adventi naptár (~ak, ~t, ~a)	Advent calendar
adventi koszorú (~k, ~t, ~ja)	Advent wreath
angyal (~ok, ~t, ~a)	**angel**
bejgli (~k, ~t, ~je)	Christmas roll
betlehem (~ek, ~et, ~e)	nativity scene
betlehemezés (~ek, ~t, ~e)	"doing Bethlehem", custom of reenacting the birth of Jesus
család (~ok, ~ot, ~ja)	**family**
szent család	Holy Family
csillag (~ok, ~ot, ~a)	**star**
betlehemi csillag	star of Bethlehem
csillagszóró (~k, ~t, ~ja)	sparkler
gyertya (~́k, ~́t, ~́ja)	**candle**
gyertyát gyújt	light a candle
három királyok (~at)	three magi
jászol (jászlak, jászlat, jászla)	Christmas crib
Jézuska (~́t, ~́ja) / Kisjézus (~t, ~a)	**Little Jesus**
József (~et, ~e)	**Joseph**
karácsonyfa (~́k, ~́t, ~́ja)	**Christmas tree**
karácsonyfadísz (~ek, ~t, ~e)	Christmas tree decoration
karácsonyfát állít	put up a Christmas tree
feldíszíti a karácsonyfát	decorate the Christmas tree
Mária (~́t, ~́ja)	**Mary**
mézeskalács (~ok, ~ot, ~a)	gingerbread
mise (~́k, ~́t, ~́je)	mass
éjféli mise	Midnight Mass
pásztorok (~at)	shepherds
szenteste (~́k, ~́t, ~́je)	Christmas Eve
vásár (~ok, ~t, ~a)	**fair**
karácsonyi vásár	Christmas fair

Hungarian Christmas trees are usually decorated with *szaloncukor* (*lit.* salon candy). These typical candies are made of fondant of different tastes, covered by chocolate and come in a shiny, colored wrapping.
The tradition of decorating Christmas trees with *szaloncukor* began in the 19th century. The candies got their name because the tree was usually put up in the saloon.

According to folk tradition, food eaten on holidays usually has a symbolic meaning. In most cases they are associated with wealth and health.
The Christmas table is unimaginable without fish *(hal)* or turkey *(pulyka)*. The most common dish is fish soup *(halászlé)* or deep-fried fish *(rántott hal)*. Shiny fish scales were thought to bring money. Sharing the Christmas feast with one's livestock was believed to bring luck. Crumbs were collected and brought to the vineyard on Epiphany Day to insure good produce. Dinner leftovers were left on the table so that Little Jesus could find something to eat. At Christmas time, there is always gingerbread *(mézeskalács)* and a cake roll filled with walnuts or poppy seeds (*bejgli*) on the table. Gingerbread cookies are also used to decorate the Christmas tree.

Húsvét	**Easter**
böjt (~ök, ~öt, ~je)	fast
böjtöt tart	fast
feltámadás (~t, ~a)	resurrection
hamvazószerda (~́k, ~́t, ~́ja)	Ash Wednesday
húshagyókedd (~ek, ~et, ~je)	Shrove Tuesday, Mardi Gras
húsvéthétfő (~k, ~t, ~je)	Easter Monday
húsvétvasárnap (~ok, ~ot, ~ja)	Easter Sunday
kalács (~ok, ~ot, ~a)	braided sweetbread
keresztre feszítés (~t, ~e)	crucifixion
Krisztus (~t, ~a)	**Christ**
nagycsütörtök (~ök, ~öt, ~e)	Good Thursday
nagypéntek (~ek, ~et, ~e)	Good Friday
nagyszombat (~ok, ~ot, ~ja)	Good Saturday
nyúl (nyulak, nyulat, nyula) / **nyuszi** (~k, ~t, ~ja)	rabbit/**bunny**
sonka (~́k, ~́t, ~́ja)	**ham**
tojás (~ok, ~t, ~a)	**egg**
hímes tojás	painted egg
tojásdíszítés (~ek, ~t, ~e) / tojásfestés (~ek, ~t, ~e)	decorating/painting eggs
tojást fest	paint eggs
virágvasárnap (~ok, ~ot, ~ja)	Palm Sunday

Popular Hungarian folk customs around Easter are: sprinkling women with water *(locsolás)* and painting eggs *(tojásfestés)*. Sprinkling women with water is a symbol for fertility and purity. Men and boys visit all the women and girls in the village and sprinkle water on them. They recite short poems to ask for permission to "water" them. The most popular one goes like this: *Zöld erdőben jártam, kék ibolyát láttam, el akart hervadni, szabad-e locsolni? (I went to a green forest, I saw a blue violet, it was about to fade, may I water it?)*
If the girl anwers yes, men sprinkle her with water or, nowadays, with Eau de Cologne. Girls give them eggs in exchange. The eggs are usually painted red, symbolizing Christ's blood.
Traditional Easter meals include ham *(sonka)*, hard-boiled eggs *(főtt tojás)* and braided sweetbread *(kalács)*.

Hagyományok, vallásos ünnepek	**Traditions, religious celebrations**
bérmálás (~ok, ~t, ~a) *(katolikus)*	confirmation *(Roman Catholic)*
elsőáldozás (~ok, ~t, ~a) *(katolikus)*	first communion *(Roman Catholic)*
farsang (~ok, ~ot, ~ja)	carnival
hagyomány (~ok, ~t, ~a)	**tradition**
családi hagyomány	family tradition
néphagyomány	folk tradition
hagyománytisztelet (~ek, ~et, ~e)	respect for tradition
tiszteli a hagyományt	respect tradition, keep with tradition
hiedelem (hiedelmek, hiedelmet, hiedelme)	belief
istentisztelet (~ek, ~et, ~e) *(protestáns)*	service *(Protestant)*
keresztelő (~k, ~t, ~je)	baptism
konfirmáció (~k, ~t, ~ja) *(protestáns)*	confirmation *(Protestant)*
körmenet (~ek, ~et, ~e)	procession
húsvéti körmenet	Easter procession
kultusz (~ok, ~t, ~a)	worship, ministry
szentek kultusza	ministry of saints
mise (~́k, ~́t, ~́je) *(katolikus)*	mass *(Catholic)*
hajnali/éjféli mise	early morning/midnight mass
misére megy	go to mass
mulatság (~ok, ~ot, ~a)	singing and dancing evening
mulatságot rendez	organize a singing and dancing evening
napforduló (~k, ~t, ~ja)	solstice
téli napforduló / nyári napforduló	midwinter/midsummer

szentség (~ek, ~et, ~e)	sacrament
szertartás (~ok, ~t, ~a)	ceremony
szimbólum (~ok, ~ot, ~a)	**symbol**
szokás (~ok, ~t, ~a)	**custom**
népszokás	folk custom
elterjed egy szokás	a custom spreads
tartja a szokást	keep a custom
templom (~ok, ~ot, ~a)	**church, temple**
ünnep (~ek, ~et, ~e)	**holiday**
ünnepnap (~ok, ~ot, ~ja)	holiday
állami ünnep	**state holiday, official holiday**
az emberi élet ünnepei (~t)	celebrations of human life
egyházi ünnep	**religious holiday**
naptári ünnep	calendar holiday
nemzeti ünnep	**national holiday**
szentek ünnepei (~t)	Saints' holidays
ünnepély (~ek, ~t, ~e) / ünnepség (~ek, ~et, ~e)	ceremony, celebration
ünnepi beszéd (~ek, ~et, ~e)	ceremonial speech
ünnepi vacsora (~́k, ~́t, ~́ja)	**festive dinner, ceremonial dinner**

Most Hungarians declaring a religious affiliation are Roman Catholic: around 65% of the population, Reformed (Calvinist) Protestant: around 20%, or Evangelical (Lutheran) Protestant: around 5%.
There are also a Jewish religious community counting about 80,000 members and small Greek Catholic and Orthodox congregations.
Other religious (Buddhist, Hinduist etc.) communities also exist but these are less significant in number.

Családi ünnepek	**Family celebrations**
eljegyzés (~ek, ~t, ~e)	engagement
esküvő (~k, ~t, ~je)	**wedding**
évforduló (~k, ~t, ~ja)	**anniversary**
házassági évforduló	wedding anniversary
lakodalom (lakodalmak, lakodalmat, lakodalma)	wedding party
névnap (~ok, ~ot, ~ja)	**name day**
születésnap (~ok, ~ot, ~ja)	**birthday**

→ *Család / Family: 22–28. oldal*
→ *Társas kapcsolatok / Interpersonal relationship 34–47. oldal*

Name day is an important day in Hungary. Many people wish *Boldog névnapot! (Happy name day.)* by sending each other short messages or calling each other on the telephone.

A few ceremonial events related to school year:
Ballagás is a ceremony preceding graduation from high school. Graduating students walk through the school building singing songs. They carry a bag on their shoulders with cookies and a photo of the school in it. This is a way to say goodbye to their school and teachers symbolically, and to set off for the "road of life".
The night before *ballagás*, graduating students visit their teachers and give them a little *szerenád (serenade)* standing under their window. Their teachers invite them to come in and offer them food and drinks.
Graduating students also have a ball where they perform dances and songs. This event is called *szalagavató* (lit. *ribbon inauguration).* Every student wears a ribbon on their shirt which they have received from their class teacher. The two ends of the ribbon symbolize the beginning and the end of high school studies.
High school graduation ceremony itself is less spectacular than in some other countries e.g. in the United States.

Milyen lehet az ünnep / a szertartás?	What can a feast/ceremony be like?
bensőséges (~ebb)	intimate
emlékezetes (~ebb)	memorable
felejthetetlen (~ebb)	unforgettable
hagyományos (~abb)	**traditional**
megható (~bb)	moving
nagyszerű (~bb)	**great**
rendkívüli	extraordinary
szép (szebb)	**nice, pleasant**
szerény (~ebb)	**modest**
szokásos	**usual**

Hogyan ünnepelünk?	How do we celebrate?
***ajándékba* ad** *vkinek vmit* (~ott, ~j) / **ajándékoz** *vkinek vmit* (~ott, ajándékozz)	**give** *sg* ***as a gift*** *to sy*
Egy fülbevalót adtam a keresztlányomnak ajándékba. / Egy fülbevalót ajándékoztam a keresztlányomnak.	I gave earrings to my goddaughter as a gift.
avat, felavat *vmit* (~ott, avass)	inaugurate *sg*
Emléktáblát avat a polgármester.	The mayor is inaugurating a memorial plaque.
A polgármester felavatta az emléktáblát.	The mayor inaugurated the memorial plaque.
díszít, feldíszít *vmit* (~ett, díszíts)	**decorate** *sg*
A süteményt tejszínhabbal díszítjük.	We decorate the cake with whipped cream.
December 24-én feldíszítjük a karácsonyfát.	We decorate the Christmas tree on December 24.
emlékszik *vkire/vmire* (emlékezett, emlékezz)	**remember** *sy/sg*
Jól emlékszem a régi karácsonyokra.	I remember past Christmas times well.
felköszönt *vkit* (~ött, köszönts)	wish *sy* happy birthday or name day
Felköszöntöttem Ágit a születésnapján.	I wished Ági a happy birthday.
fest *vmit* (~ett, fess)	**paint** *sg*
Húsvétkor tojást festünk.	We paint eggs at Easter.
gratulál *vkinek vmihez* (~t, ~j)	**congratulate** *sy on sg*
Gratuláltam Rudinak a kisfia születéséhez.	I congratulated Rudi on the birth of his son.
imádkozik (imádkozott, imádkozz)	**pray**
A misén együtt imádkoztak az elsőáldozók.	The children receiving first communion prayed together during mass.
kapcsolódik *vmihez* (kapcsolódott, kapcsolódj)	be related *to sg*, be connected *to sg*
A karácsonyhoz sok érdekes szokás kapcsolódik.	Many interesting customs are related to Christmas.
karácsonyozik (karácsonyozott, karácsonyozz)	spend Christmas
Idén a szüleimnél karácsonyozunk.	We'll spend Christmas at my parents' this year.
keresztel, megkeresztel *vkit* (~t, ~j)	baptize *sy*
A lányomat Júlia névre kereszteltük.	We baptized my daughter with the name Julia.
A pap megkeresztelte Júliát.	The priest baptized Julia.
kicsomagol *vmit* (~t, ~j)	**unwrap** *sg*
Izgatottan csomagoltam ki az ajándékot.	Excitedly, I unwrapped the gift.
köszön, megköszön *vkinek vmit* (~t, ~j)	**thank** *sy for sg*
Mindannyiótoknak köszönöm a jókívánságokat.	I'd like to thank all of you for all the good wishes.
Elfelejtettem megköszönni Lucának az ajándékot!	I forgot to thank Luca for her present.
köszönt *vkit* (~ött, köszönts)	**welcome** *sy*
Tisztelettel köszöntöm a kedves vendégeket!	Dear Guests, I'd like to welcome you (*lit.* I'd like to welcome our dear guests).
leszed *vmit* (~ett, ~j)	clear *sg*
A vacsora után a gyerekek szedték le az asztalt.	It was the children who cleared the table after dinner.
locsol, meglocsol *vkit* (~t, ~j)	**sprinkle** *sy* **with water** (at Easter)
Szabad-e locsolni?	May I sprinkle you with water?
Péter meglocsolta Ágotát.	Péter sprinkled Ágota.
meghatódik *vmitől* (hatódott, hatódj)	be emotionally moved *by sg*
Sára meghatódott István ajándékától.	Sára was moved by István's present.

meghív *vkit vhova/vmire* (~ott, ~j)	**invite** *sy somewhere/to sg*
Szeretnélek meghívni a születésnapomra.	I'd like to invite you to my birthday party.
megterít (~ett, teríts)	**set the table**
Szépen megterítettem az asztalt.	I set the table nicely.
mulat (~ott, mulass)	dance and sing, party
Hajnalig mulattunk.	We danced and sang until dawn.
örül *vkinek/vminek* (~t, ~j)	**be pleased** *with sy/sg*
Nagyon örültem a karácsonyi ajándékomnak.	I was very pleased with my Christmas gift.
rendez *vmit* (~ett, rendezz)	**organize** *sg*
Augusztus 20-án tűzijátékot rendeznek Budapesten.	There will be a fireworks display organized in Budapest on August 20.
szentel *vmit* (~t, ~j)	sanctify *sg*
A templomban vizet, gyertyát és ételt szoktak szentelni.	In church water, candles and food are usually sanctified.
szilveszterezik (szilveszterezett, szilveszterezz)	spend New Year's Eve
Idén a szomszédokkal szilveszterezünk.	We will spend New Year's Eve with our neighbors this year.
táncol (~t, ~j)	**dance**
A farsangi bálon egész éjszaka táncoltunk.	We danced at the carnival ball all night long.
ünnepel, megünnepel *vkit/vmit* (~t, ~j)	**celebrate** *sy/sg*
A család együtt ünnepelte apa 60. születésnapját.	The family celebrated Dad's 60th birthday together.
Megünnepeltük apa 60. születésnapját.	We celebrated Dad's 60th birthday.

→ *Vendégség / Visitation: 44–47. oldal*

Hasznos mondatok ▪ Jókívánságok
Useful sentences ▪ Good wishes

Születésnap, névnap	Birthday
Születésnapja/Névnapja / Születésnapod/Névnapod alkalmából sok boldogságot kívánok! *(írásban)* Boldog születésnapot/névnapot! *(szóban)*	I wish you a lot of happiness on your birthday/name day. *(in writing)* Happy birthday/name day. *(in speaking)*

Ballagás	Graduation
Ballagásod alkalmából minden jót kívánok! *(írásban)* Gratulálok! *(szóban)*	I wish you many good things for your graduation. *(in writing)* Congratulations. *(in speaking)*

Esküvő	Wedding
Házasságkötésük/Házasságkötésetek alkalmából sok boldogságot kívánok! *(írásban)* Sok boldogságot! / Sok boldogságot kívánok! *(szóban)*	I wish you all the happiness on your wedding day. *(in writing)* I wish you a lot of happiness. *(in speaking)*

Karácsony	Christmas
Kellemes karácsonyi ünnepeket kívánok! *(írásban)* Boldog karácsonyt! *(szóban)*	I wish you a merry Christmas. *(in writing)* Merry Christmas! *(in speaking)*

Újév	New Year
BÚÉK! / Boldog új évet! / Boldog új évet kívánok! *(írásban és szóban)*	I wish you a Happy New Year. *(in writing and speaking)*

Húsvét	Easter
Kellemes húsvéti ünnepeket! / Kellemes húsvéti ünnepeket kívánok! *(írásban és szóban)*	I wish you a pleasant Easter. *(in writing and speaking)*

LAKÁS ÉS LAKÓHELY / HOUSING AND HABITATION

1. Lakóhelyünk és környéke / Residence and surroundings

Hasznos szavak
Useful words

A települések fajtái	**Types of settlements**
falu (~k/falvak, ~t/falvakat, ~ja/falva)	**village**
község (~ek, ~et, ~e)	community
megyeszékhely (~ek, ~et, ~e)	county seat
tanya (~́k, ~́t, ~́ja)	ranch
város (~ok, ~t, ~a)	**city, town**
főváros	**capital**
kisváros	small town
nagyváros	big city, metropolitan

A város részei	**Parts of a city**
agglomeráció (~k, ~t, ~ja)	metropolitan area
belváros (~ok, ~t, ~a)	**downtown, inner city**
előváros (~ok, ~t, ~a)	suburbs
kertváros (~ok, ~t, ~a)	garden suburbs
kerület (~ek, ~et, ~e)	**district**
környék (~ek, ~et, ~e)	**neighborhood, area**
külváros (~ok, ~t, ~a)	**outskirts**
lakópark (~ok, ~ot, ~ja)	subdivision
lakótelep (~ek, ~et, ~e)	housing project
negyed/városnegyed (~ek, ~et, ~e)	**quarter, neighborhood**
ipari negyed	industrial area
lakónegyed	residential area
óváros (~ok, ~t, ~a)	old city, historical center
városközpont (~ok, ~ot, ~ja)	**city center**
városrész (~ek, ~et, ~e)	**part of town, neighborhood**
zöldövezet (~ek, ~et, ~e)	green belt

Helyek a városban	Places in the city
aluljáró (~k, ~t, ~ja)	underpass, subway
áruház (~ak, ~at, ~a)	**department store**
bank (~ok, ~ot, ~ja)	**bank**
bár (~ok, ~t, ~ja)	**bar**
bazilika (~́k, ~́t, ~́ja)	basilica
benzinkút (-kutak, -kutat, -kútja)	**gas station**
bolt (~ok, ~ot, ~ja) / **üzlet** (~ek, ~et, ~e)	**store, shop**
bölcsőde (~́k, ~́t, ~́je)	nursery school
borozó (~k, ~t, ~ja)	wine bar
buszpályaudvar (~ok, ~t, ~a)	bus station
egyetem (~ek, ~et, ~e)	**university**
élelmiszerbolt (~ok, ~ot, ~ja)	**grocery store**
étterem (éttermek, éttermet, étterme)	**restaurant**
felüljáró (~k, ~t, ~ja)	overpass
fodrászat (~ok, ~ot, ~a)	hairdresser's, barber shop
folyó (~k, ~t, ~ja)	**river**
gimnázium (~ok, ~ot, ~a)	**high school**
gyár (~ak, ~at, ~a)	**factory**
gyógyszertár (~ak, ~at, ~a) / **patika** (~́k, ~́t, ~́ja)	**pharmacy, drugstore**
hangversenyterem (termek, termet, terme)	concert hall
híd (hidak, hidat, hídja)	**bridge**
hivatal (~ok, ~t, ~a)	**office**
polgármesteri hivatal	mayor's office
hotel (~ek, ~t, ~je) / **szálloda** (~́k, ~́t, ~́ja)	**hotel**
iskola (~́k, ~́t, ~́ja)	**school**
általános iskola	elementary school
középiskola	high school
főiskola	college
járda (~́k, ~́t, ~́ja)	sidewalk
járdaszegély (~ek, ~t, ~e)	curb
járdasziget (~ek, ~et, ~e)	traffic island
játszóház (~ak, ~at, ~a)	playhouse
játszótér (terek, teret, tere)	**playground**
kanyar (~ok, ~t, ~ja)	**turn**
éles kanyar	sharp turn
kávéház (~ak, ~at, ~a)	**coffee shop**
kávézó (~k, ~t, ~ja)	café
kikötő (~k, ~t, ~je)	harbor
kocsma (~́k, ~́t, ~́ja)	**pub**
kórház (~ak, ~at, ~a)	**hospital**
kozmetika (~́k, ~́t, ~́ja) / szépségszalon (~ok, ~t, ~ja)	beauty shop
könyvtár (~ak, ~at, ~a)	**library**
körforgalom (-forgalmak, -forgalmat, -forgalma)	traffic circle
lámpa (~́k, ~́t, ~́ja)	**lamp, light**
jelzőlámpa	traffic light
megálló (~k, ~t, ~ja)	**stop**
autóbuszmegálló/buszmegálló	bus stop
villamosmegálló	tram stop
mélygarázs (~ok, ~t, ~a)	underground parking garage
mentőállomás (~ok, ~t, ~a)	rescue station
mozi (~k, ~t, ~ja)	**movie theater, cinema**
múzeum (~ok, ~ot, ~a)	**museum**
műemlék (~ek, ~et, ~e)	historical monument
óvoda (~́k, ~́t, ~́ja)	**kindergarten**
pad (~ok, ~ot, ~ja)	**bench**
panzió (~k, ~t, ~ja)	**guesthouse**
park (~ok, ~ot, ~ja)	**park**

parkoló (~k, ~t, ~ja)	**parking lot**
parkolóház (~ak, ~at, ~a)	multi-level car park garage
pályaudvar (~ok, ~t, ~a) **/ vasútállomás** (~ok, ~t, ~a)	**railway station**
pékség (~ek, ~et, ~e)	**bakery**
piac (~ok, ~ot, ~a)	**market**
posta (~́k, ~́t, ~́ja)	**post office**
rendelő (~k, ~t, ~je)	**doctor's office**
rendőrség (~ek, ~et, ~e)	**police department**
repülőtér (-terek, -teret, -tere)	**airport**
sétány (~ok, ~t, ~a)	promenade, boardwalk
sín (~ek, ~t, ~e)	**railroad track**
vasúti sín	train track
villamossín	tram track
sorompó (~k, ~t, ~ja)	railroad track gate
fénysorompó	electric railroad track gate
söröző (~k, ~t, ~je)	beer bar
sportcsarnok (~ok, ~ot, ~a)	sport arena
sportpálya (~́k, ~́t, ~́ja)	sports field
stadion (~ok, ~t, ~ja)	**sports stadium**
strand (~ok, ~ot, ~ja)	**beach**
szökőkút (-kutak, -kutat, -kútja)	fountain
szobor (szobrok, szobrot, szobra)	**church, temple**
teázó (~k, ~t, ~ja)	**statue, sculpture**
templom (~ok, ~ot, ~a)	tea house
teniszpálya (~́k, ~́t, ~́ja)	tennis court
tér (terek, teret, tere)	**square**
főtér	**main square**
sétatér	pedestrian square
tűzoltóság (~ok, ~ot, ~a)	fire department
uszoda (~́k, ~́t, ~́ja)	**(indoor) swimming pool**
utca (~́k, ~́t, ~́ja)	**street**
főutca	main street
egyirányú utca	one-way street
mellékutca	side street
sétálóutca	pedestrian walkway
zsákutca	dead-end street
út (utak, utat, útja)	**road**
autóút	road for cars
kerékpárút/bicikliút	bicycle path
főút	main street
háromsávos út	three-lane highway
körút	circular route
sugárút	boulevard, avenue
útkereszteződés (~ek, ~t, ~e)	crossroads
városfal (~ak, ~at, ~a)	city wall
városháza (~́k, ~́t, ~́ja)	**city hall**
zebra (~́k, ~́t, ~́ja)	pedestrian crossing

→ Múzeum / Museum 122–127. oldal
→ Egyéb szolgáltatások / Other services 186–191. oldal
→ Vásárlás / Shopping 192–195. oldal

Hasznos mondatok ▪ Falun vagy városban jobb lakni?
Useful sentences ▪ Is it better to live in a village or a city?

A falu előnyei	Advantages of a village
Olcsóbbak a telkek.	Plots of land are cheaper.
Jobban működnek az emberi kapcsolatok.	Human relationships work better.
Mindenki ismer mindenkit.	Everyone knows everyone.
Kedvesebbek és érdeklődőbbek az emberek.	People are nicer and more interested in other people.
A falusi emberek vendégszeretőbbek.	Village people are more hospitable.
Tisztább a levegő.	The air is cleaner.
Egészségesebb és csendesebb a környezet.	The environment is healthier and quieter.
Jobb a közbiztonság.	Villages have better public safety.
A lakók tudnak zöldséget és gyümölcsöt termeszteni.	Residents can grow vegetables and fruits.

A város előnyei	Advantages of the city
Több a munkalehetőség.	There are more job opportunities.
Több szolgáltatás van: például vannak éttermek, fodrász és kozmetikus.	There are more service oriented businesses such as restaurants, barber shops, and beauty shops.
A szolgáltatás minősége is jobb.	The quality of service is also better.
Színesebb a kulturális élet, és több a szórakozási lehetőség.	Cultural life is more versatile and there are more entertainment possiblities.
El lehet menni kiállításra, színházba, moziba.	You can go to exhibitions, the theater or the movies.
Könnyebben lehet vásárolni.	Shopping is easier.
Alacsonyabbak az árak.	The prices are lower.
Jobb az egészségügyi ellátás.	There is better health care.
Fejlettebb az infrastruktúra.	Infrastructure is more developed.
Van tömegközlekedés.	There is public transport.
Színvonalasabbak az iskolák.	Schools are of higher quality.
A hivatalos ügyeket könnyebb elintézni.	It is easier to take care of official matters.

2. Ház, lakás / House, apartment

Hasznos szavak
Useful words

Lakások és házak	Apartments and houses
albérlet (~ek, ~et, ~e)	**rental apartment**
albérletben lakik	live in a rental apartment
albérletet keres	look for a rental apartment
épület (~ek, ~et, ~e)	**building**
felhőkarcoló (~k, ~t, ~ja)	skyscraper
ház (~ak, ~at, ~a)	**house**
bérház	rental house
családi ház	**family house**
emeletes ház	multi-story house
ikerház	twinhouse
kertes ház	house with garden
lakóház	**residential home**
műemlékház	historical residence
panelház	prefabricated building
parasztház	farmhouse
sorház	townhouse, row house
ingatlan (~ok, ~t, ~ja)	**real estate**
kunyhó (~k, ~t, ~ja)	hut
lakás (~ok, ~t, ~a)	**apartment**
bérlakás	rental apartment
garzonlakás	studio, one-room apartment
öröklakás	privately owned apartment
panellakás	prefabricated apartment
téglalakás	apartment with brick walls
lakókocsi (~k, ~t, ~ja)	**motor home, caravan**
melléképület (~ek, ~et, ~e)	adjacent building
nyaraló (~k, ~t, ~ja)	vacation house
raktár (~ak, ~at, ~a)	warehouse, storeroom
telek (telkek, telket, telke)	**plot of land, property**
villa (~́k, ~́t, ~́ja)	mansion

A ház/lakás részei, helyiségek	Parts of a house/an apartment, rooms
ablak (~ok, ~ot, ~a)	**window**
ajtó (~k, ~t, ajtaja)	**door**
bejárati ajtó	front door
hátsó ajtó	back door
lakásajtó	apartment door

emelet (~ek, ~et, ~e)	**story, floor**
erkély (~ek, ~t, ~e)	**balcony**
étkező (~k, ~t, ~je)	dining room
fal (~ak, ~at, ~a)	**wall**
földszint (~ek, ~et, ~je)	**ground floor**
fürdőszoba (~́k, ~́t, ~́ja) / **fürdő** (~k, ~t, ~je)	**bathroom**
garázs (~ok, ~t, ~a)	**garage**
gardrób (~ok, ~ot, ~ja)	closet
kamra (~́k, ~́t, ~́ja) / spájz (~ ok, ~ t, ~ a)	**pantry**
kapu (~k, ~t, ~ja)	**gate**
kertkapu	garden gate
kapucsengő (~k, ~t, ~je)	doorbell
kaputelefon (~ok, ~t, ~ja)	intercom
kazánház (~ak, ~at, ~a)	boiler room
kémény (~ek, ~t, ~e)	**chimney**
kert (~ek, ~et, ~je)	**garden**
konyha (~́k, ~́t, ~́ja)	**kitchen**
lépcsőház (~ak, ~at, ~a)	**staircase**
mennyezet (~ek, ~et, ~e) / **plafon** (~ok, ~t, ~ja)	**ceiling**
nappali (~k, ~t, ~ja)	**living-room**
pince (~́k, ~́t, ~́je)	**cellar**
postaláda (~́k, ~́t, ~́ja)	mailbox
szoba (~́k, ~́t, ~́ja)	**room**
félszoba	partial room
dolgozószoba	study
előszoba	hall
gyerekszoba	children's room
hálószoba/háló (~k, ~t, ~ja)	bedroom
könyvtárszoba	library
vendégszoba	guest room
szuterén (~ek, ~t, ~je) / alagsor (~ok, ~t, ~a)	basement
terasz (~ok, ~t, ~a)	**terrace**
tető (tetők, tetőt, teteje)	**roof**
tetőtér (-terek, -teret, -tere)	attic
udvar (~ok, ~t, ~a)	**yard**
WC (WC-k, WC-t, WC-je)	**toilet**

Lakberendezés / Interior design

asztal (~ok, ~t, ~a)	**table**
asztalterítő (~k, ~t, ~je)	**tablecloth**
dohányzóasztal	coffee table
étkezőasztal	dining room table
íróasztal	**desk**
konyhaasztal	kitchen table
ágy (~ak, ~at, ~a)	**bed**
egyszemélyes ágy	single bed
franciaágy	double bed
emeletes ágy	bunk bed
ágynemű (~k, ~t, ~je)	bedcovers, bedding
ágyneműtartó (~k, ~t, ~ja)	bedding storage compartment
burkolat (~ok, ~ot, ~a)	cover
bútor (~ok, ~t, ~a)	**furniture**
csempe (~́k, ~́t, ~́je)	**tile**
cserépkályha (~́k, ~́t, ~́ja)	tile stove
csillár (~ok, ~t, ~ja)	**chandelier**
dísztárgy (~ak, ~at, ~a)	ornament

doboz (~ok, ~t, ~a)	**box**
fiók (~ok, ~ot, ~ja)	**drawer**
fotel (~ek, ~t, ~e)	**easy chair**
függöny (~ök, ~t, ~e)	**curtain**
függönytartó (~k, ~t, ~ja)	curtain-rod
fürdőkád (~ak, ~at, ~ja)	**bathtub**
gyertyatartó (~k, ~t, ~ja)	candlestick
házimozi (~k, ~t, ~ja)	home theater system
izzó (~k, ~t, ~ja) / villanykörte (~́k, ~́t, ~́je)	bulb, light bulb
kanapé (~k, ~t, ~ja)	**couch, sofa**
kandalló (~k, ~t, ~ja)	fireplace
kárpit (~ok, ~ot, ~ja)	upholstery
kemence (~́k, ~́t, ~́je)	furnace
kémény (~ek, ~t, ~e)	chimney
kép (~ek, ~et, ~e)	**picture**
képkeret (~ek, ~et, ~e)	picture frame
digitális képkeret	digital picture frame
kiegészítő (~k, ~t, ~je)	accessory
kilincs (~ek, ~et, ~e)	**doorknob, door handle**
komód (~ok, ~ot, ~ja)	chest of drawers
kulcs (~ok, ~ot, ~a)	**key**
lámpa (~́k, ~́t, ~́ja)	**lamp**
állólámpa	standing lamp
asztali lámpa	table lamp
olvasólámpa	reading lamp
lepedő (~k, ~t, ~je)	sheet
névtábla (~́k, ~́t, ~́ja)	nameplate
növény (~ek, ~t, ~e)	**plant**
szobanövény	indoor plant
óra (~́k, ~́t, ~́ja)	**clock**
ébresztőóra	alarm clock
falióra	wall clock
padló (~k, ~t, ~ja)	**floor, flooring**
fapadló	hardwood flooring
papírkosár (-kosarak, -kosarat, -kosara)	**paper basket**
paplan (~ok, ~t, ~ja)	**blanket**
parketta (~́k, ~́t, ~́ja)	flooring
laminált parketta	laminated flooring
párna (~́k, ~́t, ~́ja)	**pillow, cushion**
díszpárna	decorative pillow
polc (~ok, ~ot, ~a)	**shelf**
könyvespolc	bookshelf
rádió (~k, ~t, ~ja)	**radio**
riasztó (~k, ~t, ~ja)	burglar alarm system
szék (~ek, ~et, ~e)	**chair**
etetőszék	feeding chair, high chair
hintaszék	rocking chair
karosszék	armchair
szekrény (~ek, ~t, ~e)	**cabinet, locker**
beépített szekrény	closet
éjjeliszekrény	night table
gardróbszekrény	wardrobe, dresser
konyhaszekrény	cupboard, cabinet
ruhásszekrény	clothes closet
szekrénysor (~ok, ~t, ~a)	row of closets
tálalószekrény/tálaló (~k, ~t, ~ja)	buffet cabinet, pantry cupboard
szemetesláda/kuka (~́k, ~́t, ~́ja)	garbage bin
szőnyeg (~ek, ~et, ~e)	**carpet, rug**
padlószőnyeg	wall-to-wall carpeting

takaró (~k, ~t, ~ja) / pléd (~ek, ~et, ~je)	**cover**
tapéta (~́k, ~́t, ~́ja)	**wallpaper**
törülközőtartó (~k, ~t, ~ja)	towel rod
tükör (tükrök, tükröt, tükre)	**mirror**
világítás (~ok, ~t, ~a)	lighting
virág (~ok, ~ot, ~a)	**flower**
virágcserép (-cserepek, -cserepet, -cserepe)	**flower pot**
zár (~ak, ~at, ~ja)	**lock**
zuhanykabin (~ok, ~t, ~ja)	shower cabin

Ki lakik a házban/lakásban?	**Who lives in a house/an apartment?**
albérlő (~k, ~t, ~je)	**tenant**
főbérlő (~k, ~t, ~je)	**landlord**
lakó (~k, ~t, ~ja)	**resident**
tulajdonos (~ok, ~t, ~a)	**owner**
lakástulajdonos	apartment owner

Milyen lehet egy ház/lakás?	**What can a house/an apartment be like?**
alacsony (~abb)	**low**
barátságos (~abb)	**friendly, cosy**
bérelt	rented
bútorozatlan	**unfurnished**
bútorozott	**furnished**
csendes (~ebb)	**quiet**
déli/északi/keleti/nyugati fekvésű	facing south/north/east/west
egyszerű (~bb)	**simple, modest**
egyszintes	one level
eladó	**for sale**
elegáns (~abb)	elegant
emeletes	multi-storey
felújítandó	needing renovation
felújított	renovated, remodeled
hatalmas (~abb)	huge
igényes (~ebb)	fancy
kellemes (~ebb)	**pleasant**
kényelmes (~ebb)	**comfortable**
kertes	**with garden**
kicsi (kisebb)	**small**
magas (~abb)	**tall, high**
modern (~ebb)	**modern**
nagy (~obb)	**big, large**
napos (~abb)	**sunny**
összkomfortos	with all the modern conveniences
panorámás	with panoramic view
piszkos (~abb)	**dirty**
praktikus (~abb)	practical
rendetlen (~ebb)	**messy**
rusztikus (~abb)	rustic
saját	**own**
sivár (~abb)	dreary
sötét (~ebb)	**dark**
-szobás	room
egyszobás lakás	one-room apartment
kétszobás lakás	two-room apartment

tágas (~abb)	spacious
tiszta (~bb)	**clean, neat**
többszintes	multi-level
világos (~abb)	**bright**
zsúfolt (~abb)	crammed, cluttered

Mit csinálhatunk a lakásban és a lakással?	What can we do in and with an apartment?
alkuszik (alkudott, alkudj)	bargain
Aki készpénzzel fizet, többet tud alkudni.	Who pays with cash can strike a better bargain.
bérel *vmit* (~t, ~j)	**rent** *sg*
Péter és Mari közösen bérel lakást.	Péter and Mari rent an apartment together.
berendez *vmit* (rendezett, rendezz)	furnish *sg*
Orsi egyedül rendezte be a szobáját.	Orsi furnished her room by herself.
cserél, elcserél *vmit* (~t, ~j)	trade in *sg*
Családi házamat kétszobás lakásra cserélem.	I'm trading in my house for a two-room apartment.
Sikerült elcserélni a lakásodat?	Did you manage to trade in your apartment?
él *vhol* (~t, ~j)	**live** *somewhere*
Két évig éltem Londonban.	I lived in London for two years.
elad *vmit vkinek* (~ott, ~j)	**sell** *sg to sy*
Kinek adtad el a nyaralódat?	To whom did you sell your vacation home?
hirdet, meghirdet *vmit* (~ett, hirdess)	advertise *sg*
Már egy éve hirdetem az eladó lakásomat.	I've been advertising my apartment for a year.
Tegnap meghirdettem a lakásomat.	I've been advertising my apartment since yesterday.
keres *vkit/vmit* (~ett, keress)	**look** *for sy/sg*
Új albérletet keresek.	I am looking for a new apartment to rent.
kiad *vmit vkinek* (~ott, ~j)	**rent** *sg to sy*
Amíg Amerikában leszek, kiadom a lakásomat egy barátomnak.	While I'm in America I will be renting out my apartment to a friend.
költözik, elköltözik *vhova* (költözött, költözz)	**move** *somewhere*
Jövő héten költözünk az új házba.	Next week we will move into the new house.
Lili elköltözött egy másik városba.	Lili moved to another city.
költözködik (költözködött, költözködj)	**move houses**
Péter idén már harmadszor költözködik.	Péter is moving for the third time this year.
tervez, megtervez *vmit* (~ett, tervezz)	**design** *sg*
Jó építész tervezte ezt a házat.	A good architect designed this house.
Pontosan megterveztünk minden helyiséget.	We designed each room meticulously.
vesz, megvesz *vmit* (vett, vegyél/végy)	**buy** *sg*
Vettünk egy házat a Balaton partján.	We bought a house on the shore of Lake Balaton.
Végül melyik házat vettétek meg?	Which house did you buy in the end?

→ *Építkezés és felújítás / Building and renovating: 67–69. oldal*

Hungarians prefer to buy an apartment rather than rent one. The monthly mortgage rates aren't much different from the monthly rent. You still have to pay the mortgage but the apartment is yours.

Hasznos mondatok ■ Lakásnézőben
Useful sentences ■ Visiting an apartment

Mit mondhat az eladó?	What might sellers say?
A lakásban gázfűtés van.	This apartment has gas heat.
A lakásból nem lehet bemenni a garázsba.	You cannot enter the garage from the apartment.
Az előszobában van egy nagy beépített szekrény.	There is a big built-in closet in the hall.
Az emeleten van a gyerekszoba és a háló.	The children's room and the bedroom are upstairs.
Az erkély napos, nyugati fekvésű.	The balcony is sunny and faces west.
Az étkező és a konyha egybenyílik.	The dining room and the kitchen open into each other.

Egy nappali, három szoba és egy félszoba van a földszinten.	There is a living room, three rooms and a partial room on the ground floor.
A tetőteret be lehet építeni.	The attic can be transformed into a living area.
A házhoz tartozik egy kis kert is.	A small garden comes with the house.
A fürdőszobát fel kell újítani.	The bathroom needs to be remodeled.
Érdekli a lakás?	Are you interested in the apartment?
A ház tehermentes.	The house is unencumbered.
A lakáson nincs hitel.	There is no mortgage on the house.
Mennyi idő alatt tudja kifizetni a vételárat?	How much time do you need to pay the sale price for the house?

Mit kérdezhet a vevő?	**What might buyers ask?**
Hány szobás az ingatlan?	How many rooms does the property have?
Hányadik emeleten van a lakás?	Which floor is the apartment on?
Jó a közlekedés?	Is public transport easily accessible (*lit.* good)?
Lehet a közelben parkolni?	Are there any parking places nearby?
Mekkora a telek?	How big is the property?
Lehet az árból alkudni?	Is it possible to bargain the price?
Mikor lehet megnézni a lakást?	When can I view the apartment?
Mikor volt az utolsó felújítás?	When did the last remodeling take place?
Minden emeleten van fürdő és WC?	Is there a bathroom and a toilet on each floor?
A konyhabútor marad?	Do the kitchen cupboards remain?
Milyen a fűtés?	What kind of heat do you have?
Jó állapotú a lakás?	Is the apartment in good condition?
Milyen magas a rezsi?	How much are the monthly expenses?
Miből vannak a burkolatok?	What kind of wallcoverings do you have?
Van a házon hitel?	Is there a mortgage on the house?
Van csatorna/gáz/kábeltévé?	Do you have a sewage system/gas/cable TV installed?
Mikor lehet beköltözni?	When can I move in?
Mi az utolsó ár?	What is your last price?
Mennyit enged az árból, ha azonnal fizetek?	How much of a bargain can I get if I pay immediately?
Komolyan érdekel a lakás.	I'm seriously interested in this apartment.
Mikor írhatjuk alá a szerződést?	When can we sign the contract?
Mennyi előleget kér?	How much money do you want in advance?

3. Lakásfenntartás / Home maintenance

Hasznos szavak
Useful words

Lakásköltségek	Living expenses
áram (~ot, ~a) / **villany** (~t, ~a)	**electricity**
biztosítás (~ok, ~ot, ~a)	**insurance**
biztosítást köt	get an insurance policy
csatornadíj (~ak, ~at, ~a)	sewage fee
előfizetés (~ek, ~t, ~e)	**monthly billing**
telefon-előfizetés	telephone monthly billing
internet-előfizetés	Internet monthly billing
tévé-előfizetés	TV monthly billing
fűtés (~ek, ~t, ~e)	**heating**
fafűtés	woodburning furnace
gázfűtés	gas heat
központi fűtés	central heating
távfűtés	district heating
közös költség (~ek, ~et, ~e)	shared expenses
közüzemi díjak (~at)	utility expenses
lakáshitel (~ek, ~t, ~e)	mortgage
lakáshitelt vesz fel	take out a mortgage
lakbér (~ek, ~t, ~e)	**rent**
rezsi (~k, ~t, ~je)	**monthly expenses**
számla (~́k, ~́t, ~́ja)	**bill**
befizeti a számlákat	pay the bills
szemétszállítás (~ok, ~t, ~a)	garbage removal
tartozás (~ok, ~t, ~a)	debt
kiegyenlíti a tartozását	settle one's debt
víz (vizek, vizet, vize)	**water**

Házimunka a lakásban	Chores in an apartment
ablakmosás/ablakpucolás (~t)	cleaning windows
beágyazás (~t)	making the beds
cipőpucolás (~t)	shining shoes
felmosás (~t)	**mopping**
főzés (~t)	**cooking**
mosás (~t)	**washing**
mosogatás (~t)	**dishwashing**
pakolás/rendrakás (~t)	**tidying up**
porszívózás (~t)	**vacuum cleaning**
portörlés (~t)	**dusting**
söprés (~t)	sweeping
szellőztetés (~t)	**airing out**
takarítás (~t)	**cleaning**
teregetés (~t)	hanging clothes out to dry
tisztítás (~t)	cleaning
törölgetés (~t)	wiping
varrás (~t)	**sewing**
virágöntözés (~t)	watering the plants

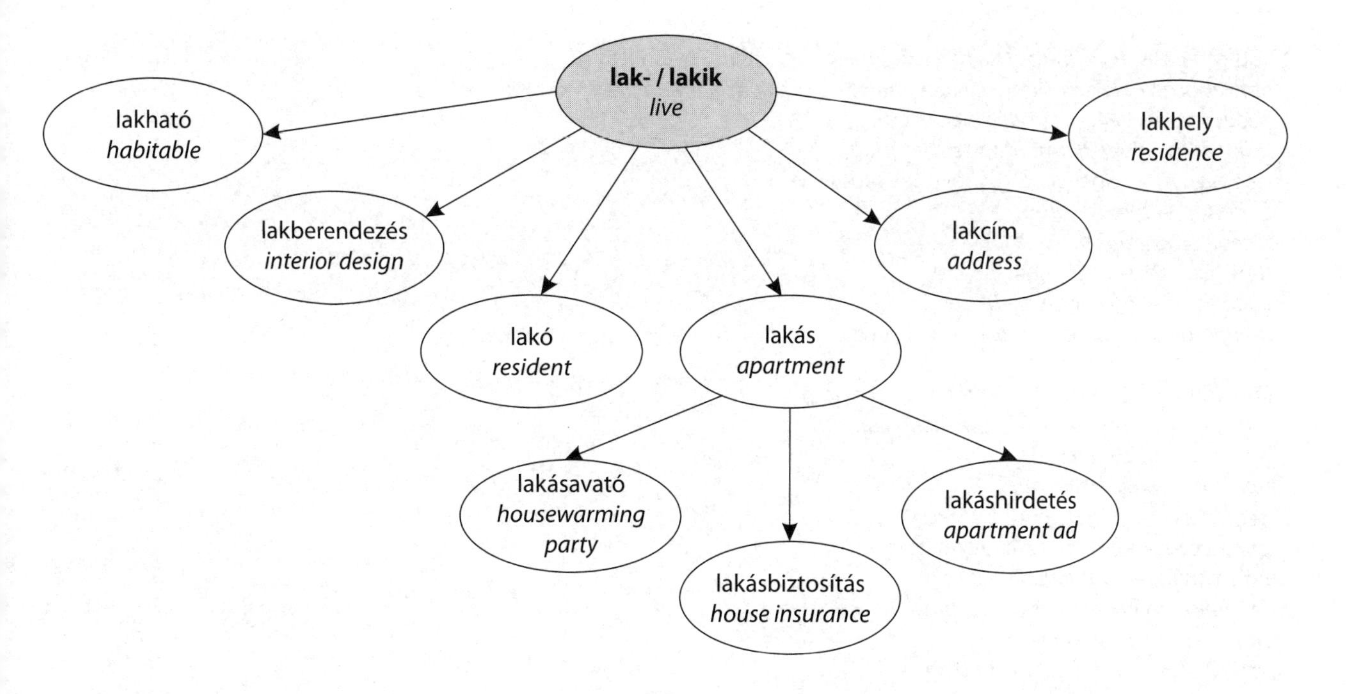

Házimunka a lakáson kívül	Chores outside the apartment
bevásárlás (~t)	**shopping**
fűnyírás (~t)	mowing the lawn
gyomlálás (~t)	weeding
hólapátolás (~t)	shoveling snow
kapálás (~t)	hoeing
kutyasétáltatás (~t)	walking the dog
öntözés (~t)	watering plants
permetezés (~t)	spraying pesticides
ültetés (~t)	planting
vetés (~t)	sowing

→ *Kertészkedés / Gardening: 99–102. oldal*

Mivel dolgozunk?	What do we work with?
cérna (~́k, ~́t, ~́ja)	thread
cipőpaszta (~́k, ~́t, ~́ja)	shoe polish
felmosórongy (~ok, ~ot, ~a)	mop
mosogatógép (~ek, ~et, ~e)	dishwasher
mosógép (~ek, ~et, ~e)	**washing machine**
porszívó (~k, ~t, ~ja)	**vacuum cleaner**
portörlő (~k, ~t, ~je)	**rag**
seprű/söprű (~k, ~t, ~je)	broom
szárítógép (~ek, ~et, ~e)	dryer
szivacs (~ok, ~ot, ~a)	**sponge**
tisztítószer (~ek, ~t, ~e)	**cleaning liquid**
tű (~k, ~t, ~je)	pin
vödör (vödrök, vödröt, vödre)	bucket

You can easily form verbs out of the name for an activity by omitting *-ás/-és*:
ablakmosás/ablakpucolás → ablakot mos / ablakot pucol (clean the windows)
beágyazás → beágyaz (make the bed)
bevásárlás → ***bevásárol (do the shopping)***
cipőpucolás → cipőt pucol (polish one's shoes)
felmosás → ***felmos (mop)***
főzés → ***főz (cook)***
fűnyírás → füvet nyír (mow the lawn)
gyomlálás → gyomlál (weed)
hólapátolás → havat lapátol (shovel snow)
kapálás → kapál (hoe)
kutyasétáltatás → kutyát sétáltat (walk the dog)
mosogatás → ***mosogat (do the dishwashing)***
öntözés → ***öntöz (water)***
pakolás → ***pakol (tidy up)***
permetezés → permetez (spray)
porszívózás → ***porszívózik (vacuum clean)***
portalanítás → portalanít (dust)
rendrakás → ***rendet rak (clean up)***
söprés → söpör (sweep)
szellőztetés → szellőztet (air out)
teregetés → tereget (hang the clothes out to dry)
tisztítás → ***tisztít (clean)***
törölgetés → törölget (wipe)
ültetés → ültet (plant)
varrás → ***varr (sew)***
vetés → vet (sow)
virágöntözés → virágot öntöz (water the flowers)

→ Szóképzés / Forming new words: 266–282. oldal

Hasznos mondatok ■ Az alapos takarítás
Useful sentences ■ Thorough cleaning

Az ablakot még egyszer át kell törölni, különben csíkos marad.	The window has to be wiped twice otherwise it will be streaky.
Miért nem lehet minden reggel beágyazni?	Why can't you make your bed every morning?
A felmosóvízbe fertőtlenítő is kell.	You need to put disinfectant in the mopping water.
A főzés és a takarítás nem megy együtt.	You can't do the cooking and the cleaning at the same time.
Könnyű a mosogatás, ha van mosogatógép.	It is easy to do the dishwashing if there is a dishwasher around.
A pakolás az igazi mókuskerék.	Tidying up is an endless cycle.
A bútorok alatt is tessék kiporszívózni!	You have to vacuum under the furniture, too!
A teraszt mindennap fel kell söpörni.	The terrace must be swept every day.
Ha a poharakat azonnal eltöröljük, nem lesznek foltosak.	If the glasses are wiped immediately, they will not be spotted.
Télen hetente, nyáron kétnaponta szoktam megöntözni a virágokat.	I water the flowers once a week in the winter, and every other day in the summer.
Szeretem a rendet.	I like when everything is in order. (*lit.* I like order.)
Nincs annál jobb, mint amikor ragyog az egész ház.	There is nothing better than when the whole house is sparkling.
Engem a takarítás kikapcsol; ha ideges vagyok, elkezdek pakolni. Ez az én terápiám.	Cleaning relaxes me; whenever I'm nervous, I start tidying up. This is my therapy.
A rendrakás soha nem volt az erősségem.	Tidying up was never my strong point.
Nálam takarítónő dolgozik.	I have a cleaning lady.

4. Építkezés és felújítás / Building and renovating

Hasznos szavak
Useful words

Mi kell az építkezéshez és a felújításhoz?	What is needed for construction and renovation?
alap (~ok, ~ot, ~ja)	**foundation**
állvány (~ok, ~t, ~a)	scaffolding
ásó (~k, ~t, ~ja)	spade
beton (~t, ~ja)	concrete
betonkeverő (~k, ~t, ~je)	concrete mixer
burkolat (~ok, ~ot, ~a)	covering
cement (~et, ~je)	cement
csákány (~ok, ~t, ~a)	pick
csatorna (~́k, ~́t, ~́ja)	drain
csavar (~ok, ~t, ~ja)	**screw, bolt**
cserép (cserepek, cserepet, cserepe)	roof tile
daru (~k, ~t, ~ja)	crane
gerenda (~́k, ~́t, ~́ja)	beam
homlokzat (~ok, ~ot, ~a)	facade
homok (~ot, ~ja)	sand
járólap (~ok, ~ot, ~ja)	floor tile
kalapács (~ok, ~ot, ~a)	**hammer**
kiviteli terv (~ek, ~et, ~e)	construction plan
lapát (~ok, ~ot, ~ja)	**shovel**
létra (~́k, ~́t, ~́ja)	**ladder**
nyílászáró (~k, ~t, ~ja)	doors and windows
szaniter (~ek, ~t, ~e)	sanitation equipment
szigetelőanyag (~ok, ~ot, ~a)	insulation material
szög/szeg (~ek, ~et, ~e)	**nail**
talicska (~́k, ~́t, ~́ja)	wheelbarrel
tégla (~́k, ~́t, ~́ja)	**brick**
vakolás (~ok, ~t, ~a)	plaster
vezeték (~ek, ~et, ~e)	**wire**
villanyvezeték	electric wire
vízvezeték	water pipe

Mit csinálnak a mesteremberek?	What do master craftsmen do?
lebont *vmit* (~ott, bonts)	tear down *sg*
A régi házat teljesen lebontjuk.	The old house will be entirely torn down.
csavaroz, felcsavaroz *vmit* (~ott, csavarozz)	screw *sg*
A falra csavarozom a polcot.	I screw the shelf onto the wall.
Felcsavarozzam ezt a polcot is?	Do you want me to screw this shelf onto the wall, too?
csiszol, felcsiszol *vmit* (~t, ~j)	sand *sg*
A faparkettát csiszolni kell.	The wooden floor has to be sanded.
Idén egyszer már felcsiszoltuk a parkettát.	We have already sanded the floor once this year.

épít *vmit* (~ett, építs)
Egy hatalmas garázst is építünk.
építkezik (építkezett, építkezz)
Életem végéig építkezni fogok.
falaz (~ott, falazz)
A kőművesek az alapra falaznak.
felszerel *vmit* (~t, ~j)
A villanyszerelő felszerelte a csillárt.
felújít *vmit* (~ott, újíts)
Fel fogom újítani a konyhát.
fest, kifest *vmit* (~ett, fess)
Zöldre festem a nappalit.
Kifestettem az egész házat.
fúr, kifúr, felfúr *vmit* (~t, ~j)
A munkások egész nap fúrnak.
Kifúrtam a lyukakat, amit kértél.
A férjem felfúrta a függönytartót.
füvesít (~ett, füvesíts)
Nem tudom, mikor füvesítünk.
gipszkartonozik *vmit* (gipszkartonozott, gipszkartonozz)
A munkások a mennyezetet gipszkartonozzák.
glettel (~t, ~j)
Festés előtt glettelünk.
gyalul *vmit* (~t, ~j)
A gerendákat gyalulni kell.
illeszt *vmit vmihez* (~ett, illessz)
A polcot a falhoz illesztem.
kicserél *vmit* (~t, ~j)
Egyedül cseréltem ki a villanykörtét.
kövez, kikövez *vmit* (~ett, kövezz)
Holnap betonozzák az utcánkban a járdát.
A szomszéd utcát már lebetonozták.
lakkoz *vmit* (~ott, lakkozz)
A parkettát holnap fogják lakkozni.
leszigetel *vmit* (~t, ~j)
Minden vezetéket leszigeteltünk.
megjavít *vmit* (~ott, javíts)
Apa mindent meg tud javítani.
parkettáz (~ott, parkettázz)
A dolgozószobát laminált parkettával parkettázzuk.
ragaszt *vmit* (~ott, ragassz)
A dekorációt az ablakra ragasztjuk.
számol, kiszámol *vmit* (~t, ~j)
A mesteremberek jól tudnak számolni.
A burkoló kiszámolja, mennyi csempe kell.
szigetel (~t, ~j)
Az ablakok szerencsére jól szigetelnek.
szögel/szegel (~t, ~j)
Kalapácsra, szögre és szemüvegre van szükségem, ha szögelek.
tapétáz, kitapétáz *vmit* (~ott, tapétázz)
A gyerekszobát és a hálót tapétázzuk.

A dolgozószobát nem kell kitapétázni.
vakol *vmit* (~t, ~j)
A kőműves a homlokzatot vakolja.

build *sg*
We will also build a huge garage.
build a house
I will be building houses until I die.
build a wall
The masons build a wall onto the foundation.
install *sg*, put *sg* in place
The electrician installed the chandelier.
restore *sg*
I am going to remodel the kitchen.
paint *sg*
I will paint the living room green.
I painted the entire house.
drill *sg*, put up *sg by drilling*
The workers are drilling all day.
I drilled the holes you asked me for.
My husband put up the curtain-rod.
seed the lawn
I have no idea when we will seed the lawn.
put up plasterboard/sheetrock *on sg*
The builders are putting up plasterboard on the ceiling.
smooth the wall
We will smooth the wall before painting.
plane *sg*
The beams have to be planed.
fit *sg to sg*
I fit the shelves to the wall.
exchange *sg*, replace *sg*
I replaced the light bulb all by myself.
pave *sg*
The sidewalk on our street will be paved tomorrow.
The neighboring street has already been paved.
varnish *sg*
The wooden floor will be varnished tomorrow.
insulate *sg*
We insulated all the wires.
fix *sg*, **repair** *sg*
Dad can fix anything.
lay parquet
We will lay a laminated floor in the study.
glue *sg*
We glue the ornaments onto the window.
calculate *sg*
Master craftsmen can calculate well.
The tiler calculates how many tiles will be needed.
insulate
Fortunately, the windows insulate just fine.
nail, hammer a nail
I need a hammer, nails and protective glasses, when I am nailing.
hang wallpaper
We are hanging wallpaper in the chilren's room and the bedroom.
The study does not need any wallpapering.
put mortar *on sg*
The mason is putting mortar on the facade.

Hasznos mondatok ▪ Ami elromolhat, az el is romlik
Useful sentences ▪ Anything that can go wrong, will go wrong.

Az ágy nyikorog és kényelmetlen.	The bed creaks and is uncomfortable.
Az ajtót nem lehet bezárni.	The door cannot be locked.
A csap csöpög.	The water-tap is dripping.
A cserépkályha füstöl.	The tile stove expels smoke.
A fal piszkos/koszos.	The wall is dirty/filthy.
A fiók beszorult.	The drawer is stuck shut.
A függöny leszakadt.	The curtains are torn.
A fürdőszobában ömlik a víz.	Water is leaking in the bathroom.
A garázs tele van limlomokkal.	The garage is full of junk.
A gyerekszobában nem lehet megmozdulni.	The children's room is crammed. (*lit.* You can't move in the kids' room.)
A hűtő leengedett.	The refrigerator was thawed out.
A kávéfőző elromlott.	The coffeemaker is broken.
A kert gazos.	The garden is full of weeds.
A kilincs letörött.	The door handle is broken.
A kulcs beletörött a zárba.	The key broke in the lock.
A lefolyó eldugult.	The drain is clogged.
A párna elszakadt.	The pillow is torn.
A plafon leszakadt.	The ceiling is hanging.
A porszívó motorja leégett.	The vacuum cleaner's motor is burnt.
A rádió nem szól.	The radio does not work.
A spájzba már nem fér be semmi.	There is no room for anything in the pantry.
A sütő nem melegszik.	The oven won't heat up.
A széknek kitörött a lába.	The leg of the chair is broken.
A szobanövény kiszáradt.	The plant dryed out.
A tető beázik.	The roof is leaking.
A tetőtérbe beesik az eső.	Rain is pouring into the attic.
A tükör megrepedt/eltörött.	The mirror is cracked/broken.
A WC-t nem lehet lehúzni.	The toilet won't flush.

TANULÁS ÉS MUNKA / STUDYING AND WORK

1. Tanulás / Learning, studying

Hasznos szavak
Useful words

Hol tanulhatunk?	Where can we learn/study?
egyetem (~ek, ~et, ~e)	**university**
főiskola (~́k, ~́t, ~́ja)	**college, higher education institute**
gimnázium (~ok, ~ot, ~a)	**high school**
intézet (~ek, ~et, ~e)	institute
iskola (~́k, ~́t, ~́ja)	**school**
állami iskola	public school
általános iskola	**elementary school**
egyházi iskola	church school
középiskola	**secondary school**
magániskola	private school
nyelviskola	language school
szakiskola	vocational school
szakközépiskola	vocational high school
zeneiskola	music school
kar (~ok, ~t, ~a)	faculty
egyetemi kar	university faculty
bölcsészettudományi kar	Faculty of Arts
egészségügyi kar	Faculty of Health Sciences
gyógyszerészeti kar	Faculty of Pharmaceutics
jogi kar	Faculty of Law, Law School
közgazdaságtudományi kar	Faculty of Economics
mezőgazdasági kar	Faculty of Agriculture
műszaki kar	Faculty of Engineering
orvostudományi kar	Faculty of Medicine
természettudományi kar	Faculty of Science
szak (~ok, ~ot, ~ja)	**discipline**
földrajz szak	geography major or minor
szakirány (~ok, ~t, ~a)	study specialization
tagozat (~ok, ~ot, ~a)	type or level of education
alsó tagozat	lower grades of the elementary school
felső tagozat	upper grades of the elementary school
esti tagozat	evening school
levelező tagozat	correspondence department

tanóra/**óra** (~́k, ~́t, ~́ja)	lesson, **class**
magyaróra	Hungarian lesson, literature class
matematikaóra	mathematics lesson
különóra/magánóra	private lesson
oktatás (~ok, ~t, ~a)	**education**
alapfokú oktatás	primary education
középfokú oktatás	secondary education
felsőfokú oktatás	higher education
óvoda (~́k, ~́t, ~́ja)	**kindergarten**
tanszék (~ek, ~et, ~e)	university department
távoktatás (~t, ~a)	correspondence education, distance learning education
távtanulás (~t, ~a)	correspondence learning, distance learning

Helyek az iskolában, az egyetemen	Places at school and university
büfé (~́k, ~́t, ~́je)	**cafeteria**
ebédlő (~k, ~t, ~je)	**canteen**
folyosó (~k, ~t, ~ja)	**corridor**
hivatal (~ok, ~t, ~a)	office, department
gazdasági hivatal	administration department
rektori hivatal	rector's office
iroda (~́k, ~́t, ~́ja)	**office**
igazgatói iroda	director's office
kert (~ek, ~et, ~je)	**garden**
botanikus kert	botanical garden
kollégium (~ok, ~ot, ~a)	**dormitory**
könyvtár (~ak, ~t, ~a)	**library**
labor (~ok, ~t, ~ja)	lab
napközi (~k, ~t, ~je)	daycare
szertár (~ak, ~at, ~a)	storeroom at school
tanári szoba (~́k, ~́t, ~́ja)	teachers' room
tanterem/terem (termek, termet, terme)	**room, hall**
előadóterem	lecture hall, auditorium
szemináriumi terem	seminar hall
tornaterem	**gym**
sportpálya (~́k, ~́t, ~́ja)	sports field
udvar (~ok, ~t, ~a)	**court, yard**

Tárgyak az iskolában	Objects in the school building
asztal (~ok, ~t, ~a)	**desk**
tanári asztal	teacher's desk
ceruza (~́k, ~́t, ~́ja)	**pencil**
ecset (~ek, ~et, ~e)	brush
egyenruha (~́k, ~́t, ~́ja)	uniform
egyenruhát visel/hord	wear a uniform
feladatlap (~ok, ~ot, ~ja)	worksheet
festék (~ek, ~et, ~e)	**paints**
filctoll (~ak, ~at, ~a)	marker
füzet (~ek, ~et, ~e)	**notebook**
gyurma (~́k, ~́t, ~́ja)	modeling clay
iskolatáska (~́k, ~́t, ~́ja)	schoolbag
iskolaújság (~ok, ~ot, ~ja)	school newspaper
jegyzet (~ek, ~et, ~e)	notes
könyv (~ek, ~et, ~e)	**book**
tankönyv	**textbook**
olvasókönyv	reading book

körző (~k, ~t, ~je)	compass
kréta (~́k, ~́t, ~́ja)	**chalk**
labda (~́k, ~́t, ~́ja)	**ball**
lap (~ok, ~ot, ~ja)	**sheet**
rajzlap	drawing paper, art paper
mappa (~́k, ~́t, ~́ja)	folder
munkafüzet (~ek, ~et, ~e)	exercise book
olló (~k, ~t, ~ja)	**scissors**
osztálynapló (~k, ~t, ~ja)	class book
pad (~ok, ~ot, ~ja)	**bench**
papír (~ok, ~t, ~ja)	**paper**
projektor (~ok, ~t, ~a) / vetítő (~k, ~t, ~je)	projector, beamer
puska (~́k, ~́t, ~́ja)	cheat sheet
radír (~ok, ~t, ~ja)	**erasor**
számítógép (~ek, ~et, ~e) / computer (~ek, ~t, ~e)	**computer**
számológép (~ek, ~et, ~e)	**calculator**
szék (~ek, ~et, ~e)	**chair**
szemléltetőeszköz (~ök, ~t, ~e)	illustrative material
szivacs (~ok, ~ot, ~a)	sponge
szótár (~ak, ~t, ~a)	**dictionary**
szögmérő (~k, ~t, ~je)	protractor
tábla (~́k, ~́t, ~́ja)	**blackboard**
interaktív tábla	interactive board, smartboard
térkép (~ek, ~et, ~e)	**map**
toll (~ak, ~at, ~a)	**pen**
tolltartó (~k, ~t, ~ja)	**pencil case**
tornacipő (~k, ~t, ~je)	**sports shoes**
tornazsák (~ok, ~ot, ~ja)	sports bag
tornaruha (~́k, ~́t, ~́ja)	gym clothes
tornaszőnyeg (~ek, ~et, ~e)	exercise mat
váltócipő (~k, ~t, ~je)	indoor shoes
vonalzó (~k, ~t, ~ja)	ruler

Tantárgyak	School subjects
biológia (~́t, ~́ja)	**biology**
ének-zene (~́t, ~́je)	**music**
filozófia (~́k, ~́t, ~́ja)	**philosophy**
fizika (~́t, ~́ja)	**physics**
földrajz (~ot, ~a)	**geography**
hittan (~t, ~a)	**religion**
informatika (~́t, ~́ja)	**computer studies**
irodalom (irodalmat, irodalma)	**literature**
kémia (~́t, ~́ja)	**chemistry**
kommunikáció (~t, ~ja)	**communication**
környezetismeret (~et, ~e)	environmental education
közgazdaságtan (~t, ~a)	economics
matematika (~́t, ~́ja) / matek (~ot, ~ja)	**mathematics**
nyelvóra (~́k, ~́t, ~́ja)	**language lesson**
nyelvtan (~t, ~a)	**grammar lesson**
pedagógia (~́t, ~́ja)	pedagogy
pszichológia (~́t, ~́ja)	**psychology**
rajzóra (~́k, ~́t, ~́ja)	**art lesson**
társadalomismeret (~et, ~e)	social studies
technika (~́t, ~́ja)	**art class**
természetismeret (~et, ~e)	nature studies
testnevelés (~t) / **torna** (~́k, ~́t, ~́ja)	**gym, phys ed**
történelem (történelmet, történelme)	**history**
vizuális nevelés (~t, ~e)	visual education

It is a tradition in elementary and secondary schools to write the following text with decorative letters on the blackboard:

7 days before summer holiday:	**ó**
6 days before summer holiday:	**ió**
5 days before summer holiday:	**ció**
4 days before summer holiday:	**áció**
3 days before summer holiday:	**káció**
2 days before summer holiday:	**akáció**
1 day before summer holiday:	**vakáció**

Summer holiday can begin!

Kik vannak az óvodában/iskolában/egyetemen?	**Who is at kindergarten/school/university?**
adjunktus (~ok, ~t, ~a)	assistant professor
dadus (~ok, ~t, ~a)	nanny
dékán (~ok, ~t, ~ja)	**Dean**
docens (~ek, ~t, ~e)	university lecturer
gimnazista (~́k, ~́t, ~́ja)	**high school student**
gondozónő (~k, ~t, ~je)	nurse (at nursery school)
hallgató (~k, ~t, ~ja)	**student**
egyetemi hallgató / egyetemista (~́k, ~́t, ~́ja)	university student
főiskolai hallgató / főiskolás (~ok, ~t, ~a)	student at a higher education institute
PhD-hallgató / PhD-s (PhD-sek, PhD-st, PhD-se) / doktorandusz (~ok, ~t, ~a)	PhD student
igazgató (~k, ~t, ~ja)	**headmaster, principal**
igazgatóhelyettes (~ek, ~t, ~e)	vice-principal
iskolaorvos (~ok, ~t, ~a)	school doctor
iskolás (~ok, ~t, ~a)	pupil
általános iskolás	elementary school pupil
középiskolás	high school student
kutató (~k, ~t, ~ja)	researcher
logopédus (~ok, ~t, ~a)	speech therapist
oktató (~k, ~t, ~ja)	lecturer, teacher
osztályfőnök (~ök, ~öt, ~e)	class teacher
osztálytárs (~ak, ~at, ~a)	**classmate**
óvónő (~k, ~t, ~je)	**kindergarten teacher**
pedagógus (~ok, ~t, ~a)	**educator**
professzor (~ok, ~t, ~a)	**professor**
pszichológus (~ok, ~t, ~a)	psychologist
rektor (~ok, ~t, ~a)	rector
tanácsadó (~k, ~t, ~ja)	counselor, advisor
nevelési tanácsadó	educational counselor
pályaválasztási tanácsadó	career advisor
tanár (~ok, ~t, ~a)	**teacher**
tanársegéd (~ek, ~et, ~je)	assistant lecturer
tanfelügyelő (~k, ~t, ~je)	school inspector
tanítvány (~ok, ~t, ~a)	**student, pupil**
tanszékvezető (~k, ~t, ~je)	head of department
tanuló (~k, ~t, ~ja) / **diák** (~ok, ~ot, ~ja)	**student, pupil**

Órán, előadáson	**At a lesson or a lecture**
ábra (~́k, ~́t, ~́ja)	illustration
anyag (~ok, ~ot, ~a)	material
tananyag	course material
törzsanyag	core material, compulsory material
kiegészítő anyag	additional material
bevezetés (~ek, ~t, ~e)	**introduction**

csoportmunka (~́k, ~́t, ~́ja)	team work
elmélet (~ek, ~et, ~e)	**theory**
élmény (~ek, ~t, ~e)	**experience**
sikerélmény	sense of achievement
előadás (~ok, ~t, ~a)	**lecture**
előadást tart	give a lecture
eredmény (~ek, ~t, ~e)	**result**
feladat (~ok, ~ot, ~a)	**task, exercise**
házi feladat	homework
fogalmazás (~ok, ~t, ~a)	**essay**
foglalkozás (~ok, ~t, ~a)	**activity, session**
egyéni foglalkozás	private session
gondolat (~ok, ~ot, ~a)	**thought**
gyakorlat (~ok, ~ot, ~a)	**practice**
helyesírás (~ok, ~t, ~a)	**spelling**
illusztráció (~k, ~t, ~ja)	**illustration**
információ (~k, ~t, ~ja)	information
írás (~ok, ~t, ~a)	**writing**
ismeret (~ek, ~et, ~e) **/ tudás** (~ok, ~t, ~a)	**knowledge**
ismétlés (~ek, ~t, ~e)	**repetition, review**
jegy (~ek, ~et, ~e) / osztályzat (~ok, ~ot, ~a)	**mark, grade**
érdemjegy	school mark, grade
jó/rossz jegyet kap	get a good/bad mark
jegyzet (~ek, ~et, ~e)	notes
képlet (~ek, ~et, ~e)	formula
képzés (~ek, ~t, ~e)	training, education
önképzés	self-teaching, self-study
kérdés (~ek, ~t, ~e)	**question**
feltesz egy kérdést	ask a question
kiselőadás (~ok, ~t, ~a) / referátum (~ok, ~ot, ~a)	presentation
kísérlet (~ek, ~et, ~e)	experiment
kísérletet végez	do an experiment
követelmény (~ek, ~t, ~e)	requirement, expectation
magas követelményeket támaszt	establish high expectations
kulcsszó (-szavak, ~t, -szava)	key word
lecke (~́k, ~́t, ~́je)	**lesson in a book, homework**
magyarázat (~ok, ~ot, ~a)	**explanation**
megoldás (~ok, ~t, ~a)	**solution, answer**
memória (~́k, ~́t, ~́ja) /emlékezőképesség (~et, ~e)	**memory**
mozgás (~ok, ~t, ~a)	**movement, physical exercise**
módszer (~ek, ~t, ~e)	**method**
módszert alkalmaz	use a method
műveltség (~ek, ~et, ~e)	**knowlegde, education**
általános műveltség	general knowledge
olvasás (~t, ~a)	**reading**
néma olvasás	silent reading
hangos olvasás	reading aloud
olvasmány (~ok, ~t, ~a)	**text**
összefüggés (~ek, ~t, ~e)	connection, relation
példa (~́k, ~́t, ~́ja)	**example**
stressz (~t, ~e)	**stress**
szabály (~ok, ~t, ~a)	**rule**
szint (~ek, ~et, ~je)	level
alacsony/magas szint	low/high level
szorzótábla (~́k, ~́t, ~́ja) / egyszeregy (~ek, ~et, ~e)	multiplication table
tartalom (tartalmak, tartalmat, tartalma)	**content**
tollbamondás (~ok, ~t, ~a)	dictation

A tanórán kívül	Outside classes
énekkar (~ok, ~t, ~a)	choir
fakultáció (~k, ~t, ~ja)	extension course, advanced course
történelem fakultáció	advanced course in history
fakultációra jár	attend an advanced course
osztálykirándulás (~ok, ~t, ~a)	class trip
osztálykirándulásra megy	go on a class trip
szakkör (~ök, ~t, ~e)	club
rajzszakkör	art club
színjátszó csoport (~ok, ~ot, ~ja)	theater group
szünet (~ek, ~et, ~e)	**break**
szünidő (~k, ~t, -ideje) / vakáció (~k, ~t, ~ja)	school break
tábor (~ok, ~t, ~a)	camp

Számonkérés, hivatalos iratok és események	Testing, official papers and events
bizonyítvány (~ok, ~t, ~a)	**report card**
bizonyítványt kap	get a report card
bizonyítványt oszt	hand out a report card
diákigazolvány (~ok, ~t, ~a)	**student ID**
diploma (~́k, ~́t, ~́ja)	**degree**
diplomamunka (~́k, ~́t, ~́ja) / szakdolgozat (~ok, ~ot, ~a)	thesis
diplomaosztó (~k, ~t, ~ja)	graduation ceremony at university
disszertáció (~k, ~t, ~ja)	dissertation, doctoral thesis
dolgozat (~ok, ~ot, ~a) / teszt (~ek, ~et, ~je)	**test**
házi dolgozat	paper written outside class
záródolgozat	final exam
zárthelyi dolgozat / ZH (ZH-k, ZH-t, ZH-ja)	university class test
ellenőrzőfüzet (~ek, ~et, ~e) / ellenőrző (~k, ~t, ~je)	grade book
érettségi (~k, ~t, ~je)	**school leaving examination**
érettségi bizonyítvány (~ok, ~t, ~a)	high school diploma
érettségit tesz	graduate from high school
értekezlet (~ek, ~et, ~e)	**meeting**
szülői értekezlet	parents' meeting
évismétlés (~ek, ~t, ~e)	repeating a school year
évnyitó (~k, ~t, ~ja)	school year opening ceremony
évzáró (~k, ~t, ~ja)	school year closing ceremony
felelés (~ek, ~t, ~e)	**recite, answer teacher's question**
fogadóóra (~́k, ~́t, ~́ja)	consulting session
fogadóórát tart	hold a consulting session
igazolás (~ok, ~t, ~a)	certificate
iskolalátogatási igazolás	certificate of school attendance
orvosi igazolás	doctor's certificate
iskolabál (~ok, ~t, ~ja)	school ball, dance
jegyzőkönyv (~ek, ~et, ~e)	minutes
jegyzőkönyvet vezet	record the minutes
jegyzőkönyvbe vesz *vmit*	record *sg* in the minutes
képesítés (~ek, ~t, ~e)	qualification
képesítést szerez	earn a qualification
leltár (~ok, ~t, ~a)	inventory
oklevél (-levelek, -levelet, -levele)	diploma
ösztöndíj (~ak, ~at, ~a)	**scholarship**
ösztöndíjat igényel	apply for a scholarship
ösztöndíjat kap	receive a scholarship
szorgalmi időszak (~ok, ~ot, ~a)	term
szemeszter (~ek, ~t, ~e)	**semester**
tandíj (~ak, ~at, ~a)	**tuition fee**

tanulmány (~ok, ~t, ~a)	**study**
egyetemi tanulmányok	university studies
egyetemi tanulmányokat folytat	be a university student
tétel (~ek, ~t, ~e)	**exam topic**
tételsor (~ok, ~t, ~a)	exam topic list
tételt húz	get a topic from the topic list at the exam
továbbtanulás (~t, ~a)	higher education
verseny (~ek, ~t, ~e)	**competition, contest**
sportverseny	sport competition
tanulmányi verseny	school competition
vizsga (~́k, ~́t, ~́ja)	**exam**
államvizsga	state exam
felvételi vizsga	entry exam
írásbeli vizsga	written exam
szóbeli vizsga	oral exam
nyelvvizsga	language exam
vizsgaidőszak (~ok, ~ot, ~a)	exam period
átmegy a vizsgán	pass an exam
megbukik a vizsgán	fail an exam
vizsgát tesz	take an exam

There are five different marks in Hungary. The worst mark is mark one (*egyes*) and the best mark is mark five (*ötös*). The official names used in school reports are as follows: *1 (egyes) = elégtelen (insufficient); 2 (kettes) = elégséges (sufficient); 3 (hármas) = közepes (mediocre); 4 (négyes) = jó (good); 5 (ötös) = jeles (excellent)*

Milyen az oktatás / a tanóra?	What is education/ a lesson like?
differenciált (~abb)	differenciated
érdekes (~ebb)	**interesting**
inspiráló (~bb)	inspiring
kéttannyelvű	bilingual
lendületes (~ebb)	energetical
logikus (~abb)	**logical**
optimális (~abb)	optimal
száraz (~abb)	**dry**
szemléletes (~ebb)	illustrative
színvonalas (~abb)	of good quality, demanding
unalmas (~abb)	**boring**

Milyen a tanuló/tanár?	What is a student, teacher like?
aktív (~abb)	active
átlagos	**average**
barátságos (~abb)	**friendly**
buta (~́bb)	**stupid**
érdeklődő (~bb) / **nyitott** (~abb)	**open-minded**
fegyelmezett (~ebb)	disciplined
felelős	responsible
felelőtlen (~ebb)	irresponsible
figyelmes (~ebb)	attentive
figyelmetlen (~ebb)	inattentive
hiperaktív (~abb)	hyperactive
hiteles (~ebb)	authentic
hiteltelen (~ebb)	inauthentic
igazságos (~abb)	**fair**
igazságtalan (~abb)	**unfair**
intelligens (~ebb)	**intelligent**
kiváló (~bb)	**excellent, bright**
kíváncsi (~bb)	**curious**
következetes (~ebb)	consistent
következetlen (~ebb)	inconsistent
közepes	**mediocre**
kreatív (~abb)	**creative**
lusta (~́bb)	**lazy**
magabiztos (~abb)	**self-confident**
magolós (~abb)	crammer
okos (~abb)	**clever, sharp**
passzív (~abb)	passive
problémás (~abb)	problematic
rugalmas (~abb)	flexible
stréber (~ebb)	striver, grinder (adj.)
szigorú (~bb)	**strict**
szorgalmas (~abb)	**hard-working**
tehetséges (~ebb)	**talented**
tehetségtelen (~ebb)	**untalented**

→ *Belső tulajdonságok / Inner qualities: 16–17. oldal*

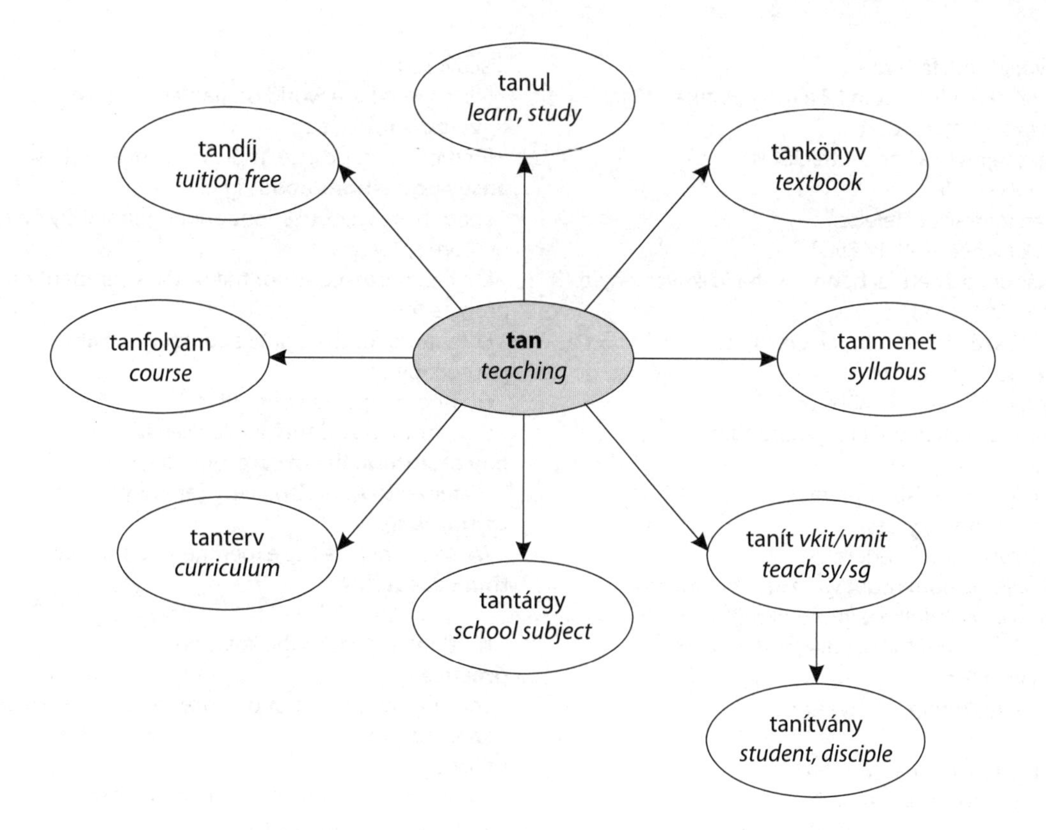

Mit csinálunk az iskolában?	What do we do at school?
átolvas (~ott, olvass) / átnéz *vmit* (~ett, nézz)	read *sg*, go over *sg*
A vizsga előtt átolvasom/átnézem a jegyzeteimet.	I will go over my notes before the exam.
beilleszkedik *vhova* (illeszkedett, illeszkedj)	fit in, find one's place *somewhere*
Nehezen illeszkedtem be az osztályomba.	It was difficult for me to find my place in my class.
beiratkozik *vhova* (iratkozott, iratkozz)	**enroll** *somewhere*
Végre beiratkoztam egy nyelviskolába.	Finally, I enrolled in a language school.
bemutat *vmit* (~ott, mutass)	**demonstrate** *sg*
A tornatanár bemutatja a gyakorlatot.	The sports teacher demonstrated the exercise.
diktál (~t, ~j)	dictate
Vegyetek elő papírt, diktálni fogok!	Take out a sheet of paper, I'm going to dictate.
elemez *vmit* (elemzett, elemezz)	analyze *sg*
Irodalomórán verset elemeztünk.	We analyzed a poem in literature class.
ellenőriz *vmit* (ellenőrzött, ellenőrizz)	**control, check** *sg*
Kétszer is ellenőriztem a megoldást.	I checked my answer twice.
elmagyaráz *vkinek vmit* (~ott, magyarázz)	**explain** *sg to sy*
A tanárnő mindenkinek elmagyarázta a szabályt.	The teacher explained the rule to everyone.
emlékszik *vkire/vmire* (emlékezett, emlékezz)	**remember** *sy/sg*
Vizsga után egy héttel már semmire sem emlékszem.	I don't remember anything one week after the exam.
énekel (~t, ~j)	**sing**
Ez a kislány gyönyörűen énekel.	This girl sings beautifully.
érdekel *vkit vmi* (~t, ~j)	**interest** *sb*, **be interested** *in sg*
Engem érdekel a történelem.	I'm interested in history. (*lit.* History interests me.)
érdeklődik *vmi iránt* (érdeklődött, érdeklődj)	**be interested in** *sg*
Juli érdeklődik a történelem iránt.	Juli is interested in history.
ért, megért *vkit/vmit* (~ett, érts)	**understand** *sy/sg*
Érted ezt a képletet?	Do you understand this formula?
Végre megértettem a szabályt.	I finally understood the rule.
értékel *vkit/vmit* (~t, ~j)	evaluate *sy/sg*
Ez a tanár szigorúan értékeli a diákjait.	This teacher evaluates his students strictly.
fegyelmez (~ett, fegyelmezz)	discipline
Régen veréssel fegyelmeztek az iskolákban.	Long ago, beating was a way of disciplining children at school.

felfedez *vmit* (~ett, fedezz)	discover *sg*
Csak felnőttként fedeztem fel a matematika világát.	I discovered the world of mathematics only as an adult.
fejleszt *vmit* (~ett, fejlessz)	**develop, improve** *sg*
A mozgás fejleszti a koncentrációt is.	Physical exercise also improves concentration.
felel *vmiből* (~t, ~j)	**answer questions** about *sg*
Pénteken földrajzból feleltem.	I had to answer questions about geography on Friday.
felkészít *vkit vmire* (~ett, készíts)	prepare *sy for sg*
Kiss tanár úr készített fel bennünket a fizikaversenyre.	Mr. Kiss prepared us for the physics competition.
felkészül *vmire* (~t, ~j)	prepare *for sg*
Egyedül készültem fel a fizikaversenyre.	I prepared for the physics competition alone.
fénymásol, lefénymásol *vmit* (~t, ~j)	photocopy *sg*
Épp a jegyzeteidet fénymásolom.	I'm photocopying your notes.
Az egész munkafüzetet lefénymásoltam.	I've photocopied the whole exercise book.
figyel *vkire/vmire* (~t, ~j)	**pay attention, listen carefully** to *sy/sg*
Nagyon figyeltem Zsófi nénire.	I listened to Aunt Zsófi very carefully.
folytat *vmit* (~ott, folytass)	**continue** *sg*
Holnap folytatjuk a kísérletet.	We will continue the experiment tomorrow.
gondolkozik/gondolkodik *vmin* (gondolkozott/ gondolkodott, gondolkozz/gondolkodj)	**think** *about sg*
A megoldáson gondolkozom/gondolkodom.	I'm thinking about the solution.
gyakorol *vmit* (~t, ~j)	**practice** *sg*
Sokat kell gyakorolni a helyesírást.	Spelling needs a lot of practice. (*lit.* One has to practice spelling a lot.)
hasznosít *vmit* (~ott, hasznosíts)	utilize *sg*
A matektudásomat a piacon hasznosítom.	I utilize my math knowledge at the market.
hiányzik *vhonnan* (hiányzott, hiányozz)	**be absent** *from somewhere*
Helga egész héten hiányzott az iskolából.	Helga was absent from school the whole week.
ír *vmit* (~t, ~j)	**write** *sg*
Fogalmazást írsz?	Are you writing an essay?
dolgozatot ír (~t, ~j)	take *a test*
Ma dolgozatot írunk.	We will take a test today.
ismer *vkit/vmit* (~t, ~j)	**know** *sy/sg*, **be familiar** *with sy/sg*
Ismered ezt a könyvet?	Are you familiar with this book?
ismétel, elismétel *vmit* (~t, ~j)	**repeat** *sg*, **review** *sg*
Ma csak ismételünk.	Today we will only review.
A szorzótáblát sokszor el kell ismételni.	The multiplication table has to be repeated many times.
jár *vhova* (~t, ~j)	**go** *somewhere on a regular basis*
A gyerekek hétéves koruktól járnak iskolába.	Children go to school from the age of seven.
játszik (játszott, játssz)	**play**
Az alsó tagozatban még sokat játszanak a gyerekek.	In lower grades of the elementary school, children play a lot.
jegyzetel (~t, ~j)	take notes
Ma több mint hat oldalt jegyzeteltem.	I took more than six pages of notes today.
jelent *vmit* (~ett, jelents)	mean *sg*
Mit jelent ez a fogalom?	What does this term mean?
jelentkezik (jelentkezett, jelentkezz)	put one's hand up
Ha tudom a választ, mindig jelentkezem.	I always put my hand up when I know the answer.
kérdez *vkitől vmit* (~ett, kérdezz)	**ask** *sy sg*
Szeretnék kérdezni tőled valamit.	I'd like to ask you something.
készül, felkészül *vmire* (~t, ~j)	**prepare** for *sg*
Sokat készültem erre a vizsgára.	I prepared a lot for this exam.
Sikerült felkészülni a vizsgára?	Did you manage to prepare for the exam?
kidolgoz *vmit* (~ott, dolgozz)	study *sg*, work *sg* through
Már minden tételt kidolgoztam.	I've already studied all the exam topics.
kitalál *vmit* (~t, ~j)	come up *with sg*
A tanárunk kitalált egy új tanítási módszert.	Our teacher came up with a new teaching method.
kivételezik *vkivel* (kivételezett, kivételezz)	make an exception *with sy*
A kémiatanár a kedvenc diákjával mindig kivételezik.	The chemistry teacher always makes an exception with his favorite students.

közvetít *vmit* (~ett, közvetíts)
A tankönyvek fontos ismereteket közvetítenek.
magol, bemagol *vmit* (~t, ~j)
Egész nap kémiát magoltam.
Nem értem a kémiát, csak bemagolom.
magyaráz (~ott, magyarázz)
Kovács tanárnő nagyon jól magyaráz.
megbukik *vmiből* (bukott, bukj)
Idén is megbuktam kémiából.
megismétel *vmit* (~t, ~j)
Gabi! Ismételd meg, mit mondtam!
megjegyez *vmit* (jegyzett, jegyezz)
Ezt most egy életre megjegyeztem.
megtanít *vkit vmire/vmit csinálni* (~ott, taníts)
Kiss tanárnő tanított meg bennünket a himnuszra.
A nagyapám tanított meg biciklizni.
motivál *vkit* (~t, ~j)
Dicsérettel jól lehet motiválni a diákokat.
nekiáll *vminek* (~t, ~j)
Tegnap nekiálltam tanulni.
nevel *vkit vmire* (~t, ~j)
Tiszteletre nevelem a gyerekeket.
oktat (~ott, oktass)
Már harminc éve oktatok ebben az iskolában.
rajzol (~t, ~j)
Ügyesen rajzolsz.
rájön *vmire* (jött, jöjj)
Rájöttem a megoldásra.
részt vesz *vmin* (vett, vegyél/végy)
Ki vesz részt a kiránduláson?
segít *vkinek vmiben/vmit csinálni* (~ett, segíts)
Az osztálytársam segített a leckeírásban.
Az osztálytársam segített megírni a leckét.
számol (~t, ~j)
Ez a kisfiú már ezerig tud számolni.
szoktat *vkit vmire* (~ott, szoktass)
Az olvasás önálló gondolkodásra szoktatja a diákokat.
szüksége van *vkire/vmire* (volt, legyen)
A jogosítványhoz szükségem van az érettségi bizonyítványra.
tanít *vkit/vmit* (~ott, taníts)
Nagy tanárnő biológiát tanít.
tanul *vmit / vmit csinálni* (~t, ~j)
Pál kémiát tanul.
Angéla olvasni tanul.
tesz, letesz *vizsgát* (tett, tegyél/tégy)
Jövő héten vizsgát teszek.
Peti sikeresen letette az érettségi vizsgát.
tisztel *vkit/vmit* (~t, ~j)
Tisztelem az osztályfőnökömet.
tud *vmit* (~ott, ~j)
Tudod a választ?
vizsgázik *vmiből* (vizsgázott, vizsgázz)
Holnap fizikából vizsgázom.
vizsgáztat *vkit* (~ott, vizsgáztass)
Ezen a héten hatvan diákot vizsgáztatok.

transmit *sg*
Textbooks transmit important knowledge.
cram *sg*
I crammed chemistry the whole day.
I don't understand chemistry, I just cram it.
explain things
Ms. Kovács explains things very well.
fail *in sg*
I failed in chemistry this year again.
repeat *sg*, **say** *sg* **again**
Gabi! Repeat what I've just said.
remember *sg*
I will remember this for my whole life.
teach *sy sg/to do sg*
Ms. Kiss taught us the national anthem.
It was my grandfather who taught me to ride a bicycle.
motivate *sy*
You can motivate your students by praising them.
set about *doing sg*, start *to do sg*
Yesterday I set about studying.
educate, teach *sy to sg*
I teach children to show respect.
teach, tutor, work as a teacher
I've been working as a teacher at this school for 30 years.
draw
You draw very well.
realize *sg* **suddenly**
Suddenly, I realized the solution.
participate *in sg*, **attend** *sg*
Who is attending the trip?
help *sy with sg/do sg*
My classmate helped me with the homework.
My classmate helped me do the homework.
count
This little boy can already count up to thousand.
habituate *sy to sg*, teach *sy sg*
Reading teaches students independent thinking.
need *sy/sg*
I need my high school diploma to get my driver's license.

teach *sy/sg*
Ms. Nagy is teaching biology.
learn, study *sg / to do sg*
Pál is learning chemistry.
Angéla is learning to read.
take *an exam*
Next week, I'll take an exam.
Peti successfully took his high school final exam.
respect *sy/sg*
I respect my class teacher.
know *sg*
Do you know the answer?
take an exam *in sg*
I'll have an exam in physics tomorrow.
test *sy*
I'll test sixty students this week.

Levels in the Hungarian school system

Duration	*School type*	*Age*
3-4 years	óvoda (nursery school, kindergarten)	from 3 years
4/6/8 years	általános iskola (elementary school)	from 6 years
8/6/4 vagy 4/5/6 years	gimnázium vagy szakközépiskola (grammar school, specialized secondary school)	from 10, 12 or 14 years
min. 3 or 4 years	felsőoktatási alapképzés (bachelor's degree)	from 18 years
min. 2 years (in special cases only 1 year)	felsőoktatási mesterképzés (master's degree)	no age limitation
min. 3 years	doktori képzés (PhD)	no age limitation

Hasznos mondatok ▪ Mit miért tanulunk?
Useful sentences ▪ What and why do we learn?

Miről tanulunk?	What do we learn about?
A biológia az élővilággal foglalkozik.	Biology deals with the living world.
A filozófia gondolkodni tanít.	Philosophy teaches how to think.
A fizika kísérleteken keresztül mutatja be a világot.	Physics presents the world through experiments.
A földrajz a szűkebb és tágabb környezet összefüggéseit tanítja.	Geography teaches the connection between micro and macro environments.
Az informatika megtanítja a számítógépek használatát.	Computer sciences teaches how to use a computer.
Az irodalom fejleszti az ízlést és a szókincset.	Literature develops taste and vocabulary.
A kémia a legkisebb elemek működését mutatja be.	Chemistry shows the functioning of the smallest elements.
A matematika segít a problémamegoldásban.	Mathematics help solve problems.
A nyelvóra segít megérteni más kultúrákat.	Language lessons help understand other cultures.
A művészeti foglalkozás kreativitásra ösztönöz.	Art classes stimulates creativity.
A testnevelés a mozgás örömét és az egészséges életmódot közvetíti.	Gym classes convey the joy of physical exercise and a healthy lifestyle.
A történelem az általános műveltség fontos része.	History is an important part of general knowledge.
A zene érzelmeket közvetít: lelkesít vagy éppen megnyugtat.	Music conveys emotions: it can have an exciting or a calming effect.

Ön miért tanul magyarul?	Who are you learning Hungarian?
Azért tanulok magyarul, mert érdekel a magyar kultúra.	I'm learning Hungarian because I'm interested in Hungarian culture.
Azért tanulom ezt a nyelvet, mert a feleségem magyar.	I'm learning this language because my wife is Hungarian.
Azért, hogy beszélgethessek a férjem családjával.	Because I want to be able to talk to the family of my husband.
Azért, mert az édesapám magyar, de gyerekkoromban nem tanított meg az anyanyelvére.	Because my father is Hungarian but he didn't teach me his native language when I was a child.
Szeretek nyelvet tanulni.	I like learning languages.
A munkámhoz szükségem van a magyar nyelvtudásra.	I need Hungarian for my work.

2. A munka világa / The world of work

Hasznos szavak
Useful words

A munka világa	The world of work
ajánlat (~ok, ~ot, ~a)	**offer**
ajánlatot tesz *vkinek*	make an offer *to sy*
alapítvány (~ok, ~t, ~a)	foundation
állás (~ok, ~t, ~a)	**job**
teljes állás	full-time job
félállás	part-time job
másodállás	second job
főállás	regular job
állásbörze (~́k, ~́t, ~́je)	job fair
álláshirdetés (~ek, ~t, ~e)	**job advertisement**
állásinterjú (~k, ~t, ~ja)	job interview
állást keres	**look for a job**
állást kínál	**offer a job**
állást talál	find a job
elveszti az állását	lose one's job
beszerzés (~ek, ~t, ~e)	procurement
beosztás (~ok, ~t, ~a)	position
vezető beosztás	leaders position
adminisztratív beosztás	administrative position
alacsony/magas beosztásban dolgozik	work in a low/high position
bér (~ek, ~t, ~e)	**wage**
cég (~ek, ~et, ~e)	**firm, company**
céget alapít	found a company
célcsoport (~ok, ~ot, ~ja)	target group
csőd (~ök, ~öt, ~je)	bancruptcy
csődbe megy	go bankrupt
elképzelés (~ek, ~t, ~e)	idea
megvalósítja az elképzeléseit	realize one's ideas
elvárás (~ok, ~t, ~a)	expectation
magas elvárásokat támaszt	establish high expectations
eredmény (~ek, ~t, ~e)	result
értekezlet (~ek, ~et, ~e)	**meeting**
fejlesztés (~ek, ~t, ~e)	development
feladat (~ok, ~ot, ~a)	**task, exercise**
elosztja a feladatokat	distribute tasks
elvégzi a feladatát	accomplish one's task
fizetés (~ek, ~t, ~e)	**salary**

foglalkozás (~ok, ~t, ~a)	**profession, occupation**
gyakorlat (~ok, ~ot, ~a)	**practical training**
szakmai gyakorlat	internship
gyár (~ak, ~at, ~a)	**factory**
hierarchia (~́k, ~́t, ~́ja)	hierarchy
hírlevél (-levelek, -levelet, -levele)	newsletter
hivatás (~ok, ~t, ~a)	vocation
igazgatótanács (~ok, ~ot, ~a)	executive board
jelölt (~ek, ~et, ~je)	candidate
jutalom (jutalmak, jutalmat, jutalma)	financial reward
jutalmat oszt	distribute financial rewards
juttatás (~ok, ~t, ~a)	allowance, allocation
kampány (~ok, ~t, ~a)	campaign
kapcsolat (~ok, ~ot, ~a)	**connection, contact**
kapcsolatot tart	be in contact
felveszi a kapcsolatot *vkivel*	make contact *with sy*
karrier (~ek, ~t, ~je)	**career**
építi a karrierjét	build one's career
karriert csinál	make a career for oneself
képesség (~ek, ~et, ~e)	ability, capability
kereslet (~ek, ~et, ~e)	**demand**
készség (~ek, ~et, ~e)	skill
kihívás (~ok, ~t, ~a)	challenge
kínálat (~ok, ~ot, ~a)	**offer**
kinevezés (~ek, ~t, ~e)	assignment to a post
koncepció (~k, ~t, ~ja)	concept
könyvelés (~ek, ~t, ~e)	bookkeeping
kutatás (~ok, ~t, ~a)	research
leépítés (~ek, ~t, ~e)	downsizing, job shakedown
lehetőség (~ek, ~et, ~e)	**opportunity**
él a lehetőséggel	take advantage of the opportunity
kihasználja a lehetőséget	use the opportunity
levél (levelek, levelet, levele)	**letter**
motivációs levél	motivation letter
levelezés (~ek, ~t, ~e)	correspondence
üzleti levelezés	business correspondence
marketing (~et, ~je)	marketing
megállapodás (~ok, ~t, ~a)	agreement
szóbeli megállapodás	oral agreement
megállapodást köt	reach an agreement
megbeszélés (~ek, ~t, ~e)	**meeting, discussion**
megbeszélést tart	hold a meeting
munka (~́k, ~́t, ~́ja)	**work**
egyéni munka	indiviual work
csapatmunka	team work
munkaadó (~k, ~t, ~ja)	**employer**
munkavállaló (~k, ~t, ~ja)	**employee**
munkaerő (~k, ~t, -ereje)	**workforce, labor**
munkaerőpiac (~ok, ~ot, ~a)	labor market
munkafolyamat (~ok, ~ot, ~a)	work flow
munkaidő (~k, ~t, -ideje)	**working hours**
munkakörülmények (~et)	working conditions
munkalehetőség (~ek, ~et, ~e)	job opportunity
munkaszerződés (~ek, ~t, ~e)	employment contract
műszak (~ok, ~ot, ~a)	shift
éjszakai műszak	night shift
éjszakai műszakban dolgozik	do night shifts
nyelvvizsga (~́k, ~́t, ~́ja)	**language exam**
nyelvvizsgát tesz	take a language exam

osztály (~ok, ~t, ~a)	department
pénzügyi osztály	financial department
önéletrajz (~ok, ~ot, ~a)	**curriculum vitae, resume**
pályaválasztás (~ok, ~t, ~a)	carreer choice
pályaválasztás előtt áll	be about to choose one's carreer
pályázat (~ok, ~ot, ~a)	**proposal, application, grant application**
pályázati kiírás	proposal for work, call for tender
beadja a pályázatát	submit one's work proposal or grant application
pályázó (~k, ~t, ~ja)	**applicant**
piac (~ok, ~ot, ~a)	**market**
piacra dob egy terméket	launch a new product
piackutatás (~ok, ~t, ~a)	market survey
piackutatást végez	do a market survey
projekt (~ek, ~et, ~je)	project
prospektus (~ok, ~t, ~a)	prospectus, brochure
referens (~ek, ~t, ~e)	speaker
reklám (~ok, ~ot, ~ja)	**advertisement**
részleg (~ek, ~et, ~e)	section, division
sajtótájékoztató (~k, ~t, ~ja)	press conference
sajtótájékoztatót tart	hold a press conference
stratégia (~́k, ~́t, ~́ja)	strategy
stratégiát dolgoz ki	develop a strategy
szabadnap (~ok, ~ot, ~ja)	day off
szabadság (~ok, ~ot, ~a)	**holiday, vacation**
betegszabadság	sick day
szabadságra megy	go on holiday/vacation
szabadságot vesz ki	take a few days off
szabadságon van	be on holiday/vacation
szakma (~́k, ~́t, ~́ja)	**profession, branch**
szakmai tapasztalat (~ok, ~ot, ~a)	professional experience
munkatapasztalat	work experience
szakszervezet (~ek, ~et, ~e)	trade union
szakterület (~ek, ~et, ~e)	special field
szaktudás (~ok, ~t, ~a) / szakmai ismeret (~ek, ~et, ~e)	experience in a field
székhely (~ek, ~et, ~e)	head office (of a company)
szervezet (~ek, ~et, ~e)	**organization**
szerződés (~ek, ~t, ~e)	contract
határozott/határozatlan idejű szerződés	contract for determined/undetermined period
szerződést köt / aláírja a szerződést	sign a contract
felbontja a szerződést	cancel a contract
termelés (~ek, ~t, ~e)	production
terv (~ek, ~et, ~e)	**plan**
kidolgozza a tervet	work out the details of a plan
tréning (~ek, ~et, ~je)	**training**
csapatépítő tréning	team building training
túlóra (~́k, ~́t, ~́ja)	overtime
üzlet (~ek, ~et, ~e)	**business**
üzletember (~ek, ~t, ~e)	businessman
üzletasszony (~ok, ~t, ~a)	business woman
üzleti terv (~ek, ~et, ~e)	business plan
üzleti út (utak, utat, útja)	business trip
üzleti útra megy	go on a business trip
üzletet köt	sign a business contract
vállalat (~ok, ~ot, ~a)	**company, enterprise**
leányvállalat	subsidiary company
vegyesvállalat	joint venture
vállalkozás (~ok, ~t, ~a)	**business, enterprise**
kis- és közepes vállalkozások	small and medium enterprises
vállalkozásba kezd	start one's own business

végzettség (~ek, ~et, ~e)	**highest educational level**
középfokú végzettség	second level education
felsőfokú végzettség	higher/third level education
verseny (~ek, ~t, ~e)	**competition**
vezetés (~ek, ~t, ~e)	**management**

Munkavállalók, munkaadók	Employees, employers
alkalmazott (~ak, ~at, ~ja) / beosztott (~ak, ~at, ~ja) / munkavállaló (~k, ~t, ~ja)	**employee**
betanított munkás (~ok, ~t, ~a)	semi-skilled worker
dolgozó (~k, ~t, ~ja)	worker
fejvadász (~ok, ~t, ~a)	headhunter
főnök (~ök, ~öt, ~e)	**boss, superior, supervisor**
igazgató (~k, ~t, ~ja)	**director, manager**
kolléga (~́k, ~́t, ~́ja) / **munkatárs** (~ak, ~at, ~a)	**colleague, co-worker**
közalkalmazott (~ak, ~at, ~ja)	public servant
köztisztviselő (~k, ~t, ~je)	civil servant
munkaadó (~k, ~t, ~ja) / munkáltató (~k, ~t, ~ja)	employer
szabadúszó (~k, ~t, ~ja)	freelancer
szakember (~ek, ~t, ~e)	**specialist**
szakértő (~k, ~t, ~e)	**expert**
szakmunkás (~ok, ~t, ~a)	skilled worker
vállalkozó (~k, ~t, ~ja)	contractor, entrepreneur

What a resume must include:

- Személyi adatok: név, születési hely és idő, lakhely, elérhetőség *(Personal data: name, place and date of birth, residence, contact)*
- Iskolai végzettség, képzettségek és készségek: időpontok, intézmények, szaktárgyak, szakok, bizonyítvány dátuma és típusa *(Highest educational level, qualifications and skills: time period, specializations, subjects, date of issue and type of certification)*
- Előző munkahelyek: munkahely neve és címe, beosztások, munkakör, tevékenység, gyakorlat, szakmai tudás *(Previous places of employment: name and address of the employer, job description, experience, professional skills)*
- Érdeklődési terület *(Fields of interest)*
- Saját munkák, publikációk *(Works, publications)*
- Nyelvismeret *(Languages)*

Foglalkozások	Professions
ács (~ok, ~ot, ~a)	carpenter
ápoló (~k, ~t, ~ja) / **ápolónő** (~k, ~t, ~je)	**nurse**
asszisztens (~ek, ~t, ~e) / **asszisztensnő** (~k, ~t, ~je)	**assistant**
asztalos (~ok, ~t, ~a)	**carpenter**
bádogos (~ok, ~t, ~a)	tinsmith
bányász (~ok, ~t, ~a)	miner
bíró (~k, ~t, ~ja) / **bírónő** (~k, ~t, ~je)	**judge**
burkoló (~k, ~t, ~ja)	tiler
cipész (~ek, ~t, ~e)	shoemaker
diplomata (~́k, ~́t, ~́ja)	diplomat
edző (~k, ~t, ~je)	coach
ékszerész (~ek, ~t, ~e)	jeweller
eladó (~k, ~t, ~ja) / eladónő (~k, ~t, ~je)	**salesperson**
ellenőr (~ök, ~t, ~e)	**inspector**
énekes (~ek, ~t, ~e) / **énekesnő** (~k, ~t, ~je)	**singer**
feltaláló (~k, ~t, ~ja)	**inventor**
fényképész (~ek, ~t, ~e)	**photographer**

festő (~k, ~t, ~je) / **festőnő** (~k, ~t, ~je)	**painter**
fodrász (~ok, ~t, ~a)	**hairdresser, barber**
fogorvos (~ok, ~t, ~a)	**dentist**
földműves (~ek, ~t, ~e)	farmer
grafikus (~ok, ~t, ~a)	graphic designer
gyógyszerész (~ek, ~t, ~e)	**pharmacist**
halász (~ok, ~t, ~a)	fisherman
hentes (~ek, ~t, ~e)	**butcher**
igazgató (~k, ~t, ~ja) / **igazgatónő** (~k, ~t, ~je)	**manager, director**
író (~k, ~t, ~ja) / írónő (~k, ~t, ~je)	**writer**
jogász (~ok, ~t, ~a)	**lawyer**
karmester (~ek, ~t, ~e)	conductor
kárpitos (~ok, ~t, ~a)	upholsterer
katona (~́k, ~́t, ~́ja)	**soldier**
kéményseprő (~k, ~t, ~je)	chimney sweeper
kertépítő (~k, ~t, ~je)	landscape architect
kertész (~ek, ~t, ~e)	**gardener**
kocsmáros (~ok, ~t, ~a)	bartender, pub owner
kovács (~ok, ~ot, ~a)	blacksmith
kozmetikus (~ok, ~t, ~a)	**beautician**
költő (~k, ~t, ~je) / költőnő (~k, ~t, ~je)	**poet**
kőműves (~ek, ~t, ~e)	**mason**
könyvelő (~k, ~t, ~je)	**bookkeeper**
könyvtáros (~ok, ~t, ~a) / könyvtárosnő (~k, ~t, ~je)	librarian
közjegyző (~k, ~t, ~je)	notary
kutató (~k, ~t, ~ja)	researcher
lakatos (~ok, ~t, ~a)	locksmith
lelkész (~ek, ~t, ~e)	parish priest, minister
marketinges (~ek, ~t, ~e)	marketing manager
mentős (~ök, ~t, ~e)	emergency medical technician
mérnök (~ök, ~öt, ~e)	**engineer**
agrármérnök	agricultural engineer
építészmérnök	architectural engineer
miniszter (~ek, ~t, ~e)	**minister**
miniszterelnök (~ök, ~öt, ~e)	**Prime Minister**
modell (~ek, ~t, ~e)	model
munkanélküli (~ek, ~t, ~je)	**unemployed person**
nővér (~ek, ~t, ~e)	**nurse**
nyomozó (~k, ~t, ~ja)	**detective**
nyugdíjas (~ok, ~t, ~a)	**pensioner, retiree**
órás (~ok, ~t, ~a)	watchmaker, clockmaker
orvos (~ok, ~t, ~a) / **doktornő** (~k, ~t, ~je)	**doctor, physician**
óvónő (~k, ~t, ~je)	**nursery school teacher**
pap (~ok, ~ot, ~ja)	**priest, minister**
katolikus pap	Catholic priest
evangélikus pap	Evangelist parish priest
református pap	pastor of Reformed church
pék (~ek, ~et, ~je)	**baker**
pénztáros (~ok, ~t, ~a) / pénztárosnő (~k, ~t, ~je)	cashier
pincér (~ek, ~t, ~e) / pincérnő (~k, ~t, ~je)	**waiter**/waitress
politikus (~ok, ~t, ~a)	**politician**
pópa (~́k, ~́t, ~́ja)	orthodox priest
portás (~ok, ~t, ~a)	**receptionist**
postás (~ok, ~t, ~a)	**postman**
programozó (~k, ~t, ~ja)	**programer**
projektmenedzser (~ek, ~t, ~e)	project manager
PR-os (PR-osok, PR-ost, PR-osa)	public relations specialist
rabbi (~k, ~t, ~ja)	rabbir

rendező (~k, ~t, ~je) / rendezőnő (~k, ~t, ~je)	**director**
filmrendező	movie director
színházi rendező	theater directo
rendezvényszervező (~k, ~t, ~je)	event manager
rendőr (~ök, ~t, ~e) / rendőrnő (~k, ~t, ~je)	**policeman/policewoman**
rendszergazda (~́k, ~́t, ~́ja)	administrator
riporter (~ek, ~t, ~e) / riporternő (~k, ~t, ~je)	**reporter**
sofőr (~ök, ~t, ~e)	**driver**
buszsofőr	bus driver
kamionsofőr	truck driver
taxisofőr	taxi driver
szabó (~k, ~t, ~ja)	tailor
szakács (~ok, ~ot, ~a) / szakácsnő (~k, ~t, ~je)	**cook, chef**
számítástechnikus (~ok, ~t, ~a)	**IT specialist**
szerelő (~k, ~t, ~je)	**repairman**
fűtésszerelő	heating repairman
gáz-, víz- és központifűtés-szerelő	gas, water and central heating repairman
villanyszerelő	electrician
vízvezeték-szerelő	plumber
színész (~ek, ~t, ~e) **/ színésznő** (~k, ~t, ~je)	actor/actress
szobafestő (~k, ~t, ~je)	house painter
szobrász (~ok, ~t, ~a)	sculptor
takarító (~k, ~t, ~ja) / **takarítónő** (~k, ~t, ~je)	**cleaning person**
tanár (~ok, ~t, ~a) **/ tanárnő** (~k, ~t, ~je)	**teacher**
tartalomfejlesztő (~k, ~t, ~je)	content developer
tetőfedő (~k, ~t, ~je)	roofer
titkár (~ok, ~t, ~a) **/ titkárnő** (~k, ~t, ~je)	**secretary, administrative employee**
tűzoltó (~k, ~t, ~ja)	**fireman**
újságíró (~k, ~t, ~ja) / újságírónő (~k, ~t, ~je)	**journalist**
utcaseprő (~k, ~t, ~je)	street sweeper
ügyész (~ek, ~t, ~e) / ügyésznő (~k, ~t, ~je)	attorney
ügyintéző (~k, ~t, ~je)	administrator, clerk
ügyvéd (~ek, ~et, ~je) / ügyvédnő (~k, ~t, ~je)	**defense lawyer**
üveges (~ek, ~t, ~e)	glass maker
vállalkozó (~k, ~t, ~ja)	contractor, entrepreneur
varrónő (~k, ~t, ~je)	dressmaker
vegyész (~ek, ~t, ~e)	chemist

→ *Sport / Sports: 103–116. oldal*
→ *Kultúra és szórakozás / Culture and leisure: 117–137. oldal*
→ *Utazás és közlekedés / Traveling and transport: 160–170. oldal*
→ *Egészség és betegség / Health and illness: 219–232. oldal*

Hungarian doesn't always distinguish between male and female names for professions *(színész – színésznő, tanár – tanárnő)* even though it is almost always possible to form the female form by adding *-nő* to the profession.
The male form can be used for both genders when the context clearly shows that we are speaking about a woman. Therefore a little girl can say: *Tanár/Ügyvéd/Pincér szeretnék lenni.* You can also refer to a female person by saying her name (which leaves no ambiguity about the gender) and then her profession: *Kovács Margit szobrász.*
In a few cases, there is no female form for the name of the profession at all. An *ékszerész (jeweler)*, a *fényképész (photographer)* or a *kertész (gardener)* can be both a man or a woman.
In some rare cases, the male and the female professions have two different names: *ápoló* is a male nurse, *nővér* or *ápolónő* is a female nurse. *Szabó* is a male tailor whereas *varrónő* is a female tailor or dressmaker.

Milyen az alkalmazott?	What is the employee like?
alkalmas (~abb)	suitable
alkalmatlan	unsuitable
bejelentett	legal
be nem jelentett	illegal
diplomás	**graduate**
felelős	responsible
felelőtlen (~ebb)	irresponsible
gyakorlott (~abb)	**skillful**
képzett (~bb)	**skilled, qualified**
alulképzett	underqualified
túlképzett	overqualified
kezdeményező (~bb)	taking initiatives
kommunikatív (~abb)	communicative
megbízhatatlan (~abb)	**unreliable**
megbízható (~bb)	**reliable**
önálló (~bb)	**independent**
szakképzett (~ebb)	**qualified**
szakképzetlen	**unqualified**
tapasztalt (~abb)	**experienced**
tapasztalatlan (~abb)	**inexperienced**
rátermett (~ebb)	suited for a job

Milyen lehet a munka/feladat?	What can the work/task be like?
bizonytalan (~abb)	uncertain, precarious
biztos (~abb)	**stable**
bonyolult (~abb)	complicated
egyszerű (~bb)	**simple**
érdekes (~ebb)	**interesting**
fizikai	physical
időigényes (~ebb)	time-consuming
irodai	office
izgalmas (~abb)	**exciting**
ideális	ideal
könnyű (könnyebb)	**easy**
kreatív (~abb)	**creative**
nehéz (nehezebb)	**difficult, challenging**
operatív (~abb)	operative
szellemi	intellectual
unalmas (~abb)	**boring**
veszélyes (~ebb)	**dangerous**

Belső tulajdonságok / Inner qualities: 16–17. oldal

Szellemi és irodai munka	Intellectual work, work at the office
beszél *vkivel vkiről/vmiről* (~t, ~j)	**talk** *about sy/sg with sy*, **tell** *sy about sy/sg*
Beszéltem a főnökkel a projektről.	I talked about the project with the supervisor.
dolgozik *vmin* (dolgozott, dolgozz)	**work** *on sg*
Az új cikkemen dolgozom.	I'm working on my new article.
ellenőriz *vmit* (ellenőrzött, ellenőrizz)	**check** *sg*
Az ellenőr ellenőrzi a parkolócédulákat.	The inspector inspects the parking tickets.
elintéz *vmit* (~ett, intézz)	**get** *sg* **done**
Sikerült mindent elintézni?	Did you manage to get everything done?
előkészít *vmit* (~ett, készíts)	**prepare** *sg*, **draw up** *sg*
A jogász egy szerződést készít elő.	The lawyer is drawing up a contract.
elutasít *vmit* (~ott, utasíts)	refuse *sg*
A cég elutasította az ajánlatot.	The company refused the offer.
gondolkozik/gondolkodik *vmin* (gondolkozott/gondolkodott, gondolkozz/gondolkodj)	**think** *about sg*
A megoldáson gondolkozom/gondolkodom.	I'm thinking about the solution.
hitelesít *vmit* (~ett, hitelesíts)	authenticate *sg*
A szerződést közjegyző hitelesíti.	The contract is authenticated by the notary.
ír, megír *vmit* (~t, ~j)	**write** *sg*
Az író családregényeket is ír.	The writer writes family novels.
Az eladó megírja a számlát.	The salesperson is writing the bill.
kidolgoz *vmit* (dolgozott, dolgozz)	work out *sg*
Kidolgoztam a marketingkoncepciót.	I worked out the marketing concept.
kiszámít *vmit* (~ott, számíts)	calculate *sg*
A könyvelő kiszámítja a tavalyi adót.	The bookkeeper calculates last year's taxes.
kiszámláz *vmit* (~ott, számlázz)	bill *sg*
A gazdasági hivatal kiszámlázza a költségeket.	The financial department is billing the costs.
kitölt *vmit* (~ött, tölts)	**fill out** *sg*
Kitöltötted a megrendelőlapot?	Did you fill out the order form?
kritizál *vkit/vmit* (~t, ~j)	criticize *sy/sg*
Jenő folyton kritizálja a kollégáit.	Jenő is always criticizing his colleagues.

kutat (~ott, kutass)	do research
Dénes a Pasteur Intézetben kutat.	Dénes is doing research at the Pasteur Institute.
levelezik *vkivel* (levelezett, levelezz)	**exchange letters** *with sy*, **write letters**
A munkahelyen egész nap levelezem.	I'm writing letters at my workplace all day long.
Az ügyféllel levelezem.	I'm exchanging letters with the client.
megbeszél *vmit vkivel* (~t, ~j)	**discuss** *sg with sy*
Ezt a kérést meg kell beszélnem a kollégámmal.	I need to discuss this request with my colleague.
megold *vmit* (~ott, ~j)	**solve** *sg*
Az informatikus megoldotta a problémát.	The IT specialist solved the problem.
megrendel *vmit* (~t, ~j)	**order** *sg*
Megrendeltem az új nyomtatókat.	I ordered the new printers.
nekiáll *vminek* (~t, ~j)	set *about doing sg*, start *to do sg*
Jó, nekiállok dolgozni.	Okay, I'm starting to work.
összeállít *vmit* (~ott, állíts)	arrange *sg*, compose *sg*, draw up *sg*
Össze kell állítanunk az új katalógust.	We need to arrange the new catalogue.
számol (~t, ~j)	**count**
Szegény pénztáros egész nap csak számol.	Poor cashier has to count all day long.
szervez *vmit* (~ett, szervezz)	**organize** *sg*
Tamara egy hete szervezi a konferenciát.	Tamara has been organizing the conference for a week.
szól *vkinek* (~t, ~j)	inform *sy*
Szóltál az ügyfélnek, hogy késünk?	Did you inform the client that we would be late?
***prezentációt* tart** *vmiről* (~ott, tarts)	**hold *a presentation*** *on sg*
Kiss úr az új adótörvényről tart prezentációt.	Mr. Kiss will hold a presentation on the new tax law.
telefonál *vkinek* (~t, ~j)	**phone** *sy*, **call** *sy*
Délelőtt telefonálok a tanáromnak.	I'll call my teacher in the morning.
tervez, megtervez *vmit* (~ett, tervezz)	**plan** *sg*, **design** *sg*
Az építész egy új városnegyedet tervezett.	The architect designed a new district.
Megterveztétek már az üzleti utat?	Have you planned your business trip yet?
utánanéz *vminek* (~ett, nézz)	check *sg*, look up *sg*
Ennek utána kell néznem a szabályzatban.	I have to look this up in the regulations.

→ *Kultúra és szórakozás / Culture and leisure: 117–137. oldal*
→ *Kommunikációs eszközök / Means of communication: 249–256. oldal*
→ *A számítógép / The computer: 257–263. oldal*

Fizikai munka és szolgáltatások / Physical work, services

árul *vmit* (~t, ~j)	**sell** *sg*, **put** *sg* **on sale**
Ez a bolt nem árul zöldségeket.	This store doesn't sell vegetables.
becsomagol *vmit* (~t, ~j)	wrap *sg*
Becsomagoljam a parfümöt?	Shall I wrap the perfume?
elad *vmit* (~ott, ~j)	**sell** *sg*
Tegnap adtam el az utolsó orchideát.	I sold the last orchid yesterday.
felszeletel *vmit* (~t, ~j)	cut *sg* in slices
A hentes felszeleteli a húst.	The butcher is cutting the meat in slices.
fúr *vmit* (~t, ~j)	drill *sg*
A faluban fúrtak egy új kutat.	A new well was drilled in the village.
hoz *vmit* (~ott, hozz)	**bring** *sg*, **deliver** *sg*
A postás hozza a leveleket.	The postman is delivering the mail.
kicserél *vmit* (~t, ~j)	**exchange** *sg*, **change** *sg*
Az ápoló kicseréli a lepedőt.	The nurse is changing the sheets.
kikever *vmit* (~t, ~j)	mix *sg*
A gyógyszerész kikeveri a krémet.	The pharmacist is mixing the cream.
kiszolgál *vkit* (~t, ~j)	**serve** *sy*
A kocsmáros kiszolgálja a vendéget.	The bartender is serving the client.
kitisztít *vmit* (~ott, tisztíts)	clean *sg*
A kéményseprő kitisztítja a kályhát is.	The chimney sweeper also cleans the stove.

ledarál *vmit* (~t, ~j)	grind *sg*
Kérem, daráljon le fél kiló sertéshúst!	Please grind a pound of pork for me.
megjavít *vmit* (~ott, javíts)	**fix** *sg*, **repair** *sg*
Az órás megjavítja a rossz órákat.	The watchmaker repairs broken watches.
megmasszíroz *vkit/vmit* (~ott, maszírozz)	massage *sy/sg*, give *sy/sg* a massage
A kozmetikus megmasszírozza az arcomat.	The beautician is massaging my face.
megragaszt *vmit* (~ott, ragassz)	glue *sg*, fix *sg* by glueing
A cipész megragasztotta a csizmámat.	The shoemaker fixed my boots (by glueing them).
pótol *vmit* (~t, ~j)	replace *sg*
Ezt az alkatrészt pótolni kell.	We have to replace this piece.
süt *vmit* (~ött, süss)	**bake** *sg*, **roast** *sg*
A sarki pék isteni kenyeret süt.	The corner baker bakes heavenly bread.
szerel, megszerel *vmit* (~t, ~j)	**repair** *sg*, **fix** *sg*
Az autószerelő most szereli a kocsimat.	The car repairman is fixing my car.
Nem sikerült megszerelnünk a biciklimet.	We didn't manage to repair my bike.

→ *Építkezés és felújítás / Building and renovating: 67–69. oldal*
→ *Szolgáltatások / Services: 177–191. oldal*
→ *Étteremben / In a restaurant: 206–212. oldal*
→ *Betegségek és gyógymódok / Illnesses and cures: 225–232. oldal*

Mit csinál a főnök?	**What does a supervisor do?**
aláír *vmit* (~t, ~j)	**sign** *sg*
Aláírta már a főnök a szerződést?	Has the supervisor signed the contract yet?
alkalmaz *vkit* (~ott, alkalmazz)	hire *sy*
Jövő hónaptól két új embert alkalmazunk.	We will hire two new people from next month.
dönt (~ött, dönts)	**decide, make a decision**
Ebben a kérdésben egyedül én döntök.	I am the only one to decide in this matter.
egyeztet *vmiről vkivel* (~ett, egyeztess)	check *sg with sy*
A fizetéséről a könyvelővel kell egyeztetni.	You have to check your salary with the bookkeeper.
jóváhagy *vmit* (~ott, hagyj)	approve *sg*
Az igazgatótanács jóváhagyta a költségvetést.	The executive board approved the budget.
jutalmaz, megjutalmaz *vkit/vmit* (~ott, jutalmazz)	reward *sy/sg*
A munkámat plusz egy havi fizetéssel jutalmazták.	My work was rewarded with an extra month's salary.
Az igazgató megjutalmazta a beosztottait.	The manager gave his employees a financial reward.
kifizet *vmit* (~ett, fizess)	**pay** *sg*
Ezt a számlát még nem fizettük ki.	We have not paid this bill yet.
kinevez *vkit vminek* (~ett, nevezz)	appoint *sy*, assign *sy to a post*
Pétert nevezték ki gazdasági igazgatónak.	Péter was assigned to the post of financial director.
meghirdet *vmit* (~ett, hirdess)	advertise *sg*, announce *sg*
Tegnap hirdettük meg az állást.	We advertised this vacancy yesterday.
tárgyal *vkivel vmiről* (~t, ~j)	negotiate *with sy about sg*
Miről tárgyalnak a szakszervezetek a munkáltatókkal?	What are trade unions negotiating about with the employers?
vezet *vmit* (~ett, vezess)	**drive** *sg*
A férjem kamiont vezet.	My husband drives a truck.
vezet *vmit* (~ett, vezess) / **irányít** *vmit* (~t, ~j)	**lead** *sg*
A vállalatot gyenge igazgató vezeti/irányítja.	The enterprise is lead by a weak manager.

Munkakeresés	**Looking for a job**
bemutatkozik *vkinek* (mutatkozott, mutatkozz)	**introduce oneself** *to sy*
A pályázó először bemutatkozott a bizottságnak.	First, the applicant introduced himself to the committee.
elküld *vmit vkinek* (~ött, ~j)	**send** *sg to sy*
A pályázó elküldi az életrajzát a cégnek.	The applicant sends his resume to the company.

foglalkozik *vmivel* (foglalkozott, foglalkozz)	**be in charge** *of sg*
Gazdasági ügyekkel foglalkozom.	I am in charge of financial matters.
megpályáz *vmit* (~ott, pályázz)	apply *for sg*
Megpályázom ezt az állást.	I will apply for this job.
rendelkezik *vmivel* (rendelkezett, rendelkezz)	have *sg* (at one's disposal)
Nagy tapasztalattal rendelkezem az informatika terén.	I have extensive experience in the field of computer science.
szerez *vmit* (szerzett, szerezz)	**obtain** *sg*, get *sg*
Három év szakmai gyakorlatot szereztem.	I have three years of professional experience.
végez, elvégez *vmit* (végzett, végezz)	**study** *sg*, **graduate** *from somewhere*
Jogi tanulmányokat végeztem.	I studied law.
Elvégeztem a jogi egyetemet.	I graduated from law school.

Hasznos mondatok ■ Állásinterjú
Useful sentences ■ Job interview

Mit mond az, aki alkalmazottat keres?	**What does the person say who is looking for employees?**
Kedveli a kihívásokat?	Do you like challenges?
Bírja a felelősséget?	Are you ready to take responsabilities?
Miért jött el az előző munkahelyéről?	Why did you leave your previous workplace?
Miért Önt alkalmazzuk?	Why should we hire you?
Milyen fizetésre gondolt?	What salary do you have in mind?
Milyen munkatársnak mutatnák be a kollégái?	What would your colleagues say about you as a co-worker?
Milyen tervei vannak a jövőre nézve?	What kind of plans do you have for the future?
Szakmai szempontból mi a legfontosabb erőssége?	What is your most significant strength from a professional point of view?
Mi a leggyengébb oldala?	What is your weakest point?

Mit mond az, aki munkát keres?	**What does the person say who is looking for a job?**
A következő pozitívumokat tudom az előző munkahelyemről elmondani:	I can tell you the following positive things about my previous workplace:
Az előző munkahelyemen a kommunikációért voltam felelős.	At my previous workplace I was responsible for communication.
Kiváló munkakapcsolatban vagyok a volt kollégáimmal.	I have an excellent relationship with my former colleagues.
Végigjártam a szamárlétrát.	I worked myself up from the bottom.
Öt év alatt lettem csoportvezető.	I became a team leader in five years.
Sokat tanultam az előző munkahelyemen.	I learned a lot at my previous workplace.
Szorgalmas, megbízható és kreatív munkaerő vagyok.	I am a hardworking, reliable and creative person.
Jól tudok csapatban dolgozni.	I'm a team player.
A cégnek milyen elvárásai vannak velem szemben?	What kind of expectations does the company have from me?
Hányan dolgoztak ezen a poszton az elmúlt öt évben?	How many people worked in this position in the last five years?

HOBBI / HOBBY

1. Benti szabadidős tevékenységek / Indoor spare time activities

Hasznos szavak
Useful words

Amivel/amit játszani lehet	What you can play
activity (~k, ~t, ~je)	Activity
baba (~́k, ~́t, ~́ja)	**doll**
babaház (~ak, ~at, ~a)	doll house
barkochba (~́k, ~́t, ~́ja)	twenty questions
játékautó (~k, ~t, ~ja)	toy car
távirányítós játék autó	remote controlled car
kártya (~́k, ~́t, ~́ja)	**cards**
labda (~́k, ~́t, ~́ja)	**ball**
rejtvény (~ek, ~t, ~e)	**puzzle**
keresztrejtvény	crossword puzzle
sakk (~ok, ~ot, ~ja)	**chess**
szerepjáték (~ok, ~ot, ~a)	role playing game
szudoku (~k, ~t, ~ja)	sudoku
társasjáték (~ok, ~ot, ~a)	**board game**
szerencsejáték (~ok, ~ot, ~a)	**gambling**

→ *A játékboltban / In the toy shop: 187. oldal*

Mit csinálhatunk szabadidőnkben?	What can we do in our spare time?
activityzik (~ett, activyztizz)	play Activity
Magyarórán is szoktunk activityzni.	We also play Activity in the Hungarian class.
alszik (aludt, aludj)	**sleep**
Délután alszom egy félórát.	I sleep a half an hour in the afternoon.
babázik (babázott, babázz)	play with dolls
A kislányok szeretnek babázni.	Girls like to play with dolls.
barkochbázik (barkochbázott, barkochbázz)	play twenty questions
A vonaton barkochbáztunk.	We played twenty questions in the train.
beszélget *vkivel* (~ett, beszélgess)	chat *with sy*
Szívesen beszélgetek a barátaimmal.	I enjoy chatting with my friends.
bulizik (bulizott, bulizz)	**party**
Vasárnap hajnalig buliztunk.	We partied till dawn on Sunday.
énekel (~t, ~j)	**sing**
Szabadidőmben egy kórusban énekelek.	I sing in a choir in my spare time.
felfrissül (~t, ~j)	feel refreshed
A jógától mindig felfrissülök.	I always feel refreshed after yoga (*lit.* from yoga).
kártyázik (kártyázott, kártyázz)	**play cards**
Van kedved kártyázni?	Do you want to play cards?
kikapcsolódik (kapcsolódott, kapcsolódj)	**relax**
Hogyan kapcsolódsz ki?	How do you relax?

kialussza *magát* (kialudta magát, aludd ki magadat)	sleep in
Sikerült kialudni magadat?	Did you manage to sleep in?
kipiheni *magát* (kipihente magát, pihend ki magadat)	get a good rest
Kipihented magadat a kirándulás után?	Did you get a good rest after hiking?
ír *vmit* (~t, ~j)	**write** *sg*
Szabadidőmben verseket írok.	I write poems in my spare time.
játszik *vmit* (játszott, játssz)	**play** *sg*
Mit játsszunk?	What should we play?
labdázik (labdázott, labdázz)	**play ball**
A gyerekek az udvaron labdáznak.	The children are playing ball in the yard.
lottózik (lottózott, lottózz)	buy a lottery ticket
Húszéves korom óta lottózom.	I have been buying lottery tickets since I was twenty.
önkénteskedik *vhol* (önkénteskedett önkénteskedj)	volunteer *somewhere*
Egy öregotthonban önkénteskedem.	I volunteer at a nursing home.
pihen (~t, ~j)	**rest**
Hétvégén sokat pihenek.	I rest a lot over the weekend.
pletykál (~t, ~j)	gossip
Szívesen pletykálok a szomszédokkal.	I enjoy gossiping with the neighbors.
rádiózik (rádiózott, rádiózz) **/ rádiót hallgat** (~ott, hallgass)	**listen to the radio**
Imádok rádiózni / rádiót hallgatni.	I love listening to the radio.
rejtvényt fejt (~ett, fejts)	do *crossword puzzles*
Szoktál rejtvényt fejteni?	Do you do crossword puzzles?
sakkozik (sakkozott, sakkozz)	**play chess**
Jól tudsz sakkozni?	Are you good at chess?
sportol (~t, ~j)	**do sports**
Hetente háromszor sportolok.	I do sports three times a week.
számítógépezik (számítógépezett, számítógépezz)	**play on the computer**
Ha unatkozom, számítógépezem.	Whenever I am bored, I play on my computer.
szerepjátékozik (szerepjátékozott, szerepjátékozz)	play role-playing games
A barátaimmal gyakran szerepjátékozunk.	I often play role-playing games with my friends.
tanul *vmit / vmit csinálni* (~t, ~j)	**study** *sg*, **learn** *sg*
Fizikát tanulok.	I'm studying physics.
Énekelni tanulok.	I am learning to sing.
társasjátékozik (társasjátékozott, társasjátékozz)	play board game
Sok felnőtt szeret társasjátékozni.	A lot of adults like to play board games.
tévézik (tévézett, tévézz) / **tévét néz** (~ett, nézz)	**watch TV**
Kinga soha nem néz tévét / tévézik.	Kinga never watches TV.
unatkozik (unatkozott, unatkozz)	**be bored**
Unatkozom, mit csináljak?	I am bored, what should I do?
vásárol (~t, ~j)	go shopping
Ha van időm, szeretek vásárolni.	If I have time, I like going shopping.
zenél (~t, ~j)	**play music**
Egy amatőr együttesben zenélek.	I play music in an amateur band.
***zenét* hallgat** (~ott, hallgass)	**listen *to music***
Elalvás előtt zenét hallgatok.	I listen to music before falling asleep.

→ *Hangszerek / Instruments: 133–134. oldal*
→ *Egyéb szolgáltatások / Other services 186–191. oldal*
→ *Vásárlás / Shopping 192–205. oldal*

Many names for leisure activities are formed by adding the verb *megy (go)* or *jár (go regularly)* to an adverb of place: *Diszkóba megyek. (I go to the dance club.); Koncertre megyek. (I go to a concert.); Rendszeresen járok fitneszterembe. (I go to the gym regularly.); Hetente járok fodrászhoz. (I go to the hairdresser once a week.).*
You can also add the verbs *megy* and *jár* to an infinitive: *Bulizni megyek. (I go to a party); Táncolni megyek. (I go dancing.); Hétvégén kirándulni megyek. (I go hiking this weekend.).*

Hasznos mondatok ▪ Mennyi szabadideje van?
Useful sentences ▪ How much spare time do you have?

Akinek nincs ideje	People who have no time
Sajnos, alig van szabadidőm.	Unfortunately, I have almost no spare time.
Úgy érzem, soha semmire nincs időm.	I feel like I never have time for anything.
Csak a legfontosabb dolgokra jut időm.	I only have time for the most important things.
Mindig rohannom kell valahova.	I always have to rush somewhere.
Soha nem érek rá pihenni.	I never have time to relax.
Amióta megszületett a lányom, nagyon elfoglalt vagyok.	I have been very busy ever since my daughter was born.
Nem tudom, mások hogy csinálják, hogy mindenre marad idejük.	I don't know how others manage to find the time for everything.
Annyi dolgom van, hogy a hobbimra egyáltalán nem marad időm.	I have so many things to do that I don't have any time left for my hobby.
Nem tudom jól beosztani az időmet.	I have a problem with time management.
Mindig időhiányban szenvedek.	I always suffer from lack of time.

Akinek van ideje	People who have time
Sok szabadidőm van.	I have a lot of spare time.
Minden szabadidőmet a hobbimnak szentelem.	I devote my free time entirely to my hobby.
Amikor csak tehetem, kimegyek a kertbe.	Whenever I can, I go out into the garden.
Szabadidőmben keresztrejtvényt fejtek.	I do crossword puzzles in my spare time.
Kedvenc időtöltésem a barkácsolás.	My favorite spare time activity is doing handicrafts.
A szabadidőm nagy részét sportolással töltöm.	I spend most of my spare time doing sports.
Mindig szánok időt a pihenésre.	I always save some time for rest.

Many Hungarians are interested in folk culture and art and spend their free time practicing related activities.
Táncház (dance house) is a place where Hungarian folk dances are taught.
In a *kézművestábor (arts and crafts camp)* you can learn how to weave baskets, prepare objects out of leather or make bows, arrows or candles in the old-fashioned way. In music schools, it is always possible for children to take the option *népzene (folk music).*
Events related to folk art are such as *Mesterségek Ünnepe (Celebration of Crafts),* a fair held in the Buda Castle in August or *Országos Táncháztalálkozó (National Festival of Folk Dance),* a dance and music festival that attracts thousands of people every year.

→ *Vendégség / Visitation: 44–47. oldal*
→ *Sport / Sports: 103–116. oldal*
→ *Irodalom / Literature: 128–132. oldal*
→ *Utazás, nyaralás / Traveling, vacation: 170–176. oldal*

2. Gyűjtemények / Collections

Hasznos szavak
Useful words

Mit lehet gyűjteni?	What can you collect?
ásvány (~ok, ~t, ~a)	mineral
autogram (~ok, ~ot, ~ja)	autograph
bélyeg (~ek, ~et, ~e)	**stamp**
cédé (~k, ~t, ~je)	**CD**
érme (~́k, ~́t, ~́je)	coin
ékszer (~ek, ~t, ~e)	**jewelry**
fénykép (~ek, ~et, ~e) **/ fotó** (~k, ~t, ~ja)	**photograph, photo**
festmény (~ek, ~t, ~e)	**painting**
gyufásdoboz (~ok, ~t, ~a)	matchbox
képeslap (~ok, ~ot, ~ja)	**postcard**
könyv (~ek, ~et, ~e)	**book**
játékvonat (~ok, ~ot, ~a) / modellvasút (-utak, -utat, -útja)	model railroad
matchbox (~ok, ~ot, ~a)	toy car
műtárgy (~ak, ~at, ~a)	**piece of art**
porcelán (~ok, ~t, ~ja)	**porcelain**
régiség (~ek, ~et, ~e)	**antique**
rovar (~ok, ~t, ~ja)	insect
söralátét (~ek, ~et, ~je)	coaster
szalvéta (~́k, ~́t, ~́ja)	**napkin**
szobor (szobrok, szobrot, szobra)	**statue, sculpture**
telefonkártya (~́k, ~́t, ~́ja)	**phone card**

Hol lehet hozzájutni a ritkaságokhoz?	Where can you obtain rarities?
antikvárium (~ok, ~ot, ~a)	**second hand bookstore**
árverés (~ek, ~t, ~e)	auction
cserebörze (~́k, ~́t, ~́je)	swap meet
internet (~et, ~e)	**Internet**
régiségkereskedés (~ek, ~t, ~e)	antique merchant
régiségpiac (~ok, ~ot, ~a)	antiques market
vásár (~ok, ~t, ~a)	**fair**

Milyen lehet egy gyűjtemény?	What can a collection be like?
eladó	**for sale**
értékes (~ebb)	**precious**
értéktelen (~ebb)	**worthless**
gazdag (~abb)	**rich**
különleges (~ebb)	**special**
ritka (~́bb)	**rare**

Mit csinál a gyűjtő? Mit mondhatunk a gyűjteményről?	What is a collector doing? What can we say about the collection?
áll *vmiből* (~t, ~j)	**consist** *of sg*
A bélyeggyűjteményem 2000 darabból áll.	My stamp collection consists of 2000 stamps.
cserél, elcserél *vmit vmire* (~t, ~j)	**trade** *sg*
Magyar bélyegeket cserélek csehekre.	I trade Hungarian stamps for Czech ones.
Sok telefonkártyám van. Amiből kettő van, azt elcserélem.	I have a lot of phonecards. If I have two that are identical, I swap one.
elad *vmit* (~ott, ~j)	**sell** *sg*
Tavaly eladtam a képeslapgyűjteményemet.	I sold my postcard collection last year.
elárverez *vmit* (~ett, árverezz)	auction off *sg*
Elárverezik a gyűjtő hagyatékát.	The estate of the collector will be auctioned off.
odaajándékoz *vmit vkinek* (~ott, ajándékozz)	**give** *sg to sy* **as a present**
A húgomnak ajándékoztam oda a telefonkártya-gyűjteményemet.	I gave my phonecard collection to my sister.
gyűjt *vmit* (~ött, gyűjts)	**collect** *sg*
Régen bélyeget gyűjtöttem.	I used to collect stamps.
keres *vmit* (~ett, keress)	**look** *for sg*
Magyar bélyegritkaságokat keresek.	I am looking for Hungarian stamp rarities.
szerez, megszerez *vmit* (szerzett, szerezz)	**obtain** *sg*, **get** *sg*
Szereztem néhány 19. századi szalvétát.	I got some napkins from the 19th century.
Sikerült megszereznem egy bélyegritkaságot.	I managed to obtain a stamp rarity.

Hasznos mondatok ■ A gyűjtőszenvedélyről
Useful sentences ■ About collecting mania

Miért jó gyűjteni valamit?	Why is it good to collect something?
Cserélgetés közben új emberekkel ismerkedem meg.	I meet new people while trading.
Izgalmas hobbi. Figyelem az interneten az eladó bélyegritkaságokat. Ha elég gyors vagyok, enyém a bélyeg.	It is an exciting hobby. I surf the Internet for stamp rarities. If I am fast enough, the stamp is mine.
Nagy öröm, ha sikerül megszereznem egy-egy szép porcelánt.	I am very happy when I manage to get a beautiful piece of porcelain.
Én nosztalgiából gyűjtök képeslapot: felidézik a régi időket.	I collect postcards out of nostalgia: they evoke ancient times.
A régiséggyűjtés befektetés. Ha nincs pénzem, eladok néhány tárgyat.	Collecting antiques is an investment. If I don't have money, I sell a few pieces.

Miért nem érdemes semmit gyűjteni?	Why isn't it worth collecting anything?
A gyűjtés költséges hobbi.	Collecting things is an expensive hobby.
Nekem fontosabbak az emberek, mint a tárgyak. Inkább a barátaimmal töltöm az időt, mint cserebörzéken.	I care more about people than objects. I would rather spend time with my friends than at swap meets.
Szerintem unalmas dolog bármit is gyűjteni.	I think it is boring to collect anything.
Nekem stresszt jelentene a gyűjtés. Nem tudnám elviselni, ha mégsem lenne az enyém az a tárgy, amit úgy szerettem volna megszerezni.	It would be stressful for me to collect anything. I couldn't bear not getting an object that I wanted to get so badly.

3. Barkácsolás, kézimunka / Doing handicrafts, needlework

Hasznos szavak
Useful words

Szerszámok, munkaeszközök	Tools, utensils
cérna (~́k, ~́t, ~́ja)	**thread**
csavarhúzó (~k, ~t, ~ja)	**screwdriver**
ecset (~ek, ~et, ~je)	**brush**
festék (~ek, ~et, ~e)	**paint**
fonal (~ak, ~at, ~a)	yarn
franciakulcs (~ok, ~ot, ~a)	wrench
fűrész (~ek, ~t, ~e)	saw
fúrógép (~ek, ~et, ~e)	drill
kalapács (~ok, ~ot, ~a)	**hammer**
olló (~k, ~t, ~ja)	**scissors**
ragasztó (~k, ~t, ~ja)	**glue**
tű (~k, ~t, ~je)	**needle**
horgolótű	crochet needle
kötőtű	knitting needle
varrógép (~ek, ~et, ~e)	**sewing machine**
véső (~k, ~t, ~je)	chisel
vonalzó (~k, ~t, ~ja)	**ruler**

Kézműves technikák	Craft techniques
bőrművesség (~et, ~e)	leathercraft
csomózás (~t, ~a)	macrame
festés (~t, ~e)	painting
foltvarrás (~t, ~a)	patchwork
fonás (~ok, ~t, ~a)	spinning
gyertyakészítés (~t, ~e)	candle making
gyöngyfűzés (~t, ~e)	pearlcraft, beading
hímzés (~ek, ~t, ~e)	embroidery
horgolás (~ok, ~t, ~a)	crochet
kerámia (~'k, ~'t, ~'ja)	pottery
kőfaragás (~t, ~a)	stone carving
kötés (~ek, ~t, ~e)	knitting
selyemfestés (~t, ~e)	silk painting
szalvétatechnika (~'t, ~'ja)	decoupage
szövés (~ek, ~t, ~e)	weaving
tűzzománc (~ok, ~ot, ~a)	fire glazing
varrás (~t, ~a)	sewing
virágkötés (~t, ~e)	flower arranging

→ *Építkezés és felújítás / Building and renovating: 67–69. oldal*
→ *Főzés / Cooking: 213–218. oldal*

Milyen az, aki barkácsol? Milyen a végeredmény?	What is a handy person like? What is the result like?
eredeti (~bb)	**original, authentic**
érdekes (~ebb)	**interesting**
félresikerült	failed
házi készítésű	home made
jól sikerült	well done
kreatív (~abb)	**creative**
ötletes (~ebb)	smart, original
ügyes (~ebb)	**skillfull**
ügyetlen (~ebb)	**clumsy**

Mit csinál a kreatív ember?	What do creative people do?
agyagozik (agyagozott, agyagozz)	do pottery
Fiatalkoromban sokat agyagoztam.	I did a lot of pottery when I was young.
barkácsol (~t, ~j)	do handicrafts
A férjem imád barkácsolni.	My husband loves doing handicrafts.
díszít, feldíszít *vmit* (~ett, díszíts)	**decorate** *sg*
Rózsacsokorral díszítettem az ünnepi asztalt.	I decorate the holiday table with a bouquet of roses.
Karácsony előtt feldíszítjük a karácsonyfát.	We decorate the Christmas tree before Christmas.
elront *vmit* (~ott, ronts)	do *sg* wrong
Ezt az öltést mindig elrontom.	I always do this stitch wrong.
fest, lefest *vmit* (~ett, fess)	**paint** *sg*
Egy tájképet festek.	I'm painting a landscape.
Lefestettem a kisfiamat.	I painted a picture of my son.
fúr *vmit vhova* (~t, ~j)	drill *sg somewhere*
Fúrni kell a falba egy lyukat.	We have to drill a hole in the wall.
fűrészel, elfűrészel *vmit* (~t, ~j)	saw *sg*
Deszkalapokat fűrészelek a modellhez.	I am sawing boards for a model.
Elfűrészeltem ezt a lécet.	I sawed this slat.
hajtogat *vmit* (~ott, hajtogass)	fold *sg*
Papírból állatfigurákat is lehet hajtogatni.	You can also fold animal figures out of paper.
horgol *vmit* (~t, ~j)	crochet *sg*
Horgoljak neked egy sálat?	Shall I crochet a shawl for you?
kalapál (~t, ~j)	hammer
A szomszéd egész vasárnap kalapált.	The neighbor hammered all day on Sunday.
készít *vmit* (~ett, készíts) / **csinál** *vmit* (~t, ~j)	**make** *sg*
Papírból lámpaernyőt is készíthetünk/csinálhatunk.	We can also make a lampshade out of paper.
kézimunkázik (kézimunkázott, kézimunkázz)	embroider, do needlework
Szeretsz kézimunkázni?	Do you like to embroider?
kivág *vmit vmiből* (~ott, ~j)	**cut** *sg out of sg*
Papírból kis háromszögeket vágunk ki.	We cut small triangles out of paper.
köt *vmit* (~ött, köss)	**knit** *sg*
A nagymama pulóvert köt.	The grandmother is knitting a sweater.
modellezik (modellezett, modellezz)	build a model
Gyerekkorom óta modellezem.	I have been building models since my childhood.
összepiszkol *vmit* (~t, ~j)	soil *sg*
Ne piszkoljátok össze a falat!	Don't soil the wall.
ragaszt, felragaszt *vmit* (~ott, ragassz)	**glue** *sg*, **paste** *sg*
Képeket ragasztok kartonra.	I glue pictures on the cardboard.
A gyerekek felragasztják a falra a rajzaikat.	The children are pasting their drawings onto the wall.
rajzol, lerajzol *vkit/vmit* (~t, ~j)	**draw** *sy/sg*
Általában embereket rajzolok.	I usually draw people.
Lerajzoltam a fiamat is.	I've also drawn a picture of my son.
sző *vmit* (~tt, ~j)	weave *sg*
Megtanultam szőnyeget szőni.	I learned how to weave a carpet.
tervez, megtervez *vmit* (~ett, tervezz)	**design** *sg*
Terveztem egy asztalt.	I designed a table.
Megterveztem, milyen lesz a nappali.	I designed the interior of the living-room.
üveget fest (~ett, fess)	paint *glass*
A húgom szabadidejében üveget fest.	My younger sister paints glass in her spare time.
varr, megvarr *vmit* (~t, ~j)	**sew** *sg*, **sew** *sg* **up**
Régen minden ruhámat én varrtam.	I used to sew all my own clothes.
Elszakadt az ingem, de már megvarrtam.	My shirt is torn, but I sewed it up.

Hasznos mondatok ■ Csináld magad!
Useful sentences ■ Do it yourself

Aki szeret barkácsolni	People who like doing handicrafts
Van tehetségem/érzékem/türelmem a barkácsoláshoz.	I have got the talent/sensitivity/patience for doing handicrafts.
Értek a barkácsoláshoz.	I'm good at doing handicrafts.
Magam készítek mindent, amit lehet.	I make everything I can by myself.
A barátaimat saját készítésű ajándékokkal lepem meg.	I surprise my friends with handmade gifts.
Jó érzés, amikor létrehozok valamit.	It's a good feeling to create things.
Kreatív ember vagyok.	I'm a creative person.
Sok jó ötletem van.	I have a lot of good ideas.
Tudok bánni a szerszámokkal.	I'm skillfull with tools.
Azt hiszem, van kézügyességem.	I think I'm a handy person.
Aki nem szeret barkácsolni	**People who don't like doing handicrafts**
Nem értek a barkácsoláshoz.	I'm pretty bad at doing handicrafts.
Nincs tehetségem/érzékem/türelmem a barkácsoláshoz.	I don't have the talent/sensitivity/patience to do handicrafts.
Hamar elvesztem a türelmemet.	I quickly lose my patience.
Inkább megveszem a boltban, amire szükségem van.	I'd rather buy what I need in a shop.
Kétbalkezes vagyok.	I have two left hands.
Nagyon ügyetlen vagyok.	I'm very clumsy.
Több kárt csinálnék, mint hasznot.	I would make more damage, than good.
Ha nem csinálok semmit, abból nem lehet baj.	There can be no trouble if I don't do anything.
Egyáltalán nincs kézügyességem.	I'm not handy at all.

→ *Lakásfenntartás / Home maintenance: 64–66. oldal*

4. Kertészkedés / Gardening

Hasznos szavak
Useful words

Mi van a kertben?	What is in the garden?
ágyás (~ok, ~t, ~a)	flower-bed
bokor (bokrok, bokrot, bokra)	**bush**
fa (~́k, ~́t, ~́ja)	**tree**
díszfa	decorative tree
gyümölcsfa	fruit tree
föld (~ek, ~et, ~je)	**earth, ground, soil**
fű (füvek, füvet, füve)	**grass**
gyep (~ek, ~et, ~e)	lawn
kert (~ek, ~et, ~je)	**garden**
gyümölcsöskert	orchard
konyhakert/zöldségeskert	vegetable garden
sziklakert	rock-garden
komposzt (~ok, ~ot, ~ja)	compost
komposztdomb (~ok, ~ot, ~ja)	compost heap
gyep (~ek, ~et, ~e)	lawn
levél (levelek, levelet, levele)	**leaf**
falevél	tree leaf
madár (madarak, madarat, madara)	**bird**
madáretető (~t, ~k, ~je)	bird feeder
méh (~ek, ~et, ~e)	**bee**
mag (~ok, ~ot, ~ja)	**seed**
növény (~ek, ~t, ~e)	**plant**
dísznövény	decorative plant
fűszernövény	spice
gyógynövény	herb
palánta (~́k, ~́t, ~́ja)	seedling
rovar (~ok, ~t, ~a)	insect
sor (~ok, ~t, ~a)	**row**
talaj (~t, ~a)	**soil**
termés (~ek, ~t, ~e)	produce
trágya (~́k, ~́t, ~́ja)	fertilizer
műtrágya	chemical fertilizer
üvegház (~ak, ~at, ~a)	greenhouse
virág (~ok, ~ot, ~a)	flower
virágpor (~ok, ~t, ~a)	pollen
virágszirom (-szirmok, -szirmot, -szirma)	petal

→ *Növények / Plants: 153–155. oldal*
→ *Élelmiszerek / Food: 202–205. oldal*

Kerti szerszámok, eszközök	Gardening tools, accessories
ásó (~k, ~t, ~ja)	**spade**
balta (~́k, ~́t, ~́ja)	**axe**
cserép (cserepek, cserepet, cserepe)	**pot, ceramic pot**
virágcserép	flower pot
fűnyíró (~k, ~t, ~ja)	**lawnmower**
gereblye (~́k, ~́t, ~́je)	**rake**
kapa (~́k, ~́t, ~́ja)	**hoe**
lapát (~ok, ~ot, ~ja)	**shovel**
öntözőkanna (~́k, ~́t, ~́ja)	watering can
permetező (~k, ~t, ~je)	pesticide sprayer
vödör (vödrök, vödröt, vödre)	**bucket**

Milyen a kert?	What is a garden like?
elhanyagolt (~abb)	neglected
gazos (~abb)	**weedy**
gondozatlan (~abb)	**unkempt**
gondozott (~abb)	**tended, well-maintained**
rendezett (~ebb)	drought-tolerant
szép (szebb)	**nice, lovely, beautiful**

Milyen a növény/gyümölcs?	What are plants/fruits like?
éretlen (~ebb)	**unripe**
érett (~ebb)	**ripe**
hidegtűrő	winterhardy
melegkedvelő	heat-loving
szárazságtűrő	tidy
szívós (~abb)	enduring, tough

Mit csinál a kertész/növény?	What does a gardener/plant do?
érik, megérik (érett, érj)	**ripen, be ripe**
Mikor érik a cseresznye?	When do the cherries ripen?
Még nem érett meg a szilva.	The plums are not ripe yet.
felás *vmit* (~ott, áss)	**dig up** *sg*
Kora tavasszal felásom a kertet.	I dig up the garden in early spring.
füvesít *vmit* (~ett, füvesíts)	seed lawn *somewhere*
Füvesíteni akarjuk az udvart.	We plan to seed lawn in the yard.
gazol, kigazol *vmit* (~t, ~j)	**weed** *sg*
Épp a kertet gazolom.	I'm weeding the garden.
Kigazoltad már a paprikaágyást?	Have you weeded the pepper bed yet?
gereblyéz, elgereblyéz *vmit* (~ett, gereblyézz)	rake *sg*
Az öcsém az udvart gereblyézi.	My brother is raking in the yard.
Kapálás után elgereblyézem a virágágyást.	I will rake the flower bed after hoeing.
gondoz *vmit* (~ott, gondozz)	**take care** *of sg*
A gyümölcsfákat gondozni kell.	Fruit trees need care.
kapál, megkapál *vmit* (~t, ~j)	**hoe** *sg*
Épp a legnagyobb ágyást kapálom.	I'm hoeing the largest flower bed.
Még a virágokat is meg kell kapálni.	The flowers have yet to be hoed.
kertészkedik (kertészkedett, kertészkedj)	**garden**
Imádok kertészkedni.	I adore gardening.
kikel (~t, ~j)	sprout
Nézd, kikelt a zöldbab!	Look, the string beans have sprouted!

komposztál *vmit* (~t, ~j) — compost *sg*
A beteg növényeket nem szabad komposztálni. — Sick plants must not be composted.
megszárít *vmit* (~ott, száríts) — **dry** *sg*
A fűszernövényeket megszáríthatjuk. — Spices may be dried.
nyílik, kinyílik (nyílt, nyílj) — **blossom, bloom**
Mikor nyílik a tulipán? — When are tulips blossoming?
Kinyíltak az első rózsák. — The first roses are blossoming
füvet* nyír, lenyír** (~t, ~j) — **mow *lawn
Hétvégén füvet nyírtam. — I mowed lawn on the weekend.
Az egész udvaron lenyírtam a füvet. — I mowed the lawn in the entire yard.
öntöz, megöntöz *vmit* (~ött, öntözz) — **water** *sg*
Nyáron gyakran kell öntözni a kertet. — The garden has to be watered often in the summer.
palántáz *vmit* (~ott, palántázz) — plant *sg* from seedlings
Segítesz salátát palántázni? — Will you help me plant some lettuce?
permetez, megpermetez *vmit* (~ett, permetezz) — spray pesticide *on sg*
Nagypapa a körtefát permetezi. — Grandpa is spraying pesticide on the peartree.
Nagypapa megpermetezi az összes gyümölcsfát. — Grandpa sprays pesticide on all the fruit trees.
***rendbe* tesz** *vmit* (tett, tegyél/tégy) — **clean up** *sg*
Ma rendbe teszem az ágyásokat. — Today I'll clean up the beds.
szed, leszed *vmit* (~ett, ~j) — **pick** *sg*
Szilvát szedek. — I'm picking plums.
A meggyet már leszedtem. — I've already picked the sour cherries.
szüretel, leszüretel (~t, ~j) — **harvest grapes**
Mikor szüreteltek? — When are you harvesting grapes?
Múlt hétvégén leszüreteltünk. — We harvested the grapes last weekend.
terem (termett, teremj) — **produce** *sg*
Idén sokat termett a paradicsom. — We produced a lot of tomatoes this year. (*lit.* Tomatoes produced a lot this year.)
termeszt *vmit* (~ett, termessz) — grow *sg*
A kertben zöldségeket termesztünk. — We grow vegetables in the garden.
trágyáz, megtrágyáz *vmit* (~ott, trágyázz) — fertilize *sg*
A sárgarépát nem szabad trágyázni. — Carrots mustn't be fertilized.
Megtrágyáztam a paprikát. — I've fertilized the peppers.
tűr *vmit* (~t, ~j) — **endure** *sg*, **tolerate** *sg*
A levendula jól tűri a szárazságot. — Lavender tolerates drought well.
ültet, elültet *vmit* (~ett, ültess) — plant *sg*
Ide petrezselymet ültetek. — I plant parsley here.
Elültetted már a rózsákat? — Have you planted the roses yet?
véd *vkit/vmit vmitől* (~ett, ~j) — **protect** *sy/sg from sg*
A rozmaringot védeni kell a fagytól. — Rosemary has to be protected from frost.
vet, elvet *vmit* (~ett, vess) — **sow** *sg*
Ide zöldborsót vetek. — I will sow green peas here.
Mikor kell elvetni a zöldbabot? — When do the string beans have to be sowed?
virágzik (virágzott, virágozz) — bloom
A menta júniustól virágzik. — Mint blooms from June.

→ *Időjárás-jelentés / Weather riport: 141–144. oldal*

A few spices and flowers Hungarians like to grow in their garden:
Spices: *bazsalikom (basil), cseresznyepaprika (cherry pepper), kakukkfű (thyme), kapor (dill), kömény (caraway), koriander (coriander), levendula (lavender), majoránna (marjoram), menta (mint), oregánó (oregano), petrezselyem (parsley), rozmaring (rosemary), tárkony (estragon), zeller (celery), zsálya (sage).*
Flowers: *árvácska (pansy), ibolya (violets), mályva (hollyhock), margaréta (daisy), rózsa (rose), szekfű (carnation), tulipán (tulip).*

Hasznos mondatok ▪ Miért jó a kerti munka?
Useful sentences ▪ What is so pleasant about gardening?

A kerti munka előnyei	The advantages of gardening
Nagyon élvezem a mozgást.	I enjoy doing exercise a lot.
Az irodai munka után jólesik a fizikai munka.	After office work, it feels good to do some physical work.
Kint vagyok a friss levegőn.	I am out in the fresh air.
A saját zöldségeimet ehetem.	I can eat my own vegetables.
Szeretek a növények között lenni.	I like to be among plants.
A kertészkedés pihentet/kikapcsol.	Gardening is relaxing. (*lit.* Gardening relaxes me.)
Megfigyelhetem a természetet.	I can observe nature.
Közel érzem magam a természethez.	I feel close to nature.
Tudom, hogy nincs a zöldségekben káros vegyszer.	I know that there are no harmful chemicals in vegetables.

A kerti munka hátrányai	The inconveniencies of gardening
Fárasztó/Megerőltető a kertben dolgozni.	It is tiring/exhausting to work in the garden.
Rengeteg más dolgom van. Nincs időm még a kerttel is foglalkozni.	I have a lot of other things to do. I don't have time to tend to my garden, too.
Ha rossz az idő, kevés a termés.	If the weather is bad, there is little produce.
Nem éri meg: a boltban ugyanannyi pénzért meg tudom venni a zöldséget.	It is not worth doing: I can buy vegetables at the supermarket for the same money.
A gazolásnak soha nincs vége.	Weeding is a never ending process.
Ha elmegyek nyaralni, elpusztulnak a növények.	If I go on vacation, my plants die.
A kutyám minden növényt tönkretesz.	My dog destroys every plant.
Allergiás vagyok a virágporra.	I'm allergic to pollen.
Utálom a rovarokat.	I hate insects.
Mindig túlöntözöm a növényeket.	I always give my plants too much water.

SPORT / SPORTS

1. A fitneszteremben / At the gym

Hasznos szavak
Useful words

Sporteszközök és kellékek	**Sports equipment and accessories**
bordásfal (~ak, ~at, ~a)	wall-bars
felmászik a bordásfalra	climb on the wall-bars
futópad (~ok, ~ot, ~ja)	treadmill
futópadon edz	run on the treadmill
medicinlabda (~́k, ~́t, ~́ja)	medicine ball
kondigép (~ek, ~et, ~e)	exercise machine
kötél (kötelek, kötelet, kötele)	**rope**
ugrókötél	jump rope
kötelet mászik	climb the rope
súlyzó (~k, ~t, ~ja)	**weights**
ötkilós súlyzó	5 kilo weights
tornaszőnyeg/szőnyeg (~ek, ~et, ~e)	mat
zsámoly (~ok, ~t, ~a)	stool

Torna és mozgás	**Gymnastics and exercise**
aerobik (~ot, ~ja)	aerobics
bemelegítés (~ek, ~t, ~e)	**warm up**
edzés (~ek, ~t, ~e)	**workout, training**
fejenállás (~ok, ~t, ~a)	headstand
fekvőtámasz (~ok, ~t, ~a)	**push-up**
fekvőtámaszt nyom/csinál	do push-ups
futás (~t, ~a)	**running**
bemelegítő futás	warm-up run
gimnasztika (~́k, ~́t, ~́ja)	**gymnastics**
guggolás (~ok, ~t, ~a)	squat
gyakorlat (~ok, ~ot, ~a)	**exercise**
gyakorlatsor (~ok, ~t, ~a)	set of exercises
erősítő gyakorlat	strengthening exercise
hasizomgyakorlat	exercise for abdominal muscles, abs
légzőgyakorlat	breathing exercise
gyakorlatot végez	do an exercise
gyertya (~́k, ~́t, ~́ja)	shoulderstand
gyógytorna (~́k, ~́t, ~́ja)	**physical therapy**
híd (hidak, hidat, hídja)	bridge
izom (izmok, izmot, izma)	**muscle**
kalória (~́k, ~́t, ~́ja)	**calorie**
kalóriát éget el	burn calories

kézenállás (~ok, ~t, ~a)	handstand
lazítás (~ok, ~t, ~a)	**relaxation**
légzés (~ek, ~t, ~e)	**breathing**
belégzés	inhalation
kilégzés	exhalation
mozgás (~ok, ~t, ~a)	**exercise, movement**
testmozgás	physical exercise
nyújtás (~ok, ~t, ~a)	**stretching**
óra (~́k, ~́t, ~́ja)	**lesson, class**
fitneszóra	fitness class
spárga (~́k, ~́t, ~́ja)	split
tánc (~ok, ~ot, ~a)	**dance**
tánclépés (~ek, ~t, ~e)	dance step
terpeszállás (~ok, ~t, ~a)	straddle

Mit történik a fitneszteremben?	**What happens at the gym?**
átmozgat *vmit* (~ott, mozgass)	move *sg*, work *sg*
A jó fitneszóra minden izmot átmozgat.	A good fitness class works all the muscles.
behajlít *vmit* (~ott, hajlíts)	bend *sg*
Hajlítsuk be a karunkat!	Bend your arms!
bemelegít *vmit* (~ett, melegíts)	**warm up** *sg*
Sportolás előtt mindig be kell melegíteni.	You always have to warm up before exercising.
Ezzel a gyakorlattal a vállizmokat melegítjük be.	With this exercise, we warm up the shoulder muscles.
elfárad (~t, ~j)	**get tired**
Kellemesen elfáradtam a fitneszórán.	I got pleasantly tired during the fitness class.
ellazít *vmit* (~ott, lazíts)	relax *sg*
Lazítsuk el a felsőtest izmait!	Relax the muscles of the upper body.
erőlködik (erőlködött, erőlködj)	exert oneself
Hiába erőlködtem, csak húsz fekvőtámaszt tudtam megcsinálni.	No matter, how much I exerted myself, I couldn't do more than twenty pushups.
erősít *vmit* (~ett, erősíts)	strengthen *sg*
Ez a gyakorlat a hasizmot erősíti.	This exercise strengthens the abdominal muscles.
erősödik, megerősödik (erősödött, erősödj)	get stronger
Sokat erősödtem, amióta konditerembe járok.	I've gotten much stronger since I started going to the gym.
Az utóbbi időben megerősödtem.	I've gotten much stronger lately.
felemel *vmit* (~t, ~j)	**lift up** *sg*
Emeljük fel a karunkat!	Lift up your arms.
felfrissül (~t, ~j)	feel refreshed
A sportolástól mindig felfrissülök.	I always feel refreshed after doing sports.
fogy, lefogy (~ott, ~j)	**lose weight**
Két kilót fogytam, amióta sportolok.	I've lost two kilos since I started doing sports.
Hiába sportolok, nem sikerül lefogynom.	It does not matter how much I do sports, I still don't lose any weight *(lit.* I don't manage to lose).
fordít *vmit vmerre* (~ott, fordíts)	**turn** *sg somewhere*
Fordítsuk oldalra a fejünket!	Turn your head to the side.
fordul *vmerre* (~t, ~j)	**turn** *somewhere*
Forduljunk balra!	Turn left.
fut (~ott, fuss)	**run**
Minden reggel futok hat kilométert.	I run six kilometers every morning.
hajol (~t, ~j)	**lean**
Hajoljunk előre!	Lean forward.
izzad, leizzad (~t, ~j)	**sweat, get sweaty**
Ha sokat izzad, igyon sok vizet!	If you sweat a lot, drink a lot of water.
Óra végére mindig leizzadok.	I get all sweaty by the end of the lesson.
lazít (~ott, lazíts)	**relax**
A tornaóra végén lazítunk.	We relax at the end of the gym class.
lélegez/lélegzik (lélegzett, lélegezz)	**breathe**
Lélegezzünk mélyeket!	Breathe deeply!

mozog (mozgott, mozogj)	**exercise**
Minden reggel mozgok.	I exercise every morning.
nyújt *vmit* (~ott, nyújts)	**stretch** *sg*
Ez a gyakorlat a combizmokat nyújtja.	This exercise stretches the thigh muscles.
súlyzózik (súlyzózott, súlyzózz)	work out with weights
Sok lány nem szeret súlyzózni.	A lot of girls don't like to work out with weights.
végez, elvégez *vmit* (végzett, végezz)	**do** *sg*
A gyakorlatot fekve végezzük.	Lie down for this the exercise. (*lit.* We do this exercise lying down.)
Ezt a gyakorlatot nem tudom elvégezni.	I can't do this exercise.

→ *Az emberi test / The human body: 219–221. oldal*

Instructions in a fitness class are usually given using the first person plural form. This is a polite way of asking people to follow your instructions: *Álljunk fel! (Stand up.), Lélegezzünk mélyeket! (Breathe deeply.)* etc.

Hasznos mondatok ■ Utasítások a fitneszteremben
Useful sentences ■ Instructions at the gym

Ezt mondja a fitneszedző	The fitness trainer says
Vegyünk mély levegőt!	Take a deep breath.
Lassan lélegezzünk be/ki!	Inhale/Exhale slowly.
Feküdjünk le a földre!	Lie down on the ground.
Feküdjünk hasra/hanyatt!	Lie flat on your stomach/back.
Forduljunk a tükör felé!	Turn towards the mirror.
Álljunk fel!	Stand up.
Guggoljunk le!	Squat.
Álljunk terpeszbe!	Spread your legs.
Üljünk fel!	Sit up.
Hajoljunk előre/hátra/oldalra!	Lean forward/back/to the side.
Emeljük fel a karunkat!	Lift up your arms.
Hajlítsuk be a karunkat!	Bend your arms.
Nyújtsuk ki a lábunkat!	Straighten your legs.
Keressünk egy párt!	Find a partner.
Csináljunk öt fekvőtámaszt!	Do five pushups.
Figyeljünk a tartásunkra!	Pay attention to your posture.
Lazán tartsuk a fejünket!	Keep your head relaxed.
Még egy kicsit tartsunk ki!	Hold on for a little longer.
Ne hagyjuk abba a gyakorlatot!	Don't stop the exercise.

2. Csapatjátékok, egyéni és küzdősportok / Team sports, individual and fighting sports

Hasznos szavak
Useful words

A sport fajtái	Types of sports
atlétika (~́t, ~́ja)	athletics
könnyűatlétika	light athletics
nehézatlétika	heavy athletics
csapatjáték (~ok, ~ot, ~a)	team sport
egyéni sport (~ok, ~ot, ~ja)	individual sport
élsport (~ot, ~ja)	professional sport
harcművészet (~ek, ~et, ~e)	martial art
küzdősport (~ok, ~ot, ~ja)	combat sport
labdajáték (~ok, ~ot, ~a)	ballgame
páros sport (~ok, ~ot, ~ja)	two-person sports
technikai sport (~ok, ~ot, ~ja)	technical sport
téli sport (~ok, ~ot, ~ja)	winter sport
tömegsport (~ok, ~ot, ~ja)	mass sport
vízi sport (~ok, ~ot, ~ja)	water sport

Csapatjátékok	Team sports
baseball (~t, ~ja)	baseball
futball (~t, ~ja) **/ foci** (~t, ~ja) **/ labdarúgás** (~t, ~a)	**football, soccer**
jégkorong (~ot, ~ja) / hoki (~t, ~ja)	**ice hockey**
kézilabda (~́t, ~́ja)	**handball**
kosárlabda (~́t, ~́ja)	**basketball**
krikett (~et, ~je)	cricket
rögbi (~t, ~je)	rugby
röplabda (~́t, ~́ja)	**volleyball**
softball (~t, ~ja)	softball
vízilabda (~́t, ~́ja)	**waterpolo**

Egyéni és páros sportok	Individual sports and sports played by two players
autóversenyzés (~t, ~e)	car racing
bob (~ot, ~ja)	bob
búvárkodás (~t, ~a)	diving
diszkoszvetés (~t, ~e)	discus throwing
ejtőernyőzés (~t, ~e)	parachuting
evezés (~t, ~e)	rowing
fallabda (~́t, ~́ja)	squash

futás (~t, ~a)	**running**
akadályfutás	obstacle race
gátfutás	hurdle race
hosszútávfutás	long distance running
rövidtávfutás	short distance running
maratonfutás	marathon running
tájfutás	cross-country running
gerelyhajítás (~t, ~a)	javelin throwing
golf (~ot, ~ja)	**golf**
gyaloglás (~t, ~a)	**walking**
gyorsgyaloglás	power walking
hegymászás (~t, ~a)	mountain climbing
íjászat (~ot, ~a)	archery
jégtánc (~ot, ~a)	ice ballet
jóga (~́t, ~́ja)	yoga
kajak (~ot, ~ja)	kayak
kalapácsvetés (~t, ~e)	hammer throwing
kenu (~t, ~ja)	canoe
kerékpározás (~t, ~a) **/ biciklizés** (~t, ~e)	**bicycling**
kirándulás (~ok, ~t, ~a) / túrázás (~ok, ~t, ~a)	**hiking**
kocogás (~t, ~a)	**jogging**
korcsolyázás (~t, ~a)	**ice skating**
gyorskorcsolyázás	speed skating
műkorcsolyázás	figure skating
lovaglás (~t, ~a)	horseback riding
maraton (~t, ~ja)	marathon
félmaraton	half marathon
lefutja a maratont	run the marathon
motorversenyzés (~t, ~e)	**motorcycle racing**
öttusa (~́t, ~́ja)	**pentathlon**
pilátesz (~t, ~e)	pilates
sakk (~ot, ~ja)	**chess**
sárkányrepülés (~t, ~e)	hang gliding
sí (~t, ~je)	**skiing**
vízisí	water skiing
sífutás	cross-country skiing
sportlövészet (~et, ~e)	competitive shooting
súlyemelés (~t, ~e)	weight lifting
súlylökés (~t, ~e)	shot-putting
tajcsi (~t, ~ja)	tai chi
tenisz (~t, ~e)	**tennis**
tollas (~t, ~a)	**badminton**
torna (~́t, ~́ja)	**gymnastics**
szertorna	artistic gymnastics
talajtorna	floor exercises
triatlon (~ok, ~t, ~a)	triathlon
ugrás (~ok, ~t, ~a)	jumping
magasugrás	high jump
rúdugrás	pole vault
távolugrás	long jump
úszás (~t, ~a)	**swimming**
gyorsúszás	freestyle
hátúszás	backstroke
mellúszás	breaststroke
pillangóúszás	butterfly stroke
vitorlázás (~t, ~a)	sailing
vívás (~t, ~a)	fencing
kardvívás	fencing
tőrvívás	dagger fighting

Küzdősportok, harcművészet	Combat sports, martial arts
birkózás (~t, ~a)	**wrestling**
boksz (~ot, ~a) **/ ökölvívás** (~t, ~a)	**boxing**
dzsúdó (~t, ~ja) **/ cselgáncs** (~ot, ~a)	**judo**
capoeira (~́t, ~́ja)	capoeira
karate (~́t, ~́ja)	**karate**
kendo (~́t, ~́ja)	kendo
kickbox (~ot, ~a)	kickbox
kung fu (~t, ~ja)	**kung fu**
taekwondo (~́t, ~́ja)	taekwondo

You can form a verb by adding *-zik* (*-ozik/-ezik/-özik/-́zik*) or *-ik* to most names for sports. To get the name of the sportsman, add *-ó/-ő* to the verb stem:
hegymászás – hegyet mászik – hegymászó (mountain climbing – climb a mountain – mountaineer)
*kerékpározás/biciklizés – **kerékpározik/biciklizik** – kerékpáros/biciklista (cycling – **ride a bicycle** – cyclist)*
*korcsolya – **korcsolyázik** – korcsolyázó (skate – **skate** – skater)*
*kosárlabda – **kosárlabdázik** – kosárlabdázó (basketball – **play basketball** – basketball player)*
magasugrás – magasugrik – magasugró (high jump – high jump – high jumper)
*tenisz – **teniszezik** – teniszező (tennis – **play tennis** – tennis player)*
*torna – **tornázik** – tornász (gymnastics – **do gymnastics, perform gymnastics** – gymnast)*
*úszás – **úszik** – úszó (swimming – **swim** – swimmer)*
*versenyzés – **versenyez/versenyzik** – versenyző (competition – **attend a competition** – competitor)*
Similarly: *birkózás, golf, krikett, kézilabda, röplabda, vízilabda, jégkorong, jóga, asztalitenisz/pingpong, tollas, vitorlázás, sakk.*
In some cases, the verb and the name for the sportsman are formed in a different way:
*boksz – **bokszol** – bokszoló (boxing – **box** – boxer)*
diszkoszvetés – diszkoszt vet – diszkoszvető (discus throwing – throw discus – discus thrower)
evezés – evez – evezős (rowing – row – rower)
*futás – **fut** – futó (running – **run** – runner)*
*futball/foci – **futballozik/focizik** – futballista/focista (soccer – **play soccer** – soccer player)*
*gyaloglás – **gyalogol** – gyalogló (walking – **walk** – walker)*
*karate – **karatézik** – karatés (karate – **do karate** – karate fighter)*
*kirándulás – **kirándul** – kiránduló (hiking – **hike** – hiker)*
kungfu – kungfuzik – kungfus (kung fu – do kung fu – kung fu fighter)
*lovaglás – **lovagol** – lovas (horseback riding – ride a horse – horseback rider)*
rögbi – rögbizik – rögbijátékos (rugby – play rugby – rugby player)
*sí – **síel** – síelő (skiing – **ski** – skier)*
*sport – **sportol** – sportoló (sport – **do sports** – sportsman)*
súlyemelés – súlyt emel – súlyemelő (weight-lifting – lift weights – weight lifter)
teakwondo – taekwondózik – taekwondós (taekwondo – do taekwondo – taekwondo fighter)
vívás – vív – vívó (fencing – fence – fencer)

→ *Szóképzés / Forming new words: 279–282. oldal*

Hol sportolhatunk?	Where can we do sports?
fitneszterem/tornaterem (-termek, -termet, -terme)	**gym**
konditerem (-termek, -termet, -terme)	**gym with workout machines**
pálya (~́k, ~́t, ~́ja)	**field, course**
futballpálya/focipálya	soccer field
futópálya	running track
sportpálya	sports field
teniszpálya	tennis court
sportcsarnok (~ok, ~ot, ~a)	sports arena
stadion (~ok, ~t, ~ja)	**stadium**
olimpiai stadion	olympic stadium
uszoda (~́k, ~́t, ~́ja)	**swimming pool**
fedett uszoda	indoor swimming pool

Sporteszközök, kellékek	Sports equipment, accessories
bak (~ok, ~ot, ~ja)	gymnastics horse
cipő (~k, ~t, ~je)	**shoe**
futócipő	running shoe
sportcipő/tornacipő	**sports shoe**
túracipő	hiking boots
csuklóvédő (~k, ~t, ~je)	wrist support
diszkosz (~ok, ~t, ~a)	discus
dobbantó (~k, ~t, ~ja)	trampoline
felemáskorlát (~ok, ~ot, ~ja)	uneven bars
fürdőnadrág (~ok, ~ot, ~ja)	**bathing trunks**
fürdőruha (~́k, ~́t, ~́ja)	**bathing suit**
gerely (~ek, ~t, ~e)	javelin
gerenda (~́k, ~́t, ~́ja)	balance beam
gördeszka (~́k, ~́t, ~́ja)	skateboard
görkorcsolya (~́k, ~́t, ~́ja)	roller skates
gyűrű (~k, ~t, ~je)	rings
háló (~k, ~t, ~ja)	net
hajó (~k, ~t, ~ja)	**ship**
vitorláshajó	sailing ship
hátizsák (~ok, ~ot, ~ja)	**backpack**
kajak (~ok, ~ot, ~ja)	kayak
kalapács (~ok, ~ot, ~a)	hammer
kapu (~k, ~t, ~ja)	**goal**
a kapuban áll	stand in the goal, be the goalie
kapura lő	shoot at the goal
kard (~ok, ~ot, ~ja)	sword
kenu (~k, ~t, ~ja)	canoe
kerékpár (~ok, ~t, ~ja) **/ bicikli** (~k, ~t, ~je)	**bicycle**
versenykerékpár/versenybicikli	racing bicycle
szobakerékpár/szobabicikli	exercise bike
kesztyű (~k, ~t, ~je)	**gloves**
bokszkesztyű	boxing gloves
korcsolya (~́k, ~́t, ~́ja)	**skates**
korong (~ok, ~ot, ~ja)	puck
labda (~́k, ~́t, ~́ja)	**ball**
futball-labda/focilabda	football
kosárlabda	basketball
teniszlabda	tennis ball
tollaslabda	badminton ball
lap (~ok, ~ot, ~ja)	**card**
piros/sárga lap	red/yellow card
sárga lapot kap	get a yellow card
léc (~ek, ~et, ~e)	**bar, crossbar**
magasugró léc	high jump bar
átugorja a lécet	clear the bar
melegítő (~k, ~t, ~je)	**sweatsuit**
melegítőfelső (~k, ~t, ~je)	sweatshirt
melegítőnadrág (~ok, ~ot, ~ja) / melegítőalsó (~k, ~t, ~ja)	sweatpants
mez (~ek, ~t, ~e)	**sports jersey**
futballmez	football uniform
pingpongasztal (~ok, ~t, ~a)	**pingpong table**
sí (~k, ~t, ~je)	**ski**
síbot (~ok, ~ot, ~ja)	ski poles
sífelszerelés (~ek, ~t, ~e)	ski equipment
síléc (~ek, ~et, ~e)	skiis
síruha (~́k, ~́t, ~́ja)	ski suit
síp (~ok, ~ot, ~ja)	whistle

snowboard (~ok, ~ot, ~ja)	snowboard
stopperóra (~́k, ~́t, ~́ja)	stop watch
térdvédő (~k, ~t, ~je)	knee-guard
tőr (~ök, ~t, ~e)	dagger
ütő (~k, ~t, ~je)	**racket**
golfütő	golf racket
teniszütő	tennis racket
tollasütő	badminton racket

Edzésen	**At practice**
akaraterő (~t, -ereje)	**will power**
van akaratereje	have will power
edzés (~ek, ~t, ~e)	**practice**
edzésterv (~ek, ~et, ~e)	training plan
kidolgozza az edzéstervet	work out the training plan
követi/betartja az edzéstervet	follow the training plan
iram (~ot, ~a)	pace
tartja az iramot	keep the pace
kitartás (~t, ~a)	perseverance, persistence
kondíció (~t, ~ja)	**condition**
jó kondícióban van	be in good condition
önfegyelem (-fegyelmet, -fegyelme)	self-discipline
táv (~ok, ~ot, ~ja)	distance
hosszútáv/rövidtáv	long/short distance
hosszútávot/rövidtávot fut	run long/short distance

Mérkőzésen	**At the game**
adogatás (~ok, ~t, ~a) / szerva (~́k, ~́t, ~́ja)	serve
állás (~t, ~a)	score
ász (~ok, ~t, ~a)	ace
ászt üt	hit an ace
dobás (~ok, ~t, ~a)	throw
szabaddobás	free throw
félidő (~k, ~t, -ideje)	**half-time**
első/második félidő	first/second half-time
fogadás (~ok, ~t, ~a)	receiving
játékidő (~k, ~t, -ideje)	**playing time**
kispad (~ok, ~ot, ~ja)	bench
a kispadon ül	sit on the bench
gól (~ok, ~t, ~ja)	**goal**
gólt lő	score a goal
lövés (~ek, ~t, ~e)	**shot**
mérkőzés (~ek, ~t, ~e) **/ meccs** (~ek, ~et, ~e)	**game**
nyitás (~ok, ~t, ~a)	opening
rúgás (~ok, ~t, ~a)	kick
szabadrúgás	free kick
szabálytalanság (~ok, ~ot, ~a)	foul
szabálytalanságot követ el	commit a foul
szett (~ek, ~et, ~je)	set
szöglet (~ek, ~et, ~e)	corner
szögletet rúg	kick a corner
szünet (~ek, ~et, ~e)	**break**
szünetet tart	have a break
tizenegyes (~ek, ~t, ~e)	penalty
tizenegyest rúg	take a penalty kick
kivédi a tizenegyest	block a penalty kick

Milyen lehet a sportoló?	What can a sportsman be like?
amatőr	**amateur**
edzett (~ebb)	trained
érmes	medal winner
aranyérmes	gold medal winner
erős (~ebb)	**strong**
esélyes (~ebb)	**who has a chance to win**
esélytelen (~ebb)	**who doesn't have a chance to win**
fáradékony (~abb)	easily exhausted
fáradt (~abb)	**tired, exhausted**
friss (~ebb)	**fresh**
gyenge (~bb)	**weak**
gyors (~abb)	**quick, fast**
hajlékony (~abb)	flexible
kezdő	**beginner**
kitartó (~bb)	persistant
lassú (~bb/lassabb)	**slow**
lusta (~bb)	**lazy**
profi (~bb)	**professional**
sérült	injured
sportos (~abb)	**sporty**
szívós (~abb)	persistent, perseverant
ügyes (~ebb)	**skillfull**

Mi történik a mérkőzésen és az edzésen?	What happens at the game and at practice?
adogat (~ott, adogass) / szervál (~t, ~j)	serve the ball
A következő menetben a bajnok adogat/szervál.	In the next round, the serve is made by the champion.
átugrik *vmit* (ugrott, ugorj)	**jump over** *sg*
A ló átugrotta az akadályt.	The horse jumped over the obstacle.
dob, bedob *vmit* (~ott, ~j)	**throw** *sg*
A kézilabdajátékos gólt dobott.	The handball player threw a goal.
A játékos bedobta a labdát a hálóba.	The player threw the ball into the net.
edz (~ett, eddz)	**train**
Hetente kétszer edzek.	I train twice a week.
elesik (esett, ess)	**fall**
A focista a kapu előtt esett el.	The soccer player fell right in front of the goal.
elkap *vmit* (~ott, ~j)	**catch** *sg*
Nem sikerült elkapnom a labdát.	I couldn't catch the ball.
fütyül (~t, ~j)	whistle
Fütyül a bíró: szabálytalanság történt.	The referee is whistling: there was a foul play.
játszik (játszott, játssz)	**play**
A két futballcsapat döntetlent játszott.	The two teams played a tie game.
készül, felkészül *vmire* (~t, ~j)	**prepare** *for sg*
A csapat lelkesen készül a versenyre.	The team is preparing for the competition with much enthusiasm.
A csapat jól felkészült a bajnokságra.	The team prepared well for the championship.
kiállít *vkit* (~ott, állíts)	send off *sy*, exclude *sy*
A bíró kiállított egy játékost.	The referee sent a player off.
lefúj *vmit* (~t, ~j)	call off *sg*
A bíró lefújta a mérkőzést.	The referee called off the game.
***gólt* lő** (~tt, ~j)	**score *a goal***
A gólt a középcsatár lőtte.	It was the center forward who scored the goal.
megsérül (~t, ~j)	**get injured**
Súlyosan megsérült a rögbijátékos.	The rugby player got seriously injured.
rúg, berúg *vmit* (~ott, ~j)	**score** *a goal (in soccer)*
A csatár rúgta a gólt.	The forward scored the goal.
A csatár berúgta a labdát a kapuba.	The forward scored a goal (*lit.* kicked the ball into the goal).
szabálytalankodik (szabálytalankodott, szabálytalankodj)	make a foul
Mindig az ellenfél szabálytalankodik.	It is always the opponent who makes a foul.
támad (~ott, ~j)	**attack**
A csapat támad.	The team is attacking.
ugrik (ugrott, ugorj)	**jump**
Nagyobbat ugrottam, mint te.	I jumped further than you.
üt (~ött, üss)	**hit**
A röplabdázó magasra üti a labdát.	The volleyball player hits the ball high.

véd, kivéd (~ett, ~j)	**defend, block**
A kapus nagyon jól védett a meccsen.	At the game, the goalie defended very well.
Mindent gólt kivédett.	He blocked all the shots.
védekezik (védekezett, védekezz)	play defense
A csapat nagyszerűen védekezett.	The team played great defense.

Hasznos mondatok ■ A sport és én
Useful sentences ■ Sports and I

Aki szeret sportolni, ezt mondhatja	Those who like sports can say
Jó az állóképességem.	I have good endurance.
Jó erőben/kondícióban vagyok.	I'm in good physical condition.
Jól bírom a terhelést.	I'm very resistent.
Van akaraterőm.	I have will power.
Nem félek a kihívásoktól.	I'm not afraid of challenges.
Szeretem próbára tenni magamat.	I like to test my abilities.
A csapatjátékokat szeretem leginkább, mert közös célért küzdünk.	I prefer team sports because then we are all fighting for the same objective.
Imádok futni. A monoton mozgás kikapcsol.	I adore running. Monotonous physical exercises relax me.
Nehéz elkezdeni, de sportolás után mindig jól érzem magamat.	It's difficult to start, but after sports I always feel great.
Versenyszerűen sportolok.	I'm a professional sportsman.
Amatőr szinten sportolok.	I am an amateur sportsman.
Hetente háromszor edzek.	I train/have practice three times a week.
Minden reggel van edzés.	I have practice every morning.
Hétfőnként és csütörtökönként járok edzeni/edzésre.	I go to practice on Monday and Thursday.
Egy héten háromszor megyek úszni.	I go swimming three times a week.

Aki nem annyira szeret sportolni, ezt mondhatja	Those who don't likes sports very much can say
Az orvos javasolta, hogy járjak úszni.	The doctor recommanded that I swim regularly.
Orvosi tanácsra kezdtem el jógázni.	I took up yoga following medical advice.
A sport nem az én világom.	Sports are not my cup of tea.
Tudom, hogy a mozgás egészséges, de nincs rá időm.	I know that physical exercise is healthy but I don't have time for it.
Egyszer már majdnem beiratkoztam a konditerembe.	Once I almost joined the gym.

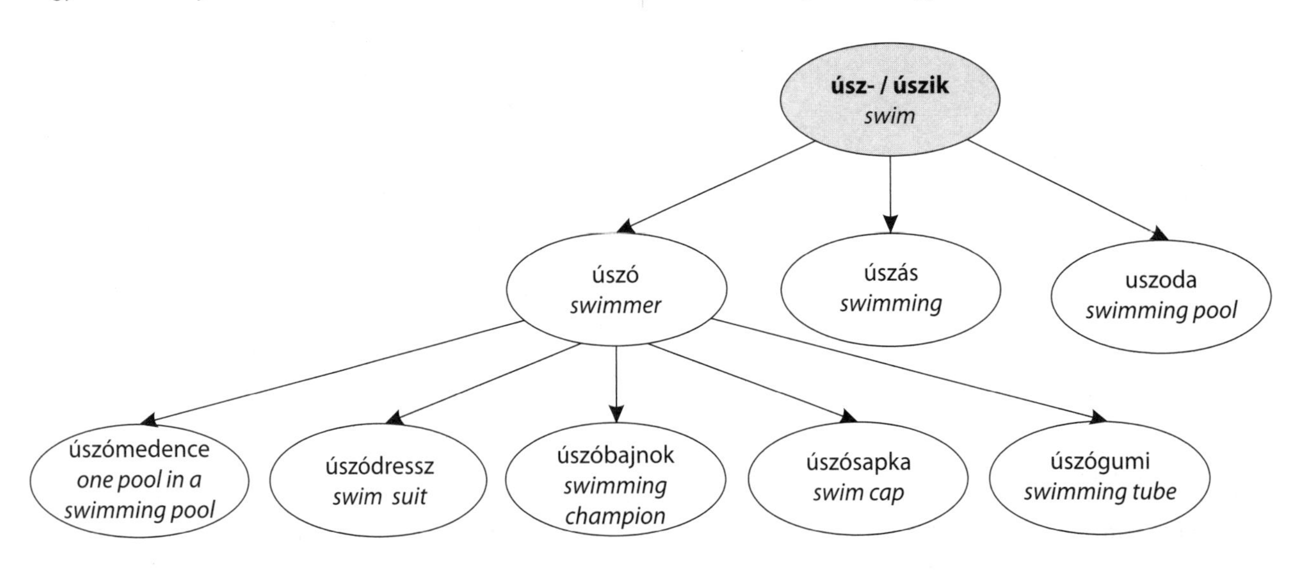

3. Sportversenyek / Sports competitions

Hasznos szavak
Useful words

Versenyen	At a race/competition
bajnokság (~ok, ~ot, ~a)	**championship**
Európa-bajnokság	European championship
világbajnokság	world championship
botrány (~ok, ~t, ~a)	scandal
doppingbotrány	doping scandal
cél (~ok, ~t, ~ja)	**finish**
célba ér	cross the finishing line
cím (~ek, ~et, ~e)	**title**
bajnoki cím	championship title
címet szerez	obtain a title
dobogó (~k, ~t, ~ja)	podium
dobogós helyezés (~ek, ~t, ~e)	place on the podium
doppingszer (~ek, ~t, ~e)	doping
doppingszert használ	use dope
döntő (~k, ~t, ~je)	**finals**
elődöntő	quarter final
középdöntő	semi final
bejut a döntőbe	reach the finals
eredmény (~ek, ~t, ~e)	**result**
jó eredményt ér el	achieve good results
érem (érmek, érmet, érme)	**medal**
aranyérem	gold medal
ezüstérem	silver medal
bronzérem	bronze medal
győzelem (győzelmek, győzelmet, győzelme)	**victory, triumph**
győzelmet ér el	achieve victory
helyezés (~ek, ~t, ~e)	**place**
első/második helyezést ér el	take the first/second place
játszma (~́k, ~́t, ~́ja)	game, match
kupa (~́k, ~́t, ~́ja)	**cup, trophy**
küzdelem (küzdelmek, küzdelmet, küzdelme)	fight
liga (~́k, ~́t, ~́ja)	league
Bajnokok Ligája	Champions' League
menet (~ek, ~et, ~e)	round
mezőny (~ök, ~t, ~e)	race
gyenge/erős a mezőny	the race is weak/strong
olimpia (~́k, ~́t, ~́ja)	**Olympics**
nyári olimpia	Summer Olympics
téli olimpia	Winter Olympics
olimpiai játékok (~at)	Olympic Games

pont (~ok, ~ot, ~ja)	**score**
pontszám (~ok, ~ot, ~a)	score, number of points
pontot szerez	mark a score
rajt (~ok, ~ot, ~ja)	**start**
rajthoz áll	line up for start
rekord (~ok, ~ot, ~ja)	**record**
rekordot állít fel	establish a record
rekordot dönt	beat a record
tartja a rekordot	hold a record
selejtező (~k, ~t, ~je)	preliminaries
kiesik a selejtezőben	drop out at the preliminaries
teljesítménytúra (~́k, ~́t, ~́ja)	performance hiking
vereség (~ek, ~et, ~e)	**defeat**
vereséget szenved	suffer a defeat
verseny (~ek, ~t, ~e)	**competition, contest**
csapatverseny	team competition
egyéni verseny	individual competition
futóverseny	running competition
páros verseny	doubles competition

Ki van a sportversenyen?	Who is at a sports competition?
bajnok (~ok, ~ot, ~a)	**champion**
Európa-bajnok	European champion
világbajnok	world champion
kétszeres világbajnok	two-time world champion
bíró (~k, ~t, ~ja) / játékvezető (~k, ~t, ~je)	**referee**
csapat (~ok, ~ot, ~a)	**team**
hazai csapat	home team
csapattárs (~ak, ~at, ~a)	team mate
csatár (~ok, ~t, ~a)	forward
középcsatár	center forward
edző (~k, ~t, ~je)	**coach**
ellenfél -felek, -felet, -fele)	**opponent**
győztes (~ek, ~t, ~e)	**winner**
hátvéd (~ek, ~et, ~je)	quarterback
játékos (~ok, ~t, ~a)	**player**
támadójátékos	forward, attack player
védőjátékos	defender
kapus (~ok, ~t, ~a)	goalie
középpályás (~ok, ~t, ~a)	center position
sportoló (~k, ~t, ~ja)	**sportsman**
szurkoló (~k, ~t, ~ja)	**fan**
válogatott (~ak, ~at, ~ja)	**national team**
versenyző (~k, ~t, ~je)	**contestant**
vesztes (~ek, ~t, ~e)	**loser**
vetélytárs (~ak, ~at, ~a)	competitor
zsűri (~k, ~t, ~je)	**jury**

Mi történik a versenyen?	What happens at a competition?
átvesz *vmit* (vett, vegyél/végy)	take over *sg*
A hazai csapat átvette a vezetést.	The home team took over the lead.
beér/utolér *vkit* (~t, ~j)	catch up *with sy*
A futó végül beérte/utolérte az ellenfelét.	Eventually, the runner caught up with his opponent.
bejut *vhova* (~ott, juss)	get *somewhere,* make it *somewhere*
Nem jutott be a döntőbe a kézilabdacsapat.	The handball team didn't make it to the finals.
doppingol (~t, ~j)	take drugs
Sok élsportoló doppingol.	Many professional sportsmen take drugs.

drukkol/szurkol *vkinek* (~t, ~j)
Te melyik csapatnak drukkolsz/szurkolsz?
egyenlít (~ett, egyenlíts)
A futballcsapat két perc után egyenlített.
célba ér (~t, ~j)
Negyedikként ért célba a magyar futó.

elér *vmit* (~t, ~j)
Második helyezést érték el a vívók.
versenyt, meccset **felad** (~ott, ~j)
A teniszező feladta a meccset.
győz (~ött, győzz)
A mérkőzésen a hazai csapat győzött.
versenyen **indul** (~t, ~j)
A sportoló nem indul a bajnokságon.
játszik (játszott, játssz)
Döntetlent játszott a két futballcsapat.
kiesik *vhonnan* (esett, ess)
A tornász kiesett a versenyből.
küzd *vki/vmi ellen* (~ött, ~j)
A franciák ellen küzd a kajakcsapat.
küzd *vmiért* (~ött, ~j)
Az úszónő az első helyezésért küzd.
legyőz *vkit/vmit* (~ött, győzz)
A csapat három egyre legyőzte az ellenfelét.
lehagy *vkit/vmit* (~ott, ~j)
A kerékpáros lehagyta versenytársait.
lő (~tt, ~j)
A középcsatár két gólt lőtt.
megelőz *vkit/vmit* (~ött, előzz)
Az autóversenyző megelőzte ellenfelét.
megnyit *vmit* (~ott, nyiss)
A versenyt a polgármester nyitotta meg.
megszerez *vmit* (szerzett, szerezz)
A csatár megszerezte a labdát.
lemarad (~t, ~j)
A futó az első 500 méter után lemaradt.
nevez, benevez *vmire* (~ett, nevezz)
Sokan neveztek az idei maratonra.
A versenyre kétezren neveztek be.
nyer, megnyer *vmit* (~t, ~j)
Két aranyérmet nyert a válogatott.
A válogatott megnyerte a bajnokságot.
rendez, megrendez *vmit* (~ett, rendezz)
Idén is rendeznek Szegeden úszóversenyt.

A Balaton-átúszást augusztusban rendezték meg.
részt vesz *vmin* (vett, vegyél/végy)
A válogatott nem vesz részt az olimpián.
szerez, megszerez *vmit* (szerzett, szerezz)
Ezüstérmet szerzett a kosárlabdacsapat.
Az aranyérmet nem sikerült megszereznie.
versenyez/versenyzik (versenyzett, versenyezz)
Sérülése miatt nem versenyezhet tovább a futó.

veszít, elveszít *vmit* (~ett, veszíts)
A focicsapat három pontot veszített.
A focicsapat minden meccset elveszített.

cheer for *sy*, **support** *sy*
Which team do you support?
have a tie score
The soccer team had a tie score after two minutes.
finish, cross *the finishing line*
The Hungarian runner was the fourth to cross the finishing line.
reach *sg*, **win** *sg*
The fencers won second place.
give up *competition, game*
The tennis player gave up the game.
win, be the winner
The match was won by the home team.
attend *a competition*
The sportsman will not attend the championship.
play
The soccer teams played a tie game.
drop out *from somewhere*
The gymnast dropped out of the competition.
compete *against sy/sg*
The kayak team is competing against the French.
fight *for sg*
The female swimmer is fighting for first place.
win *over sy/sg*
The team won over their opponent three to one.
leave *sy/sg* behind
The cyclist left his contestants behind.
shoot, score
The center forward scored two goals.
overtake *sy/sg*
The race car driver overtook his opponent.
open *sg*
The competition was opened by the mayor.
obtain *sg*, get *sg*
The center got the ball.
be left behind
The runner was left behind after the first 500 meters.
register *for sg*
Many people registered for this year's marathon.
2000 people registered for the competition.
win *sg*
The national team won two golden medals.
The national team won the championship.
organize *sg*, **hold** *sg*
A swimming competition will be organized in Szeged this year, too.
The Balaton cross-swim was held in August.
take part *in sg*
The national team will not take part in the Olympics.
obtain *sg*, **get** *sg*, **win** *sg*
The basketball team got the silver medal.
They didn't succeed in winning the gold medal.
compete
The runner cannot compete any longer because of his injury.
lose *sg*
The soccer team lost 3 points.
The soccer team lost every game.

A very popular mass sport event in Hungary is the *Balaton-átúszás (Balaton cross-swim)*, a 5,2-kilometer-long swimming competition that takes place every summer.
Besides (or instead of) swimming, you can also participate in all sorts of programs throughout the whole day.

Hasznos mondatok ■ Sporthírek
Useful sentences ■ Sports news

Tegnap kettő egyre nyert a Real Madrid.	Real Madrid won two to one yesterday.
Döntetlent játszott a magyar vízilabdacsapat.	The Hungarian waterpolo team played a tie game.
Bejutott a döntőbe a kajakcsapat.	The kayak team made it into the finals.
A középdöntőben esett ki a magyar válogatott.	The Hungarian national team dropped out in the semi-finals.
A jégkorongcsapat kitűnően szerepelt a bajnokságon.	The ice hockey team achieved excellent results at the championship.
Vereséget szenvedett a női kézilabda-válogatott.	The female handball team suffered a defeat.
Nem sikerült aranyérmet szerezni Madridban.	We didn't manage to win a gold medal in Madrid.
Dobogós helyezést ért el a kajakválogatott.	The national kayak team won a place on the podium.
A teniszező az utolsó pillanatban veszítette el a játszmát.	The tennis player lost the game during the last minute.
Doppingbotrányba keveredett a kerékpárbajnok.	The champion cyclist got involved in a doping scandal.
Sérülése miatt nem tudja folytatni a versenyt a világbajnok.	The world champion can't continue the competition due to his injury.
A stadionban több ezer ember gyűlt össze.	Several thousand people gathered in the stadium.
Jövőre Finnországban rendezik meg a téli olimpiát.	Next year the Winter Olympics will be held in Finland.
Az Európa-bajnok megnyerte az olimpiát is.	The European champion won the Olympics, too.

KULTÚRA ÉS SZÓRAKOZÁS / CULTURE AND LEISURE

1. Mozi, színház / Cinema, theater

Hasznos szavak
Useful words

Mi megy a moziban?	What's on in the cinema?
előzetes (~ek, ~t, ~e)	preview
film (~ek, ~et, ~je)	**movie, film**
akciófilm	action movie
dokumentumfilm	documentary
filmdráma (~́k, ~́t, ~́ja)	drama
filmvígjáték (~ok, ~ot, ~a)	**comedy**
horrorfilm	horror movie
művészfilm	independent movie
némafilm	silent movie
rajzfilm	**cartoon**
romantikus film	romantic movie
rövidfilm	short movie
sci-fi (~k, ~t, ~je) / tudományos-fantasztikus film	sci-fi, science fiction
sikerfilm	blockbuster
természetfilm	**nature documentary**
krimi (~k, ~t, ~je)	**detective story**
reklám (~ok, ~ot, ~ja)	**advertisement, commercial**
thriller (~ek, ~et, ~e)	thriller

A színház fajtái	Theater types
bábszínház (~ak, ~at, ~a)	puppet theater
kísérleti színház	experimental theater
operettszínház	operetta theater
szabadtéri színház	open-air theater
táncszínház	dance theater
utcaszínház	street theater

Mi megy a színházban?	What's on in the theater?
bábjáték (~ok, ~ot, ~a)	**puppet show**
balett (~ek, ~et, ~je)	**ballet**
dráma (~́k, ~́t, ~́ja)	**drama**
előadás (~ok, ~t, ~a)	**performance, show**

kabaré (~k, ~t, ~ja)	**cabaret**
költői est (~ek, ~et, ~je)	poetry evening
meseelődás (~ok, ~t, ~a)	children's theater play
musical (~ek, ~t, ~e) / zenés színdarab (~ok, ~ot, ~ja)	musical
pantomim (~ok, ~ot, ~ja)	pantomime
tragédia (~́k, ~́t, ~́ja)	**tragedy**
vígjáték (~ok, ~ot, ~a)	**comedy**

Tárgyak és helyiség a moziban és a színházban	Things and places in the cinema and in the theater
bejárat (~ok, ~ot, ~a)	**entrance**
bérlet (~ek, ~et, ~e)	**season ticket**
bérletet vesz/vált	buy a season ticket
színházbérlet	seasonal theater ticket
büfé (~k, ~t, ~je)	**buffet, snack bar**
díszlet (~ek, ~et, ~e)	scenery, set
emelet (~ek, ~et, ~e)	**floor**
erkély (~ek, ~t, ~e)	**balcony**
függöny (~ök, ~t, ~e)	**curtain**
lemegy/felmegy a függöny	the curtain goes down/up
jegy (~ek, ~et, ~e)	**ticket**
diákjegy	student ticket
kedvezményes jegy	discount ticket
mozivászon/vászon (vásznak, vásznat, vászna)	movie screen, screen
műsor (~ok, ~t, ~a)	**program**
moziműsor	film program
színházi műsor	theater program
műsorfüzet (~ek, ~et, ~e)	program booklet
megnézi a moziműsort	check the program
páholy (~ok, ~t, ~a)	box seat
pénztár (~ak, ~at, ~a)	**box office**
plakát (~ok, ~ot, ~ja)	**poster**
ruhatár (~ak, ~at, ~a)	**cloakroom**
sor (~ok, ~t, ~a)	**line, row**
szék (~ek, ~et, ~e)	**seat**
színpad (~ok, ~ot, ~ja)	**stage**
színpadra lép	go on stage
vetítőgép (~ek, ~et, ~e)	movie projector

Ami még a mozihoz / színházi előadáshoz tartozik	What goes with the cinema/theatrical performance
bemutató (~k, ~t, ~ja) / premier (~ek, ~t, ~je)	premiere, opening night
felvonás (~ok, ~t, ~a)	**act**
jelenet (~ek, ~et, ~e)	**scene**
meghallgatás (~ok, ~t, ~a)	audition
próba (~́k, ~́t, ~́ja)	**rehearsal**
próbát tart	have a rehearsal
siker (~ek, ~t, ~e)	**success**
sikere van	be successful, have success
sikert arat	achieve success
szerep (~ek, ~et, ~e)	**part**
címszerep	title part
főszerep	leading role
mellékszerep	supporting role
szereposztás (~ok, ~t, ~a)	cast
szerepet kap	get a role
taps (~ok, ~ot, ~a)	**applause**
vastaps	standing ovation
tapsot kap	get applause

Ki van a moziban/színházban?	Who is at the cinema/theater?
büfés (~ek, ~t, ~e)	vendor
jegyszedő (~k, ~t, ~je)	ticket collector
közönség (~ek, ~et, ~e)	**audience**
kritikus (~ok, ~t, ~a)	critic
mozigépész (~ek, ~t, ~e)	projectionist
néző (~k, ~t, ~je)	**spectator, viewer**
pénztáros (~ok, ~t, ~a)	**ticket clerk**
ruhatáros (~ok, ~t, ~a)	cloakroom attendant
újságíró (~k, ~t, ~ja)	**journalist**

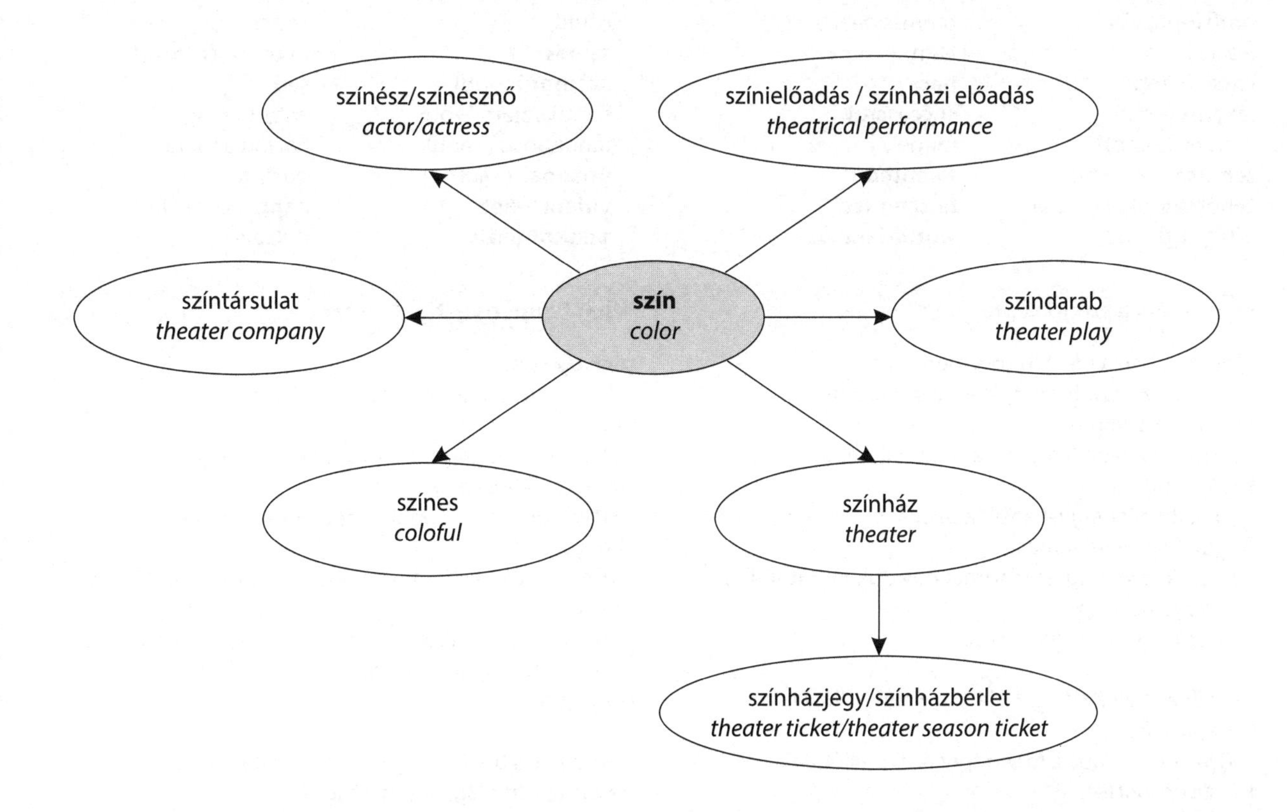

Ki dolgozik egy filmen/előadáson?	Who works on a set/performance?
díszlettervező (~k, ~t, ~je)	scene designer
dramaturg (~ok, ~ot, ~ja)	dramatic advisor
forgatókönyvíró (~k, ~t, ~ja)	writer
hangmérnök (~ök, ~öt, ~e)	sound engineer
operatőr (~ök, ~t, ~e)	**cameraman**
producer (~ek, ~t, ~e)	producer
rendező (~k, ~t, ~je)	**director**
filmrendező	movie director
színházi rendező	theater director
rendezőasszisztens (~ek, ~t, ~e)	assistant director
stáb (~ok, ~ot, ~ja)	crew
szerző (~k, ~t, ~je)	**author**
színész (~ek, ~t, ~e)	**actor**
színésznő (~k, ~t, ~je)	**actress**
színtársulat/társulat (~ok, ~ot, ~a)	theater company
vágó (~k, ~t, ~ja)	editor
világosító (~k, ~t, ~ja)	lighting operator
zenész (~ek, ~t, ~e)	**musician**
zeneszerző (~k, ~t, ~je)	**composer**

Milyen lehet a színész/ színésznő?	What can an actor/ actress be like?
amatőr	amateur
beképzelt (~ebb)	conceited
híres (~ebb)	**famous**
ismeretlen (~ebb)	**unknown**
ismert (~ebb)	**well-known**
jó (jobb)	**good**
közkedvelt (~ebb) / népszerű (~bb)	popular
Oscar-díjas	Academy Award winner
profi (~bb)	professional
ripacs	ham
rossz (~abb)	**bad**
sikeres (~ebb)	**successful**
szerény (~ebb)	modest
tehetséges (~ebb)	**talented**
tehetségtelen (~ebb)	**untalented**
világhírű (~bb)	**world-famous**

Milyen lehet a film/ színdarab?	What can a film/play be like?
érdekes (~ebb)	**interesting**
fekete-fehér	**black-and-white**
feliratos	**subtitled**
hosszú (hosszabb)	**long**
izgalmas (~abb)	**exciting**
kegyetlen (~ebb)	cruel
klasszikus	classic
kortárs	contemporary
provokatív (~abb)	provocative
rövid	**short**
színes	**in color, colorful**
szomorú (~bb)	**sad**
szórakoztató (~bb)	entertaining
tanulságos (~abb)	having a moral
unalmas (~abb)	**boring**
vidám (~abb)	**happy, cheerful**
szinkronizált	**dubbed**

Mi történik a színházban?	What happens in the theater?
elmegy *vkiért/vmiért* (ment, menj)	**pick up** *sy/sg*
Elmegyek a színházjegyekért a színházba.	I'll pick up the tickets from the theater.
filmez (~ett, filmezz)	film
A Hortobágyon filmezett a National Geographic.	National Geographic filmed in Hortobágy.
foglal *vmit* (~t, ~j)	**book** *sg*, **reserve** *sg*
Foglaltál már jegyet az előadásra?	Have you already booked the tickets for the show?
forgat *vmit* (~ott, forgass)	shoot *sg*
A rendező Budapesten forgat egy dokumentumfilmet.	The director is shooting a documentary in Budapest.
ír *vkiről/vmiről* (~t, ~j)	**write** *about sy/sg*
Az újság is írt az előadásról.	The news journalists wrote about the performance, too. (*lit.* The newspaper wrote)
játszik *vkit/vmit* (játszott, játssz) / alakít *vkit/vmit* (~ott, alakíts)	**play** *sy/sg*
Ki játssza/alakítja a főszerepet az Othellóban?	Who plays the leading role in Othello?
készül *vmiből* (~t, ~j)	be made *out of sg*, based *on sg*
A film egy angol regényből készült.	The movie is based on an English novel.
megbukik (bukott, bukj)	be a flop
Az előadás megbukott.	The performance was a flop.
megtapsol *vkit/vmit* (~t, ~j)	**applaude** *sy/sg*
A közönség megtapsolta a színészeket.	The audience applauded the actors.
próbál (*vmit*) (~t, ~j)	**rehearse** *(sg)*
A színészek éppen próbálnak.	The actors are rehearsing.
A Hamletet próbálják.	They are rehearsing Hamlet.
rendez *vmit* (~ett, rendezz)	direct *sg*
Ki rendezte ezt a darabot?	Who directed this play?
szerepel *vmiben* (~t, ~j)	**play a part** *in sg*
A lányom is szerepel a színdarabban.	My daughter is also playing a part in the theater play.
szinkronizál *vkit/vmit* (~t, ~j)	dub *sy/sg*
Magyarországon általában szinkronizálják a filmeket.	Movies are usually dubbed in Hungary.
szól *vkiről/vmiről* (~t, ~j)	**be** *about sy/sg*
A film egy házaspárról szól.	This movie is about a married couple.
táncol (~t, ~j)	**dance**
A musicalekben a színészek táncolnak is.	In musicals, the actors dance, too.
vetít *vmit* (~ett, vetíts)	show *sg*
Spanyol filmeket vetítenek a moziban	They are showing Spanish films at the movies

Hasznos mondatok ▪ Színházi előadások, filmek
Useful sentences ▪ Theater shows, movies

Kérdések az előadás előtt	**Questions before performance**
Nem tudod, mi megy a színházban/moziban?	Do you know what's on in the theater/at the movies?
Mit játszanak a színházban/moziban?	What's playing in the theater/at the movies?
Mit adnak a színházban/moziban?	What's playing in the theater/at the movies?
Nincs kedved színházba/moziba menni?	Would you like to go to the theater/movies?
Menjünk el színházba/moziba!	Let's go to the theater/movies!

A színház-/mozipénztárnál	**At the box office**
Jó estét kívánok!	Good evening.
A pénteki előadásra szeretnék foglalni két jegyet.	I'd like to reserve two tickets for the show on Friday.
A fél nyolcas előadásra kérek szépen két jegyet.	Two tickets for the 7:30 show, please.
Fél nyolcra kérnék két jegyet.	Two tickets for 7:30, please.
Érdeklődni szeretnék, hogy a fél nyolcas előadásra van-e még jegy.	I'd like to know if you have any tickets left for the 7:30 show.
Sajnos, a fél nyolcas előadásra minden jegy elkelt.	I'm sorry, but all the tickets are sold for the 7:30 show.
A jegyeket legkésőbb fél órával az előadás kezdete előtt át kell venni.	Tickets must be picked up half an hour before showtime.

Milyen volt az előadás / a film?	**How was the play/the film?**
Szerintem nagyon jó volt.	I think (*lit.* In my opinion) it was great.
Nekem nagyon tetszett.	I liked it very much.
Ha teheted, nézd meg te is!	You should watch it too if you get the chance.
Régen láttam már ilyen jó/rossz darabot.	I haven't seen such a good/bad play in a long time.
Lehetett volna jobb is.	It could have been better.
Nem értem, miért dicséri mindenki.	I have no idea why everyone praises it.
Borzasztó/Szörnyű/Rettenetes volt.	It was terrible/horrible/awful.
Én halálosan untam, de a férjem élvezte.	It bored me to death but my husband enjoyed it.
Majdnem elaludtam rajta.	I almost fell asleep.
Sok jót hallottam az előadásról, de nekem nem tetszett.	I heard a lot of good things about the show but I didn't like it.

The Lumière Brothers held their first public screening in December 1895 in Paris/France. Only a few months later, in May 1896, their films were shown at the Hotel Royal Café in Budapest.
The first movie theater was opened in June 1896 in downtown Andrássy Street. However as inhabitants of this wealthy district didn't think much of the new medium, it soon had to close its doors. Screenings continued in cafés and became increasingly popular. In 1911 Budapest had approx. hundred movie theaters.
The Hungarian word for *movie theater (mozi)* was invented by writer Jenő Heltai (1871-1957). The word was an abbreviation of *mozgófényképszínház*, the much longer name for movie theaters used until then.

2. Múzeum / Museum

Hasznos szavak
Useful words

Mit lehet megnézni?	What can you visit?
galéria (~́k, ~́t, ~ja) / képtár (~ak, ~at, ~a)	**gallery**
kastély (~ok, ~t, ~a)	**castle**
kiállítás (~ok, ~t, ~a)	**exhibition**
múzeum (~ok, ~ot, ~a)	**museum**
palota (~́k, ~́t, ~́ja)	palace
skanzen (~ek, ~t, ~je)	outdoor village museum
szoborpark (~ok, ~ot, ~ja)	statue park
szülőház (~ak, ~at, ~a)	birthplace
tájház (~ak, ~at, ~a)	regional museum
vár (~ak, ~at, ~a)	**castle, fortress**

A múzeumok fajtái	Museums types
építészeti múzeum	museum of architecture
filmtörténeti múzeum	museum of cinema history
hadtörténeti múzeum	museum of military history
helytörténeti múzeum	museum of local history
iparművészeti múzeum	museum of applied arts
irodalmi múzeum	museum of literature
közlekedési múzeum	museum of traffic
mezőgazdasági múzeum	museum of agriculture
néprajzi múzeum	museum of ethnography
szépművészeti múzeum	museum of fine arts
színháztörténeti múzeum	museum of theater history
természettudományi múzeum	museum of natural sciences
várostörténeti múzeum	museum of city history

Műalkotások, kiállítási tárgyak	Works of art, exhibits
akt (~ok, ~ot, ~ja)	**nude**
akvarell (~ek, ~t, ~je)	water color
csatakép (~ek, ~et, ~e)	battle painting
csendélet (~ek, ~et, ~e)	**still life**
ékszer (~ek, ~et, ~e)	**jewelry**
fénykép (~ek, ~et, ~e) / **fotó** (~k, ~t, ~ja)	**photograph, photo**
festmény (~ek, ~t, ~e)	**painting**
olajfestmény	oil painting

freskó (~k, ~t, ~ja)	fresco
grafika (~́k, ~́t, ~́ja)	graphic art
ikon (~ok, ~t, ~ja)	icon
kerámia (~́k, ~́t, ~́ja)	**pottery**
metszet (~ek, ~et, ~e)	carving, engraving
fametszet	wood carving
linómetszet/linóleummetszet	linoleum cutting
rézmetszet	copper engraving
montázs (~ok, ~t, ~a)	montage
porcelán (~ok, ~t, ~ja)	porcelain
rajz (~ok, ~ot, ~a)	**drawing**
szobor (szobrok, szobrot, szobra)	**sculpture, statue**
tájkép (~ek, ~et, ~e)	**landscape**
vázlat (~ok, ~ot, ~a)	sketch

Mi van a múzeumban?	**What is in a museum?**
album (~ok, ~ot, ~a)	album
árverés (~ek, ~t, ~e)	auction
árverésre bocsát *vmit*	put *sg* on auction
árverést rendez	hold an auction
belépőjegy (~ek, ~et, ~e)	**ticket**
gyűjtemény (~ek, ~et, ~e)	**collection**
magángyűjtemény	private collection
katalógus (~ok, ~t, ~a)	catalogue
kiállítás (~ok, ~t, ~a) / tárlat (~ok, ~ot, ~a)	**exhibition**
kiállítási tárgy	exhibition object
kiállítást rendez	set up an exhibition
kiállítóterem (-termek, -termet, -terme)	exhibition room
prospektus (~ok, ~t, ~a)	brochure
ruhatár (~ak, ~at, ~a)	**cloakroom**
tárlatvezetés (~ek, ~t, ~e)	guided tour
tárlatvezetést tart	give a guided tour
vendégkönyv (~ek, ~et, ~e)	guest book
vitrin (~ek, ~t, ~e)	show case, display case

Ki van a múzeumban?	**Who is at the museum?**
látogató (~k, ~t, ~ja)	**visitor**
múzeumigazgató (~k, ~t, ~ja)	museum director
múzeumpedagógus (~ok, ~t, ~a)	museum education staff
műgyűjtő (~k, ~t, ~je)	art collector
régész (~ek, ~t, ~e)	archeologist
tárlatvezető (~k, ~t, ~je)	guide

Milyen lehet egy kiállítás?	**What can an exhibition be like?**
állandó	**permanent**
családbarát	family friendly
érdekes (~ebb)	**interesting**
gazdag (~abb)	**rich**
időszakos	**seasonal**
interaktív (~abb)	interactive
ismeretterjesztő	informational, educational
száraz (~abb)	dry
szemléletes (~ebb)	illustrative
unalmas (~abb)	**boring**

Művészek	Artists
aranyműves (~ek, ~t, ~e)	goldsmith
ékszerkészítő (~k, ~t, ~je)	jewelry designer
ezüstműves (~ek, ~t, ~e)	silversmith
fafaragó (~k, ~t, ~ja)	woodcarver
festő (~k, ~t, ~je)	**painter**
fényképész (~ek, ~t, ~e) / fotós (~ok, ~t, ~a)	**photographer**
grafikus (~ok, ~t, ~a)	**graphic artist**
iparművész (~ek, ~t, ~e)	industrial artist
képzőművész (~ek, ~t, ~e)	**artist of fine arts**
keramikus (~ok, ~t, ~a)	**ceramic designer**
kézműves (~ek, ~t, ~e)	craftsman
ötvös (~ök, ~t, ~e)	goldsmith and silversmith
szobrász (~ok, ~t, ~a)	**sculptor**
textiltervező (~k, ~t, ~je)	textile designer
üvegtervező (~k, ~t, ~je)	glassware designer

Mivel dolgozik a művész?	What do artists work with?
agyag (~ot, ~ja)	clay
arany (~at, ~a)	**gold**
bronz (~ot, ~a)	**bronze**
ceruza (~́k, ~́t, ~́ja)	**pencil**
drágakő (-kövek, -követ, -köve)	gem
ecset (~ek, ~et, ~e)	**brush**
ezüst (~öt, ~je)	**silver**
fa (~́t, ~́ja)	**wood**
fém (~ek, ~et, ~je)	**metal**
festék (~ek, ~et, ~e)	**paint**
olajfesték	oil paint
vízfesték	water colors
gipsz (~et, ~e)	plaster
kő (kövek, követ, köve)	**stone**
kréta (~́k, ~́t, ~ja)	chalk
zsírkréta	crayon, oil pastel
lakk (~ok, ~ot, ~ja)	lacquer
márvány (~t, ~a)	**marble**
pasztell (~ek, ~t, ~je)	pastel
réz (rezet, reze)	copper
rongy (~ok, ~ot, ~a)	rag
szén (szenet, szene)	coal
tempera (~́k, ~́t, ~́ja)	tempera, gouache
textil (~ek, ~t, ~je)	**textile**
tus (~ok, ~t, ~a)	ink
üveg (~et, ~e)	**glass**
vászon (vásznak, vásznat, vászna)	**canvas**

Milyen lehet egy műalkotás?	What can a work of art be like?
absztrakt	abstract
antik	antique
csúnya (~́bb)	**ugly**
értékes (~ebb)	**precious**
értéktelen (~ebb)	**worthless**
félelmetes (~ebb) / ijesztő (~bb)	scary, frightening
giccses	kitsch, cheap
gyönyörű (~bb)	**beautiful**
hangulatos (~abb)	with atmosphere
klasszikus (~abb)	classic
kortárs	contemporary
modern (~ebb)	**modern**
monumentális (~abb)	monumental
nonfiguratív	nonfigurative
nyugtalanító (~bb)	unsettling
szép (szebb)	**nice, pleasant**

Milyen színű?	Of what color?
barna	**brown**
egyszínű	**single-colored**
fehér	**white**
fekete	**black**
kék	**blue**
lila	**purple**
narancssárga	**orange**
piros	**red**
rózsaszínű	**pink**
sárga	**yellow**
sötét (~ebb)	**dark**
színes (~ebb)	**colorful**
szürke	**gray**
zöld	**green**
világos (~abb)	**light**

In order to describe a color in a more expressive way, we can add a noun to the adjective, e.g.:
kávé + barna = kávébarna (coffee brown),
tűz + piros = tűzpiros (fire red),
hó + fehér = hófehér (snow white),
méreg + zöld = méregzöld (poison green),
citrom + sárga = citromsárga (lemon yellow),
korom + fekete = koromfekete (soot black).

If the color is a mixture, you can make a compound word from the two dominant colors by adding the ending *-s (-os/-es/-ös)* to the first one: *zöldeskék (green-blue), kékeslila (blue-purple), sárgásfehér (yellow-white).*

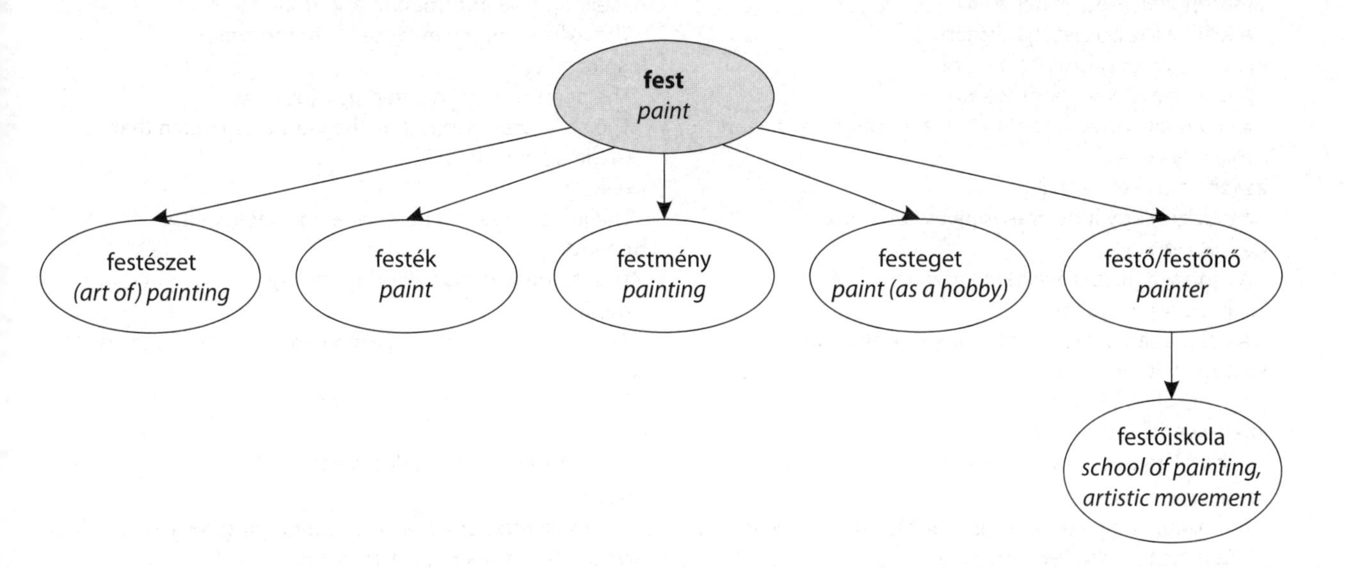

Mit csinál a művész/múzeumlátogató?	What do artists/museum visitors do?
ábrázol *vkit/vmit* (~t, ~j)	**represent** *sy/sg*, **show** *sy/sg*
A festmény egy csatajelenetet ábrázol.	The picture shows a war scene.
ajándékoz *vmit vkinek* (~ott, ajándékozz)	**donate** *sg to sy*
Ezt a képet a művész ajándékozta a múzeumnak.	This picture was donated to the museum by the artist himself.
alapít *vmit* (~ott, alapíts)	**found** *sg*
A múzeumot a művész felesége alapította.	The museum was founded by the wife of the artist.
alkot *vmit* (~ott, alkoss)	create *sg*
Ezt a szobrot Rodin alkotta.	This statue was created by Rodin.
bemutat *vkit/vmit* (~ott, mutass)	**present** *sy/sg*
A múzeum a mozi történetét mutatja be.	The museum presents the history of the cinema.
bemutat, megmutat *vmit* (~ott, mutass)	present *sg*
A Feszty-körkép a magyar honfoglalást mutatja be.	Feszty's panorama painting presents the entry of the Hungarians to the Carpathian basin.
A kiállítás megmutatja, milyen lehet a jövő.	The exhibition presents what the future may be like.
bezár (~t, ~j)	close
A kiállítás novemberben zár be.	The exhibition will close in November.
dolgozik *vmin* (dolgozott, dolgozz)	**work** *on sg*
A festő négy évig dolgozott ezen a képen.	The painter worked four years on this painting.
dolgozik *vkivel/vmivel* (dolgozott, dolgozz)	**work** *with sy/sg*
A festő sötét színekkel dolgozott.	The painter worked with dark colors.
elad *vmit (vkinek)* (~ott, ~j)	**sell** *sg (to sy)*
Eladtad a festményedet?	Did you sell your painting?
A festményt egy műgyűjtőnek adtuk el.	We sold the painting to a collector.

elárverez *vmit* (~ett, árverezz)	auction off *sg*
A szobrot 80 000 euróért árverezték el.	The sculpture was auctioned off at 80,000 euros.
fényképez, lefényképez *vkit/vmit* (~ett, fényképezz) / **fotóz, lefotóz** *vkit/vmit* (~ott, fotózz)	**take a photograph** *of sy/sg*
A művész általában embereket fényképezett/fotózott.	The artist usually took photos of people.
Sok híres embert is lefényképezett/lefotózott.	He also took photos of a lot of famous people.
fest, lefest *vkit/vmit* (~ett, fess)	**paint** *sy/sg*
A művész rengeteg portrét festett.	The artist painted a lot of portraits.
Többször is lefestette a feleségét.	He painted his wife many times.
gyűjt *vmit* (~ött, gyűjts)	**collect** *sg*
Galériánk modern festményeket gyűjt.	Our gallery collects modern paintings.
ismertet *vmit* (~ett, ismertess)	review *sg*, give information about *sg*
A kiállítás az író életútját ismerteti.	The exhibition reviews the life of the writer.
ihlet, megihlet *vkit/smit* (~ett, ihless)	inspire *sy/sg*
A festményt egy utazás ihlette.	The painting was inspired by a journey.
A művészt annyira megihlette az utazás, hogy festett róla egy képet.	The artist was inspired by the journey so much that he made a painting of it.
készít *vmit* (~ett, készíts)	**make** *sg*
Az ékszert egy híres aranyműves készítette.	The jewelry was made by a famous goldsmith.
készül (~t, ~j)	**be made**
A szobor a húszas években készült.	The statue was made during the 20s.
kiállít *vmit* (~ott, állíts)	exhibit *sg*
A galériában a festő minden képét kiállították.	All the paintings of the painter are exhibited in the gallery.
kifarag *vmit* (~ott, ~j)	carve *sg*
A szobrot kőből faragták ki.	The statue was carved out of stone.
kifejez *vmit* (~ett, fejezz)	express *sg*
A színek nyugtalanságot fejeznek ki.	The colors express restlessness.
kínál *vmit vkinek* (~t, ~j)	**offer** *sg for sy*
A múzeum a gyerekeknek is érdekes programokat kínál.	The museum also offers interesting programs for children.
körülvezet *vkit vhol* (~ett, vezess)	give a tour for *sy somewhere*
Egy múzeumi dolgozó vezetett körül bennünket a kiállításon.	A member of the museum staff gave us a tour of the exhibition.
megcsodál *vmit* (~t, ~j)	marvel *at sg*, admire *sg*
Múzeumunkban modern szobrokat csodálhat meg.	You may marvel at modern sculptures in our museum.
megmintáz *vmit vkiről* (~ott, mintázz)	use *sy* as a model *for sg*
A művész ezt a szobrot a megrendelőjéről mintázta meg.	The artist used his client as a model for this sculpture.
megnéz *vmit* (~ett, nézz)	**go to see** *sg*
Tegnap megnéztem a Dürer-kiállítást.	Yesterday I went to see the Dürer exhibition.
megnyílik (nyílt, nyílj)	**open**
A kiállítás novemberben nyílik meg.	The exhibition opens in November.
megnyit *vmit* (~ott, nyiss)	**open** *sg*
A kiállítást a miniszter nyitotta meg.	The exhibition was opened by the minister.
rajzol, lerajzol *vkit/vmit* (~t, ~j)	**draw** *sy/sg*, **make a drawing** *of sy/sg*
A művész főként portrékat rajzolt.	The artist mainly drew portraits.
Sok megrendelőjét is lerajzolta.	He also made a drawing of many of his clients.
tart *vmettől vmeddig* (~ott, tarts)	take place *from (time) to (time)*
A tárlatvezetés kettőtől négyig tart.	The guided tour takes place from 2 to 4.
válogat *vhonnan* (~ott, válogass)	present a selection *of sg*
A kiállítás a művész legjobb képeiből válogat.	The exhibition presents a selection of the artist's best paintings.

Hasznos mondatok ■ A múzeumban
Useful sentences ■ In the museum

A pénztárnál	At the box office
Egy diákjegyet kérek szépen.	One student ticket, please.
Egy felnőtt belépőjegyet legyen szíves.	One adult ticket, please.
Az időszakos vagy az állandó kiállításra?	For the seasonal or the permanent exhibition?
Az időszakosra./Az állandóra./Mindkettőre.	For the seasonal one./For the permanent one./For both.

Szabályok	Rules
A kabátokat kérjük leadni a ruhatárban.	Leave your coats in the cloakroom, please.
A múzeumban fényképezni tilos!	Use of cameras is prohibited in the museum!
Kérjük, kapcsolják ki mobiltelefonjukat.	Please turn your mobile phones off.

Tárlatvezetés	Guided tour
Ebben a vitrinben egy görög váza látható.	In this show-case you can see a Greek vase.
A festmény 1874-ben készült.	The painting was made in 1874.
Ez a festmény igazi ritkaság.	This painting is a true rarity.
Ha közelebb megyünk a képhez, látjuk, hogy a festő minden részletet kidolgozott.	If you go closer to the painting, you will see that the painter developed every detail.
Nézzék csak meg, milyen szépek a színek!	Look how beautiful the colors are.
Az előtérben egy férfi látható.	A man can be seen in the foreground.
A háttérben egy templomot láthatunk.	We can see a church in the background.
A vezetés a következő teremben folytatódik.	The tour continues in the next room.
Feltétlenül érdemes megnézni az időszakos kiállítást is.	You should definitely go and see the seasonal exhibition. (*lit.* It is definitely worth)

In brochures and catalogues presenting a museum or a work of art, you will find many words ending in *-ható/-hető*. These participles are typical for the more formal use of language. A few examples: *látható (can be seen), olvasható (can be read), található (can be found, is located), látogatható (can be visited), megvásárolható (can be bought, is for sale).*
You can express the same meaning in a less formal way by using the word *lehet* and the infinitive of the verb: *lehet látni (can be seen), lehet olvasni (can be read)* etc.

3. Irodalom / Literature

Hasznos szavak
Useful words

Mit olvasunk?	What do we read?
bestseller (~ek, ~t, ~e)	bestseller
dráma (~́k, ~́t, ~́ja)	**drama**
elbeszélés (~ek, ~t, ~e)	**narrative**
életmód-tanácsadó (~k, ~t, ~ja)	lifestyle advisor
esszé (~k, ~t, ~je)	**essay**
irodalom (irodalmak, irodalmat, irodalma)	**literature**
szakirodalom	technical literature
szépirodalom	literature, fiction
könyv (~ek, ~et, ~e)	**book**
e-könyv	e-book
gyermekkönyv/gyerekkönyv	**children's book**
nyelvkönyv	**language book**
szakácskönyv	**cookbook**
szakkönyv	technical book
tankönyv	**textbook**
útikönyv	**travel book**
krimi (~k, ~t, ~je)	**crime novel**
kritika (~́k, ~́t, ~́ja)	**critique**
krónika (~́k, ~́t, ~́ja)	chronicle
legenda (~́k, ~́t, ~́ja)	**legend**
mese (~́k, ~́t, ~́je)	**tale**
mű (művek, művet, műve)	**work**
filozófiai mű	philosophical work
ismeretterjesztő mű	popular science book
természettudományos mű	book on natural science
napló (~k, ~t, ~ja)	**diary**
novella (~́k, ~́t, ~́ja)	**short story**
önéletrajz (~ok, ~ot, ~a)	**autobiography**
paródia (~́k, ~́t, ~́ja)	parody
próza (~́t, ~́ja)	**prose**
regény (~ek, ~t, ~e)	**novel**
ifjúsági regény	youth novel
kalandregény	adventure novel
önéletrajzi regény	autobiographical novel
ponyvaregény	trashy novel
történelmi regény	historical novel
sci-fi (~k, ~t, ~je) / tudományos-fantasztikus regény	sci-fi, science fiction
újság (~ok, ~ot, ~ja)	**newspaper**
vers (~ek, ~et, ~e) **/** költemény (~ek, ~t, ~e)	**poem**
verseskötet	poetry book

Hol találhatunk könyveket?	Where can we find books?
antikvárium (~ok, ~ot, ~a)	second-hand bookshop
könyváruház (~ak, ~at, ~a)	bookstore
online-könyváruház	online bookstore
könyfesztivál (~ok, ~t, ~ja)	book festival
könyvesbolt (~ok, ~ot, ~ja)	bookshop, bookstore
könyvtár (~ak, ~at, ~a)	library
könyvvásár (~ok, ~t, ~a)	book fair

Ami a könyvben van, vagy a könyvhöz tartozik	Things that are in books or go with books
befejezés (~ek, ~t, ~e)	ending
bekezdés (~ek, ~t, ~e)	paragraph
borító (~k, ~t, ~ja)	cover
cselekmény (~t, ~e)	plot
előszó (~k, ~t, -szava)	**preface, foreword**
fejezet (~ek, ~et, ~e)	**chapter**
fordítás (~ok, ~t, ~a)	**translation**
főhős/hős (~ök, ~t, ~e) / főszereplő (~k, ~t, ~je)	hero, main character
fülszöveg (~ek, ~et, ~e)	blurb
jogdíj (~ak, ~at, ~a)	royalty
kezdés (~ek, ~t, ~e)	beginning
kiadás (~ok, ~t, ~a)	**edition**
könyvtár (~ak, ~t, ~a)	**library**
kötet (~ek, ~et, ~e)	**volume**
lap (~ok, ~ot, ~ja)	sheet, page
leírás (~ok, ~t, ~a)	description
műfaj (~ok, ~t, ~a)	genre, category of literature
oldal (~ak, ~t, ~a)	**page**
párbeszéd (~ek, ~et, ~e)	**dialogue**
példány (~ok, ~t, ~a)	copy
példányszám (~ok, ~ot, ~a)	number of copies, run of copies
rész (~ek, ~t, ~e)	**part**
rím (~ek, ~et, ~e)	rhyme
ritmus (~ok, ~t, ~a)	rhythm
stílus (~ok, ~t, ~a)	style
szereplő (~k, ~t, ~je)	**performer**
színhely (~ek, ~t, ~e)	scene
szöveg (~ek, ~et, ~e)	**text**
utószó (~k, ~t, -szava)	**epilogue**
tartalom (tartalmat, tartalma)	**content**
tartalomjegyzék (~ek, ~et, ~e)	table of contents
történet (~ek, ~et, ~e)	story
tetőpont (~ok, ~ot, ~ja)	climax
versszak (~ok, ~ot, ~a)	stanza

Ki dolgozik a könyvön?	Who works on a book?
író (~k, ~t, ~ja)	**writer**
fordító (~k, ~t, ~ja)	**translator**
grafikus (~ok, ~t, ~a)	**graphic artist**
kiadó (~k, ~t, ~ja)	**publisher, publishing house**
költő (~k, ~t, ~je)	**poet**
szerkesztő (~k, ~t, ~je)	editor
főszerkesztő	chief editor
szerző (~k, ~t, ~je)	**author**
tördelő (~k, ~t, ~je)	typesetter

Hungary has one Nobel Prize winning author: Imre Kertész. Kertész received the Nobel Prize in Literature in 2002 "for writing that upholds the fragile experience of the individual against the barbaric arbitrariness of history". His best-known work is *Sorstalanság* (*Fateless*), a novel that describes the experience of a fifteen-year-old boy in the concentration camps of Auschwitz, Buchenwald, and Zeitz.

Milyen lehet a könyv?	**What can a book be like?**
eredeti (~bb)	original
fantáziadús (~abb)	imaginative
humoros (~abb) / **vicces** (~ebb)	**funny**
idegen nyelvű	in a foreign language
ironikus (~abb)	ironic
izgalmas (~abb)	**exciting**
komoly (~abb)	**serious**
könnyen olvasható	easy to read
nehezen olvasható	difficult to read
népszerű (~bb)	popular
olvasmányos (~abb)	easy-to-read
realista (~bb)	realistic
sikeres (~ebb)	**successful**
szatirikus (~abb)	satirical
szórakoztató (~bb)	entertaining
tanulságos (~abb)	instructive
unalmas (~abb)	**boring**
vastag (~abb)	**thick**
vékony (~abb)	**thin**

Mit csinál az olvasó / a kiadó? **Mit mondhatunk a könyvről?**	**What does the reader/publisher do?** **What can we say about a book?**
beiratkozik *vhova* (~ott, iratkozz)	sign up *somewhere*
Beiratkoztam a könyvtárba.	I signed up for use of the library.
bemutat *vki/vmit* (~ott, mutass)	present sy/*sg*
A mű Párizst mutatja be.	The work presents Paris.
betilt *vmit* (~ott, tilts)	ban *sg*
A könyvet politikai okokból betiltották.	The book was banned for political reasons.
elbeszél *vmit* (~t, ~j)	tell *about sg*
A regény egy utazást beszél el.	The novel tells us about a journey.
elemez *vmit* (elemezett, elemezz)	analyze *sg*
Irodalomórán műveket elemezünk.	We analyze works in literature class.
feldolgoz *vmit* (~ott, dolgozz)	be based *on sg*
A regény egy megtörtént esetet dolgoz fel.	This novel is based on a true story.
felolvas *vmit* (~ott, olvass)	**read** *sg* (out loud)
A költő az új verseit olvassa fel.	The poet reads his new poems.
ismertet *vmit* (~ett, ismertess)	present *sg*
A kiadó ismerteti a könyvet.	The publisher presents the book.
ír *vkiről/vmiről* (~t, ~j)	**write** *about sg*
Az író sokat írt a gyermekkoráról.	The writer wrote a lot about his childhood.
ír, megír *vmit* (~t, ~j)	**write** *sg*
Jókai Mór történelmi regényeket is írt.	Mór Jókai also wrote historical novels.
A szabadságharc történetét is megírta.	He also wrote the history of the freedom fight.
játszódik *vhol/vmikor* (~ott, ~j)	be set *somewhere/sometime*
A regény a középkorban játszódik.	The novel is set in the Middle Ages.
kezdődik *vmivel* (~ött, ~j)	**begin** *with sg*
A regény egy esküvő leírásával kezdődik.	The novel begins with the description of a wedding.
kiad *vmit* (~ott, ~j)	publish *sg*
Melyik kiadó adta ki ezt a kötetet?	Which publisher published this book?

kiad *vmit* (~ott, ~j)	publish *sg*
A könyvet egy neves kiadó adta ki.	The book was published by a distinguished publishing house.
korrektúráz *vmit* (~ott, dolgozz)	proofread *sg*
A szöveget többen korrektúrázták.	The text was proofread by several people.
kölcsönöz *vmit* (kölcsönzött, külcsönözz)	**borrow** *sg*
A könyvtárból könyveket, cédét és DVD-t lehet kölcsönözni.	You can borrow books, CDs and DVDs from the library.
leír *vmit* (~t, ~j)	**tell** *about sg*
A novella egy utazást ír le.	The short story tells us about a journey.
megjelenik (jelent, jelenj)	be out, be published
Megjelent az író új regénye.	The writer's new novel is out.
megjelentet *vmit* (~ett, jelentess)	publish *sg*
Senki sem akarja megjelentetni az életrajzomat.	Nobody wants to publish my autobiography.
megrendel *vmit* (~t, ~j)	**order** *sg*
Egy online-könyváruházban rendeltem meg a könyvet.	I ordered the book via an online bookstore.
megzenésít *vmit* (~ett, zenésíts)	write music *to sg*
Manapság sok verset megzenésítenek.	They write music to a lot of poems nowadays.
olvas, elolvas *vmit* (~ott, olvass)	**read** *sg*
Épp a Moby Dicket olvasom.	I'm reading Moby Dick.
Szeretném elolvasni Márai Sándor naplóit.	I would like to read the diaries of Sándor Márai.
publikál *vhol* (~t, ~j)	publish *somewhere*
A költő egy ismert folyóiratban publikál.	The poet publishes his works in a well-known journal.
szól *vkiről/vmiről* (~t, ~j)	**be** *about sy/sg*
Ez a vers a szerelemről szól.	This poem is about love.
terjeszt vmit (~ett, terkessz)	distribute *sg*
A könyvet egy online-könyváruház terjeszti.	The book is distributed by an online bookshop.
végződik *vmivel* (végződött, végződj)	**end** *with sg*
A regény happy enddel végződik.	The novel has a happy ending.
visszavisz *vmit vhova* (vitt, vigyél)	**take** *sg* **back**
Visszaviszem a könyveket a könyvtárba.	I take the books back to the library.

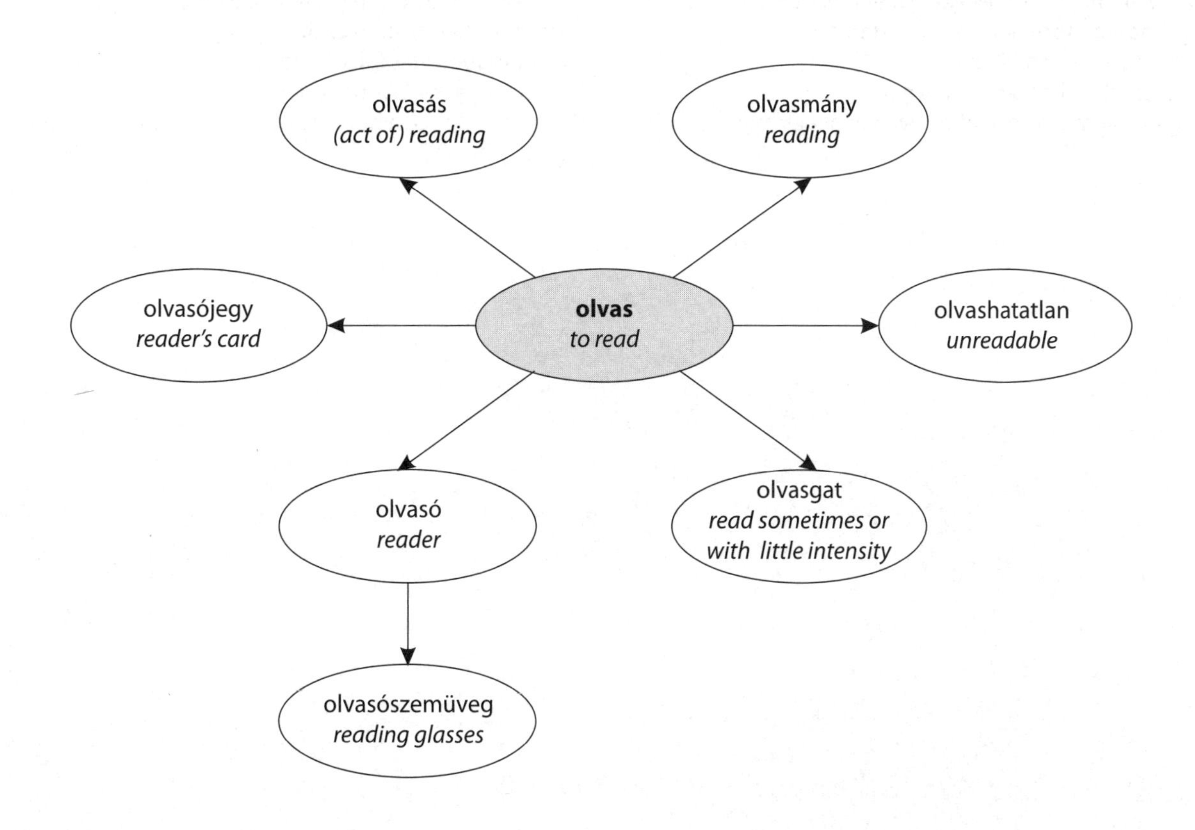

Hasznos mondatok ▪ Miről szól a könyv? Hogy tetszett a könyv?
Useful sentences ▪ What is the book about? How did you like the book?

Így mesélheti el egy könyv tartalmát	This is how you can summarize a book
Az „Utazás a koponyám körül" önéletrajzi regény. Szerzője Karinthy Frigyes magyar író, humorista és költő.	"Journey Around My Skull" is an autobiographic novel. Its author is Frigyes Karinthy, a Hungarian writer, humorist and poet.
A regény valóságos eseményen alapul. Az író agyműtétjéről szól. A főszereplő maga az író. A mű voltaképpen egy napló. Az író a tapasztalatairól, érzéseiről és gondolatairól számol be. A könyv első kiadása 1936-ban jelent meg. A regény már Karinthy életében is népszerű volt. Sok nyelvre – többek között franciára, angolra és németre is – lefordították. A mű ma már klasszikus alkotásnak számít. Karinthy ma is az egyik legolvasottabb magyar író. Ezen a regényen kívül humoros írásai a legnépszerűbbek.	The novel is based on actual facts. It is about the author's brain surgery. The main character is the writer himself. The work is in fact a diary. The author tells about his experiences, feelings and thoughts. The first edition of the book was published in 1936. The novel was already popular in Karinthy's lifetime. It has been translated into many languages, including French, English, and German. The novel is considered to be a classic today. Karinthy is still one of the most read Hungarian authors. Besides this novel, his humorous writings are the most popular.

Tetszett a könyv?	Did you like the book?
Nagyon tetszett.	I liked it very much.
Alig tudtam letenni.	I could hardly put it down.
A regényt mindenkinek szívből ajánlom, mert vicces és izgalmas.	I can honestly recommend this novel to everyone because it is funny and exciting.
Nem volt rossz.	It wasn't bad.
Nem igazán tetszett.	I didn't really like it.
Az igazat megvallva olvastam már jobbat is.	To tell you the truth, I have read better.
Izgalmasabb történetre számítottam.	I was expecting a more exciting story.
A fordítás tele volt hibával.	The translation was full of errors.
Nem ez lesz a kedvenc könyvem.	This won't be my favorite book.
Régen volt már a kezemben ilyen unalmas regény.	I haven't had such a boring novel in my hands in a long time.

4. Zene / Music

Hasznos szavak
Useful words

Műfajok	Types of music
alternatív zene (~́k, ~́t, ~́je)	alternative music
blues (~t, ~a)	blues
dzsessz (~t, ~e)	jazz
filmzene (~́t, ~́je)	motion picture soundtrack
hip-hop (~ot, ~ja)	hip hop
kamarazene (~́t, ~́je)	chamber music
komolyzene (~́t, ~́je)	**classical music**
könnyűzene (~́t, ~́je)	**light music**
latin zene (~́t, ~́je)	latin music
népzene (~́t, ~́je)	**folk music**
opera (~́t, ~́ja)	**opera**
operett (~et, ~je)	operetta
popzene (~́t, ~́je)	pop music
rap (~et, ~je)	rap
rockzene (~́t, ~́je)	rock music
techno (~́t, ~́ja)	techno, electronic music

Hangszerek	Instruments
cimbalom (cimbalmok, cimbalmot, cimbalma)	cimbalom
citera (~́k, ~́t, ~́ja)	dulcimer
cselló (~k, ~t, ~ja) / gordonka (~́k, ~́t, ~́ja)	cello
csembaló (~k, ~t, ~ja)	harpsichord
dob (~ok, ~ot, ~ja)	**drums, percussion**
furulya (~́k, ~́t, ~́ja)	**flute, recorder**
fuvola (~́k, ~́t, ~́ja)	**transverse flute**
hárfa (~́k, ~́t, ~́ja)	harp
harsona (~́k, ~́t, ~́ja) / pozán (~ok, ~t, ~ja)	trombone
hegedű (~k, ~t, ~je)	**violin**
gitár (~ok, ~t, ~ja)	**guitar**
akusztikus gitár	acoustic guitar
basszusgitár	bass guitar
elektromos gitár	electric guitar
klarinét (~ok, ~ot, ~ja)	clarinet
kürt (~ök, ~öt, ~je)	French horn
nagybőgő (~k, ~t, ~je)	double bass
oboa (~́k, ~́t, ~́ja)	oboe
orgona (~́k, ~́t, ~́ja)	**organ**

szájharmonika (~́k, ~́t, ~́ja)	harmonica
szaxofon (~ok, ~t, ~ja)	saxophone
szintetizátor (~ok, ~t, ~a)	synthesizer
tangóharmonika/harmonika (~́k, ~́t, ~́ja)	accordion
trombita (~́k, ~́t, ~́ja)	**trumpet**
tuba (~́k, ~́t, ~́ja)	tuba
xilofon (~ok, ~t, ~ja)	xylophone
zongora (~́k, ~́t, ~́ja)	**piano**

If you know the name for a music instrument, it is quite easy to form the name for the musician and the verb:
Most names for musicians end in *-s* and the verb usually ends in *-zik*:
cimbalom – cimbalmos – cimbalmozik (cimbalom – cimbalom player – play the cimbalom),
furulya – furulyás – ***furulyázik*** *(flute – flute player –* ***play the flute****),*
fuvola – fuvolás/fuvolista – fuvolázik (transverse flute – transverse flute player – play the transverse flute.
hárfa – hárfás – hárfázik (harp – harpist – play the harp),
harmonika – harmonikás – harmonikázik (accordion – accordionist – play the accordion),
gitár – gitáros – ***gitározik*** *(guitar – guitar player –* ***play the guitar****).*
Similarly: *klarinét, nagybőgő, pozán, oboa, szaxofon, tuba, xilofon.*

In the following cases, the verb ends in *-l*:
dob – dobos – ***dobol*** *(drums – drummer –* ***play the drums****),*
hegedű – hegedűs – ***hegedül*** *(violin – violinist –* ***play the violin****),*
kürt – kürtös – kürtöl (French horn – French horn player – play the French horn),
trombita - trombitás – ***trombitál*** *(trumpet – trumpetist –* ***play the trumpet****).*

The name for the musician ends in *-ista*:
cselló – csellista – csellózik (cello – cellist – play the cello),
csembaló – csembalista – csembalózik (harpsichord – harpsichordist – play the harpsichord),
orgona – orgonista – orgonál (organ – organist – play the organ),
zongora – zongorista – ***zongorázik*** *(piano – piano player –* ***play the piano****).*

→ Szóképzés / Forming new words: 279–282. oldal

Ami még a zenéléshez tartozik	**Other things that go with music**
akkord (~ok, ~ot, ~ja)	chord
cédé (~k, ~t, ~je)	**CD**
cédélejátszó (~k, ~t, ~ja)	CD player
dal (~ok, ~t, ~a)	**song**
népdal	folk song
dallam (~ok, ~ot, ~a)	**tune**
darab (~ok, ~ot, ~ja)	**piece**
diszkó (~k, ~t, ~ja)	disco, club
DJ (DJ-k, DJ-t, DJ-je)	DJ
együttes (~ek, ~t, ~e)	**band, ensemble**
erősítő (~k, ~t, ~je)	amplifier
felvétel (~ek, ~t, ~e)	recording
élő felvétel	live recording
lemezfelvétel	recording session
felvételt készít	make a record
gázsi (~k, ~t, ~ja)	royalty, payment
hallás (~t, ~a)	hearing, an ear for music
jó/rossz hallása van	have a good/bad ear for music
hang (~ok, ~ot, ~ja)	**voice**
szép hangja van	have a nice voice
hangverseny (~ek, ~t, ~e)	**concert of classical music**
hangvilla (~́k, ~́t, ~́ja)	tuning fork

klip (~ek, ~et, ~je)	music video
koncert (~ek, ~et, ~je)	**concert**
búcsúkoncert	farewell concert
koncertkörút (-utak, -utat, -útja) / koncertturné/turné (~k, ~t, ~ja)	concert tour
zongorakoncert	piano concert (event), piano concerto (piece of music)
koncertet ad	give a concert
konzervatórium (~ok, ~ot, ~a)	conservatory
kotta (~́k, ~́t, ~́ja)	musical score, music sheet
tud kottát olvasni	can read music
mikrofon (~ok, ~t, ~ja)	microphone
örökzöld (~ek, ~et, ~je)	evergreen
próba (~́k, ~́t, ~́ja)	**rehearsal**
próbát tart	rehearse, have a rehearsal
ráadás (~ok, ~t, ~a)	encore
ráadást ad	give an encore
rádió (~k, ~t, ~ja)	**radio**
repertoár (~ok, ~t, ~ja)	repertoire
ritmus (~ok, ~t, ~a)	**rhythm**
sláger (~ek, ~t, ~e)	hit single
stúdió (~k, ~t, ~ja)	studio
szám (~ok, ~ot, ~a)	**song**
szolfézs (~ek, ~t, ~e)	music theory
ütem (~ek, ~et, ~e)	beat
zeneakadémia (~́k, ~́t, ~́ja)	music academy
zeneiskola (~́k, ~́t, ~́ja)	music school

Aki a zenéléshez tartozik	Who is involved in playing music
énekes (~ek, ~t, ~e)/**énekesnő** (~k, ~t, ~je)	**singer/female singer**
népdalénekes	folk singer
operaénekes	opera singer
popénekes	pop singer
rockénekes	rock singer
énekkar (~ok, ~t, ~ja)	**choir**
filharmonikusok (~at)	philharmonics
hangmérnök (~ök, ~öt, ~e)	sound engineer
hangtechnikus (~ok, ~t, ~a)	sound technician
karmester (~ek, ~t, ~e)	**conductor**
menedzser (~ek, ~t, ~e) / ügynök (~ök, ~öt, ~e)	manager, agent
zenebarát (~ok, ~ot, ~ja) / zenekedvelő (~k, ~t, ~je) / zenerajongó (~k, ~t, ~ja)	music lover, music fan
zenekar (~ok, ~t, ~a)	**orchestra** (mainly classical music)
kamarazenekar	chamber orchestra
szimfonikus zenekar	symphony orchestra
zenész (~ek, ~t, ~e)	**musician**
zeneszerző (~k, ~t, ~je)	**composer**

Milyen hangja lehet az énekesnek?	What can a singer's voice be like?
alt	alto
bariton	baritone
basszus	bass
kellemes (~ebb)	**pleasant**
hamis (~abb)	**false, out of tune**
jó (jobb)	**good**
magas (~abb)	**high-pitched**
mély (~ebb)	**low**
mezzo	mezzo soprano
monoton	monotonous
rekedt (~ebb)	hoarse
rossz (~abb)	**bad**
szép (szebb)	nice, lovely
szoprán	soprano
tenor	tenor

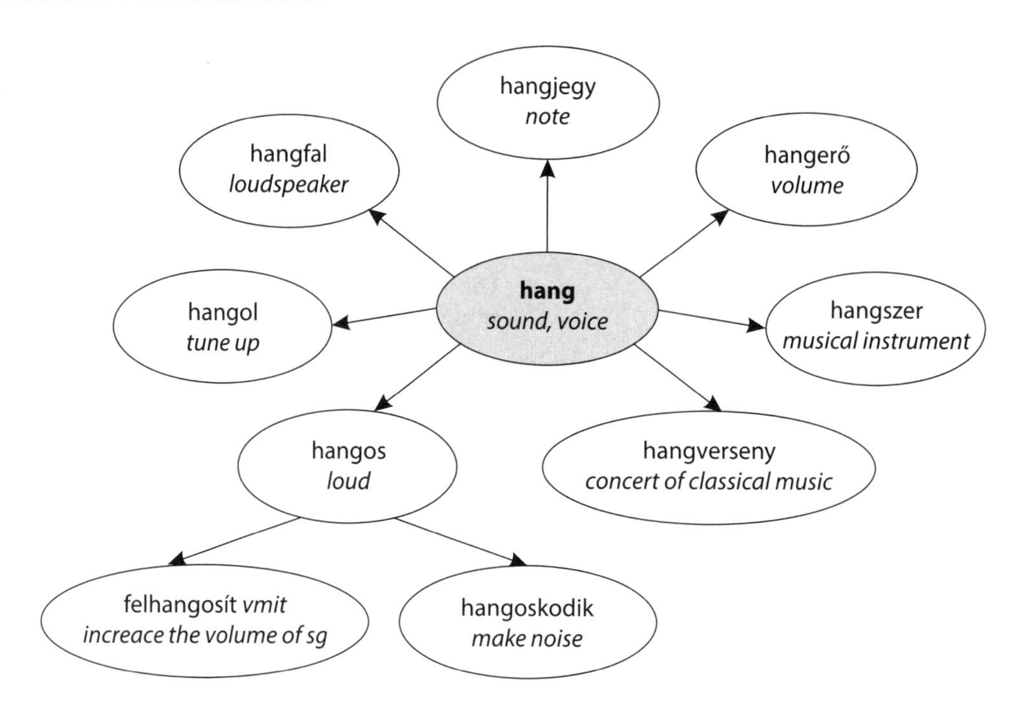

Mit csinálhat egy zenész/énekes?	What can a musician/singer do?
előad *vmit* (~ott, ~j) Az énekes francia sanzonokat ad elő.	**perform** *sg* The singer performs French chansons.
énekel, elénekel *vmit* (~t, ~j) Valaki hamisan énekel a kórusban. Az operaénekes egy Wagner-áriát énekel. Elénekeltük a himnuszt.	**sing, sing** *sg* Someone is singing out of tune in the choir. The opera singer is singing a Wagner aria. We sang our national anthem.
fellép *vhol* (~ett, ~j) A hegedűművész a Zeneakadémián lép fel.	perform, give a concert *somewhere* The violin virtuoso performs at the Music Academy.
felvesz *vkit/vmit* (vett, vegyél/végy) Az együttes Londonban vette fel az új lemezét.	record *sy/sg* The band recorded its new album in London.
gyakorol (*vmit*) (~t, ~j) Nincs időm mindennap gyakorolni. A *Für Elisé*-t gyakorolom.	**practice** *(sg)* I don't have time to practice every day. I've been practicing Für Elise.
játszik, eljátszik *vmit* (játszott, játssz) Milyen zenét játszik az együttesetek? Eljátszom neked a kedvenc számomat.	**play** *sg* What kind of music does your band play? I'll play you my favorite song.
hallgat, meghallgat *vkit/vmit* (~ott, hallgass) Épp egy Bartók-cédét hallgatok. Meghallgattam a cédéteket.	**listen** *to sy/sg* I'm listening to a Bartók CD. I have listened to your CD.
hangol (~t, ~j) A zenekar a szünetben hangol.	tune up The ensemble is tuning up during the break.
komponál (~t, ~j) / zenét szerez (szerzett, szerezz) Szabadidőmben komponálok/zenét szerzek.	compose music, write music I write music in my spare time.
komponál *vmit* (~t, ~j) A Rigolettót Verdi komponálta.	compose *sg* Rigoletto was composed by Verdi.
koncertezik (konzertezett, koncertezz) A Bécsi Filharmonikusok áprilisban Budapesten koncerteznek.	give a concert The Vienna Philharmonics will give a concert in Budapest during April.
lekottáz *vmit* (~ott, kottázz) Lekottáztam a kedvenc számomat.	write down the music *for sg* I wrote down the music for my favorite song.
menedzsel *vkit/vmit* (~t, ~j) Az ügynökség fiatal művészeket menedzsel.	manage *sy/sg* The agency manages young artists.
próbál *(vmit)* (~t, ~j) Az együttes hétfőnként próbál. A *Hair*-t próbáljuk.	rehearse The band is rehearsing every Monday. We are rehearsing *Hair*.

tetszik *vmi vkinek* (tetszett, tetsszél/tessél)	**like** *sg*
Tetszett Önöknek a tegnapi koncert?	Did you like the concert yesterday?
turnézik	be on tour
Mikor turnézik legközelebb az együttes?	When is the next time the band will be on tour?
vezényel *vmit* (~t, ~j)	conduct *sg*
Ki vezényeli a cédén a Händel-oratóriumot?	Who is conducting the Handel Oratorio on this CD?
zenél (~t, ~j)	**play music**
Szabadidőmben zenélek.	I play music in my spare time.

Hasznos mondatok ▪ Fontos Önnek a zene?
Useful sentences ▪ Is music important to you?

Ha fontos Önnek a zene	If music is important to you
Nagy zenebarát vagyok.	I like music very much.
Éjjel-nappal komolyzenét hallgatok.	I listen to classical music day and night.
Imádok zenét hallgatni.	I adore listening to music.
Nagy operarajongó vagyok.	I am a great opera fan.
Legjobban a bluest szeretem.	I like blues the most.
Jó hallásom van.	I have a good ear for music.
Abszolút hallásom van.	I have perfect pitch.
Szabadidőmben zenélek.	I play music in my spare time.
Szép hangom van.	I have a nice voice.
Muzikális vagyok.	I am talented in music.
Szeretem a zenét.	I like music.
Hegedűórára járok.	I'm taking violin lessons.
Csellótanárhoz járok.	I'm taking private chello lessons. (*lit.* I go to a chello teacher.)
Zongorázni tanulok.	I'm learning to play the piano.
Egy gitárművésztől veszek órákat.	I'm learning from a professional guitarist.
Egy amatőr együttesben játszom.	I play in an amateur band.

Ha nem fontos Önnek a zene	If music is not important for you
Soha nem érdekelt a zene.	I never cared about music.
A kortárs zenét egyáltalán nem ismerem.	I don't know anything about contemporary music.
Sajnos, nem tudok énekelni.	Sadly, I can't sing.
Borzasztó hangom van.	I have a terrible voice.
Rossz hallásom van. / Botfülem van.	I don't have a good ear for music.
Nem értek a zenéhez.	I don't know anything about music.
Nincs tehetségem a zenéhez.	I have no musical talent.
Csak akkor énekelek, ha iszom.	I only sing when I drink.
Gyerekkoromban zongoráztam, de abbahagytam, amint lehetett.	I used to play the piano when I was a kid but gave it up as soon as I could.
Semmilyen hangszeren nem játszom.	I don't play any musical instruments.

One of the most colorful summer festivals is the *Valley of Arts (Művészetek Völgye)* on the North coast of Balaton Lake. It was created in the 1980s by composer and theater director István Márta. The festival is held in seven villages and offers many interesting events such as theater performances, folk, classical, world, and jazz concerts, various literary events, events for children, talkshows, workshops, and exhibitions. Visitors can also buy ancient arts and crafts or learn how to make them.

→ *Vendégség / Visitation: 44–47. old.*

FÖLDRAJZI JELENSÉGEK, IDŐJÁRÁS
GEOGRAPHICAL CONDITIONS, WEATHER

1. A kék bolygó / The Blue Planet

Hasznos szavak
Useful words

A Föld	The Earth
déli félteke (~t, ~je)	Southern hemisphere
Déli-sark (~ot, ~a)	South Pole
Egyenlítő (~t, ~je)	**Equator**
északi félteke (~t, ~je)	Northern hemisphere
Északi-sark (~ok, ~ot, ~a)	North Pole
földgolyó (~t, ~ja)	globe
földrész/kontinens (~ek, ~t, ~e)	**continent**

Égtájak	Points of the compass
észak (~ot)	**North**
észak-nyugat	North West
dél (delet)	**South**
dél-kelet	South East
kelet (~et)	**East**
nyugat (~ot)	**West**

Vizek	Waters
eső (~k, ~t, ~je)	**rain**
folyó (~k, ~t, ~ja)	**river**
forrás (~ok, ~t, ~a)	spring
óceán (~ok, ~t, ~ja)	**ocean**
Csendes-óceán	Pacific Ocean
Atlanti-óceán	Atlantic Ocean
Indiai-óceán	Indian Ocean
patak (~ok, ~ot, ~ja)	creek
talajvíz (-vizek, -vizet, -vize)	ground water
tenger (~ek, ~t, ~e)	**sea**
tó (tavak, tavat, tava)	**lake, pond**

Kontinensek	Continents
Afrika (~t)	**Africa**
Amerika (~t)	**America**
Észak-Amerika	North America
Dél-Amerika	South America
Antarktisz (~t)	Antarctica
Ausztrália és Óceánia (~t)	**Australia** and Oceania
Ázsia (~t)	**Asia**
Európa (~t)	**Europe**

There are several ways to distinguish continents. In Hungary, the six-continent-model is taught: *Afrika, Amerika, Antarktisz, Ausztrália és Óceánia, Ázsia, Európa.*

Mi van a térképen?	What is on the map?
dombság (~ok, ~ot, ~a)	hill
fennsík (~ok, ~ot, ~ja)	plateau
fok (~ok, ~ot, ~a)	degree
hosszúsági fok	longitude, degree of longitude
szélességi fok	latitude, degree of latitude

hegy (~ek, ~et, ~e)	**mountain**
hegycsúcs (~ok, ~ot, ~a)	mountain peak
hegység (~ek, ~et, ~e)	**mountain range**
part (~ok, ~ot, ~ja)	**coast**
sarkvidék (~ek, ~et, ~e)	polar region
síkság (~ok, ~ot, ~a)	plain
szárazföld (~ek, ~et, ~je)	**land, mainland**
sziget (~ek, ~et, ~e)	**island**
félsziget	peninsula
tengerszint (~et, ~je)	sea level
a tengerszint felett	above sea level
a tengerszint alatt	below sea level
völgy (~ek, ~et, ~e)	**valley**

Évszakok / Seasons

Évszakok	Seasons
tél (telek, telet, tele)	**winter**
tavasz (~ok, ~t, ~a)	**spring**
nyár (nyarak, nyarat, nyara)	**summer**
ősz (~ök, ~t, ~e)	**autumn, fall**

Hónapok / Months

Hónapok	Months
január (~ok, ~t, ~ja)	**January**
február (~ok, ~t, ~ja)	**February**
március (~ok, ~t, ~a)	**March**
április (~ok, ~t, ~a)	**April**
május (~ok, ~t, ~a)	**May**
június (~ok, ~t, ~a)	**June**
július (~ok, ~t, ~a)	**July**
augusztus (~ok, ~t, ~a)	**August**
szeptember (~ek, ~t, ~e)	**September**
október (~ek, ~t, ~e)	**October**
november (~ek, ~t, ~e)	**November**
december (~ek, ~t, ~e)	**December**

Napok / Days

Napok	Days
hétfő (~k, ~t, ~je)	**Monday**
kedd (~ek, ~et, ~je)	**Tuesday**
szerda (~́k, ~́t, ~́ja)	**Wednesday**
csütörtök (~ök, ~öt, ~e)	**Thursday**
péntek (~ek, ~et, ~e)	**Friday**
szombat (~ok, ~ot, ~ja)	**Saturday**
vasárnap (~ok, ~ot, ~ja)	**Sunday**

Napszakok / Periods of the day

Napszakok	Periods of the day
hajnal (~ok, ~t, ~a)	dawn
reggel (~ek, ~t, ~e)	**morning**
délelőtt (~ök, ~öt, ~je)	**before noon**
dél (delek, delet, dele)	**noon**
délután (~ok, ~t, ~ja)	**afternoon**
kora/késő délután	early/late afternoon
este (~́k, ~́t, ~́je)	**evening**
éjszaka (~́k, ~́t, ~́ja)	night
éjfél (éjfelek, éjfelet, éjfele)	midnight

Hasznos mondatok ■ Magyarország bemutatása
Useful sentences ■ Introduction to Hungary

A Magyar Köztársaság területe 93 036 km^2 (négyzetkilométer).
Magyarország hét országgal határos: Szlovákia, Ukrajna, Románia, Szerbia, Horvátország, Szlovénia és Ausztria.
A legnagyobb tó a Balaton.
A két legnagyobb folyó a Duna és a Tisza.
Magyarország legmagasabb pontja az észak-magyarországi Kékestető hegycsúcs: a tengerszint felett 1014 méter.
Az ország legalacsonyabb pontja a dél-magyarországi Szeged-Gyálarét: a tengerszint felett 78 méter.
Magyarország éghajlata kontinentális.

The area of the Hungarian Republic is 93,036 km^2 (square kilometers).
Hungary has seven neighboring countries: Slovakia, Ukraine, Romania, Serbia Croatia, Slovenia and Austria.
The largest lake is Lake Balaton.
The two largest rivers are the Danube and the Tisza.
Hungary's highest point is the peak Kékestető in North Hungary: it is 1014 meters above sea level.
The lowest point of the country is Szeged-Gyálarét in South Hungary: it is 78 meters above sea level.
Hungary has a continental climate.

The Earth makes a complete rotation around the Sun in a year. Hungary is in an area of the Earth where the daylight hours are unevenly distributed throughout the year. That is one of the reasons why we have seasons. There is a funny folk song about this:

Télen nagyon hideg van, nyáron nagyon meleg van,
soha sincs jó idő, mindig esik az eső.
(Winter is so cold, summer is so warm,
Weather's never fine, there's always rain.)

→ *Környezetvédelem, természetvédelem / Environment protection, nature conservation: 156–159. oldal*

2. Időjárás-jelentés / Weather report

Hasznos szavak
Useful words

Mi segíti a meteorológus munkáját?	What helps the meteorologist's work?
barométer (~ek, ~t, ~e)	barometer
esőmérő (~k, ~t, ~je)	rain gauge, pluviometer
hidrométer (~ek, ~t, ~e)	hydrometer
hőmérő (~k, ~t, ~je)	**thermometer**
műhold (~ak, ~at, ~ja)	satellite
radar (~ok, ~t, ~ja)	radar
szélzsák (~ok, ~ot, ~ja)	wind sleeve
térkép (~ek, ~et, ~e)	**map**

Nap	Sun
napállás (~t)	sun position
napfény (~t)	**sunlight**
napfelkelte/napkelte (~́k, ~́t, ~́je)	sunrise
naplemente (~́k, ~́t, ~́je) / napnyugta (~́k, ~́t, ~́ja)	sunset
napsugárzás (~t, ~a)	solar radiation, sun rays
napsütés (~t, ~e)	**sunshine**
ultraibolya-sugárzás/UV-sugárzás (~t, ~a)	ultraviolet radiation, UV radiation

Víz	Water
apály (~ok, ~t, ~a)	low tide
csapadék (~ok, ~ot, ~a)	precipitation
dagály (~ok, ~t, ~a)	high tide
dér (deret, dere)	ground frost
eső (~k, ~t, ~je)	**rain**
esőcsepp (~ek, ~et, ~je)	raindrop
felhő (~k, ~t, ~je)	**cloud**
bárányfelhő	cirrus, fleecy cloud
esőfelhő	rain cloud
viharfelhő	thunder cloud
harmat (~ot, ~a)	dew
havaseső (~k, ~t, ~je)	sleet
hó (havat, hava)	**snow**
hópehely (-pelyhek, -pelyhet, -pelyhe)	snowflake
hóesés (~ek, ~t, ~e)	snowfall

jég (jeget, jege)	**ice**
jégcsap (~ok, ~ot, ~ja)	icicle
jégvirág (~ok, ~ot, ~a)	frost work
jégeső (~k, ~t, ~je)	hailstorm
köd (~ök, ~öt, ~je)	fog
nedvesség (~et, ~e)	moisture
pára (~́t, ~́ja)	humidity
páratartalom (-tartalmat, -tartalma)	humidity rate
zápor (~ok, ~t, ~a)	shower
zivatar (~ok, ~t, ~a)	rainstorm
zúzmara (~́k, ~́t, ~́ja)	frost, freeze
vihar (~ok, ~t, ~a)	**thunderstorm**

Levegő	Air
légkör (~t, ~e)	atmosphere
légnyomás (~t, ~a)	atmospheric pressure
szél (szelek, szelet, szele)	**wind**
mérsékelt szél	moderate wind
erős szél	strong wind
viharos szél	stormy wind
szélcsend (~et, ~je)	calm, no wind
szélerősség (~et, ~e)	wind-force
széllökés (~ek, ~t, ~e)	gust of wind

Néhány csillagászati alapfogalom	A few astronomical terms
aszteroida (~́k, ~́t, ~́ja)	asteroid
bolygó (~k, ~t, ~ja)	**planet**
csillag (~ok, ~ot, ~a)	**star**
csillagpor (~t, ~a)	stardust
hullócsillag	falling star
ég (egek, eget, ege)	**sky**
égitest (~ek, ~et, ~je)	orb, celestial body
gravitáció (~t, ~ja)	gravity
hold (~ak, ~at, ~ja)	**moon**
részleges/teljes holdfogyatkozás (~ok, ~t, ~a)	partial/full lunar eclipse
meteorit (~ok, ~ot, ~ja)	meteorite
nap (~ok, ~ot, ~ja)	**sun**
részleges/teljes napfogyatkozás (~ok, ~t, ~a)	partial/full solar eclipse
Naprendszer (~t, ~e)	Solar System
nap-éj egyenlőség (~ek, ~et, ~e)	equinox
napforduló (~k, ~t, ~ja)	solstice
üstökös (~ök, ~t, ~e)	comet
világegyetem (~et, ~e) **/ univerzum** (~ot, ~a)	**Universe**

Our Solar System has the following planets: *Merkúr (Mercury), Vénusz (Venus), Föld (Earth), Mars (Mars), Jupiter (Jupiter), Szaturnusz (Saturn), Uránusz (Uranus), Neptunusz (Neptun), Plútó (Pluto).*

Időjárási jelenségek	Weather phenomena
anticiklon (~ok, ~t, ~ja)	anticyclone
ciklon (~ok, ~t, ~ja)	cyclone
fagy (~ok, ~ot, ~a)	**frost**
felmelegedés (~ek, ~t, ~e)	warming
frontátvonulás (~ok, ~t, ~a)	frontal passage
hóvihar (~ok, ~t, ~a)	snowstorm, blizzard

hőmérséklet (~ek, ~et, ~e)	**temperature**
hőség (~ek, ~et, ~e)	heat
időjárás-változás (~ok, ~t, ~a)	weather changes
látótávolság (~ok, ~ot, ~a)	range of vision
lehűlés (~ek, ~t, ~e)	cooling
mennydörgés (~ek, ~t, ~e)	thunder
szárazság (~ok, ~ot, ~a)	**drought**
szivárvány (~ok, ~t, ~a)	**rainbow**
vihar (~ok, ~t, ~a)	**storm**
villám (~ok, ~ot, ~a)	**thunderbolt**

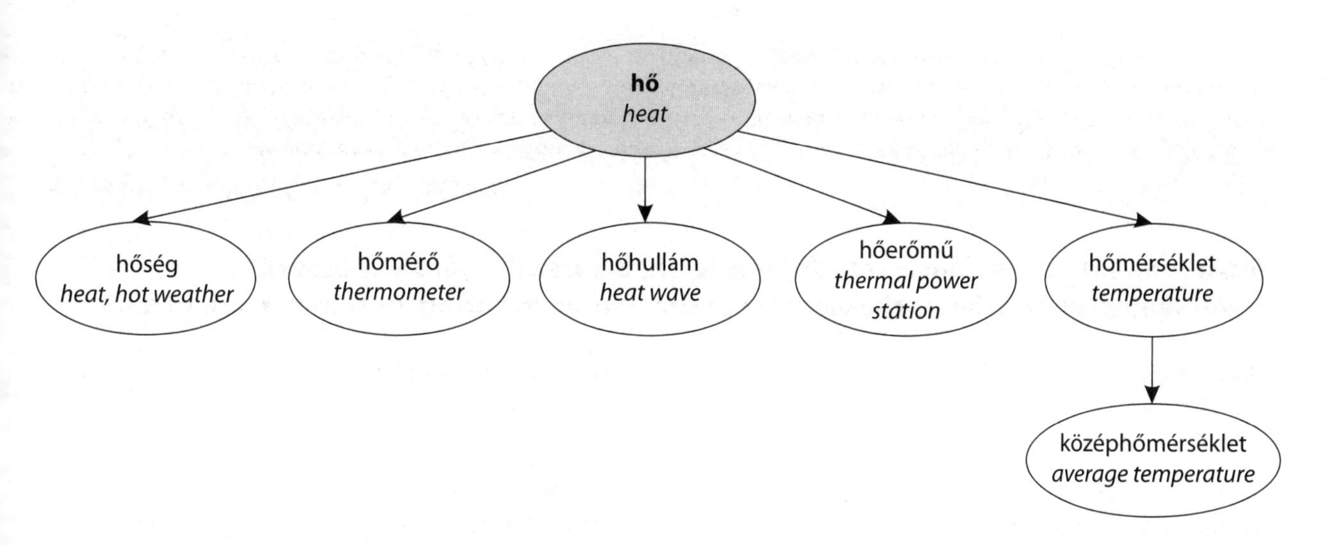

Természeti csapások	Natural disasters
árvíz (-vizek, -vizet, -vize) / áradás (~ok, ~t, ~a)	**flood**
aszály (~ok, ~t, ~a)	drought
cunami (~k, ~t, ~ja)	tidal wave
éghajlatváltozás (~ok, ~t, ~a)	climate change
erdőtűz (-tüzek, -tüzet, -tüze)	forest fire
földrengés (~ek, ~t, ~e)	earthquake
hegyomlás (~ok, ~t, ~a)	rock slide
hurrikán (~ok, ~t, ~ja) / orkán (~ok, ~t, ~ja)	hurricane
lavina (~́k, ~́t, ~́ja)	avalanche
tájfun (~ok, ~t, ~ja)	typhoon
vulkánkitörés (~ek, ~t, ~e)	volcanic eruption

Temperature is mesasured in Hungary in degrees of Celsius. To convert from Celsius to Fahrenheit and get an approximative value, double the number and add 32.

Milyen az idő/időjárás?	What is the weather like?
borongós (~abb)	gloomy
borult (~abb)	**cloudy, overcast**
derült (~ebb)	**bright**
enyhe (~́bb)	**mild**
forró (~bb)	**hot**
fülledt (~ebb)	**stuffy**
hideg (~ebb)	**cold**
hűvös (~ebb)	**cool, chilly**
jó (jobb)	**good, nice, fine**

meleg (~ebb)	**hot**
mérsékelt (~ebb)	moderate, temperate
nedves (~ebb)	wet
rossz (~abb)	**bad**
szélsőséges (~ebb)	extreme
szép (szebb)	**nice, lovely**
szeszélyes (~ebb)	unpredictable *(lit.* capricious)
tiszta (~́bb)	**clear**
változékony (~abb)	changeable
zord (~abb)	raw, severe

We can form many adjectives related to the weather by adding *-s (-os/-es/-ös)* to the noun: *csapadék → csapadékos (precipitation → with heavy precipitation), eső → **esős (rainy)**, fagy → fagyos (frosty), felhő → felhős (cloudy), hó → **havas (snowy)**, jég → **jeges (icy)**, köd → **ködös (foggy)**, nap → **napos (sunny)**, napfény → napfényes (sunlight → sunny, bright), napsütés → napsütéses (sunshine → sunny, sunshiny), szél → **szeles (windy)**, vihar → **viharos (stormy)**.*

→ Szóképzés / Forming new words: 279–282. oldal

Hasznos mondatok ■ Milyen az időjárás télen, tavasszal, nyáron és ősszel?
Useful sentences ■ What is the weather like in winter, in spring, in summer and in fall?

Befagynak a tavak és a folyók.	The lakes and rivers are frozen over.
Borult az ég.	The sky is overcast.
Délután 10 fok várható.	We may expect 10° Celsius in the afternoon.
Dörög az ég.	It's thundering.
Éget a nap. / Tűz a nap.	The sun is blistering.
Emelkedik a hőmérséklet.	The temperature is rising.
Esik a hó. / Havazik.	It's snowing.
Esik az eső.	It's raining.
Fagy várható.	Freezing is to be expected.
Éjszaka fagyni fog.	It's going to freeze tonight.
Felhős az ég.	The sky is cloudy.
Felmelegszik a levegő.	The air is warming up.
Fúj a szél.	The wind is blowing.
A hőmérséklet fagypont alá süllyed.	The temperature is falling below freezing.
Ingadozik a hőmérséklet.	The temperature is fluctuating.
Kánikula van. / Rekkenő hőség van.	It's scorching heat.
Köd van.	It's foggy.
Lehűl a levegő.	The air is cooling down.
Magas a levegő páratartalma.	The humidity rate is high.
Meleg van.	It's hot.
Olvad a hó.	The snow is melting.
Süt a nap.	The sun is shining.
Szeles az idő.	It's windy.
Szép időre számíthatunk.	We can expect nice weather.
Szitál a köd.	It's drizzling.
Villámlik.	It's lightening.

Weather is the most common topic to start a conversation with. We often hear sentences such as *Végre tavasz van! (At last it's springtime!)* in the bus, elevator, and other public places.
When answering such exclamations, instead of using clichés such as *Igen, szép időnk van. (Yes, we are having nice weather.)*, you can make the conversation more personal by saying for example *Imádom az ilyen szép, napos időt. Ilyenkor mindig előveszem a biciklit. (I love this nice, sunny weather. At times like this I always grab my bike.)*. This way you can share more information about yourself, which will initiate your conversation partner to do the same.

TERMÉSZET ÉS KÖRNYEZET
NATURE AND ENVIRONMENT

1. Háziállatok, állatok a ház körül / Pets, animals around the house

Hasznos szavak
Useful words

Hobbiállatok	Hobby animals, pets
aranyhörcsög (~ök, ~öt, ~e)	golden hamster
egér (egerek, egeret, egere)	**mouse**
hal (~ak, ~at, ~a)	**fish**
aranyhal	goldfish
kanári (~k, ~t, ~ja)	canary
kutya (~́k, ~́t, ~́ja)	**dog**
macska (~́k, ~́t, ~́ja)	**cat**
teknős (~ök, ~t, ~e)	turtle
tengerimalac (~ok, ~ot, ~a)	guinea pig

Haszonállatok	Livestock
baromfi (~k, ~t, ~ja)	fowl
borjú (borjak, borjat, borja)	calf
disznó (~k, ~t, ~ja) **/ sertés** (~ek, ~t, ~e)	**pig, hog**
juh (~ok, ~ot, ~a)	sheep
kacsa (~́k, ~́t, ~́ja)	**duck**
kakas (~ok, ~t, ~a)	rooster
kecske (~́k, ~́t, ~́je)	goat
kos (~ok, ~t, ~a)	ram
ló (lovak, lovat, lova)	**horse**
lúd (ludak, ludat, lúdja) / liba (~́k, ~́t, ~́ja)	goose
házinyúl/**nyúl** (nyulak, nyulat, nyula)	**rabbit**
papagáj (~ok, ~t, ~a)	parrot
pulyka (~́k, ~́t, ~́ja)	**turkey**
tehén (tehenek, tehenet, tehene)	**cow**
tyúk (~ok, ~ot, ~ja)	**hen**

A few male and female animals and their offspring:
macska – kandúr – cica (cat – tomcat – kitten),
kanca – csődör – csikó (mare – stud – foal),
tehén - bika – borjú (cow – bull – calf),
koca – kan – malac (sow – hog – pig/piglet),
anyajuh – kos – bárány (sheep – ram – lamb),
anyakecske – bak – gida (goat – buck – kid),
tyúk – kakas – csibe/csirke (hen – rooster – chick).

Ami az állattartáshoz tartozik	What goes with having animals
akvárium (~ok, ~ot, ~a)	aquarium
alom (almok, almot, alma)	litter
macskaalom	cat litter
eledel (~ek, ~t, ~e)	food
állateledel	animal food
madáreledel	bird food
gazda (~́k, ~́t, ~́ja) / gazdi (~k, ~t, ~ja)	master, owner
istálló (~k, ~t, ~ja)	**stable**
kalitka (~́k, ~́t, ~́ja)	cage
ól (~ak, ~at, ~a)	**sty**
disznóól	pigsty
kutyaól	kennel
póráz (~ok, ~t, ~a)	leash, lead
szájkosár (-kosarak, -kosarat, -kosara)	muzzle
táp (~ok, ~ot, ~ja)	food, nutrition for livestock
udvar (~ok, ~t, ~a)	**yard**
baromfiudvar	chicken run

Mije van egy állatnak?	What do animals have?
bunda (~́t, ~́ja)	fur
csőr (~ök, ~t, ~e)	**beak**
farok (farkak, farkat, farka)	**tail**
karom (karmok, karmot, karma)	claw
láb (~ak, ~at, ~a)	**leg**
pata (~́k, ~́t, ~́ja)	**hoof**
pikkely (~ek, ~t, ~e)	scale
szárny (~ak, ~at, ~a)	**wing**
szarv (~ak, ~at, ~a)	horn
szőr (~ök, ~t, ~e)	**bristles**
toll (~ak, ~at, ~a)	**feather**

Milyen lehet egy állat?	What can animals be like?
aranyos (~abb)	**cuddly, sweet**
beteg (~ebb)	**sick, ill**
bolhás (~abb)	flea-bitten
éhes (~ebb)	**hungry**
engedelmes (~ebb)	obedient
engedetlen (~ebb)	disobedient
érzékeny (~ebb)	**sensitive**
harapós (~abb	vicious
hűséges (~ebb)	**loyal**
lusta (~́bb)	**lazy**
okos (~abb)	**smart**
szelíd (~ebb)	**gentle**
szomjas (~abb)	**thirsty**
szőrös (~ebb)	furry
vad (~abb)	**wild**

Mit csinál a gazdi/tulajdonos?	What do masters/owners do?
befogad *vmit* (~ott, ~j)	take *sg in*
Befogadtunk egy cicát.	We took in a kitten.
ellát *vmit* (~ott, láss)	take care *of sg*
Reggente először az állatokat látom el.	Every morning, I take care of the animals first.
etet, megetet *vmit* (~ett, etess)	**feed** *sg*
A halakat etetem.	I'm feeding the fish.
A hörcsögöt megetetted már?	Have you fed the hamster yet?
itat, megitat *vmit* (~ott, itass)	**give water** *to sy*
A libákat itatom.	I'm giving water to the geese.
Utána megitatom a kacsákat.	Then, I will give water to the ducks.
nevel *vmit* (~t, ~j)	**raise** *sg*
A nagyszüleim kacsákat nevelnek.	My grandparents raise ducks.
sétáltat, megsétáltat *vmit* (~ott, sétáltass)	walk *sg*
Szeretek kutyát sétáltatni.	I like to walk dogs.
Minden este megsétáltatom a kutyámat.	I walk my dog every evening.
simogat, megsimogat *vmit* (~ott, simogass)	**pet** *sg*
A macskám nem szereti, ha simogatják.	My cat does not like to be petted.
Megsimogathatom a kutyát?	May I pet the dog?

tanít, megtanít *vkit/vmit vmit csinálni* (~ott, taníts) — **teach** *sy/sg to do sg*
Beszélni tanítom a papagájt. — I'm teaching the parrot to speak.
Megtanítottam a papagájt beszélni. — I taught the parrot to speak.

tart *vmit* (~ott, tarts) — **have** *sg*, **keep** *sg*
Milyen háziállatot tartasz? — What kind of animal do you have?

vág, levág *vmit* (~ott, ~j) — **slaughter** *sg*
Novemberben disznót vágunk. — We'll slaughter a pig in November.
Mi már az utolsó disznót is levágtuk. — We've already slaughtered the last pig.

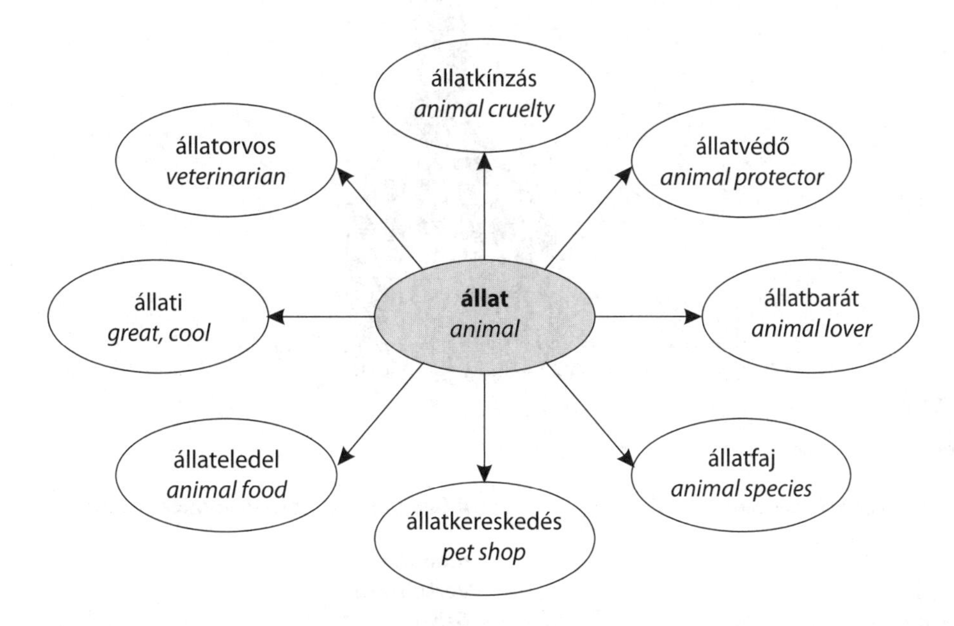

A few animals you are not likely to find outside Hungarian borders:
Puli is a livestock guarding and herding dog. It is usually black and is known for its curls, similar to curly locks. *Racka* sheep is an ancient Hungarian breed with curly fur and corkscrew-shaped horns.
Mangalica (also known as curly-furred hog) is a pig grown in Hungary and the Balkans. The name is of Serbian origin and means "hog with a lot of lard". All of these animals have tight curls to make their coat waterproof.
Szürkemarha is a huge, long-horned, gray-colored cattle. The National Park of Hortobágy is still grazed by herds of this ancient breed.

Hasznos mondatok ■ Állathangok
Useful sentences ■ Animal sounds

A bárány/juh béget. — Lambs/Sheep bleat.
A disznó röfög. — Pigs grunt.
A kacsa hápog. — Ducks quack.
A kanári énekel. — Canaries sing.
A kakas kukorékol. — Roosters crow.
A kecske mekeg. — Goats bleat.
A kutya ugat. — Dogs bark.
A ló nyerít. — Horses neigh.
A lúd gágog. — Geese gaggle.
A macska nyávog és dorombol. — Cats meow and purr.
A tehén bőg. — Cows moo.
A tyúk kotkodácsol. — Hens cluck.

When making general statements, Hungarian tend to use the singular. *A bárány béget (Lambs bleat.), A disznó röfög (Pigs grunt.)* etc.

2. Vadon élő állatok / Wild animals

Hasznos szavak
Useful words

Fontosabb rendszertani fogalmak	A few important taxonomical terms
emlős (~ök, ~t, ~e)	**mammal**
gerinces (~ek, ~t, ~e)	**vertebrate**
hal (~ak, ~at, ~a)	**fish**
hüllő (~k, ~t, ~je)	reptile
ízeltlábú (~ak, ~t, ~ja)	arthropod
kétéltű (~ek, ~t, ~je)	amphibian
madár (madarak, madarat, madara)	**bird**
puhatestű (~ek, ~t, ~je)	mollusk

Madarak	Birds
bagoly (baglyok, baglyot, baglya)	**owl**
cinege/cinke (~́k, ~́t, ~́je)	**titmouse**
daru (darvak, darvat, darva)	crane
fácán (~ok, ~t, ~ja)	pheasant
fecske (~́k, ~́t, ~́je)	**swallow**
flamingó (~k, ~t, ~ja)	flamingo
fürj (~ek, ~et, ~e)	quail
galamb (~ok, ~ot, ~ja)	**pigeon**
gém (~ek, ~et, ~e)	heron
gólya (~́k, ~́t, ~́ja)	**stork**
gyurgyalag (~ok, ~ot, ~ja)	bee-eater
harkály (~ok, ~t, ~a)	**woodpecker**
hattyú (~k, ~t, ~ja)	**swan**
holló (~k, ~t, ~ja)	raven
kakukk (~ok, ~ot, ~ja)	cuckoo
kánya (~́k, ~́t, ~́ja)	kite
kárókatona (~́k, ~́t, ~́ja)	cormorant
keselyű (~k, ~t, ~je)	vulture
kócsag (~ok, ~ot, ~ja)	egret
ökörszem (~ek, ~et, ~e)	wren
pelikán (~ok, ~t, ~ja)	pelican

rigó (~k, ~t, ~ja)	**oriole**
sas (~ok, ~t, ~a)	**eagle**
sirály (~ok, ~t, ~a)	**gull**
sólyom (sólymok, sólymot, sólyma)	hawk
szarka (~́k, ~́t, ~́ja)	magpie
vadkacsa (~́k, ~́t, ~́ja)	wild duck
vadlúd (-ludak, -ludat, -lúdja) / vadliba (~́k, ~́t, ~́ja)	wild goose
varjú (varjak, varjat, varja)	crow
veréb (verebek, verebet, verebe)	**sparrow**
vörösbegy (~ek, ~et, ~e)	robin

Szárazföldi állatok	**Terrestrial animals**
bölény (~ek, ~t, ~e)	bison, buffalo
csiga (~́k, ~́t, ~́ja)	**snail**
meztelen csiga	slug
egér (egerek, egeret, egere)	**mouse**
elefánt (~ok, ~ot, ~ja)	**elephant**
farkas (~ok, ~t, ~a)	**wolf**
földigiliszta (~́k, ~́t, ~́ja)	earthworm
gepárd (~ok, ~ot, ~ja)	cheetah
gyík (~ok, ~ot, ~ja)	lizard
hiéna (~́k, ~́t, ~́ja)	hyena
hiúz (~ok, ~t, ~a)	lynx
kaméleon (~ok, ~t, ~ja)	chameleon
kígyó (~k, ~t, ~ja)	**snake**
lepke (~́k, ~́t, ~́je) **/** pillangó (~k, ~t, ~ja)	butterfly
majom (majmok, majmot, majma)	**monkey**
emberszabású majom	ape
medve (~́k, ~́t, ~́je)	**bear**
barnamedve	brown bear
jegesmedve	polar bear
mókus (~ok, ~t, ~a)	**squirrel**
oroszlán (~ok, ~t, ~a)	**lion**
orrszarvú (~k, ~t, ~ja)	rhinoceros
őz (~ek, ~et, ~e)	**deer**
párduc (~ok, ~ot, ~a)	panther
patkány (~ok, ~t, ~a)	**rat**
pingvin (~ek, ~t, ~je)	**penguin**
puma (~́k, ~́t, ~́ja)	cougar
róka (~́k, ~́t, ~́ja)	**fox**
sün (~ök, ~t, ~e)	**hedgehog**
szalamandra (~́k, ~́t, ~́ja)	salamander
szarvas (~ok, ~t, ~a)	**deer, stag**
teve (~́k, ~́t, ~́je)	camel
tigris (~ek, ~t, ~e)	**tiger**
vaddisznó (~k, ~t, ~ja)	**boar**
vadnyúl/**nyúl** (-nyulak, -nyulat, -nyula)	**rabbit, hare**
vakond (~ok, ~ot, ~ja)	mole
vidra (~́k, ~́t, ~́ja)	otter
zebra (~́k, ~́t, ~́ja)	**zebra**
zsiráf (~ok, ~ot, ~ja)	**giraffe**

Vízi állatok	**Aquatic animals**
aligátor (~ok, ~t, ~a)	aligator
angolna (~́k, ~́t, ~́ja)	eel
bálna (~́k, ~́t, ~́ja)	**whale**
béka (~́k, ~́t, ~́ja)	**frog**

cápa (~́k, ~́t, ~́ja)	**shark**
delfin (~ek, ~t, ~je)	**dolphin**
fóka (~́k, ~́t, ~́ja)	**seal**
hal (~ak, ~at, ~a)	**fish**
édesvízi hal	freshwater fish
tengeri hal	saltwater fish
hering (~ek, ~et, ~je)	herring
homár (~ok, ~t, ~ja)	lobster
kagyló (~k, ~t, ~ja)	**shellfish**
krokodil (~ok, ~t, ~ja)	**crocodile**
lazac (~ok, ~ot, ~a)	salmon
pisztráng (~ok, ~ot, ~ja)	trout
ponty (~ok, ~ot, ~a)	**carp**
rák (~ok, ~ot, ~ja)	**crab**
garnélarák	shrimp
rozmár (~ok, ~t, ~ja)	morse
sikló (~k, ~t, ~ja)	water-snake
szardínia (~́k, ~́t, ~́ja)	sardine
tonhal (~ak, ~at, ~a)	tunafish
tőkehal (~ak, ~at, ~a)	cod
víziló (-lovak, -lovat, -lova)	**hippopotamus**

Ízeltlábúak	**Arthropods**
bolha (~́k, ~́t, ~́ja)	flea
darázs (darazsak, darazsat, darazsa)	**wasp**
légy (legyek, legyet, legye)	**fly**
méh (~ek, ~et, ~e)	**bee**
pók (~ok, ~ot, ~ja)	**spider**
sáska (~́k, ~́t, ~́ja)	locust
szöcske (~́k, ~́t, ~́je)	grasshopper
szúnyog (~ok, ~ot, ~ja)	**mosquito**
tetű (tetvek, tetvet, tetve)	louse
tücsök (tücskök, tücsköt, tücske)	cricket

Milyen lehet az állat?	**What can animals be like?**
húsevő	carnivorous
kétlábú	bipedal, with two legs
mérges (~ebb)	**poisonous**
mindenevő	omnivorous
négylábú	quadrupedal, with four legs
növényevő	herbivorous
ragadozó	predator
szelíd (~ebb)	tame
védett	**protected**
fokozottan védett	highly protected
veszélyes (~ebb)	dangerous
veszélytelen (~ebb)	harmless
veszett	mad

Hol élnek az állatok?	**Where do animals live?**
állatkert (~ek, ~et, ~je)	**zoo**
barlang (~ok, ~ot, ~ja)	**cave**
dzsungel (~ek, ~t, ~e)	**jungle**
édesvíz (-vizek, -vizet, -vize)	freshwater
erdő (~k, ~t, erdeje)	**forest**
őserdő	rainforest

föld (~ek, ~et, ~je)	**ground**, soil, earth
a föld alatt	underground
folyó (~k, ~t, ~ja)	**river**
hegy (~ek, ~et, ~e)	**mountain**
hegység (~ek, ~et, ~e)	**mountains**
mező (~k, ~t, mezeje)	**field**
mocsár (mocsarak, mocsarat, mocsara)	swamp
óceán (~ok, ~t, ~ja)	ocean
patak (~ok, ~ot, ~ja)	creek
puszta (~́k, ~́t, ~́ja)	**Hungarian plain**
síkság (~ok, ~ot, ~a)	plain
sivatag (~ok, ~ot, ~a)	**desert**
szavanna (~́k, ~́t, ~́ja)	savannah
sziget (~ek, ~et, ~e)	**island**
sztyeppe (~́k, ~́t, ~́je)	prairie
tajga (~́k, ~́t, ~́ja)	taiga
tenger (~ek, ~t, ~e)	**sea**
tó (tavak, tavat, tava)	**lake**
tundra (~́k, ~́t, ~́ja)	tundra

Mit csinálhatnak az állatok?	**What can animals do?**
csíp, megcsíp *vkit/vmit* (~ett, ~j)	**bite** *sy/sg*
A szúnyog csíp.	Mosquitos bite.
Megcsípte a lábamat egy szúnyog.	A mosquito bit my leg.
elpusztul (~t, ~j)	perish
A beteg bárány elpusztult.	The sick lamb perished.
elszabadul *vhonnan* (~t, ~j)	escape *from somewhere*
A tigris elszabadult az állatkertből.	The tiger has escaped from the zoo.
fészkel (~t, ~j) / fészket rak (~ott, ~j)	nestle
A kéményen gólyák fészkelnek.	Storks nestle on the chimney.
fiadzik (fiadzott, fiaddz)	breed *(mammals)*
Az egér évente ötször is fiadzik.	Mice breed five times a year.
fut (~ott, fuss)	**run**
A párduc gyorsan fut.	Panthers run fast.
harap (~ott, ~j)	**bite**
Harapnak a tigrisek?	Do tigers bite?
kihal (~t)	**become extinct**
Mikor haltak ki a dinoszauruszok?	When did dinosaurs become extinct?
költ (~ött, költs)	breed *(birds)*
A cinegék tavasszal költenek.	Blue titmice breed during springtime.
mászik (mászott, mássz)	**crawl**
Mászik rajtad egy pók.	There is a spider crawling on you.
megharap *vkit* (~ott, ~j)	**bite** *sy*
A veszett róka megharapta a fiút.	The mad fox bit the boy.
megmar *vkit/vmit* (~t, ~j)	bite *sy/sg*
A kígyó megmart egy kirándulót.	The snake bit a hiker.
megtámad *vkit/vmit* (~ott, ~j)	attack *sy/sg*
A puma megtámadott egy kisgyereket.	The cougar attacked a child.
párzik (párzott)	mate
Mikor párzik a rénszarvas?	When do reindeers mate?
repül, elrepül *vhova* (~t, ~j)	**fly** *somewhere*
A gólyák ősszel délre repülnek.	Storks fly south in autumn.
A gólyák elrepültek a háztetőről.	The storks flew off the roof.
szaporodik (szaporodott, szaporodj)	**reproduce**
Minden madár tojással szaporodik.	All birds reproduce by laying eggs.
születik, megszületik (született, szüless)	**be born**
Az állatkertben született két majom.	Two monkeys were born in the zoo.
Végre megszületett a két kismajom.	Finally, the two monkeys were born.

táplálkozik *vmivel* (táplálkozott, táplálkozz) — **eat** *sg*
Az oroszlán hússal táplálkozik. — Lions eat meat.
tojik (tojt, tojj) / tojást rak (~ott, ~j) — lay eggs
Fogságban sok madár nem tojik. — Many birds do not lay eggs in captivity.
úszik (úszott, ússz) — **swim**
Az aranyhal az akváriumban úszik. — The goldfish swims in the aquarium.

There are a lot of beliefs regarding animals. One of these is if a bear comes out of its cave on February 2, springtime is near, if however it returns, or doesn't even come out, winter will last long.

Hasznos mondatok ▪ Így mesélhetünk egy állatról
Useful sentences ▪ Talking about an animal

A fehér gólya szinte egész Európában és Észak-Afrikában elterjedt madár.
Magyarországon is honos.
Főleg síkságokon, dombvidékeken él.
Testhossza 100-115 centiméter.
Tollazata fehér, szárnya fekete, csőre és lába piros.

Víz mellett fészkel, általában lakott települések közelében.
Nagyobb rovarokkal, békával, ebihallal, kígyóval táplálkozik.
A fehér gólya költözőmadár.
Szeptember közepén indul el Afrikába.
A telet Afrikában tölti.
Március végén tér vissza hazánkba.

A fehér gólya Magyarországon fokozottan védett faj.
Amelyik település kiemelkedően sokat tesz védelmükért, megkaphatja az *Európai gólyafalu* címet.
1996-tól a Somogy megyei Nagybajom is ezek közé tartozik.
A városban évente mintegy harminc gólyapár költ.

The white stork is a common bird all over Europe and North Africa.
It is also indigenous to Hungary.
It lives mostly on plains and in hilly regions.
Its body length is 100-115 cm.
Its feathers are white, its wings are black, its beak and legs are red.
It nestles close to water, usually near human settlements.
It eats larger insects, frogs, tadpoles, and snakes.

The white stork is a migratory bird.
It leaves for Africa in the middle of September.
It spends the winter in Africa.
It returns to Hungary (*lit.* our homeland) at the end of March.
The white stork is a highly protected species in Hungary.
Any township that makes remarkable efforts to preserve white storks may obtain the *European Stork Village* title.
Since 1996, Nagybajom in Somogy county has also been one of them.
The town has around thirty breeding pairs annually.
(*lit.* Around thirty pairs breed in the town each year.)

The Carpathian basin gives home to many protected animals. Protected birds are among others most *hawk (sólyom) buzzard (ölyv)* and *eagle (sas)* species, the *black storch (fekete gólya)*, and the *blue titmouse (kék cinege)*..The otter, various *bats (denevér)*, the *lynx (hiúz)*, the *wolf (farkas)*, many *frog (béka)* species, the *meadow viper (parlagi vipera)*, and most *snails (csiga)* are also part of the endangered species.

3. Növények / Plants

Hasznos szavak
Useful words

Fák, cserjék	Trees, bushes
bokor (bokrok, bokrot, bokra)	**bush**
mogyoróbokor	hazel
cserje (~́k, ~́t, ~́je)	shrub
fa (~́k, ~́t, ~́ja)	**tree**
akácfa/akác (~ok, ~ot, ~a)	acacia
bükkfa/bükk (~ök, ~öt, ~je)	beech
diófa	**walnut**
fenyőfa/fenyő (~k, ~t, ~je)	**pine**
fűzfa/fűz (füzek, füzet, füze)	willow
gesztenyefa	chestnut
gyertyánfa/gyertyán (~ok, ~t, ~ja)	hornbeam
hársfa/hárs (~ak, ~at, ~a)	linden
juharfa/juhar (~ok, ~t, ~a)	maple
majomkenyérfa	baobab
nyárfa	poplar
nyírfa/nyír (~ek, ~t, ~e)	birch
páfrányfenyő (~k, ~t, ~je)	ginkgo biloba
tölgyfa (~́k, ~́t, ~́ja) / tölgy (~ek, ~et, ~e)	**oak**
som (~ok, ~ot, ~ja)	dogwood

Virágok, kisebb növények	Flowers, smaller plants
alga (~́k, ~́t, ~́ja)	algae
árvácska (~'k, ~'t, ~'ja)	pansy
azália (~'k, ~'t, ~'ja)	azalia
begónia (~'k, ~'t, ~'ja)	begonia
csalán (~ok, ~t, ~ja)	**nettle**
fagyal (~ok, ~t, ~ja)	privet
fukszia (~'k, ~'t, ~'ja)	fuchsia
fű (füvek, füvet, füve)	**grass**
gólyahír (~ek, ~t, ~e)	marigold
gyöngyvirág (~ok, ~ot, ~ja)	lily of the valley
harangvirág (~ok, ~ot, ~ja)	bluebell
hortenzia (~'k, ~'t, ~'ja)	hydrangea
hóvirág (~ok, ~ot, ~ja)	**snowdrop**
ibolya (~́k, ~́t, ~́ja)	**violet**
gomba (~́k, ~́t, ~́ja)	**mushroom**
gyermekláncfű (-füvek, -füvet, -füve)	dandelion
írisz (~ek, ~t, ~e)	iris
kankalin (~ok, ~t, ~ja)	primrose
kankalin (~ok, ~t, ~ja) / primula (~'k, ~'t, ~'ja)	primrose
kaktusz (~ok, ~t, ~a)	**cactus**

kökény (~ek, ~t, ~e)	sloe
körömvirág (~ok, ~ot, ~a)	calendula
leander (~ek, ~t, ~e)	oleander
levendula (~'k, ~'t, ~'ja)	lavender
liliom (~ok, ~ot, ~ja)	lily
lóhere (~́k, ~́t, ~́je)	clover,
lucerna (~́k, ~́t, ~́ja)	alfalfa
margaréta (~́k, ~́t, ~́ja)	**daisy**
medvehagyma (~'k, ~'t, ~'ja)	wild garlic
mikulásvirág (~ok, ~ot, ~ja)	poinsettia
moha (~́k, ~́t, ~́ja)	**moss**
muskátli (~k, ~t, ~ja)	geranium
napraforgó (~k, ~t, ~ja)	**sunflower**
nárcisz (~ok, ~t, ~a)	narcissus
orbáncfű (-füvek, -füvet, -füve)	St. John's wort
orchidea (~́k, ~́t, ~́ja)	orchid
orgona (~́k, ~́t, ~́ja)	**lilac**
páfrány (~ok, ~t, ~a)	fern
repce (~́k, ~́t, ~́je)	rape

→ *Gyümölcsök, zöldségek, fűszerek / Fruits, vegetables, spices: 203–204. oldal*

Gabonafélék	Grains
amaránt (~ok, ~ot, ~ja)	amaranth
árpa (~́k, ~́t, ~́ja)	barley
búza (~́k, ~́t, ~́ja)	**wheat**
hajdina (~́k, ~́t, ~́ja)	buckwheat
köles (~ek, ~t, ~e)	millet
kukorica (~́k, ~́t, ~́ja)	**corn**
rizs (~ek, ~t, ~e)	**rice**
rozs (~ok, ~t, ~a)	**rye**
zab (~ok, ~ot, ~ja)	oat

A növény részei	Parts of a plant
ág (~ak, ~at, ~a)	**branch**
bimbó (~k, ~t, ~ja)	**bud**
bogyó (~k, ~t, ~ja)	**berry**
csíra (~́k, ~́t, ~́ja)	**sprout**
gyanta (~́k, ~́t, ~́ja)	resin
gyökér (gyökerek, gyökeret, gyökere)	**root**
gyümölcs (~ök, ~öt, ~e)	**fruit**
kéreg (kérgek, kérget, kérge)	bark
levél (levelek, levelet, levele)	**leaf**
sziklevél	seed-leaf
tűlevél	pine needle
lomb (~ok, ~ot, ~ja)	**tree foliage**
mag (~ok, ~ot, ~ja)	**seed**
rügy (~ek, ~et, ~e)	bud
szár (~ak, ~at, ~a)	shaft
szirom (szirmok, szirmot, szirma)	petal
termés (~ek, ~t, ~e)	fruit, produce
toboz (~ok, ~t, ~a)	cone
törzs (~ek, ~et, ~e)	trunk
virág (~ok, ~ot, ~a)	**blossom**
virágpor (~ok, ~t, ~a)	**pollen**

Milyen a növény/virág/gyümölcs?	What is the plant/flower/fruit like?
egynyári	annual
ehető	edible
éretlen (~ebb)	**unripe**
érett (~ebb)	**ripe**
érzékeny (~ebb)	**sensitive**
évelő	perennial
hervadt (~abb)	wilted
hidegtűrő	frost-hardy, winterhard
igényes (~ebb)	delicate
igénytelen (~ebb)	undemanding
kényes (~ebb)	very delicate
kétnyári	biennial
melegkedvelő	warmth-loving
mérgező (~bb)	**poisonous**
szárazságtűrő	drought-enduring
vad	wild

→ *Kertészkedés / Gardening: 99–102. oldal*

Hasznos mondatok ▪ Így mesélhetünk egy növényről
Useful sentences ▪ Talking about a plant

Az orchidea magyar neve: kosbor.	The orchid's Hungarian name is "kosbor".
Egész Európában védett növény.	It is a protected plant throughout Europe.
Nyolcvan fajából 22 Magyarországon is megtalálható.	Out of the eighty species, you can find 22 in Hungary.
A kosbor évelő növény.	Orchids are perennial plants.
Igényes és érzékeny.	They are delicate and sensitive.
Virágainak formája és mérete változó.	The shape and size of their blossoms vary.
Szimbiózisban él bizonyos gombákkal.	They live in symbiosis with certain fungi.
Ezek a gombák a növény gyökerén élnek.	These fungi live on the roots of the plant.
Néhány faj a humuszban gazdag talajt kedveli.	Some species prefer the mold rich soil.
Más fajok a homokos talajon érzik jól magukat.	Others like sandy ground.
Sok hibridje dísznövény.	Many hybrids are decorative plants.

4. Környezetvédelem, természetvédelem / Environmental protection, nature conservation

Hasznos szavak
Useful words

Környezetvédelmi problémák	**Environmental issues**
ártalom (ártalmak, ártalmat, ártalma)	harm, harmful effect
zajártalom	harmful noise
elsivatagosodás (~t, ~a)	desertification
erdőirtás (~ok, ~t, ~a)	forest destruction, deforestation
felmelegedés (~t, ~e)	**warming**
globális felmelegedés	**global warming**
gázkibocsátás (~t, ~a)	gas emission
hulladék (~ok, ~ot, ~a)	**waste**
ipari hulladék	industrial waste
kéndioxid (~ot, ~ja)	sulphur dioxide
műanyag (~ok, ~ot, ~a)	**plastic**
ózon (~t, ~ja)	**ozone**
ózonréteg (~et, ~e)	ozone layer
ózonlyuk (~ak, ~at, ~a)	hole in the ozone layer
ökológiai lábnyom (~ok, ~ot, ~a)	ecological footprint
szálló por (~ok, ~t, ~a)	particulate matter, fine smog
szén-dioxid (~ot, ~a)	carbon dioxide
szén-monoxid (~ot, ~a)	carbon monoxide
szennyezés (~ek, ~t, ~e)	**pollution**
fényszennyezés	light pollution
légszennyezés	air pollution
vízszennyezés	water pollution
zajszennyezés	noise pollution
szennyezőanyag (~ok, ~ot, ~a)	pollutant, polluting material
szmog (~ot, ~ja)	**smog**
talajerózió (~t, ~ja)	soil erosion
túlfogyasztás (~t, ~a)	overconsumption
túlnépesedés (~t, ~e)	overpopulation
üvegházhatás (~ok, ~t, ~a)	**greenhouse effect**
üzemanyag (~ok, ~ot, ~a)	**fuel**

Környezetvédelem, természetvédelem	**Environmental protection, nature conservation**
aláírásgyűjtés (~ek, ~t, ~e)	collecting signatures
biodiverzitás (~t, ~a)	biodiversity
biomassza (~́k, ~́t, ~́ja)	biomass
biomassza-hasznosítás (~ok, ~t, ~a)	utilization of biomass

büntetés (~ek, ~t, ~e)	**penalty**
büntetést fizet	pay a penalty
büntetést kiszab	impose a penalty
energia (~́k, ~́t, ~́ja)	**energy**
alternatív energia	alternative energy
atomenergia	**nuclear energy**
geotermikus energia	geothermic energy
napenergia	**solar energy**
szélenergia	**wind energy**
villamosenergia	electric energy
energiagazdálkodás (~ok, ~t, ~a)	energy management
energiaforrás (~ok, ~t, ~a)	energy source
megújuló energia	renewable energy
erőmű (-művek, -művet, -műve)	**power plant**
atomerőmű	nuclear power plant
szélerőmű	wind power plant
vízerőmű	water power plant
fenntarthatóság (~ot, ~a)	sustainability
ivóvíz (-vizek, -vizet, -vize)	**drinking water**
ivóvízvédelem (-védelmet, -védelme)	drinking water protection
hibridautó (~k, ~t, ~ja)	hybrid car
hulladékgyűjtés (~ek, ~t, ~e)	**waste collection**
szelektív hulladékgyűjtés	selective waist collection
megelőzés (~t, ~e)	prevention
megőrzés (~t, ~e)	conservation
a biodiverzitás megőrzése	conservation of biodiversity
napelem (~ek, ~et, ~e)	**solar panel**
napkollektor (~ok, ~t, ~a)	solar collector
összefogás (~ok, ~t, ~a)	collaboration, cooperation
társadalmi összefogás	social collaboration
petíció (~k, ~t, ~ja)	petition
tájékoztatás (~ok, ~t, ~a)	**information, act of informing**
takarékoskodás (~ok, ~t, ~a)	economization
tüntetés (~ek, ~t, ~e)	**protest**
védelem (védelmet, védelme)	**protection**
környezetvédelem	environmental protection
természetvédelem	nature conservation

→ *A kék bolygó / The Blue Planet: 138–139. oldal*
→ *Természeti csapások / Nature catastrophies: 143. oldal*

Milyen lehet a termék?	**What can products be like?**
ártalmas/káros (~abb)	**harmful**
eldobható	disposable
energiatakarékos (~abb)	**energy-saving**
fenntartható	sustainable
gazdaságos (~abb)	**economic**
könnyen/nehezen lebomló	rapidly/slowly disintegrating
környezetbarát	**environment-friendly**
környezettudatos (~abb)	**environmentally conscious**
megújuló	renewable
mérgező (~bb)	**poisonous**
pusztító (~bb)	destructive
szélsőséges (~ebb)	extreme
szennyező (~bb)	polluting
újrahasznosított	**recycled**

Milyen hatással lehetünk a környezetünkre?	How can we influence our environment?
aláír *vmit* (~t, ~j)	**sign** *sg*
Minden petíciót aláírok.	I sign every petition.
befolyásol *vkit/vmit* (~t, ~j)	affect *sy/sg*, influence *sy/sg*
Minden tettünk befolyásolja a környezetet.	All our actions affect the environment.
eldob *vmit* (~ott, ~j)	**throw** *sg* **away**
Az elemeket nem szabad eldobni a szemétbe.	Batteries should not be thrown away into normal garbage.
fogyaszt *vmit* (~ott, fogyassz)	**consume** *sg*
A fagyasztó rengeteg áramot fogyaszt.	Freezers consume a lot of electricity.
hasznosít, újrahasznosít *vmit* (~ott, hasznosíts)	**use/capitalize** *sg*, **recycle** *sg*
A napelemek a napenergiát hasznosítják.	Solar panels use solar energy.
A régi pólókat portörlőrongyként hasznosítom újra.	I recycle old T-shirts by using them as dust clothes.
hat *vkire/vmire* (~ott, hass)	have an effect *on sy/sg*
A legtöbb vegyszer károsan hat a környezetre.	Most chemicals have a harmful effect on the environment.
hozzájárul *vmihez* (~t, ~j)	contribute *to sg*
A műtrágyák hozzájárulnak a talajszennyezéshez.	Chemical fertilizers contribute to soil pollution.
kibocsát *vmit* (~ott, bocsáss)	emit *sg*
Egyes gyárak rengeteg szén-dioxidot bocsátanak ki.	Some factories emit large amounts of carbon dioxide.
kihal (~t, ~j)	become extinct
A mamutok már régen kihaltak.	Mammoths became extinct a long time ago.
kiirt *vmit* (~ott, irts)	exterminate *sg*
Az ember sok állatfajt kiirtott.	Mankind has exterminated many animal species.
kimerül (~t, ~j)	be exhausted
A kőolajtartalékok hamarosan kimerülnek.	Petroleum reserves will soon be exhausted.
kivág *vmit* (~ott, ~j)	**cut down** *sg*
Ne vágj ki minden fát!	Don't cut down all the trees.
lebomlik (bomlott, bomolj)	disintegrate, decompose
A műanyag több száz év alatt bomlik le.	Plastic takes several hundred years to disintegrate.
megelőz *vmit* (~ött, előzz)	**prevent** *sg*
Meg kell előznünk a nagy környezeti katasztrófákat.	We have to prevent great environmental catastrophies.
megment *vkit/vmit* (~ett, ments)	**save** *sy/sg*
Mentsük meg a sarki rókát a kihalástól!	Let's save the Arctic fox from extinction.
megvéd *vkit/vmit vkitől/vmitől* (~ett, ~j)	**protect** *sy/sg from sy/sg*
Csak közösen védhetjük meg a bolygót a pusztulástól.	Only together can we protect our planet from destruction
összefog *vkiért/vmiért* (~ott, ~j), *vki/vmi ellen*	**work together** *for sy/sg , against sy/sg*
Össze kell fognunk a környezetünkért.	We have to work together for our environment.
Össze kell fognunk a környezetszennyezés ellen.	We have to work together against environmental pollution.
szemetel (~t, ~j)	**litter**
Az utcán nem szabad szemetelni.	You mustn't litter on the street.
szennyez *vmit* (~ett, szennyezz)	**pollute** *sg*
A repülőgépek szennyezik a levegőt.	Airplanes pollute the air.
támogat *vkit/vmit* (~ott, támogass)	**support** *sy/sg*, **endorse** *sy/sg*
Minden környezetvédelmi kezdeményezést támogatok.	I endorse any initiative for environmental protection.
tesz *vmi ellen/vmiért* (tett, tegyél/tégy)	**do** *against sg/for sg*
A civilszervezetek sokat tesznek a folyószennyezés ellen.	Civil organizations do a lot against polluting rivers.
Ön mit tesz a környezetvédelemért?	What do you do to protect the environment?
tüntet *vki/vmi ellen* (~ett, tüntess)	demonstrate *against sy/sg*
A Greenpeace tüntet a bálnavadászok ellen.	Greenpeace is demonstrating against whale hunters.
véd *vmit* (~ett, ~j)	**protect** *sg*
A vizeket is védenünk kell.	We need to protect waters, too.
veszélyeztet *vkit/vmit* (~ett, veszélyeztess)	endanger *sy/sg*, put *sy/sg* in danger
A belvíz sok lakóházat veszélyeztet.	Rising levels of goundwater endanger many houses.

Hasznos mondatok ■ Mit tesz Ön a környezetért?
Useful sentences ■ What do you do for the environment?

Nem szemetelek.	I don't litter.
Szelektíven gyűjtöm a hulladékot.	I collect waste selectively.
Tömegközlekedési eszközzel vagy biciklivel járok mindenhova.	I take either public transportation or my bike everywhere.
Hibridautóm van.	I have a hybrid car.
Energiatakarékos lámpával világítok.	I use energy-saving lamps. (*lit.* I light with)
Alternatív energiával fűtök.	I heat using alternative energy.
A növényeimet esővízzel öntözöm.	I water my plants with rain water.
Komposztálok.	I make compost.
A helyi piacon veszem meg a zöldséget és a gyümölcsöt.	I buy vegetables and fruit at the local market.
Csak olyan dolgokat veszek meg, amire tényleg szükségem van.	I only buy things I really need.
Környezetbarát tisztítószereket használok.	I use environment-friendly cleansing products.
A ruhákat, amiket nem használok, segélyszervezeteknek adom.	I donate clothes I don't use to charity organizations.
Ha vásárolni megyek, mindig viszek magammal szatyrot.	Whenever I go shopping, I take a bag with me.
Drága kozmetikumok helyett olívaolajjal távolítom el a sminket.	Instead of expensive cosmetics, I remove make-up with olive oil.
A gyermekeimet is igyekszem környezettudatosságra nevelni.	I try to raise my children to be environmentally conscious.
Minden környezetvédelemmel kapcsolatos petíciót aláírok.	I sign all petitions related to environment protection.
Tagja vagyok egy természetvédő szervezetnek.	I am member of an organization for nature conservation.

Hungary has ten national parks that are aiming at preserving landscape, cultural heritage and biodiversity.
A few highlights:

- The basalt mountains of Balaton Uplands National Park gives home to several rare plant species.
- Bükk National Park is almost entirely covered with forests, the living place of several rare and protected animal species.
- Őrség National Park preserves not only the natural flora and fauna of the Őrség Hills but also its cultural heritages. The villages here kept their medieval form and structure.
- Many regions of the Hungarian Plains used to be former flood areas of the Danube. The Plains still maintain great biodiversity and preserve a large number of protected plant and animal species. Hortobágy is not only the most well-known park in this region but also the largest continuous natural grassland in Europe.
- Fertő-Hanság National Park is one of the most significant natural water areas of Europe and also the home of many protected bird species.
- Aggtelek National Park is famous for its more than 200 karst caves.

UTAZÁS ÉS KÖZLEKEDÉS / TRAVELING AND TRAFFIC

1. Városi és távolsági közlekedés / Traffic in the city and long distance traffic

Hasznos szavak
Useful words

Közlekedési eszközök	**Means of transportation**
autóbusz/**busz** (~ok, ~t, ~a)	**bus**
bicikli (~k, ~t, ~je) / kerékpár (~ok, ~t, ~ja)	**bicycle, bike**
túrakerékpár	touring bike
versenybicikli	race bike
háromkerekű bicikli/tricikli	tricycle
csónak (~ok, ~ot, ~ja)	**boat**
gördeszka (~́k, ~́t, ~́ja)	skateboard
görkorcsolya (~́k, ~́t, ~́ja)	rollerskate
hajó (~k, ~t, ~ja)	**boat, ship**
gőzhajó	steamer
sétahajó	cruise ship
tengerjáró hajó	ocean liner
vitorlás hajó	sail boat
helikopter (~ek, ~t, ~e)	**helicopter**
HÉV (HÉV-ek, HÉV-et, HÉV-e)	suburban train in Budapest
jármű (-művek, -művet, -műve)	vehicle
kamion (~ok, ~t, ~ja)	**truck, semi**
léghajó (~k, ~t, ~ja)	air vessel, airship
libegő (~k, ~t, ~je)	chair-lift
metró (~k, ~t, ~ja)	**subway**
metrómegálló (~k, ~t, ~ja) / metróállomás (~ok, ~t, ~a)	subway station
motor (~ok, ~t, ~ja) / motorkerékpár (~ok, ~t, ~ja) / motorbicikli (~k, ~t, ~je)	**motorcycle, motorbike**
mozgólépcső (~k, ~t, ~je)	escalator
repülőgép (~ek, ~et, ~e) / **repülő** (~k, ~t, ~je)	**airplane, plane**
roller (~ek, ~t, ~e)	roller
sárkányrepülő (~k, ~t, ~je)	glider
sikló (~k, ~t, ~ja)	cable-car
személyautó/**autó** (~k, ~t, ~ja) / személygépkocsi/ gépkocsi/kocsi (~k, ~t, ~ja)	**car, automobile**
taxi (~k, ~t, ~ja)	**taxi, cab**
taxit hív	call a taxi
leint egy taxit	hail a taxi

teherautó (~k, ~t, ~ja)	**truck**
traktor (~ok, ~t, ~ja)	**tractor**
trolibusz (~ok, ~t, ~a) / troli (~k, ~t, ~ja)	trolley bus
űrhajó (~k, ~t, ~ja)	**spacecraft**
villamos (~ok, ~t, ~a)	**tram**
vonat (~ok, ~ot, ~a)	**train**
gyorsvonat	express train
intercity (~k, ~t, ~je) / IC (IC-k, IC-t, IC-je)	Intercity train
nemzetközi vonat	international train
személyvonat	local train, commuter train

Az autó és a busz részei	Parts of a bus and a car
ablak (~ok, ~ot, ~a)	**window**
ablaktörlő (~k, ~t, ~je)	windshield wiper
akkumulátor (~ok, ~t, ~a)	battery
alváz (~ak, ~at, ~a)	chassis
benzintank/tank (~ok, ~ot, ~ja)	gas tank
biztonsági öv (~ek, ~et, ~e)	seat belt
csomagtartó (~k, ~t, ~ja) / csomagtér (-terek, -teret, -tere)	**trunk**
fék (~ek, ~et, ~e)	**brake**
fényszóró (~k, ~t, ~ja) / reflektor (~ok, ~t, ~a)	headlights
futómű (-művek, -művet, -műve)	undercarriage
gázpedál (~ok, ~t, ~ja)	**gas pedal**
nyomja a gázpedált	push the gas pedal
generátor (~ok, ~t, ~a)	generator
gumi (~k, ~t, ~ja)	**tire**
téli/nyári gumi	winter/summer tires
gumit cserél	change a tire
index (~ek, ~et, ~e)	**indicator, indicator light**
karosszéria (~k, ~t, ~ja)	body
kerék (kerekek, kereket, kereke)	**wheel**
jobb/bal kerék	right/left wheel
első/hátsó kerék	front/rear wheel
kereket cserél	change a wheel
kipufogó (~k, ~t, ~ja)	muffler
lengéscsillapító (~k, ~t, ~ja)	shock absorber
kormány (~ok, ~t, ~a)	**steering wheel**
motor (~ok, ~t, ~ja)	**engine**
motorháztető (~k, ~t, ~je/teteje)	engine hood
önindító (~k, ~t, ~ja)	starter
rendszám (~ok, ~ot, ~a)	**license plate**
riasztóberendezés (~ek, ~t, ~e) / riasztó (~k, ~t, ~ja)	alarm
sebességváltó/sebváltó/váltó (~k, ~t, ~ja)	shifter
szélvédő (~k, ~t, ~je)	windshield
ülés (~ek, ~t, ~e)	**seat**
első/hátsó ülés	front/rear seat
vezetőülés	driver seat

It may sound funny but Hungarians sit *on* a vehicle and not *in* it. We say: *A vonaton vagyok. (I'm in the train.); A buszon ülök. (I'm sitting in the bus.).* The only exceptions are cars and taxis. Then we say: *A repülőn ülök. (I'm sitting in the plane.); A taxiban vagyok. (I'm in the taxi.).*
If you want to say by which means of transport you travel, you use the ending *-val/-vel: Biciklivel megyek dolgozni. (I go to work by bike.); Vonattal utazom Pécsre. (I'm traveling to Pécs by train.); Sehova nem járok autóval. (I don't go anywhere by car.).*

A bicikli részei	Parts of a bicycle
csomagtartó (~k, ~t, ~ja)	**luggage carrier**
dinamó (~k, ~t, ~ja)	dynamo, generator
fék (~ek, ~et, ~e)	**brakes**
gumi (~k, ~t, ~ja)	**tire**
kerék (kerekek, kereket, kereke)	**wheel**
kormány (~ok, ~t, ~a)	**handlebars**
küllő (~k, ~t, ~je)	spoke
lámpa (~́k, ~́t, ~́ja)	**lamp**
lánc (~ok, ~ot, ~a)	**chain**
nyereg (nyergek, nyerget, nyerge)	**seat**
pedál (~ok, ~t, ~ja)	**pedal**
pumpa (~́k, ~́t, ~́ja)	pump
sebességváltó/sebváltó/váltó (~k, ~t, ~ja)	shifter
váz (~ak, ~at, ~a)	frame

A vonat részei, utazás a vonaton	Parts of a train, traveling by train
kocsi (~k, ~t, ~ja)	**car**
étkezőkocsi	dining car
hálókocsi	sleeping car
a 23-as kocsi	car 23
kupé (~k, ~t, ~ja)	coupe
mozdony (~ok, ~t, ~a)	**locomotive**
osztály (~ok, ~t, ~a)	**class**
első osztály	first class
másodosztály	second class
első osztályon utazik	travel first class
szerelvény (~ek, ~t, ~e)	train
ülés (~ek, ~t, ~e)	**seat**
vagon (~ok, ~t, ~ja)	car, wagon
tehervagon	freight car

A repülőgép részei	Parts of an airplane
farok (farkak, farkat, farka)	tail
fedélzet (~ek, ~et, ~e)	**deck**
géptörzs (~ek, ~et, ~e)	body, hull
hajtómű (-művek, -művet, -műve)	engine
kerék (kerekek, kereket, kereke)	**wheel**
oxigénmaszk (~ok, ~ot, ~ja)	oxygen mask
pilótafülke (~́k, ~́t, ~́je)	**cockpit**
szárny (~ak, ~at, ~a)	**wing**
ülés (~ek, ~t, ~e)	**seat**
ablak melletti ülés	window seat
folyosó melletti ülés	aisle seat
vészkijárat (~ok, ~ot, ~a)	**emergency exit**

Akik utaznak, vagy a járművekkel dolgoznak	People on the road and people working with different vehicles
benzinkutas (~ok, ~t, ~a)	gas station attendant
biciklista (~ek, ~t, ~e) / kerékpáros (~ok, ~t, ~a)	**cyclist**
ellenőr (~ök, ~t, ~e)	controller
gyalogos (~ok, ~t, ~a)	**pedestrian**
kalauz (~ok, ~t, ~a)	conductor
motorkerékpáros (~ok, ~t, ~a) / motoros (~ok, ~t, ~a)	motorcyclist

pilóta (~́k, ~́t, ~́ja)	**pilot**
rendőr (~ök, ~t, ~e)	**policeman, police officer**
közlekedési rendőr	traffic policeman
rendőrautó (~k, ~t, ~ja)	police car
sofőr (~ök, ~t, ~e)	**driver**
buszsofőr	bus driver
taxisofőr	taxi driver, cab driver
steward (~ok, ~ot, ~ja) / stewardess (~ek, ~t, ~e) / légiutas-kísérő (~k, ~t, ~je)	flight attendant
szerelő (~k, ~t, ~je)	**mechanic**
utas (~ok, ~t, ~a)	**passenger**
vezető (~k, ~t, ~je)	driver
autóvezető/gépkocsivezető	car driver
mozdonyvezető	engineer, engine driver
villamosvezető	tram driver

Közlekedés	**Traffic**
állomás (~ok, ~t, ~a)	**station, stop**
vasútállomás	**railway station**
végállomás	final station
taxiállomás	taxi stand
autószerviz/szerviz (~ek, ~t, ~e)	garage, service station
baleset (~ek, ~et, ~e)	**accident**
súlyos/halálos baleset	serious/tragic accident
balesetet okoz	cause an accident
balesetet szenved	suffer in an accident
benzinkút (-kutak, -kutat, -kútja)	**gas station**
bérlet (~ek, ~et, ~e)	**travel pass**
havi bérlet	monthly pass
éves bérlet	annual pass
bérletet vesz/vált	buy a pass
beszállókártya (~'k, ~'t, ~'ja)	boarding pass
készenlétben tartja a beszállókártyát	get one's boarding pass ready
bukósisak (~ok, ~ot, ~ja)	crash helmet, helmet
felteszi/leveszi a bukósisakot	put on/take off the helmet
büntetés (~ek, ~t, ~e)	fine
büntetést fizet	pay a fine
csatlakozás (~ok, ~t, ~a)	connecting vehicle, connection
eléri/lekési a csatlakozást	catch/miss the connection
defekt (~ek, ~et, ~je)	**flat tire**
defektet kap	have a flat tire
dugó (~k, ~t, ~ja)	**traffic jam**
a dugóban áll	be in a traffic jam
ellenőrzés (~ek, ~t, ~e)	check, control
közúti ellenőrzés	registration and licence check
érkezés (~ek, ~t, ~e)	**arrival**
érkezési oldal (~ak, ~t, ~a)	arrival side
forgalmi engedély (~ek, ~t, ~e)	vehicle registration certificate
indulás (~ok, ~t, ~a)	**departure**
indulási oldal	departure side
információ (~k, ~t, ~ja)	**information**
járat (~ok, ~ot, ~a)	**(public transportation) service**
éjszakai buszjárat	late night bus
járda (~'k, ~'t, ~'ja)	**sidewalk**
a járdán megy	walk on the sidewalk
jegy (~ek, ~et, ~e)	**ticket**
buszjegy	bus ticket
helyjegy	reservation, reserved seat ticket
hetijegy	weekly pass

napijegy	daily ticket
jegypénztár (~ak, ~t, ~a)	ticket booth
jegyet vesz/vált	buy a ticket
érvényesíti a jegyét	validate one's ticket
jogosítvány (~ok, ~t, ~a)	**driver's license**
megszerzi a jogosítványt	get one's driver's license
karambol (~ok, ~t, ~ja) / ütközés (~ek, ~t, ~e)	**crash**
késés (~ek, ~t, ~e)	**delay**
késésben van	be late
kifutópálya (~́k, ~́t, ~́ja)	runway
kikötő (~k, ~t, ~je)	**harbor**
KRESZ (KRESZ-t)	rules of the road
lámpa/jelzőlámpa (~́k, ~́t, ~́ja)	**traffic light**
zöld/piros a lámpa	the traffic light is green/red
leszállópálya (~́k, ~́t, ~́ja)	landing runway
megálló (~k, ~t, ~ja)	**stop, station**
buszmegálló	bus stop
metrómegálló	subway station
villamosmegálló	tram stop
menetrend (~ek, ~et, ~je)	**schedule**
megnézi a menetrendet	check the schedule
pályaudvar (~ok, ~t, ~a) **/ vasútállomás** (~ok, ~t, ~a)	**railway station**
parkoló (~k, ~t, ~ja)	**parking lot**
fizetős/ingyenes parkoló	paid/free parking
őrzött parkoló	attended parking
parkolóház (~ak, ~at, ~a)	multi-level car park
parkolóóra (~́k, ~́t, ~́ja)	parking meter
parkolójegy (~ek, ~et, ~e)	parking ticket
parkolóőr (~ök, ~t, ~e)	parking lot attendant
beáll a parkolóba	park the car in the parking lot
poggyász (~ok, ~t, ~a)	**luggage**
kézipoggyász	hand luggage
repülőtér/reptér (-terek, -teret, -tere)	**airport**
sáv (~ok, ~ot, ~ja)	lane
kerékpársáv	bicycle lane
sebesség (~ek, ~et, ~e)	**speed, velocity**
sebességkorlátozás	speed limit
sérülés (~ek, ~t, ~e)	injury
könnyű/súlyos sérülés	minor/severe injury
sérülést szenved	suffer an injury
szabály (~ok, ~t, ~a)	**rule, regulation**
szabálysértés (~ok, ~t, ~a)	violation of a rule
szállítás (~ok, ~t, ~a)	transport
áruszállítás	transport of goods
személyszállítás	transport of persons
szonda (~́k, ~́t, ~́ja)	breathalyzer
terminál (~ok, ~t, ~ja)	terminal
tranzitváró (~k, ~t, ~ja) / tranzit (~ok, ~ot, ~ja)	departure lounge
tömegközlekedés (~t, ~e)	**public transportation**
út (utak, utat, útja)	**road, way**
betonút	asphalt road
földút	dirt road
főút	**main road**
mellékút	**side street**
útban van Pécs felé	be on the way to Pécs, heading towards Pécs
útba esik	be on the way
vágány (~ok, ~t, ~a)	**platform**
zebra ('k, ~́t, ~́ja)	**pedestrian crossing, crosswalk**
átmegy a zebrán	cross the road at the crosswalk

→ *Lakóhelyünk és környéke / Residence and surroundings: 54–57. oldal*

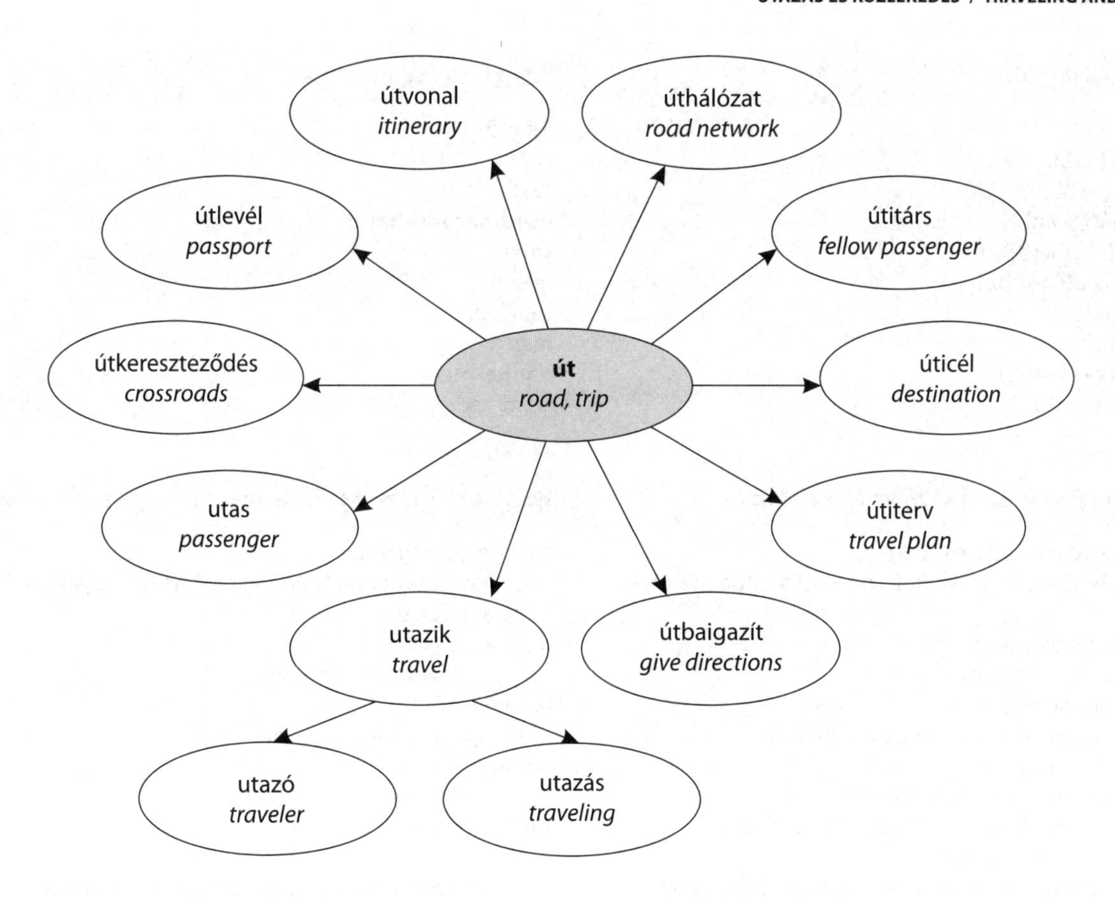

Milyen az út?	What is the road like?
egyenes	**straight**
egyirányú	one way
forgalmas (~abb)	busy
hosszú (hosszabb)	**long**
kanyargós (~abb)	winding
négysávos	four-lane
párhuzamos	paralell
rövid (~ebb)	**short**
széles (~ebb)	**wide, broad**
szűk (~ebb)	**narrow**

Milyen lehet a közlekedés/vezetés?	What can traffic/driving be like?
biztonságos (~abb)	**safe**
helyi	**local**
szabályos (~abb)	**(driving) in accordance with the rules of the road**
szabálytalan (~abb)	**(driving) not in accordance with the rules of the road**
távolsági	**long distance**

Milyen a vezető?	What is the driver like?
figyelmes (~ebb)	attentive
figyelmetlen (~ebb)	inattentive, distracted
ittas (~abb)	drunk
kezdő	**beginner**
merész (~ebb)	reckless
óvatos (~abb)	**careful**
tapasztalatlan (~abb)	**inexperienced**
tapasztalt/gyakorlott /rutinos (~abb)	**experienced**

Milyen a jármű?	**What is the vehicle like?**
bérelt	rented
büdös (~ebb)	stinky
gyors (~abb)	**fast**
használt (~abb)	**used, second-hand**
lassú (~bb, lassabb)	**slow**
megbízható (~bb)	reliable
totálkáros	totalled
új (~abb)	**new**
veszélyes (~ebb)	**dangerous**
zsúfolt (~abb)	crammed

Mit csinál az utas / a közlekedési eszköz?	**What is the passenger/means of transportation doing?**
átszáll *vhonnan vhova* (~t, ~j)	change *from sg to sg*
A Deák téren át kell szállni a pirosról a sárga metróra.	You have to change from the red line to the yellow one at Deák tér.
autózik (autózott, autózz)	drive a car
A fiam szeret autózni.	My son loves to drive a car.
övet **bekapcsol** (~t, ~j)	fasten *a belt*
Mindig bekapcsolom a biztonsági övet.	I always fasten my seat belt.
beszáll *vhova* (~t, ~j)	**get in** *somewhere*
Beszállhatunk már az autóba?	Can we at least get in the car?
biciklizik (biciklizett, biciklizz) / kerékpározik (kerékpározott, kerékpározz)	**ride a bicycle**
Ezen az úton nem szabad biciklizni/kerékpározni.	You are not allowed to ride a bicycle on this road.
bliccel (~t, ~j)	travel without a ticket
Nem szeretek bliccelni.	I don't like to travel without a ticket.
csúszik, megcsúszik (csúszott, csússz)	slide
Az autó az árokba csúszott.	The car slid in a ditch.
Az autó megcsúszott a jeges úton.	The car slid on the icy road.
ellátogat *vhova* (~ott, látogass)	visit *sg*
A család hétvégén ellátogatott egy parkba.	The family visited a park on the weekend.
elgázol *vkit* (~t, ~j) / elüt *vkit* (~ött, üss)	run over *sy*
A teherautó elgázolt/elütött egy kerékpárost.	The truck ran over a cyclist.
eljut *vhova* (~ott, juss)	get *somewhere*
Hogy jutok el az Operaházhoz?	How do I get to the Opera?
ellenőriz *vmit* (ellenőrzött, ellenőrizz)	**check** *sg*
A kijáratnál ellenőrzik a jegyeket.	Tickets are being checked at the exit.
ellop *vmit* (~ott, ~j)	steal *sg*
Ellopták az autómat.	My car was stolen.
előz (~ött, előzz)	pass
Ezen az úton veszélyes előzni.	It is dangerous to pass on this road.
elmegy *vkiért/miért vhova* (ment, menj)	**pick up** *sy/sg somewhere*
Elmegyek érted az állomásra.	I'll pick you up at the station.
elmegy *vki/vmi mellett*	**pass** *sy/sg*, **drive by** *sy/sg*
Egy szép templom mellett is elmentünk.	We also passed a beautiful church.
elromlik (romlott, romolj)	**break down**
Elromlott az autóm.	My car broke down.
elterel *vmit* (~t, ~j)	detour *sg*
Baleset miatt elterelték a forgalmat.	Traffic was detoured because of an accident.
eltéved (~t, ~j)	**get lost, be lost**
Volt nálunk térkép, mégis eltévedtünk.	We had a map but we still got lost.
elutazik *vhova* (utazott, utazz)	**leave** *for sg*
Holnap elutazom a Balatonra.	I'll leave for Lake Balaton tomorrow.
elvisz *vkit vhova* (vitt, vigyél)	**take** *sy somewhere*
Elvittem a gyerekeket a zeneiskolába.	I took the children to the music school.

érkezik, megérkezik *vhova* (érkezett, érkezz)	**arrive** *somewhere*
A vonat a Keleti pályaudvarra érkezik.	The train arrives at Keleti Station.
Végre megérkeztünk!	Finally, we arrived!
evez (~ett, evezz)	row, paddle
A vízitúrán 220 km-t eveztünk.	We rowed 220 km on the canoe trip.
fékez (~ett, fékezz)	**brake**
Elromlott a fékem, nem tudok fékezni.	My brakes don't work, I can't brake.
fél *vkitől/vmitől* (~t, ~j)	**be scared** *of sy/sg*
A kamionoktól mindig félek.	I'm always scared of trucks.
felszáll *vmire* (~t, ~j)	**get on** *sg*
Róbert már felszállt a buszra.	Robert has already gotten on the bus.
fordul *vmerre* (~t, ~j) **/ kanyarodik** *vmerre* (kanyarodott, kanyarodj)	**turn** *somewhere*
A sarkon forduljon/kanyarodjon jobbra!	Turn right at the corner!
fut (~ott, fuss)	**run**
Mindig futok a busz után.	I always run after the bus.
gyalogol (~t, ~j)	**walk**
Minden reggel gyalogolok.	I walk every morning.
hajt *vmit* (~ott, hajts)	power *sg*
Az autót erős motor hajtja.	The car is powered by a strong engine.
hazaér (~t, ~j)	**arrive home**
Általában este hatkor érek haza.	I usually arrive home at 6.
indexel (~t, ~j)	**signal**
Indexelj, mielőtt bekanyarodsz!	Signal before turning.
indul, elindul *vhonnan/vhova* (~t, ~j)	**depart, leave** *from somewhere to somewhere*
A vonat a Déli pályaudvarról indul Pécsre.	The train to Pécs departs from Déli Station.
A vonat elindult Dunaújvárosba.	The train left for Dunaújváros.
jár (~t, ~j) / közlekedik (közlekedett, közlekedj)	run
A 47-es busz nem jár a hétvégén.	Bus 47 is not running on the weekend.
jár *vhova vmivel* (~t, ~j)	**go** *somewhere by sg*
Kerékpárral járok munkába.	I go to work by bike.
jön *vhova/vhonnan* (jött, gyere/jöjj)	**come** *somewhere/from somewhere*
Jössz a kirándulásra?	Are you coming hiking?
Éppen most jövök a konditeremből.	I am just coming from the gym.
karambolozik *vkivel/vmivel* (karambolozott, karambolozz) / összeütközik *vkivel/vmivel* (ütközött, ütközz)	**crash** *with sy/sg*
Karamboloztam/Összeütköztem egy teherautóval.	I crashed with a truck.
késik (késett, késs)	**be delayed**
A repülőgép harminc percet késik.	The airplane is delayed thirty minutes.
kikísér *vkit vhova* (~t, ~j)	walk *with sy somewhere*
Kikísérlek az állomásra.	I walk with you to the station.
kiköt *vhol* (~ött, köss)	moor *somewhere*
Hol fogunk kikötni?	Where are we going to moor?
kimegy *vki elé vhova* (ment, menj)	pick up *sy somewhere*
Kimegyek eléd a reptérre.	I'll pick you up at the airport.
kiszáll *vmiből* (~t, ~j)	**get out** *of sg*
Még ne szálljatok ki a kocsiból!	Don't get out of the car yet!
kitesz *vkit/vmit vhol* (tett, tegyél/tégy)	**drop off** *sy/sg somewhere*
Kitettem a gyerekeket a zeneiskola előtt.	I dropped off the kids at the music school.
kitolat *vhonnan* (~ott, tolass)	back the car *out of sg*
Óvatosan tolass ki a garázsból!	Be careful when you back the car out of the garage.
kivesz *vmit vhonnan* (vett, vegyél/végy)	**take** *sg out of sg*
A taxis kivette a bőröndöt a csomagtartóból.	The taxi driver took the suitcase out of the trunk.
landol (~t, ~j)	land
A repülőgép 16 órakor landolt.	The plane landed at 4 PM.
lekésik *vmit* (lekésett, késs)	**miss** *sg*
Lekéstem a reggeli járatot.	I missed the morning flight.
leszáll *vmiről* (~t, ~j)	**get off** *sg*
Tamás már leszállt a buszról.	Tamás has already gotten off the bus.

megáll (~t, ~j)	**stop**
Az autó hirtelen megállt.	The car stopped abruptly.
megáll *vhol* (~t, ~j)	**stop** *somewhere*
Itt tilos autóval megállni.	Stopping the car here is prohibited.
megállít *vkit/vmit* (~ott, állíts)	stop *sy/sg*
Megállított egy biciklista.	A cyclist stopped me.
megbüntet *vkit* (~ett, büntess)	fine *sy*
Nem volt jegyem a buszon, ezért megbüntetett az ellenőr.	I didn't have a ticket on the bus so the conductor fined me.
megelőz *vkit/vmit* (~ött, előzz)	pass *sy/sg*
Három autót előztem meg.	I passed three cars.
megjavít *vmit* (~ott, javíts)	fix *sg*, repair *sg*
Megjavították már a kocsit?	Is the car fixed yet?
megsérül (~t, ~j)	be injured
A balesetben három ember sérült meg.	Three people were injured in the accident.
megtankol/teletankol *vmit* (~t, ~j)	fill up the gas tank *of sg*
Reggel megtankoltam/teletankoltam a motort.	I filled up the motorcycle gas tank this morning.
megy *vhonnan vhova* (ment, menj)	**go** *somewhere from somewhere*
Jövő héten Rómába megyek.	I'll go to Rome next week.
Rómából Firenzébe megyek.	I'll go from Rome to Florence.
nekimegy *vminek* (ment, menj)	hit *sg*
Nekimentem az autóval a garázsajtónak.	I hit the garage door with the car.
odaér *vhova* (~t, ~j)	**make it** *somewhere*
Odaérünk még a koncertre?	Are we going to make it to the concert?
balesetet okoz (~ott, okozz)	cause *an accident*
A balesetet az ittas vezető okozta.	The accident was caused by the drunk driver.
parkol *vhol* (~t, ~j)	**park** *somewhere*
A belvárosban nehéz parkolni.	It is hard to park downtown.
repül (~t, ~j)	**fly**
Üzletember vagyok, ezért gyakran repülök.	I am a businessman thus I fly a lot.
rohan *vhova* (~t, ~j)	**run** somewhere
Most rohanok a vasútállomásra.	I'm running to the railway station.
sétál *vhol* (~t, ~j)	**take a walk** *somewhere*
Gyakran sétálok a parkban.	I often take a walk in the park.
siet *(vhonnan vhova)* (~ett, siess)	**be in a hurry, come as fast as possible**
Sietsz?	Are you in a hurry?
Ígérem, nagyon fogok sietni haza a munkából.	I promise you that I'll come home from work as fast as I can.
száguld *vhol* (~ott, ~j)	speed *somewhere*
Kétszázzal száguldottunk az autópályán.	We were speeding on the highway at 200 km/h.
szállít, elszállít *vkit/vmit* (~ott, szállíts)	carry *sy/sg*, transport *sy/sg*
Ez a kamion állatokat szállít.	This truck transports livestock.
A kamion elszállította a malacokat.	The truck carried the pigs away.
tankol *vmit* (~t, ~j)	**fuel up, fill the gas tank**
Nincs benzin a kocsiban, elmegyek tankolni.	There is no more gas in the car, I'll go and fuel up.
biciklit, pedált teker (~t, ~j) / *biciklit, pedált* hajt (~ott, hajts)	pedal
Dombról lefelé nem kell tekerni a biciklit.	You don't have to pedal downhill.
tesz, betesz *vmit vhova* (tett, tegyél/tégy)	**put** *sg somewhere*
A bőröndöt a kocsiba tesszük.	We put the suitcase in the car.
Betetted már a bőröndöket a kocsiba?	Have you put the suitcases in the car yet?
tolat (~ott, tolass)	back up the car
Húsz éve van jogosítványom, de még mindig nem tudok tolatni.	I've had a license for 20 years but I still can't back up a car.
utazik *vhova vmivel* (utazott, utazz)	**travel** *somewhere by sg*
Repülővel utazom Berlinbe.	I'm traveling to Berlin by airplane.
vár *vkire/vmire* / **vár** *vkit/vmit* (~t, ~j)	**wait** *for sy/sg*, **expect** *sy/sg*
Még tíz percet kell várni a villamosra.	We have to wait another ten minutes for the tram.
A villamost várom.	I'm waiting for the tram.
vezet (~ett, vezess)	**drive**
A feleségem nem szeret a városban vezetni.	My wife doesn't like to drive in the city.

Hasznos mondatok ▪ Útbaigazítás
Useful sentences ▪ Giving directions

Aki kérdez	The one who asks
Elnézést, hogy jutok el a Petőfi utcába?	Excuse me, how do I get to Petőfi Street?
Ez a villamos megy a Nemzeti Múzeumhoz?	Is this tram going to the National Museum?
Hányadik megálló a Kossuth tér?	How many stops is Kossuth Square from here?
Hol van a városháza?	Where is City Hall?
Honnan indul a hetes busz?	Where does bus 7 leave from?
Meg tudná mondani, honnan indulnak a buszok a városközpontba?	Could you tell me where the downtown buses leave from?
Meg tudná mondani, melyik metró megy a Nyugati pályaudvarra?	Could you tell me which subway goes to the Nyugati Station?
Melyik a következő megálló?	What's the next stop?
Merre van az Operaház?	Which way is the Opera House?
Mikor jön a következő busz?	When is the next bus coming?
Milyen messze van a vasútállomás?	How far is the railway station?
Mi a következő megálló?	What is the next stop?
Messze van innen az Oktogon?	Is Oktogon far from here?

Aki válaszol	The one who answers
A Deák téren szálljon át a piros metróra / a hetes buszra!	Take the red subway/bus number 7 at Deák tér!
Menjen két megállót!	Travel two stops.
Szálljon fel a harmincas buszra!	Take bus number 30.
Menjen egyenesen ezen az utcán!	Just go straight down this street.
Menjen itt egyenesen!	Go straight.
A templom után forduljon jobbra/balra!	Turn right/left right after the church!
A Kossuth tér a harmadik megálló.	Kossuth Square is the third stop.
A következő sarkon forduljon balra/jobbra!	Turn left/right at the next corner!
Forduljon jobbra/balra az első utcánál!	Turn right/left at the first street.
Nincs messze. Körülbelül tíz percre / ötszáz méterre van.	It isn't far, about ten minutes/500 meters.
A sárga metróval két megálló.	It's two stops on the yellow subway.
Látja ott azt a nagy épületet? Az az Operaház.	Do you see that large building over there? That is the Opera House.

A few sentences you will often hear when traveling by subway in Budapest:
Tessék vigyázni, az ajtók záródnak! (Attention, the doors are closing!)
A Blaha Lujza tér következik. (The next stop is Blaha Lujza Square.)
Kérjük, készítsék elő jegyüket vagy bérletüket, mert a kijáratnál ellenőrök dolgoznak! (Please get your ticket or pass ready for inspection at the exit.)
Déli pályaudvar, végállomás következik. Kérjük, hagyják el a szerelvényt! (The next stop is Déli pályaudvar, final station. Please exit the train.)
Értesítjük kedves utasainkat, hogy a Blaha Lujza tér és a Deák tér között metrópótló buszok közlekednek. (Dear Passangers, we would like to inform you that buses are replacing subway trains between Blaha Lujza Square and Deák Square.)

In 1896, Hungary celebrated the thousandth anniversary of its foundation. This was the year when the Budapest subway made its first run. This very modern means of transportation was built in only 20 months and comprised many technical innovations such as the use of reinforced concrete for the ceiling. This metro was the first on the continent. Although the London subway had been built 33 years earlier, it worked for only 6 months.
The yellow line in Budapest *(Milleneumi Földalatti vasút)* is still the same as it was in 1896.

2. Utazás, nyaralás / Traveling, vacation

Hasznos szavak
Useful words

Utazunk	We are traveling
ajánlat (~ok, ~ot, ~a)	**offer**
belföld (~et)	**inland**
belföldi turizmus	domestic tourism
ellátás (~ok, ~t, ~a)	service
félpanziós ellátás / **félpanzió** (~k, ~t, ~ja)	**half-board**
teljes ellátás	full service
előírás (~ok, ~t, ~a)	regulation
betartja az előírásokat	observe the regulations
étkezés (~ek, ~t, ~e)	**meal**
felár (~ak, ~at, ~a)	extra charge
felvilágosítás (~ok, ~t, ~a)	information
felvilágosítást kér	ask for information
fürdő (~k, ~t, ~je)	**bath, spa**
gyógyfürdő/termálfürdő	spa, thermal bath
strandfürdő	bathing beach
idegenvezetés (~ek, ~t, ~e)	**guided tour**
idegenvezető (~k, ~t, ~je)	**tour guide**
kirándulás (~ok, ~t, ~a)	**excursion, hike, trip**
autóbuszos kirándulás	bus trip
hajókirándulás	cruise
kirándulást szervez	organize a trip
külföld (~et)	**abroad**
külföldi út	trip abroad
külföldre utazik	travel abroad
lovaglás (~ok, ~t, ~a)	horseback riding
nyaralás (~ok, ~t, ~a) **/ üdülés** (~ek, ~t, ~e)	**vacation**
tengerparti nyaralás	vacation at the seashore
nyaralóhely (~ek, ~et, ~e)	summer vacation place
nyugalom (nyugalmat, nyugalma)	**calm, peace**
pihenés (~t, ~e)	**rest**
aktív pihenés	active rest
program (~ok, ~ot, ~ja)	**program**
fakultatív program	optional program
programfüzet (~ek, ~et, ~e)	program brochure
részvételi díj (~ak, ~at, ~a)	participation fee
szállás (~ok, ~t, ~a)	**accomodation**
szállásadó (~k, ~t, ~ja)	host
szálláshely (~ek, ~et, ~e)	place of accomodation

személy (~ek, ~t, ~e)	**person**
szünet (~ek, ~et, ~e) **/ vakáció** (~k, ~t, ~ja)	**holiday, vacation**
nyári/téli szünet	summer/winter holiday
térkép (~ek, ~et, ~e)	**map**
megnézi a térképet	check the map
transzfer (~ek, ~t, ~e)	transfer
turista (~́k, ~́t, ~́ja)	**tourist**
turistaút (-utak, -utat, -útja)	tourist path
turistajelzés (~ek, ~t, ~e)	tourist sign
turistaház (~ak, ~at, ~a)	tourist house
turistaszálló (~k, ~t, ~ja)	tourist hostel
turizmus (~t, ~a)	**tourism**
borturizmus	wine tourism
falusi turizmus	village tourism
gyógyturizmus	health tourism
túra (~'k, ~'t, ~'ja)	**tour, hiking tour**
biciklitúra	bike tour
gyalogtúra	hiking tour
kalandtúra	adventure tour
sítúra	ski tour
vízitúra	canoe trip
túrabakancs (~ok, ~ot, ~a)	hiking boots
túrabot (~ok, ~ot, ~ja)	walking stick
utazás (~ok, ~t, ~a)	**traveling, trip**
belföldi utazás	domestic trip
egzotikus utazás	exotic trip
egyéni utazás	individual trip
háromnapos utazás	three-day trip
kéthetes utazás	two-week trip
körutazás	round trip
társasutazás	package tour
utazási iroda (~́k, ~́t, ~́ja)	travel agency
világkörüli utazás	round-the-world trip
utazó (~k, ~t, ~ja)	traveler
út (utak, utat, útja)	**trip**
magánút	private trip
üzleti út	business trip
szervezett út	organized trip
útikönyv (~ek, ~et, ~e)	travel guide
útiterv (~ek, ~et, ~e)	travel plan
útvonal (~ak, ~at, ~a)	**itinerary**
megtervezi az útvonalat	plan the itinerary
városnézés (~ek, ~t, ~e)	**sightseeing**
vendéglátás (~t, ~a)	**hospitality**

Hungary's longest hiking route is the National Blue Tour *(Kék túra útvonal)*. The 1128-kilometer route starts at Írott-kő (South-West Hungary) and ends in Hollóháza (North-East Hungary), leading through hills, forests, and historic villages. Even though there are no high mountains in Hungary, level difference during the whole trip adds up to 30,213 meters.

Hol járunk, mit látunk?	**Where are we, what do we see?**
aquapark (~ok, ~ot, ~ja)	aqua park
belváros (~ok, ~t, ~a)	**downtown, inner city**
domb (~ok, ~ot, ~ja)	**hill**
domboldal (~ak, ~t, ~a)	hillside
erdő (~k, ~t, erdeje)	**forest**
fesztivál (~ok, ~t, ~ja)	**festival**
tavaszi fesztivál	spring festival

forrás (~ok, ~t, ~a)	spring
hegy (~ek, ~et, ~e)	**mountain**
hegycsúcs (~ok, ~ot, ~a)	peak
hegyoldal (~ak, ~t, ~a)	mountainside
hegyorom (-ormok, -ormot, -orma)	summit
kalandpark (~ok, ~ot, ~ja)	adventure park
kastély (~ok, ~t, ~a)	**castle**
kiállítás (~ok, ~t, ~a)	**exhibition**
kilátás (~t, ~a)	**view**
szoba kilátással	room with a view
kulcsosház (~ak, ~at, ~a)	safe house
látnivaló (~k, ~t, ~ja)	**point of interest, attraction**
legelő (~k, ~t, ~je)	pasture
múzeum (~ok, ~ot, ~a)	**museum**
műemlék (~ek, ~et, ~e)	**monument**
nevezetesség (~ek, ~et, ~e)	site
patak (~ok, ~ot, ~ja)	creek
prospektus (~ok, ~t, ~a)	**brochure**
rét (~ek, ~et, ~je)	meadow
síremlék (~ek, ~et, ~e)	shrine, gravestone
strand (~ok, ~ot, ~ja)	**beach**
fizetős strand	pay beach
szabadstrand	free entry beach
szakadék (~ok, ~ot, ~a)	gap
szikla (~́k, ~́t, ~́ja)	rock
színház (~ak, ~at, ~a)	**theater**
szobor (szobrok, szobrot, szobra)	**statue, sculpture**
tábor (~ok, ~t, ~a)	**camp**
temető (~k, ~t, ~je)	**cemetery**
templom (~ok, ~ot, ~a)	**church, temple**
tengerpart (~ok, ~ot, ~ja)	**beach, seaside**
kavicsos/homokos tengerpart	pebbly/sandy beach
természet (~ek, ~et, ~e)	**nature**
vár (~ak, ~at, ~a)	**castle**
vidámpark (~ok, ~ot, ~ja)	amusement park
vízpart (~ok, ~ot, ~ja)	coast, shore
völgy (~ek, ~et, ~e)	**valley**

→ *Lakóhelyünk és környéke / Residence and surroundings: 54–57. oldal*

Ami az utazáshoz tartozik	What goes with traveling
biztosítás (~ok, ~t, ~a)	**insurance**
biztosítást köt	get an insurance policy
bőrönd (~ök, ~öt, ~je) / koffer (~ek, ~t, ~e)	**suitcase**
bepakol a bőröndbe	pack the suitcase
csomag (~ok, ~ot, ~ja)	**luggage, package**
emlék (~ek, ~et, ~e) / szuvenír (~ek, ~t, ~je)	**souvenir**
ennivaló (~k, ~t, ~ja)	**food, nutrition**
esernyő (~k, ~t, ~je)	**umbrella**
felhúzza/becsukja az esernyőt	open/close the umbrella
esőkabát (~ok, ~ot, ~ja)	raincoat
fényképezőgép (~ek, ~et, ~e)	**camera**
fogkefe (~́k, ~́t, ~́je)	**toothbrush**
GPS (GPS-ek, GPS-t, GPS-e)	GPS
gumimatrac (~ok, ~ot, ~a)	rubber mattress
határ (~ok, ~t, ~a)	**border**
átlépi a határt	cross the border
hálózsák (~ok, ~ot, ~ja)	sleeping bag
hátizsák (~ok, ~ot, ~ja)	**backpack**

igazolvány (~ok, ~t, ~a)	**ID, piece of identification**
diákigazolvány	student ID
nemzetközi diákigazolvány	international student ID
személyi igazolvány	ID card
innivaló (~k, ~t, ~ja)	**drink**
iránytű (~k, ~t, ~je)	compass
katalógus (~ok, ~t, ~a)	catalogue
kemping (~ek, ~et, ~je)	**camping, camp site**
konzulátus (~ok, ~t, ~a)	consulate
kulacs (~ok, ~ot, ~a)	canteen, water canteen
kulcs (~ok, ~ot, ~a)	**key**
leadja a kulcsot	hand in the key
lakókocsi (~k, ~t, ~ja)	camper
légitársaság (~ok, ~ot, ~a)	airline
nagykövetség (~ek, ~et, ~e)	embassy
elmegy a nagykövetségre	go to the embassy
napernyő (~k, ~t, ~je)	beach umbrella
napszemüveg (~ek, ~et, ~e)	**sunglasses**
felteszi/leveszi a napszemüveget	put on/take off sunglasses
naptej (~ek, ~et, ~e)	suncream
bekeni magát naptejjel	put suncream on
nyugágy (~ak, ~at, ~a)	deckchair, long chair
papucs (~ok, ~ot, ~a)	**slippers**
pénz (~ek, ~t, ~e)	**money**
pénztárca (~́k, ~́t, ~́ja)	**wallet**
pihenő (~k, ~t, ~je)	rest stop
pihenőt tart	make a rest stop
sátor (sátrak, sátrat, sátra)	**tent**
sátorban alszik	sleep in a tent
felveri/lebontja a sátrat	pitch/take down a tent
séta (~́k, ~́t, ~́ja)	**walk**
tesz egy sétát	take a walk
szabadság (~ok, ~ot, ~a)	**holiday, day off, vacation**
szabadságot vesz ki	take a day off
szabadságon van	be on holiday, be on vacation
szabadságra megy	go on holiday, go on vacation
szállás (~ok, ~t, ~a)	**accomodation**
számla (~́k, ~́t, ~́ja)	**bill**
szoba (~́k, ~́t, ~́ja)	**room**
szállodai szoba	hotel room
szobaszerviz (~t, ~e)	room service
táska (~́k, ~́t, ~́ja)	bag
kézitáska	hand bag
utazótáska	travel bag
válltáska	shoulder bag
törülköző (~k, ~t, ~je)	**towel**
útikönyv (~ek, ~et, ~e)	**travel guide**
megnéz *vmit* az útikönyvben	check *sg* in the travel guide
útlevél (-levelek, -levelet, -levele)	**passport**
útlevél-ellenőrzés (~ek, ~t, ~e)	passport control
felmutatja az útlevelét	show one's passport
vám (~ok, ~ot, ~ja)	**customs**
vámvizsgálat	customs inspection
videokamera (~́k, ~́t, ~́ja)	**video camera**
vízum (~ok, ~ot, ~a)	**visa**
vízumot igényel	apply for a visa

→ *Turisztikai szolgáltatások / Tourist services: 177–179. oldal*
→ *Banki szolgáltatások / Bank services: 180–185. oldal*

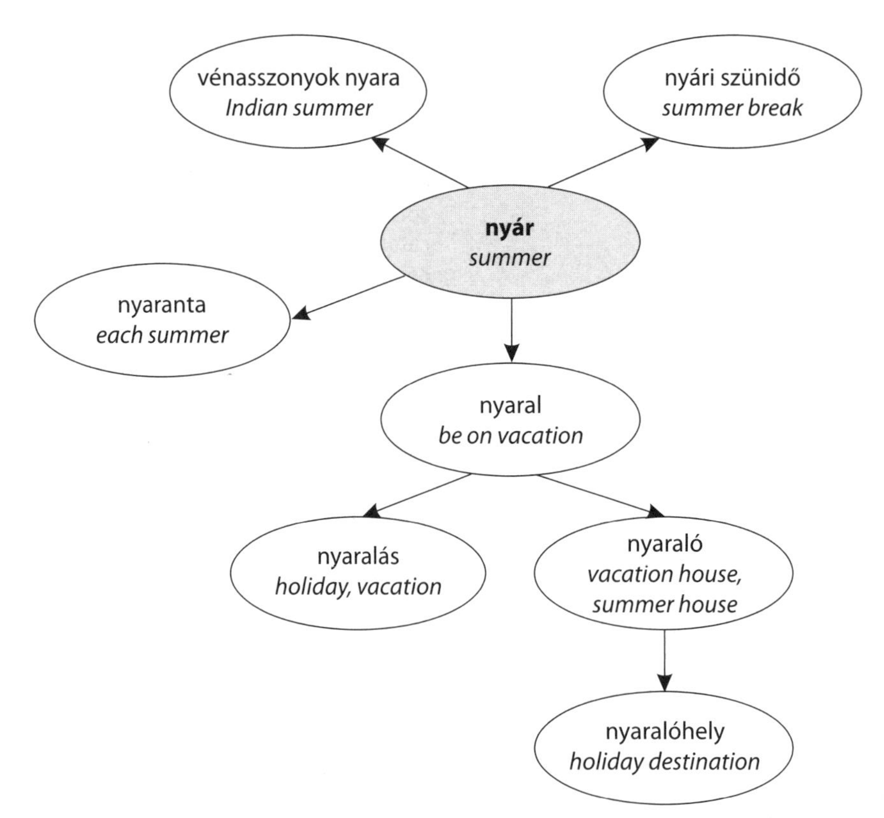

Milyen az utazás?	What is the journey like?
belföldi	**domestic**
csodálatos (~abb)	**wonderful**
drága (~bb)	**expensive**
egyhetes	one-week
egynapos	one-day
élvezetes (~ebb)	enjoyable
érdekes (~ebb)	**interesting**
fantasztikus (~abb)	**fantastic**
fárasztó (~bb)	**tiring**
ingyenes	**free of charge**
külföldi	**foreign**
lélegzetelállító	breathtaking
olcsó (~bb)	**cheap, good value**
pihentető (~bb)	relaxing
szervezett (~ebb)	**organized**
színvonalas (~abb)	of high quality
szórakoztató (~bb)	entertaining
unalmas (~abb)	**boring**

Milyenek az utazók / a helyiek?	What are travelers/local people like?
elégedetlen (~ebb)	**dissatisfied, unhappy**
elégedett (~ebb)	**satisfied, happy**
érdeklődő (~bb) / kíváncsi (~bb)	interested, curious
fáradt (~abb)	**tired**
friss (~ebb)	**fit**
segítőkész (~ebb)	helpful
vendégszerető (~bb)	hospitable

Hungary has eight sites listed with UNESCO Cultural World Heritage:

- Budapest: the Banks of the Danube (Duna-partok), the Castle District (Budai Várnegyed), Andrássy Avenue and its Environs (Andrássy út és környéke).
- Old Village of Hollókő and its Surroundings (Hollókő ófalu és környezete)
- Caves of Aggteleki Karst and Slovak Karst (az Aggteleki-karszt és a Szlovák-karszt barlangjai)
- The Millenary Benedictine Abbey of Pannonhalma and its Natural Environment (az Ezeréves Pannonhalmi Bencés Főapátság és természeti környezete)
- The Hortobágy National Park and the Plains (Hortobágyi Nemzeti Park, a Puszta)
- Early Christian Necropolis of Pécs (Pécs ókeresztény temetője)
- Fertő-tó/Neusiedlersee Cultural Landscape (Fertő-tó / Neudsiedlersee kultúrtáj)
- Tokaj Wine Region Historic Cultural Landscape (tokaji történelmi borvidék kultúrtáj)

Mi történhet, ha elutazunk valahova?	What can happen when going on a trip?
ajánl *vmit vkinek* (~ott, ~j)	**recommend** *sg to sy*
Az utazási iroda egynapos kirándulásokat is ajánl az ügyfeleinek.	The travel agency also offers one-day trips to its clients.
becsomagol (~t, ~j)	**pack one's luggage**
Mindig az utolsó pillanatban csomagolok be.	I always pack my luggage at the last minute.
befizet *vmire* / **befizet** *vmit* (~ett, fizess)	**book** *sg*, **pay** *for sg in advance*
Befizettünk egy egyiptomi útra.	We booked a trip to Egypt.
Befizettük az egyiptomi nyaralás árát.	We paid in full for the Egyptian vacation.
bepakol *vmit vhova* (~t, ~j)	**put** *sg somewhere*
Bepakoltam a bőröndöket az autóba.	I put the suitcases into the car.
bérel *vmit* (~t, ~j)	**rent** *sg*
A repülőtéren autót béreltünk.	We rented a car at the airport.
csónakázik	go out on a boat
Tegnap este csónakáztunk.	We went out on a boat last night.
elfelejt *vmit* (~ett, felejts)	**forget** *sg*
Elfelejtettem betenni a fürdőnadrágomat!	I forgot to put in my bathing trunks!
eltéved (~t, ~j)	**get lost**
Én mindig mindenhol eltévedek.	I always get lost everywhere.
élvez *vmit* (~ett, élvezz)	**enjoy** *sg*
Nagyon élvezem ezt a nyaralást.	I'm enjoying this vacation very much.
felfedez *vmit* (~ett, fedezz)	discover *sg*, explore *sg*
Felfedeztük Egert és környékét.	We explored Eger and its surroundings.
fényképez, lefényképez *vkit/vmit* (~ett, fényképezz)	**take a picture** *of sy/sg*
Legtöbbször állatokat fényképezek.	I usually take pictures of animals.
Idén nyáron lefényképeztem egy delfint.	This summer I took a picture of a dolphin.
foglal, lefoglal *vmit* (~t, ~j)	**book** *sg*
Az interneten is lehet szobát foglalni.	You can also book rooms on the Internet.
Lefoglaltad már a szobát?	Have you booked the room yet?
fürdik *vhol* (fürdött, fürödj)	**bathe** *somewhere*
Naponta kétszer-háromszor fürdök a tengerben.	I bathe in the sea two or three times a day.
hajózik *vhol* (hajózott, hajózz)	take a cruise *somewhere*
Tavaly két hétig hajóztam a tengeren.	I took a two-week sea cruise last year.
horgászik (horgászott, horgássz)	**fish**
A bátyám minden hajnalban horgászik.	My older brother goes fishing every dawn.
kempingezik (kempingezett, kempingezz) / sátorozik (sátorozott, sátorozz)	**camp**
Szállodában aludtatok vagy kempingeztetek/sátoroztatok?	Did you sleep at a hotel or did you camp?
keres *vkit/vmit* (~ett, keress)	**look** *for sy/sg*
Olcsó szállást keresünk.	We are looking for cheap accommodations.
kikapcsolódik (kapcsolódott, kapcsolódj)	relax
Jó lenne már kikapcsolódni egy kicsit!	It would be great to relax a little!
kipakol *vmit vmiből* (~t, ~j)	**unpack** *sg out of sg*
Kipakolnád a táskából a ruhákat?	Could you unpack the clothes out of the bag?
kipiheni *magát* (kipihente magát, pihend ki magadat)	get a good rest
Jó volt a nyaralás, de nem sikerült kipihenni magunkat.	The holiday was great, but we couldn't get a good rest.
körülnéz *vhol* (~ett, nézz)	look around *somewhere*
Délután körülnéztünk a belvárosban.	We looked around in the inner city this afternoon.
lemond *vmit* (~ott, ~j)	**cancel** *sg*
Lemondtam a szobafoglalást.	I cancelled the room reservation.
lemond *vmiről* (~ott, ~j)	give up *on sg*
Idén már lemondtam a nyaralásról.	I gave up on any vacation plans for this year.
hegyet mászik (mászott, mássz)	climb *mountains*
A barátom imád hegyet mászni.	My friend loves to climb mountains.
megismer *vkit/vmit* (~t, ~j)	**get to know** *sy/sg*
Végre megismertem a Balaton környékét is.	Finally, I got to know the area around Lake Balaton, too.
megkóstol *vmit* (~t, ~j)	**taste** *sg*, **try** *sg*
Megkóstoltuk a helyi specialitásokat.	We tried the local specialties.

megnéz *vmit* (~ett, nézz)	**visit** *sg*
Megnéztük a budapesti Bazilikát.	We visited the Basilica of Budapest.
megszáll *vhol* (~t, ~j)	stay overnight *somewhere*
Hol szálltatok meg?	Where did you stay overnight?
napozik (napozott, napozz)	**sunbathe**
Imádok napozni.	I adore sunbathing.
nyaral *vhol* (~t, ~j)	**spend summer vacation** *somewhere*
Idén Mexikóban nyaraltunk.	This year we spent our summer vacation in Mexico.
otthon felejt *vmit* (~ett, felejts)	leave *sg* at home
Otthon felejtettem a fogkefémet!	I left my toothbrush at home!
pihen (~t, ~j)	**rest**
A hétvégén nem csinálok semmit, csak pihenek.	This weekend I won't do anything else but rest.
sétál *vhol* (~t, ~j)	**walk** *somewhere*
Sokat sétáltunk a tengerparton.	We often walked on the beach.
strandol (~t, ~j)	lie on the beach, go to the beach
Minden délelőtt strandolni fogok.	I'll go to the beach every morning.
szervez, megszervez *vmit* (~ett, szervezz)	**organize** *sg*
Az idén nem én szervezem a nyaralásunkat!	This year it won't be me who is organizing our vacation!
Nagyon jól megszervezted ezt a nyaralást.	You did a great job organizing this holiday.
szörfözik (szörfözött, szörfözz)	surf
Sokan szörföznek a Balatonon.	A lot of people surf on Lake Balaton.
tervez, megtervez *vmit* (~ett, tervezz)	**plan** *sg*
Egész télen a nyaralást terveztük.	We have been planning this holiday all winter.
Jól megterveztük az útvonalat, mégis eltévedtünk.	Even though we planned the route thoroughly, we still got lost.
túrázik (túrázott, túrázz)	**hike**
Nagyon jót túráztunk a hétvégén.	We had a great hike last weekend.
úszik (úszott, ússz)	**swim**
Gyerekkorom óta jól úszom.	I've been a good swimmer since my childhood.
pénzt **vált, bevált** (~ott, válts)	**exchange** *money*
Utazás előtt még pénzt is kell váltanunk.	We have to exchange some money before the trip.
Te mennyi pénzt váltasz be?	How much money will you exchange?
vitorlázik (vitorlázott, vitorlázz)	sail
Ha vitorlázom, szabadnak érzem magam.	I feel free when I sail.
vízisíel (~t, ~j)	waterski
Nem tudok vízisíelni.	I can't waterski.

Hasznos mondatok ■ Közlekedési hírek
Useful sentences ■ Traffic news

Felújítás miatt lezárták a pécsi főteret.	The central square of Pécs is closed down due to renovation.
A M7-es (hetes) autópályán a Balaton felé csak egy sávban lehet közlekedni.	There is only one lane open to traffic traveling towards Lake Balaton on highway M7.
Szeged előtt elterelték a forgalmat.	Traffic was detoured at Szeged.
Az M0-s (nullás) autóúton baleset miatt áll a forgalom.	Traffic has come to a halt on M0 national road due to an accident.
Sopron belvárosában nem működnek a jelzőlámpák.	The traffic lights are not working in downtown Sopron.
A 2-es (kettes) villamos ma csak a Kossuth térig jár.	Tram line 2 goes only as far as Kossuth Square today.
Debrecen és Nyíregyháza között a mai napon vonatpótló autóbuszok közlekednek.	Trains are replaced by buses for today between Debrecen and Nyíregyháza.
A hétvégén nem közlekedik a kettes villamos. Helyette villamospótló autóbuszok szállítják az utasokat.	Tram 2 will not be in service during the weekend. Buses will run instead. (*lit.* Passengers will be transported by replacement buses instead.)
Baleset történt az M6-os (hatos) autópályán.	There has been an accident on the M6 highway.
Az M3-on (hármason) a havazás miatt mindkét irányban több kilométeres dugó alakult ki. Legalább kétórás késésre lehet számítani.	Due to heavy snowfall, there is a traffic jam of more than one kilometer in both directions on M3. Expected delay is at least two hours.
Két kilométeres kocsisor áll az M7-esen (hetesen) Siófoknál.	There is a two-kilometer traffic jam on the M7 at Siófok.

SZOLGÁLTATÁSOK / SERVICES

1. Turisztikai szolgáltatások / Tourist services

Hasznos szavak
Useful words

Ami a szálláshoz tartozik	What goes with accommodations
apartman (~ok, ~t, ~ja)	**apartment**
ellátás (~ok, ~t, ~a)	service
félpanziós ellátás / **félpanzió** (~k, ~t, ~ja)	**half-board**
teljes ellátás	full service
emelet (~ek, ~et, ~e)	**story, floor**
étterem (éttermek, éttermet, étterme)	**restaurant**
fürdőszoba (~́k, ~́t, ~́ja)	**bathroom**
garázs (~ok, ~t, ~a)	**garage**
hall (~ok, ~t, ~ja)	lobby, hall
kemping (~ek, ~et, ~je)	**camping**
lakosztály (~ok, ~t, ~a)	suite
luxuslakosztály	luxury suite
nászutas lakosztály	honeymoon suite
lakókocsi (~k, ~t, ~ja)	**camper**
lift (~ek, ~et, ~je)	**elevator**
magánház (~ak, ~at, ~a)	private house
minibár (~ok, ~t, ~ja)	minibar
mosoda (~́k, ~́t, ~́ja)	laundry
nyaraló (~k, ~t, ~ja)	**summer house**
panzió (~k, ~t, ~ja)	**boarding house, bed and breakfast**
pótágy (~ak, ~at, ~a)	spare bed
recepció (~k, ~t, ~ja)	**reception**
recepciós (~ok, ~t, ~a)	receptionist
szauna (~́k, ~́t, ~́ja)	sauna
szállás (~ok, ~t, ~a)	**accommodations**
szállást foglal	make a reservation for accomodations
szálláslehetőség (~ek, ~et, ~e)	possible accommodations
szálloda (~́k, ~́t, ~́ja) **/ hotel** (~ek/~ok, ~t, ~je/~ja)	**hotel**
egy-/két-/háromcsillagos szálloda	**one-, two-, three-star hotel**
szoba (~́k, ~́t, ~́ja)	**room**
kiadó szoba	room for rent
egyágyas/kétágyas szoba	single/double bedroom
erkélyes/teraszos szoba	room with a balcony/terrace
tengerre néző szoba	sea view room
teraszos szoba	room with terrace
úszómedence/medence (~́k, ~́t, ~́je)	pool
üdülő (~k, ~t, ~je)	family oriented resort
wellness (~t, ~e)	wellness

→ *Utazás, nyaralás / Traveling, vacation: 170–177. oldal*

Milyen a szálloda/szállás?	What is the hotel/accommodation like?
egyszerű (~bb)	**modest**
jól felszerelt (jobban felszerelt)	well-equipped
gyerekbarát	child-friendly
híres (~ebb)	famous
igényes (~ebb)	sophisticated
igénytelen (~ebb)	neglected
kényelmes (~ebb) / komfortos (~abb)	**comfortable**
piszkos (~abb)	**dirty**
praktikus (~abb)	practical

Mi történik a szállodában/szálláson?	What happens at the hotel/place of accommodation?
bejelentkezik *vhova* (jelentkezett, jelentkezz)	**check in** *somewhere*
Csak este tudtunk bejelentkezni a szállodába.	We could only check in at the hotel in the evening.
elhagy *vmit* (~ott, hagyj)	leave *sg*
A szobát délig kell elhagyni.	You must leave the room before noon.
elkér *vmit* (~t, ~j)	ask *for sg*, check *sg*
A portás elkéri az útlevelet.	The receptionist is checking the passports.
fenntart *vmit* (~ott, tarts)	maintain *sg*, hold a reservation *for sg*
A lefoglalt szobát a szálloda este nyolc óráig tartja fenn.	The hotel will hold the reserved room till eight o'clock in the evening.
foglal, lefoglal *vmit* (~t, ~j)	**make a reservation**
Interneten foglaltunk szállást.	We made an online reservation.
Szeretném lefoglalni az apartmant.	I'd like to reserve this apartment.
***igénybe* vesz** *vmit* (vett, vegyél/végy)	**make *use*** *of sg*
Minden szolgáltatásukat szeretnénk igénybe venni.	We would like to make use of all your services.
javasol *vmit* (~t, ~j)	**recommend** *sg*
Az idegenvezető javasolta, hogy nézzük meg ezt a múzeumot.	The tour guide recommended that we visit this museum.
kempingezik (kempingezett, kempingezz) / sátorozik (sátorozott, sátorozz)	**camp**
Szállodában aludtatok vagy kempingeztetek?	Did you sleep in a hotel or did you go camping?
kijelentkezik *vhonnan* (jelentkezett, jelentkezz)	check out *from somewhere*
Délelőtt tizenegy óráig ki kell jelentkezni a szállodából.	You must check out from the hotel before eleven.
kitölt *vmit* (~ött, tölts)	fill in *sg*
A vendég kitölti a bejelentőt.	The guest is filling in the registration form.
lemond *vmit* (~ott, ~j)	**cancel** *sg*
Sajnos, le kell mondanom a szállást.	Unfortunately, I have to cancel the room.
megszáll *vhol* (~t, ~j)	stay overnight *somewhere*
Hol szálltatok meg?	Where did you stay overnight?
pihen (~t, ~j)	**rest**
Sokat pihentem a szállodában.	I rested a lot in the hotel.
reggelizik, megreggelizik (reggelizett, reggelizz)	**have breakfast**
Hány órától lehet reggelizni?	At what time can we have breakfast?
Már megreggeliztem.	I already had breakfast.
szaunázik (szaunázott, szaunázz)	go to the sauna, use the sauna
A vendég reggel fog szaunázni.	The guest will use the sauna in the morning.
tájékoztat *vkit vmiről* (~ott, tájékoztass)	**inform** *sy about sg*
A vendéget a recepciós tájékoztatja a programokról.	The receptionist informs the guests about the programs.
***időt* tölt, eltölt** *vhol* (~ött, tölts)	**spend *time*** *somewhere*
Csak három éjszakát töltöttünk Veszprémben.	We spent only three nights in Veszprém.
Egy egész hétvégét eltöltöttünk Veszprémben.	We spent an entire weekend in Veszprém.

Hasznos mondatok ▪ A szállodában
Useful sentences ▪ At the hotel

Mit mondhat a vendég?	What can a guest say?
Egy hetet szeretnénk itt eltölteni.	We would like to spend a week here.
Van szabad szobájuk október 11-től 18-ig?	Do you have rooms from the 11th to the 18th of October?
Van üres szobájuk?	Do you have vacant rooms (*lit.* a vacant room)?
Schmidt névre foglaltam szobát.	I reserved a room under the name Schmidt.
Szeretnék egy kétágyas szobát pótággyal.	I'd like a double bed room with a spare bed.
Mennyibe kerül egy kétágyas szoba négy éjszakára?	How much do you charge for a double room for four nights?
Az árban benne van a reggeli is?	Is breakfast included in the price?
Mettől meddig lehet reggelizni?	From when to when do you serve breakfast?
Mikor van a reggeli?	When is breakfast served?
Fürdőszoba vagy zuhanyzó tartozik a szobához?	Does the room come with a bathroom or a shower room? (*lit.* Does a bathroom or a shower room belong to the room?)
A szobában kiégett a villany.	The light bulb burnt out in the room.
Kaphatnék még két törölközőt?	Could I have two more towels?
Kérem, hívjon nekem egy taxit!	Call me a cab, please!

Mit mondhat a recepciós?	What can the receptionist say?
Sajnálom, teljesen tele vagyunk.	I am sorry but we are full.
Sajnos, nincs üres hely.	Unfortunately, there is no vacancy.
Sajnos, teltházunk van.	Unfortunately, we have no vacancies. (*lit.* Unfortunately, we have a full house.)
A standard szobáink ára 60 euró éjszakánként egy főre.	A standard room costs 60 euros a night per person.
Egy kétágyas szoba 70 euróba kerül.	A double room costs 70 euros.
Vannak erkélyes szobáink is.	We also have rooms with a balcony.
Reggelivel vagy reggeli nélkül kéri a szobát?	Would you like the room with or without breakfast?
A szoba árában benne van a svédasztalos reggeli.	The price of the room includes a buffet-style breakfast.
Szeretném elkérni az útlevelét.	May I see your passport, please?
Betűzné a nevét?	Could you spell your name? ((*lit.* Would)
Megfelel ez a Balatonra néző lakosztály?	Does this suite with a Balaton view suit you?
Meg van elégedve a szobával?	Are you satisfied with the room?

2. Banki szolgáltatások / Bank services

Hasznos szavak
Useful words

A pénz világa	The world of money
adósság (~ok, ~ot, ~a) / **tartozás** (~ok, ~t, ~a)	**debt**
aláírás (~ok, ~t, ~a)	**signature**
állampapír (~ok, ~t, ~ja)	government securities
átutalás/utalás (~ok, ~t, ~a)	**transfer**
csoportos átutalás	group transfer
azonosító (~k, ~t, ~ja)	identifier
bank (~ok, ~ot, ~ja)	**bank**
bankár (~ok, ~t, ~a)	banker
bankautomata (~́k, ~́t, ~́ja)	**ATM**
bankfiók (~ok, ~ot, ~ja)	bank branch
bankgarancia (~́k, ~́t, ~́ja)	bank guarantee
bankkártya (~́k, ~́t, ~́ja)	**bank card, ATM card**
bankpénztáros (~ok, ~t, ~a)	bank teller
bankszámla (~́k, ~́t, ~́ja)	**bank account**
banktisztviselő (~k, ~t, ~je)	bank clerk
befektetés (~ek, ~t, ~e)	**investment**
befektetési alap (~ok, ~ot, ~ja)	investment fund
befektetési tanácsadó (~k, ~t, ~ja)	investment advisor
befektető (~k, ~t, ~je)	investor
betét (~ek, ~et, ~je)	deposit
bevétel (~ek, ~t, ~e)	**income**
biztosítás (~ok, ~t, ~a)	**insurance, insurance policy**
biztosítást köt	conclude an insurance policy
biztosíték (~ok, ~ot, ~a)	guarantee
biztosítótársaság (~ok, ~ot, ~a) / biztosító (~k, ~t, ~ja)	insurance company
bróker (~ek, ~t, ~e)	bróker
csekk (~ek, ~et, ~je)	**check**
csőd (~ök, ~öt, ~je)	bankruptcy
csődbe megy	go bankrupt
deviza (~́k, ~́t, ~́ja)	**foreign currency**
devizaszámla (~́k, ~́t, ~́ja)	foreign currency account
díj (~ak, ~at, ~a)	**fee**
éves díj	annual fees
beszedi a díjat	collect fees
elengedi a díjat	cancel fees
egyenleg (~ek, ~et, ~e)	balance
folyószámla-egyenleg	checking account balance
életjáradék (~ok, ~ot, ~a)	life annuity
értékpapír (~ok, ~t, ~ja)	securities
fedezet (~ek, ~et, ~e)	funds

feltétel (~ek, ~t, ~e)	condition
fizetés (~ek, ~t, ~e)	**payment**
futamidő (~k, ~t, -ideje)	term
hitel (~ek, ~t, ~e)	**credit**
hitelkártya (~́k, ~́t, ~́ja)	**credit card**
hitelkeret (~ek, ~et, ~e)	credit limit
jelzáloghitel	mortgage
személyi hitel	personal loan
hitelkártyával fizet	pay with credit card
hitelt igényel	apply for a loan
hitelt nyújt	offer a loan
hitelt vesz fel	take out a loan
túllépi a hitelkeretét	exceed one's credit limit
hitelező (~k, ~t, ~je)	loan-provider
hozam (~ok, ~ot, ~a)	return on investment
infláció (~k, ~t, ~ja)	**inflation**
inkasszó (~k, ~t, ~ja)	collection
jövedelem (jövedelmek, jövedelmet, jövedelme)	**income**
jutalék (~ok, ~ot, ~a)	premium
kamat (~ok, ~ot, ~a)	**interest**
betétkamat	deposit interest
késedelmi kamat	interest on delayed payment
kamatláb (~ak, ~at, ~a)	interest rate
kár (~ok, ~t, ~a)	damage
kártérítés (~ek, ~t, ~e)	compensation for damage
kártya (~́k, ~́t, ~́ja)	**card**
társkártya	co-signer card
kezes (~ek, ~t, ~e)	guarantor, co-signer
kezesség (~ek, ~et, ~e)	guaranty
kezességet vállal	co-sign, guarantee
készpénz (~ek, ~t, ~e)	**cash**
készpénzfelvétel (~ek, ~t, ~e)	cash withdrawal
készpénzutalás (~ok, ~t, ~a)	cash transfer
készpénzzel fizet	pay cash
kiadás (~ok, ~t, ~a)	**expense**
havi kiadás	monthly expenses
kivonat (~ok, ~ot, ~a)	statement
folyószámla-kivonat	checking account statement
kockázat (~ok, ~ot, ~a)	risk
kód (~ok, ~ot, ~ja)	**code**
PIN-kód	PIN code
titkos kód	secret code
költség (~ek, ~et, ~e)	fee
kezelési költség	handling fee
kölcsön (~ök, ~t, ~e)	**loan**
személyi kölcsön	personal loan
könyvelés (~ek, ~t, ~e)	bookkeeping
kötvény (~ek, ~t, ~e)	bond
lejárat (~ot, ~a)	expiry
likviditás (~t, ~a)	liquidity
limit (~ek, ~et, ~je) / keret (~ek, ~et, ~e)	**limit**
lízing (~ek, ~et, ~je)	lease
magánszemély (~ek, ~t, ~e)	private person
megbízás (~ok, ~t, ~a)	assignment
fizetési megbízás	payment order
megbízást ad	commission *sg*
megtakarítás (~ok, ~t, ~a)	savings
mérleg (~ek, ~et, ~e)	balance sheet
pénzügyi mérleg	financial balance sheet

mutató (~k, ~t, ~ja)	index
névérték (~ek, ~et, ~e)	denomination
nyereség (~ek, ~et, ~e)	**earnings**
osztalék (~ok, ~ot, ~a)	dividend
önrész (~ek, ~t, ~e)	own risk
összeg (~ek, ~et, ~e)	**amount**
összeghatár (~ok, ~t, ~a)	withdrawal limit
pecsét (~ek, ~et, ~je)	**seal**
pénz (~ek, ~t, ~e)	**money, currency**
pénzforgalom (-forgalmak, -forgalmat, -forgalma)	flow of money
pénzmosás (~ok, ~t, ~a)	money laundering
pénzpiac (~ok, ~ot, ~a)	currency market
pénzügy (~ek, ~et, ~e)	financial affairs
pénzváltás (~ok, ~t, ~a)	**money exchange**
zsebpénz	pocket money
portfólió (~k, ~t, ~ja)	portfolio
részvény (~ek, ~t, ~e)	stock, share
részvénytársaság (~ok, ~ot, ~a)	stock company
SMS-szolgáltatás (~ok, ~t, ~a)	messaging service
sorszám (~ok, ~ot, ~a)	number (to be taken when standing in line)
szaktanácsadás (~ok, ~t, ~a)	consultation
számla (~́k, ~́t, ~́ja)	**account, bill**
alszámla	secondary bill
folyószámla	checking account
folyószámlahitel (~ek, ~t, ~e)	credit limit for a checking account
lakossági folyószámla	personal checking account
számlacsomag (~ok, ~ot, ~ja)	service pack
számlaegyenleg (~ek, ~t, ~e)	account balance
számlainformáció (~k, ~t, ~ja)	account information
számlakivonat (~ok, ~ot, ~a)	account statement
számlaszám (~ok, ~ot, ~a)	**account number**
számlatulajdonos (~ok, ~t, ~a)	**account holder**
számlát nyit	open an account
számlát vezet	maintain an account
takarékszámla / megtakarítási számla	savings account
üzleti folyószámla	business checking account
számlázás (~ok, ~t, ~a)	billing
széf (~ek, ~et, ~je)	**safe**
szerződés (~ek, ~t, ~e)	**contract**
szerződést köt	sign a contract
THM (THM-ek, THM-et, THM-je) / Teljes Hiteldíj Mutató (~k, ~t, ~ja)	Full Credit Fee Index
tőke (~́k, ~́t, ~́je)	capital
alaptőke/kezdőtőke	initial capital
törlesztés (~ek, ~t, ~e)	installment payment
havi törlesztés	monthly installment payment
törlesztőrészlet/részlet (~ek, ~et, ~e)	installment
részletfizetés (~ek, ~t, ~e)	payment by installment
tranzakció (~k, ~t, ~ja)	transaction
utalás (~ok, ~t, ~a)	transfer
utalvány (~ok, ~t, ~a)	voucher
ügyintézés (~ek, ~t, ~e)	administration
online ügyintézés	online administration
ügyintéző (~k, ~t, ~je)	clerk
üzletszabályzat (~ok, ~ot, ~a)	business regulations
vagyon (~ok, ~t, ~a)	wealth
valuta (~́k, ~́t, ~́ja)	**foreign currency**
valutaváltás (~ok, ~t, ~a)	**currency exchange**

Banks and insurance companies offer a range of different insurance policies:
balesetbiztosítás (accident insurance),
betegbiztosítás (traveler's health insurance),
egészségbiztosítás (health insurance),
életbiztosítás (life insurance),
felelősségbiztosítás (liability insurance),
gépjármű-biztosítás (vehicle insurance),
kötelező (felelősség)biztosítás (compulsory insurance for a vehicle),
lakásbiztosítás (house insurance),
poggyászbiztosítás (luggage insurance),
utazási biztosítás (travel insurance),
vagyonbiztosítás (property insurance).

Milyen lehet a tranzakció?	**What can a transaction be like?**
érvényes	**valid**
esedékes	due
fix	fixed, stable
jövedelmező (~bb)	lucrative
kamatozó	interest bearing
kiszámíthatatlan (~abb)	unpredictable
megbízhatatlan (~abb)	**unreliable**
megbízható (~bb)	**reliable**
nyereséges (~ebb)	**profitable**
takarékos (~abb)	**economical**
üzleti	**business** (adj.)
veszteséges (~ebb)	**deficient**

Mi történik a pénz világában?	**What is going on in the world of money?**
alapít *vmit* (~ott, alapíts)	found *sg*
Új céget alapítok.	I am founding a new company.
átutal *vmit* (~t, ~j)	**transfer** *sg*
Átutalom a tandíjat.	I transfer the tuition fee.
befektet *vmit vmibe* (~ett, fektess)	invest *sg into sg*
A pénzt ingatlanba érdemes befektetni.	It's worth investing money into real estate.
benyújt *vmit* (~ott, nyújts)	apply *for sg*
Benyújtottam a hitelkérelmet.	I've applied for a loan.
csökken (~t, ~j)	**decrease**
Arra számítottam, hogy csökkennek a kamatok.	I expected the interest rates to decrease.
erősödik (erősödött, erősödj)	**get stronger**
Erősödik a svájci frank árfolyama.	The rate of the Swiss Franc has been getting stronger.
ellenőriz *vkit/vmit* (ellenőrzött, ellenőrizz)	**check** *sy/sg*, **control** *sy/sg*
Tegnap ellenőriztem, mennyi pénz van a számlámon.	Yesterday I checked how much money was on my account.
elveszít *vmit* (~ett, veszíts)	**lose** *sg*
A válság miatt elveszítettem a házamat.	I lost my house because of the recession.
emelkedik (emelkedett, emelkedj)	**rise**
Emelkednek a kamatok.	Interest rates have been rising.
érdeklődik *vkinél vmiről / vmi iránt* (érdeklődött, érdeklődj)	**ask** *sy about sg*, **inquire** *about sg*
A feltételekről érdeklődjön az ügyintézőnél!	Inquire with an associate about the conditions.
A hitel feltételei iránt érdeklődöm.	I am inquiring about the terms of a loan.
fedez *vmit* (~ett, fedezz)	cover *sg*
A ház értéke fedezi a kölcsönt.	The value of the house covers the loan.
felszámol *vmit* (~t, ~j)	liquidate *sg*
Felszámolom a cégemet.	I am liquidating my company.
felvesz *vmit* (vett, vegyél/végy)	take out *sg*
Lakáshitelt szeretnék felvenni.	I'd like to take out a mortgage.

finanszíroz *vmit* (~ott, finanszírozz)	**finance** *sg*
A szüleim finanszírozzák a tanulmányaimat.	My parents are financing my studies.
fizet, befizet, kifizet *vmit* (~ett, fizess)	**pay** *sg*, **make a payment**
Havonta fizetem a részleteket.	I'm making monthly payments.
Postán fizetem be a csekkeket.	I'm paying the bills at the post office.
Kifizetem a számlát.	I pay the bill.
pénzt fordít *vmire* (~ott, fordíts)	spend *money on sg*
Sok pénzt fordítok jótékony célokra.	I spend a lot of money on charity.
forgalmaz *vmit* (~ott, forgalmazz)	distribute *sg*
A bank forgalmaz részvényeket is.	The bank also distributes shares.
gyengül (~t, ~j)	**weaken**
Két hete gyengül a jen.	The Yen has weakened in the last two weeks.
kölcsönad *vkinek vmit* (~ott, ~j)	**lend** *sg to sy*
Kölcsönadtam a barátomnak a fél fizetésemet.	I lent half of my salary to my friend.
kölcsönkér *vkitől vmit* (~t, ~j)	**borrow** *sg from sy*
Kölcsönkértem a barátomtól a fél fizetését.	I borrowed half of his salary from my friend.
költ, elkölt *vmit* (~ött, költs)	**spend** *sg*
Könyvekre költöm a legtöbb pénzt.	I spend most of my money on books.
Elköltöttem az egész fizetésemet.	I spent my whole salary.
pénzt leköt (~ött, köss)	take out a saving certificate *for an amount*
Lekötök százezer eurót.	I take out a saving certificate for one-hundred thousand euros.
megállapít *vmit* (~ott, állapíts)	determine *sg*
Az üzletszabályzat megállapítja a kamatot.	The business regulations determine the interest.
megnyit *vmit* (~ott, nyiss)	open *sg*
Megnyitottam az első folyószámlámat.	I opened my first checking account.
megszüntet *vmit* (~ett, szüntess)	close *sg*
Megszüntettem a folyószámlámat.	I closed my checking account.
megtakarít *vmit* (~ott, takaríts) **/ megspórol** *vmit* (~t, ~j)	**save** *sg*
A múlt évben megtakarítottam/megspóroltam egy kis pénzt.	I saved some money last year.
megtérül (~t, ~j)	pay off
Ez a befektetés öt éven belül megtérül.	This investment will pay off in five years.
növekedik/növekszik (növekedett, növekedj)	**increase**
Arra számítottam, hogy növekednek a kamatok.	I expected the interest rates to increase.
nyit *vmit* (~ott, nyiss)	open *sg*
Számlát szeretnék nyitni.	I would like to open an account.
spekulál (~t, ~j)	speculate
Sok amatőr is spekulál a tőzsdén.	There are also a lot of amateurs speculating on the stock exchange.
számít *vmire* (~ott, számíts)	**expect** *sg*
Arra számítottam, hogy csökkennek a kamatok.	I expected the interest rates to decrease.
takarékoskodik (takarékoskodott, takarékoskodj) **/ spórol** (~t, ~j)	**save money, put aside money**
Szeretnék új laptopot venni, ezért most takarékoskodom/spórolok.	I'd like to buy a new laptop therefore I'm putting aside some money right now.
tartozik *vkinek vmivel* (tartozott, tartozz)	**owe** *sg to sy*
Sok pénzzel tartozom a barátomnak.	I owe my friend a lot of money.
törleszt *vmit* (~ett, törlessz)	pay *sg*
Minden hónapban törlesztem a lakáshitelt.	I am paying the mortgage every month.
visszafizet *vmit* (~ett, fizess)	pay off *sg*
Húsz év után fizettem vissza a hitelt.	I payed off my loan after twenty years.
zárol *vmit* (~t, ~j)	put a hold on *sy's account*
Miért zárolták a számlámat?	Why was a hold put on my account?

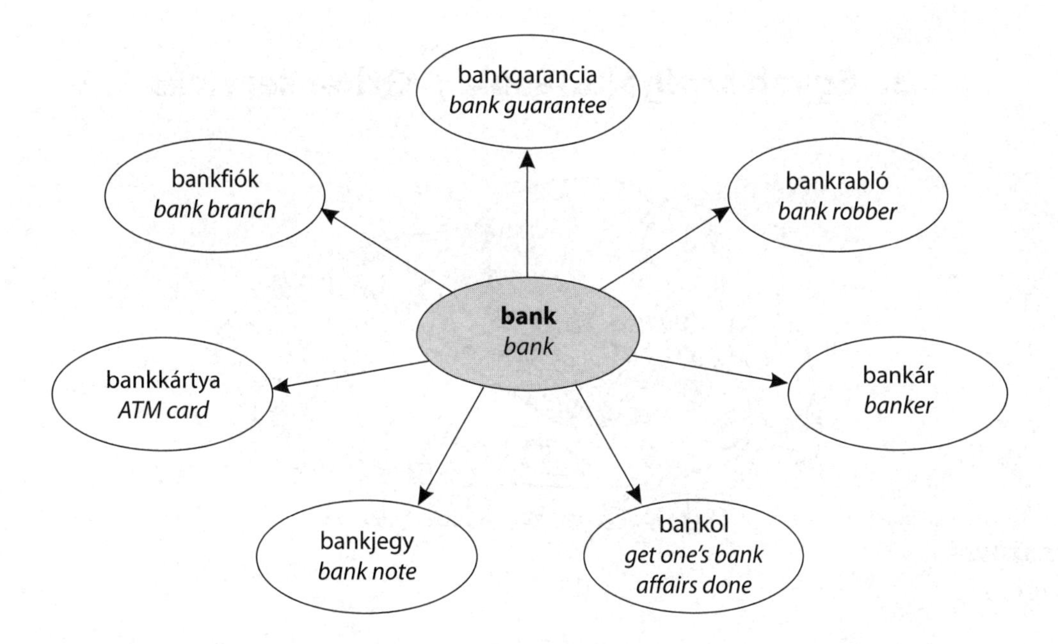

Hasznos mondatok ▪ Ügyfél a bankban
Useful sentences ▪ A client at the bank

A számlakivonatot elektronikusan kérném.	I would like to receive my statement online.
Egy széfet szeretnék bérelni.	I would like to rent a safe deposit box.
Hogyan férhetek hozzá a széfemhez?	How can I access my safe?
Kérem, tiltsák le a bankkártyámat, mert ellopták.	Please cancel my bank card because it was stolen.
Erre a bankszámlára szeretném átutalni a pénzt.	I'd like to transfer the money to this account.
Mi a különbség a bankkártya és a hitelkártya között?	What is the difference between a debit card and a credit card?
Milyen feltételekkel tudnak hitelt nyújtani?	On what terms do you offer a loan?
Milyen finanszírozási formákat biztosítanak?	What kind of financing solutions do you offer?
Milyen tranzakciók voltak a számlámon a múlt hónapban?	What transactions were on my account last month?
Szeretnék folyószámlát nyitni. Melyik számlacsomagot tudná ajánlani?	I would like to open a checking account. Which service pack do you recommend?
Mennyi a pénzfelvételi díj?	How much do you charge for a withdrawal?
Hol találok bankautomatát?	Where can I find an ATM?
Tegnap utaltak a számlámra húszezer dollárt. Megérkezett?	Twenty thousand dollars were transferred to my account yesterday. Has it arrived yet?
Kezeket fel! Bankrablás! ☺	Hands up! It's a robbery! ☺

3. Egyéb szolgáltatások / Other services

Hasznos szavak
Useful words

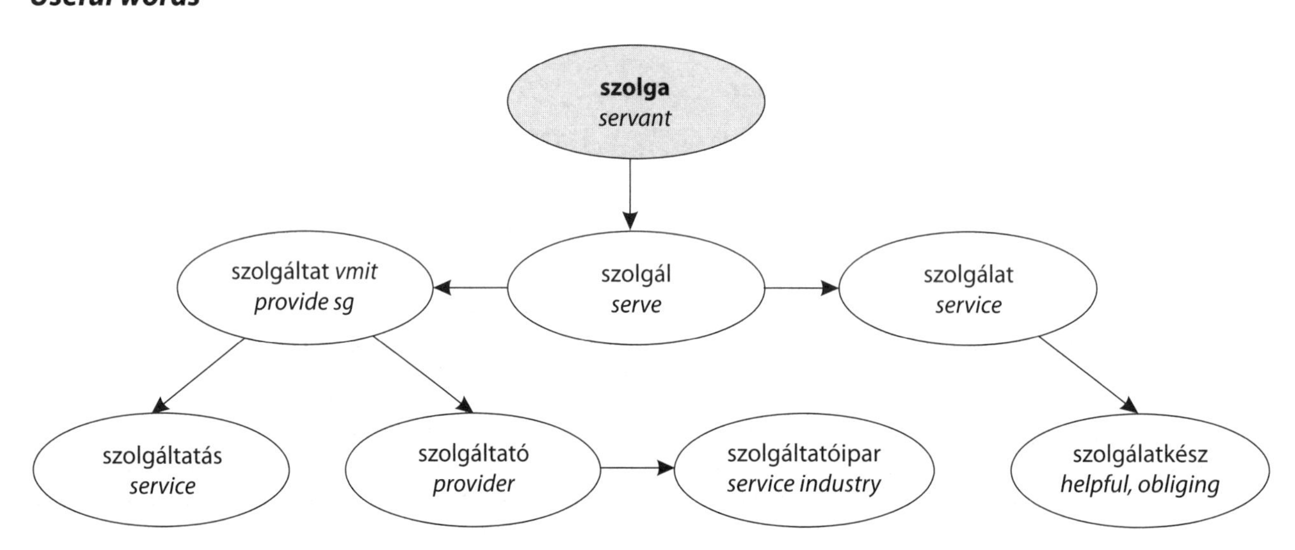

A fordásznál	At the hairdresser's
dauer (~t, ~je)	perm
festés (~t, ~e)	**dye**
fésülés (~t, ~e)	brushing
frizura (~́k, ~́t, ~́ja)	**hairstyle**
hajcsavaró (~k, ~t, ~ja)	curler
melír (~t, ~ja)	frost, streak
mosás (~t, ~a)	**wash**
szárítás (~t, ~a)	**dry**
vágás (~t, ~a)	**cut**

A kozmetikusnál	At the beautician
arckezelés (~ek, ~t, ~e)	facial care
arcmasszázs (~ok, ~t, ~a)	**facial massage**
gyantázás (~ok, ~t, ~a)	waxing
smink (~ek, ~et, ~je)	**make-up**
szemöldökfestés (~ek, ~t, ~e)	eyebrow dye
szempillafestés (~ek, ~t, ~e)	eyelash dye

A manikűrösnél	At the manicurist's
lakkozás (~ok, ~t, ~a)	nail polish
műköröm (-körmök, -körmöt, -körme)	artificial nails

A masszőrnél	At the masseur
masszázs (~ok, ~t, ~a)	massage
frissítő masszázs	refreshing massage
gyógymasszázs	medical massage
sportmasszázs	sport massage
svédmasszázs	Swedish massage
talpmasszázs	foot massage

A pedikűrösnél	At the pedicurist's
áztatás (~t, ~a)	soaking
lábápolás (~t, ~a)	foot care

A borszaküzletben	In the wine shop
bor (~ok, ~t, ~a)	**wine**
fehérbor	white wine
vörösbor	red wine
édes/félédes bor	sweet/semi-sweet wine
száraz/félszáraz bor	dry/semi-dry wine
könnyű/testes bor	light/full wine
borkóstoló	wine tasting
almabor	apple cider
borvidék (~ek, ~et, ~e)	winemaking region
fajta (~́k, ~́t, ~́ja)	kind
hordó (~k, ~t, ~ja)	**barrel**
illat (~ok, ~ot, ~a)	**scent, smell**
íz (~ek, ~t, ~e)	**taste**
jellegzetes íz	unmistakable taste
korty (~ok, ~ot, ~a)	sip
iszik egy kortyot	take a sip
must (~ok, ~ot, ~ja)	must
újbor (~ok, ~t, ~a)	new wine

Az ékszerésznél	At the jeweler
bokalánc (~ok, ~ot, ~a)	ankle bracelet
bross (~ok, ~t, ~a)	brooch
arany (~at, ~a)	**gold**
drágakő (-kövek, -követ, -köve)	gem
ékszer (~ek, ~t, ~e)	**jewelry**
ezüst (~öt, ~je)	**silver**
fülbevaló (~k, ~t, ~ja)	**earring**
gyöngy (~ök, ~öt, ~e)	**pearl**
gyűrű (~k, ~t, ~je)	**ring**
karkötő (~k, ~t, ~je)	bracelet
karóra (~́k, ~́t, ~́ja)	wrist watch
kristály (~ok, ~t, ~a)	crystal
nyaklánc (~ok, ~ot, ~a)	**necklace**

A játékboltban	In the toy shop
csúszda (~́k, ~́t, ~́ja)	slide
építőkocka (~́k, ~́t, ~́ja)	building block
gyermekkönyv/gyerekkönyv (~ek, ~et, ~e)	children's book
hinta (~́k, ~́t, ~́ja)	**swing**
hintaló (-lovak, -lovat, -lova)	rocking horse
homokozó (~k, ~t, ~ja)	**sandbox**
játék (~ok, ~ot, ~a)	**toy**
bébijáték	baby toy
fajáték	wooden toy
készségfejlesztő játék	educational toy
társasjáték	**board game**
zenélő játék	musical toy
játszószőnyeg (~ek, ~et, ~e)	playing carpet
kirakó (~k, ~t, ~ja) / puzzle (puzzle-k, puzzle-t, puzzle-ja)	puzzle
labda (~́k, ~́t, ~́ja)	**ball**
focilabda	football
plüss (~ök, ~t, ~e)	plush
plüssállat (~ok, ~ot, ~a)	plush toy, cuddly toy
plüssmackó (~k, ~t, ~ja)	teddy bear

A papírboltban	At the stationary shop
boríték (~ok, ~ot, ~ja)	**envelope**
cellux (~ok, ~ot, ~a)	scotch tape
ceruza (~́k, ~́t, ~́ja)	**pencil**
színes ceruza	colored pencil
ceruzahegyező/hegyező (~k, ~t, ~je)	pencil sharpener
ecset (~ek, ~et, ~je)	brush
festék (~ek, ~et, ~e)	paint
füzet (~ek, ~et, ~e)	**notebook**
gémkapocs (-kapcsok, -kapcsot, -kapcsa)	paperclip
gyurma (~́k, ~́t, ~́ja)	modeling clay
hibajavító (~k, ~t, ~ja)	corrector
jegyzettömb (~ök, ~öt, ~je)	note block, memo pad
képeslap (~ok, ~ot, ~ja)	**postcard**
körző (~k, ~t, ~je)	compass
kréta (~́k, ~́t, ~́ja)	caulk
zsírkréta	crayon
toll (~ak, ~at, ~a)	pen
filctoll	marker
golyóstoll	ballpoint pen
töltőtoll	fountain pen
tolltartó (~k, ~t, ~ja)	pencil case
mappa (~́k, ~́t, ~́ja) / iratgyűjtő (~k, ~t, ~je)	folder
naptár (~ak, ~at, ~ja)	calendar
olló (~k, ~t, ~ja)	scissors
papír (~ok, ~t, ~ja)	paper
radír (~ok, ~t, ~ja)	eraser
rajzlap (~ok, ~ot, ~ja)	drawing paper
ragasztó (~k, ~t, ~ja)	glue
pillanatragasztó	superglue
szövegkiemelő (~k, ~t, ~je)	highlighter
tempera (~́k, ~́t, ~́ja)	tempera
tinta (~́k, ~́t, ~́ja)	ink
tűzőgép (~ek, ~et, ~e)	stapler
vonalzó (~k, ~t, ~ja)	ruler

Az optikában	At the optician
dioptria (~́k, ~́t, ~́ja)	diopter
szemüveg (~ek, ~et, ~e)	**eyeglasses**
napszemüveg	**sunglasses**
szemüvegkeret/keret (~ek, ~et, ~e)	eyeglass frame
szemüveglencse/lencse (~́k, ~́t, ~́je)	eyeglass lens
kontaktlencse (~́k, ~́t, ~́je)	**contact lenses**
kontaktlencse-ápolószer (~ek, ~t, ~e)	contact lens solution
kemény/lágy kontaktlencse	hard/soft lenses
távcső (-csövek, -csövet, -csöve)	binoculars
tisztítófolyadék (~ok, ~ot, ~a)	cleaning solution

A virágboltban	At the florist
csokor (csokrok, csokrot, csokra)	**bouquet**
menyasszonyi csokor	bridal bouquet
dísz (~ek, ~t, ~e)	ornament
asztali dísz	table ornament
gerbera (~́k, ~́t, ~́ja)	gerbera
írisz (~ek, ~t, ~e)	iris
kála (~́k, ~́t, ~́ja)	Calla lily

liliom (~ok, ~ot, ~a)	lily
margaréta (~́k, ~́t, ~́ja)	daisy
növény (~ek, ~t, ~e)	**plant**
cserepes növény	potted plant
dísznövény	ornamental plant
szobanövény	indoor plant
orchidea (~́k, ~́t, ~́ja)	orchid
rózsa (~́k, ~́t, ~́ja)	**rose**
szegfű (~k, ~t, ~je)	carnation
tulipán (~ok, ~t, ~ja)	tulip
virág (~ok, ~ot, ~a)	**flower**
szárazvirág	dry flower
virágkosár (-kosarak, -kosarat, -kosara)	flower basket
virágküldő szolgálat (~ok, ~ot, ~a)	flower delivery

→ *Növények / Plants: 153–155. oldal*

Az autószervizben, az autókölcsönzőben és a benzinkúton	**At the garage, the car rental, and the gas station**
autóalkatrész (~ek, ~t, ~e)	car part
autódiagnosztika (~́k, ~́t, ~́ja)	car diagnostics
autógáz (~ok, ~t, ~a)	autogas
autókölcsönző (~k, ~t, ~je)	**car rental**
autómosó (~k, ~t, ~ja)	**car wash**
benzin (~ek, ~t, ~e)	**gasoline**
benzinkút (-kutak, -kutat, -kútja)	**gas station**
csere (~́k, ~́t, ~́je)	change, replacement
gumicsere	tire replacement
olajcsere	engine oil change
fényezés (~ek, ~t, ~e)	paintjob
gázolaj (~ak, ~at, ~a)	diesel
GPS (GPS-ek, GPS-et, GPS-e)	GPS
javítás (~ok, ~t, ~a)	**repair**
autójavítás	car repair
fékjavítás	brake repair
karosszériajavítás	bodywork repair
klímaberendezés-javítás/klímajavítás	air conditioning repair
szélvédőjavítás	windshield repair
kenőanyag (~ok, ~ot, ~a)	lubricant
műszaki vizsga (~́k, ~́t, ~́ja)	car test, MOT test
navigáció (~k, ~t, ~ja)	navigation
navigációs rendszer (~ek, ~t, ~e)	navigation system
üzemanyag (~ok, ~ot, ~a)	**fuel**

Mi történik a szolgáltatóknál?	**What happens at different services?**
ad *vkinek vmit* (~ott, ~j)	**give** *sg to sy*
Áginak jó tanácsot adott az optikus.	The optician gave Ági some good advice.
bemutat *vmit vkinek* (~ott, mutass)	**show** *sg to sy*
Bemutatom Önnek, hogyan működik ez a turmixgép.	I show you how this mixer works.
érdeklődik *vmi iránt* (érdeklődött, érdeklődj)	**be interested** *in sg*
Laci érdeklődik a borok iránt.	Laci is interested in wine.
felsorol *vmit* (~t, ~j)	list *sg*
A virágboltos felsorolja az összes virágfajtát.	The florist is listing all the kinds of flowers.
javasol *vmit* (~t, ~j)	**recommend** *sg*
Az eladó a lágy kontaktlencsét javasolja.	The shop assistant recommends the soft contact lenses.
kinéz *vmit* (~ett, nézz)	lay one's eyes *on sg*
Két hete kinéztem magamnak ezt a csészét.	I laid my eyes on that cup two weeks ago.

rak, berak *vmit vhova* (~ott, ~j) **/ tesz, betesz** *vmit vhova* (tett, tegyél/tégy)	**put** *sg somewhere*
Rakok/Teszek elemet a játékba.	I put batteries in the toy.
Berakom/Beteszem a játékba az elemet.	I put the batteries in the toy.
szállít *vmit vhova* (~ott, szállíts)	deliver *sg somewhere*
Házhoz szállítják az autót?	Will the car be delivered to my home?
válogat (~ott, válogass)	browse around
Szeretek sokáig válogatni a boltokban.	I like to browse around in the shops for hours.
vesz, megvesz *vmit* (vett, vegyél/végy)	**buy** *sg*, **take** *sg*
Veszek két üveg bort.	I'll take two bottles.
Mindent megvettem, amit kértél.	I bought everything you asked me.

Mi történik a szépségszalonban?	What happens at the beauty shop?
bejelentkezik (jelentkezett, jelentkezz)	**make an appointment**
Szombaton három órára szeretnék bejelentkezni.	I'd like to make an appointment for three o'clock on Saturday.
fest, befest *vmit* (~ett, fess)	**dye** *sg*
A fodrász vörösre festi a hajamat.	The hairdresser is dying my hair red.
A fodrász befesti a hajamat.	The hairdresser is dying my hair.
fésül, megfésül *vkit/vmit* (~t, ~j)	**brush** *sy/sg*, **style** *sy/sg*
A legjobb fodrász fésülte a hajamat.	The best hairdresser styled my hair.
Ha kijövök a szépségszalonból, rögtön megfésülöm a hajamat.	As soon as I leave the beauty shop, I brush my hair.
gyantáz *vmit* (~ott, gyantázz)	wax *sg*
A kozmetikus térdig gyantázta a lábam.	The beautician waxed my legs up to my knees.
masszíroz *vkit/vmit* (~ott, masszírozz)	**massage** *sy/sg*
A kozmetikus fél óráig masszírozta az arcomat.	The beautician massaged my face for half an hour.
megmos *vmit* (~ott, moss)	**wash** *sg*
Először megmosom a haját.	First, I will wash your hair.

Mi történhet az autóval?	What can happen to a car?
elromlik (romlott, romolj)	**break down**
Elromlott az autóm.	My car broke down.
bérel *vmit* (~t, ~j) **/ kölcsönöz** *vmit* (kölcsönzött, kölcsönözz)	**rent** *sg*
Szeretnék egy terepjárót bérelni/kölcsönözni.	I would like to rent a land rover.
feltölt *vmit* (~ött, tölts)	refill *sg*
Feltöltöttem az ablakmosó folyadékot.	I refilled the windshield washer fluid.
kicserél *vmit* (~t, ~j)	replace *sg*
Végre kicseréltem a téli gumikat.	At last I replaced the winter tires.
megjavít *vmit* (~ott, javíts)	**repair** *sg*, **fix** *sg*
Már megjavítottam az ablaktörlőt.	I've already fixed the windshield wiper.
tankol, megtankol/teletankol (~t, ~j)	**tank up, fill up the tank**
Hol lehet itt tankolni?	Where can you tank up here?
Megtankoltad/Teletankoltad a kocsit?	Did you fill up the tank?

Hasznos mondatok ▪ A vendégek/vásárlók mondják
Useful sentences ▪ Clients and customers say

A szépségszalonban és a fodrásznál	At the beauty shop and at the hairdresser's
Egy szemöldökszedést, egy szempillafestést és egy nagykezelést szeretnék kérni.	I'd like my eyebrows plucked, my eyelashes dyed and an all-inclusive facial treatment.
Van holnapra szabad időpont?	Can you give me an appointment for tomorrow?
Ne vágja túl rövidre a hajamat!	Don't cut my hair too short.

Valami egészen új frizurát szeretnék.	I would like a completely new hairstyle.
Olyan frizurát szeretnék, mint az Öné.	I'd like a similar hairstyle to yours.
Mennyivel tartozom?	How much do I owe you?

A borszaküzletben	At the wine shop
Melyik vörösbort ajánlaná vadhúshoz?	Which red wine would you recommend with game?
Milyen könnyű, lágy borai vannak?	What kind of light, smooth wines do you have?
Vendégségbe vinnék egy palack értékes, muzeális bort.	I would like to take a bottle of old and precious wine to a party.

Az ékszerésznél	At the jeweler
Szeretném megnézni a jegygyűrűket.	I'd like to have a look at the wedding rings.
Egy fülbevaló és nyaklánc együttest szeretnék ezüstből.	I'd like a set of silver earrings and a necklace.
Kékköves gyűrűt árulnak?	Do you sell rings with blue stones?

A játékboltban	At the toy shop
Milyen játékok vannak tíz év körüli fiúknak?	What kinds of toys do you have for ten-year old boys?
Van Önöknél plüss hintaló?	Do you have plush rocking horses?
Készségfejlesztő játékokat keresek négyéves kislánynak.	I am looking for educational toys for a four-year old girl.

A papírboltban	At the stationary shop
Huszonnégy darabos színes ceruzát szeretnék venni.	I'd like a set of 24 colored pencils.
Mennyibe kerül a 80 grammos fénymásolópapír?	How much does the 80 g copy paper cost?
Jegyzettömböt szeretnék újrahasznosított papírból.	I'd like to buy a note block made from recycled paper.

Az optikában	At the optician
Megmutatná a napszemüvegeket?	Would you show me the sunglasses?
Lézeres szemvizsgálatot szeretnék kérni.	I would like a laser eye examination.
Kontaktlencsét szeretnék rendelni.	I would like to order contact lenses.
Lágy lencséhez keresek tisztítófolyadékot.	I am looking for cleaning solution for soft lenses.

A virágboltban	At the florist
Három szál fehér kálából szeretnék egy csokrot.	I'd like a bouquet made from three stems of Calla lily.
Olyan cserepes virágot kérek, amit nem kell sokat öntözni.	I'd like a potted plant that does not need much watering.
Egy karácsonyi asztali díszt szeretnék csináltatni.	I'd like to have a Christmas table ornament made.
Erre a címre szeretnék egy rózsacsokrot küldeni.	I'd like to send a bouquet of roses to this address.

A benzinkúton és az autókölcsönzőben	At the gas station and the car rental
Rángat az autóm.	My car is jerking.
Egy külső-belső mosást kérek.	I would like an interior and exterior wash.
Két hétre szeretnék egy kis személyautót bérelni.	I would like to rent a small car for two weeks.
Nem fog rendesen a fék.	The brakes are not working properly.
Ki kell cserélni a szélvédőt.	The windshield needs to be replaced.
Nem működik rendesen a kuplung és a váltó.	The clutch is not working properly, nor is the transmission.

VÁSÁRLÁS / SHOPPING

1. Üzletek / Stores

Hasznos szavak
Useful words

Üzletek és boltok	**Stores and shops**
ajándékbolt (~ok, ~ot, ~ja)	gift shop
áruház (~ak, ~at, ~a)	**department store**
bevásárlóközpont (~ok, ~ot, ~ja)	**shopping mall**
butik (~ok, ~ot, ~ja)	boutique
cipőbolt (~ok, ~ot, ~ja) / cipőüzlet (~ek, ~et, ~e)	**shoe store**
cukrászda (~́k, ~́t, ~́ja)	**pastry shop**
divatáruüzlet (~ek, ~et, ~e) / divatárubolt (~ok, ~ot, ~ja)	fashion boutique
drogéria (~́k, ~́t, ~́ja)	**drugstore**
édességbolt (~ok, ~ot, ~ja)	candy store
éjjel-nappali (~k, ~t, ~ja)	24 hour store
élelmiszerbolt (~ok, ~ot, ~ja) / élelmiszerüzlet (~ek, ~et, ~e)	**grocery store**
gyógyszertár (~ak, ~t, ~a) / **patika** (~́k, ~́t, ~́ja)	**pharmacy, drugstore**
hipermarket (~ek, ~et, ~je)	hypermarket
húsbolt (~ok, ~ot, ~ja) / hentesüzlet (~ek, ~et, ~e)	**butcher shop, butcher's**
játékbolt (~ok, ~ot, ~ja) / játéküzlet (~ek, ~et, ~e)	**toy store**
könyvesbolt (~ok, ~ot, ~ja)	**bookstore**
optika (~́k, ~́t, ~́ja)	**optician's**
óra-ékszer (~ek, ~t, ~e)	jewelry store
papír-írószer (~ek, ~t, ~e)	stationary store
pékség (~ek, ~et, ~e)	**bakery**
piac (~ok, ~ot, ~a)	**market**
bolhapiac (~ok, ~ot, ~a)	flea market
újságárus (~ok, ~t, ~a) / újságos (~ok, ~t, ~a)	newspaper stand
sportbolt (~ok, ~ot, ~ja) / sportszaküzlet (~ek, ~et, ~e)	sporting goods store
szaküzlet (~ek, ~et, ~e)	specialty store
szupermarket (~ek, ~et, ~je)	**supermarket**
trafik (~ok, ~ot, ~ja)	kiosk
virágbolt (~ok, ~ot, ~ja) / virágüzlet (~ek, ~et, ~e)	**florist's**
zöldséges (~ek, ~et, ~e)	**vegetable stand**

Most department stores have the following *departments (osztályok)* or *specialized shops (szaküzlet)*: *ajándék (gifts), élelmiszer (food), háztartási cikkek (household goods), illatszer (perfumes), ruházat (clothing), divatáru (fashion), elektronika (electronic goods), lakberendezés (furniture and home decor/houseware).*

Mi van a boltban?	What is in the shop?
akció (~k, ~t, ~ja)	special offer
ár (~ak, ~at, ~a)	**price**
árcédula (~́k, ~́t, ~́ja)	price tag
árengedmény (~ek, ~t, ~e)	reduction
áru (~k, ~t, ~ja) / termék (~ek, ~et, ~e)	product
bankkártya (~́k, ~́t, ~́ja)	**bank card, ATM card**
bejárat (~ok, ~ot, ~a)	**entrance**
aprópénz (~ek, ~t, ~e)	coin, small change
kedvezmény (~ek, ~t, ~e)	**discount**
készpénz (~ek, ~t, ~e)	**cash**
kiárusítás (~ok, ~t, ~a)	sale
kijárat (~ok, ~ot, ~a)	**exit**
kirakat (~ok, ~ot, ~a)	**window display**
kiszolgálás (~t, ~a)	service
udvarias kiszolgálás	polite service
kosár (kosarak, kosarat, kosara)	**basket, shopping cart**
leárazás (~ok, ~t, ~a) / leértékelés (~ek, ~t, ~e)	sale
pénztár (~ak, ~t, ~a)	**cash register**
pénztárca (~́k, ~́t, ~́ja)	**wallet**
próbafülke (~́k, ~́t, ~́je)	**fitting room**
pult (~ok, ~ot, ~ja)	counter
raktár (~ak, ~t, ~a)	warehouse
sor (~ok, ~t, ~a)	**line, row**
sorban áll	be in line
választék (~ok, ~ot, ~a)	choice
visszajáró (~k, ~t, ~ja)	change

Ki van az üzletben?	Who is in the shop?
biztonsági őr (~ök, ~t, ~e)	security guard
eladó (~k, ~t, ~ja)	**salesperson**
pénztáros (~ok, ~t, ~a)	**cashier**
üzletvezető (~k, ~t, ~je)	shop manager
vásárló (~k, ~t, ~ja) **/ vevő** (~k, ~t, ~je)	**customer**

Milyen lehet az áru?	What can the product be like?
drága (~́bb)	**expensive**
elegáns (~abb)	**elegant**
kedvezményes (~ebb) / leértékelt	reduced in price
minőségi	**of excellent quality**
olcsó (~bb)	**cheap, inexpensive**

Milyen lehet az üzlet?	What can the store be like?
belvárosi	downtown
éjjel-nappali	open 24/7
híres (~ebb)	**famous**
hangulatos (~abb)	nice, cozy
önkiszolgáló	self-service
piszkos (~abb)	**dirty**
tiszta (~́bb)	**clean**

Mit csinál a vevő és az eladó?	What do customers and shop assistants do?
ad *vmit vkinek* (~ott, ~j)	**give** *sg to sy*
Adok Önnek egy katalógust.	I give you a catalog.
ajánl *vmit* (~ott, ~j)	**recommend** *sg*
Ezeket az akciós nadrágokat ajánlom.	I'd recommend these trousers at a reduced price.
becsomagol *vmit* (~t, ~j)	wrap *sg*
Becsomagoljam a parfümöt?	Shall I wrap the perfume?
elad *vmit* (~ott, ~j)	**sell** *sg*
A zöldséges minden paradicsomot eladott.	The greengrocer sold all the tomatoes.
pénzt felvált (~ott, válts)	break *money*
Fel tudná váltani ezt az ezrest?	Could you break this 1000-forint-bill?
kér *vmit* (~t, ~j)	**ask** *for sg*
Szeretnék egy kis segítséget kérni.	I'd like to ask you for some help.
keres *vmit* (~ett, keress)	**search, look** *for sg*
Egy bicikliboltot keresek.	I'm looking for a bicycle store.
kiszolgál *vkit* (~t, ~j)	serve *sy*
Tíz percet vártam, mire kiszolgált valaki.	I waited ten minutes before someone served me.
körülnéz (~ett, nézz)	**look around**
Csak körül szeretnék nézni.	I'm just looking around. (*lit.* I just want to look around.)
köszön *vkinek* (~t, ~j)	**greet** *sy*
Az eladó köszönt a vásárlónak.	The shop assistant greeted the customer.
köszön, megköszön *vkinek vmit* (~t, ~j)	**thank** *sy for sg*
Köszönöm Önnek a segítséget.	Thank you for your help.
Szeretném megköszönni Önnek a segítséget.	I'd like to thank you for your help.
megfelel *vkinek vmi* (~t, ~j)	suit *sy*, fit *sy*
Megfelel ez a méret?	Does this size fit you?
pakol *vmit vhova* (~t, ~j)	put *sg somewhere*
Mindent a kosárba pakolok.	I put everything in the shopping basket.
parkol *vhol* (~t, ~j)	**park the car** *somewhere*
Az áruház előtt nehéz parkolni.	It's difficult to park the car in front of the department store.
reklamál *vmi miatt* (~t, ~j)	complain *to sy about sg*
Hol tudok reklamálni a kiszolgálás miatt?	Where can I complain about the service?
rendel, megrendel *vmit* (~t, ~j)	**order** *sg*
Egy epertortát szeretnék rendelni.	I'd like to order a strawberry cake.
Megrendelted már a szendvicseket?	Have you ordered the sandwiches yet?
segít *vkinek* (~ett, segíts)	**help** *sy*
Segíthetek Önöknek?	Can I help you?
válogat (~ott, válogass)	pick out, browse around
Épp a cipők között válogatok.	I'm picking out a pair of shoes.
***nyitva/zárva* van** (volt, legyél/légy)	**be *open/closed***
A szupermarket vasárnap is nyitva van.	The supermarket is also open on Sunday.
vásárol, bevásárol (~t, ~j)	**shop, do the shopping**
A férjem nagyon utál vásárolni/bevásárolni.	My husband hates shopping.
vásárol, megvásárol *vmit* (~t, ~j) **/ vesz, megvesz** *vmit* (vett, vegyél/végy)	**buy** *sg*, **take** *sg*
Vásároltam/Vettem egy pulóvert.	I bought a sweater.
Mindent megvásároltam/megvettem, amit kértél.	I bought everything you asked.
visszaad *vmiből* (~ott, ~j)	**give back** *from sg*
Tízezresből nem tudok visszaadni.	I cannot give back from 10 000 forints.
visszavált *vmit* (~ott, válts)	refund *for sg*
Visszaváltom az üres üvegeket.	I'll return the empty bottles for a refund of my deposit.
visszavisz *vmit* (vitt, vigyél)	return *sg*
Visszavittem a boltba a nadrágot, mert kicsi.	I returned the pants to the shop because they are too small.

Many Hungarians still like to buy their food at small food stores *(kisbolt)* in their neighborhood. These shops are considered to be more friendly and intimate than supermarkets. Besides advising their clients about products, shopkeepers also have time for a little chat. This makes a *kisbolt* an important place of social interaction.

Hasznos mondatok ▪ Hol szeret jobban vásárolni?
Useful sentences ▪ Where do you prefer to do your shopping?

Miért jobb szaküzletben vásárolni?	Why it is better to shop at a specialty shop?
Egy szaküzletben jobban figyelnek a minőségre.	They care about quality a lot more at a specialty shop.
A hipermarketekben rosszabb a termékek minősége.	In hypermarkets products are of poorer quality.
Jobb minőségű árut lehet kapni.	They sell products of better quality.
Kedvesebbek az eladók.	The shop assistants are nicer.
Jobb a kiszolgálás.	The service is better.
Az eladók ismerik a termékeket, és tudnak tanácsot adni.	The shop assistants know the merchandise, and are able to give you advice.
Az eladók ismernek.	The shop assistants know me.
Csak azt veszem meg, amire tényleg szükségem van.	I only buy what I actually need.
A legközelebbi hipermarket is nagyon messze van.	Even the closest hypermarket is very far away.

Miért jobb hipermarketben vásárolni?	Why is it better to shop at a hypermarket?
Mindent megvehetek egy helyen.	I'm able to buy everything in one place.
A termékek általában olcsóbbak, mint a kisebb üzletekben.	The products are usually cheaper than in a smaller store.
Hosszú a nyitva tartás, bármikor el tudom intézni a bevásárlást.	They have longer business hours, I can do the shopping anytime.
Mindig van parkolóhely.	There is always a place to park.
Mindig tudok bankkártyával fizetni.	I can always pay by bank card.

In most Hungarian cities, shopping on Sunday afternoon is not a problem. However, you are not likely to find huge supermarkets that are open day and night as in the United States.

2. Divat / Fashion

Hasznos szavak
Useful words

Ruházat	Clothing
alsónadrág (~ok, ~ot, ~ja)	underpants
bikini (~k, ~t, ~je)	bikini
blúz (~ok, ~t, ~a)	**blouse**
bugyi (~k, ~t, ~ja)	**panties**
farmer (~ek, ~t, ~e)	**jeans**
fehérnemű (~k, ~t, ~je)	**lingerie**
felső (~k, ~t, ~je)	top
fürdőköpeny (~ek, ~t, ~e)	bathrobe
fürdőnadrág (~ok, ~ot, ~ja)	**bathing trunks**
fürdőruha (~́k, ~́t, ~́ja)	**bathing suit**
hálóing (~ek, ~et, ~e)	**nightgown**
harisnya (~́k, ~́t, ~́ja)	**stockings**
ing (~ek, ~et, ~e)	**shirt**
kabát (~ok, ~ot, ~ja)	**coat**
átmeneti kabát	light coat
bőrkabát	leather coat
esőkabát	raincoat
télikabát	winter coat
melegítő (~k, ~t, ~je)	**sweatsuit**
melegítőalsó (~k, ~t, ~ja) / melegítőnadrág (~ok, ~ot, ~ja)	sweatpants
melegítőfelső (~k, ~t, ~je)	sweatshirt
mellény (~ek, ~t, ~e)	vest
melltartó (~k, ~t, ~ja)	**bra**
nadrág (~ok, ~ot, ~ja)	**trousers**
hosszúnadrág	long trousers, pants
rövidnadrág	shorts
halásznadrág	capri pants
öltöny (~ök, ~t, ~e)	**suit**
pizsama (~́k, ~́t, ~́ja)	**pyjamas**
pulóver (~ek, ~t, ~e)	**pullover, sweater**
póló (~k, ~t, ~ja)	**polo shirt, T-shirt**
hosszú ujjú póló	long sleeve T-shirt
rövid ujjú póló	short sleeve T-shirt
ujjatlan póló	sleeveless T-shirt
ruha (~́k, ~́t, ~́ja)	**clothing, clothes, dress**
estélyi ruha	evening dress
nyári ruha	summer dress, summer clothes
széldzseki (~k, ~t, ~je)	windbreaker
szoknya (~́k, ~́t, ~́ja)	**skirt**
szmoking (~ok, ~ot, ~ja)	tuxedo
top (~ok, ~ot, ~ja)	top
trikó (~k, ~t, ~ja)	sleeveless undershirt
zakó (~k, ~t, ~ja)	**jacket**
zokni (~k, ~t, ~ja)	**socks**

Cipő	Shoes
bakancs (~ok, ~ot, ~a)	workboots
csizma (~́k, ~́t, ~́ja)	**boots**
félcipő (~k, ~t, ~je)	casual shoes
papucs (~ok, ~ot, ~a)	**slippers**
sportcipő (~k, ~t, ~je)	sports shoes, sneakers
szandál (~ok, ~t, ~ja)	**sandals**

Kiegészítők	Accessories
esernyő (~k, ~t, ~je)	**umbrella**
fülbevaló (~k, ~t, ~ja)	**earrings**
gyűrű (~k, ~t, ~je)	**ring**
kalap (~ok, ~ot, ~ja)	**hat**
karkötő (~k, ~t, ~je)	**bracelet**
kendő (~k, ~t, ~je)	handkerchief
kesztyű (~k, ~t, ~je)	**gloves**
napszemüveg (~ek, ~et, ~e)	**sunglasses**
nyakkendő (~k, ~t, ~je)	**tie**
nyaklánc (~ok, ~ot, ~a)	**necklace**
óra (~́k, ~́t, ~́ja)	**watch**
öv (~ek, ~et, ~e)	**belt**
sál (~ak, ~at, ~ja)	**scarf**
sapka (~́k, ~́t, ~́ja)	**cap**
táska (~́k, ~́t, ~́ja)	**handbag**

Milyen lehet a ruha/cipő?	What can clothes/shoes be like?
bő (bővebb)	**baggy, loose fitting**
csíkos	striped
csinos (~abb)	smart
divatos (~abb)	fashionable
elegáns (~abb)	**elegant**
kényelmes (~ebb)	**comfortable**
kényelmetlen (~ebb)	**uncomfortable**

kockás	checkered
laza (~bb)	loose
meleg (~abb)	**warm**
mintás	patterned, printed
műszálas	synthetic
nyári	summer
őszi	autumn
pöttyös	polka-dotted
puha (~bb)	soft
selymes (~ebb)	silky
színes (~ebb)	**colorful**
szűk (~ebb)	**narrow, slim**
tavaszi	spring
téli	winter
vastag (~abb)	**thick**
vékony (~abb)	**thin**
vízálló (~bb)	waterproof

Milyen anyagból van a ruha/cipő?	**What material are clothes/shoes made of?**
bársony (~t, ~a)	velvet
bőr (~t, ~e)	**leather**
műbőr	fake leather
flanel (~t, ~e)	flannel
gyapjú (~t/gyapjat, gyapja)	**wool**
műszál (~at, ~a)	synthetic fiber
nejlon (~t, ~ja)	nylon
pamut (~ot, ~ja)	**cotton**
selyem (selymet, selyme)	**silk**
vászon (vásznat, vászna)	linen
viszkóz (~t, ~a)	viscose

Mit csinál a vevő / az eladó? Mit mondhatunk a termékről?	**What is the customer/shopkeeper doing? What can we say about a product?**
áll *vkinek vhogyan* (~t, ~j)	suit *sy*
Jól áll neked a zöld szín.	The green color suits you fine.
felpróbál *vmit* (~t, ~j)	**try** *sg* **on**
Felpróbálja ezt a felsőt?	Would you like to try on this top?
fizet *vmivel* (~ett, fizess)	**pay** *with sg*
Bankkártyával fizetek.	I'm paying with an ATM card.
hord *vmit* (~ott, ~j) **/ visel** *vmit* (~t, ~j)	**wear** *sg*
Általában sportos ruhákat hordok/viselek.	I usually wear sporty clothes.
illik *vmihez* (illett) **/ megy** *vmihez* (ment, menj)	**match** *sg*
A zöld nadrág nem illik/megy a kék pólóhoz.	The green pants don't match the blue T-shirt.
kicserél *vmit* (~t, ~j)	exchange *sg*
Szeretném kicserélni ezt a nadrágot, mert kicsi.	I'd like to exchange these pants because they are too small.
***pénzt* költ** *vkire/vmire* (~ött, költs)	**spend *money*** *on sy/sg*
Nem költök sok pénzt ruhára.	I don't spend much money on clothing.
választ, kiválaszt *vmit* (~ott, válassz)	**choose** *sg*, **pick out** *sg*
Melyik nadrágot választod?	Which trousers do you choose?
Már kiválasztottam a fekete farmert.	I've already picked out the black jeans.
öltözködik *vhogyan* (öltözködött, öltözködj)	dress *in a certain way*
Gabi szeret divatosan öltözködni.	Gabi likes to dress fashionably.
rábeszél *vkit vmire* (~t, ~j)	**convince** *sy to do sg*
Az eladó beszélt rá erre a kabátra.	The shopkeeper convinced me to buy this coat.
***sorban* áll** (~t, ~j)	**be *in line***
Már egy órája állok a sorban.	I've been standing in line for an hour.
szüksége van *vmire* (volt, legyen)	**need** *sg*
Új esőkabátra van szükségem.	I need a new raincoat.
tetszik *vkinek vmi* (tetszett, tetsszél/tessél)	**like** *sg*
Neked is tetszik Éva új ruhája?	Do you also like Eve's new dress?

Clothing and accessories that come in a pair are usually used in the singular: *Kesztyűt hordok. (I wear gloves.); Veszek egy nadrágot. (I'll buy pants.); Hol a szemüvegem? (Where are my glasses?)* etc.
If you want to refer to for example one glove only, you can say: *egy fél pár kesztyű (a half pair of gloves); egyik kesztyű (one of the gloves); a bal/jobb kesztyű (the left/right glove).*

Hasznos mondatok ■ Párbeszédek az üzletben
Useful sentences ■ Dialogues in a store

Ezt mondhatja az eladó	What the shopkeeper can say
Miben segíthetek?	How can I help you?
Tudok segíteni?	Can I help you?
Mit adhatok?	What are you looking for? (*lit.* What can I give you?)
Szóljon, ha tudok segíteni!	Let me know if I can help you.

Ezt mondhatja a vevő	What the customer can say
Kérhetem a segítségét?	Could you help me please? (*lit.* Can I ask for your help?)
Tudna segíteni?	Could you help me?
Köszönöm, csak körülnézek.	Thanks, I'm just looking around.
39-es cipőt keresek.	I'm looking for shoes, size 39.
Kapható ez a pulóver S-es / M-es / L-es méretben?	Do you have this sweater in size S/M/L?
Van ebből a pulóverből 40-es?	Do you have this sweater in size 40?
Ezt a csizmát szeretném felpróbálni.	I'd like to try on these boots.
Ebből a ruhából egy 40-est szeretnék felpróbálni.	I'd like to try on this dress, size 40.
Felpróbálhatom ezt a nadrágot?	Can I try on these trousers?
Mennyibe kerül a farmer és a póló?	How much do the jeans and the T-shirt cost all together?

Ezt mondhatja az eladó, miután Ön felpróbálta a ruhát/cipőt	What the shopkeeper can say after you have tried the clothing/shoes on
Jó lesz a blúz?	Will the blouse be alright?
Hogy érzi magát benne?	How does it feel? (*lit.* How do you feel in it?)
Nagyon jól áll Önnek ez a blúz.	This blouse suits you really well.
Kiemeli a szeme színét.	It emphasizes the color of your eyes.
Előnyös a szabása.	The cut is very advantegous.
Hozzak egy kisebb/nagyobb méretet?	Shall I bring you a smaller/bigger size?
Megnézem, van-e kisebb/nagyobb méret.	I'll check if I have a smaller/bigger size.

Párbeszédek a pénztárnál	Dialogues at the cashier's
– Fizethetek bankkártyával?	– Can I pay with an ITM card?
– Sajnos éppen elromlott a leolvasó.	– I'm sorry but the card scanner is broken.
– Nem baj, akkor készpénzzel fizetek.	No problem, I'll pay cash then.
– 12 450 forint lesz. Nincs véletlenül aprója?	– It will be 12 450 forints. Do you have small change by any chance?
– De van. Tessék!	– I do. Here you are.
– Köszönöm. Adom a blokkot. Köszönjük a vásárlást. Adjak egy szatyrot?	– Thank you. This is your receipt. Thank you for shopping with us. Do you need a bag? (*lit.* Shall I give you a bag?)
– Igen, köszönöm.	– Yes, thank you.

Shoe sizes are not measured in the same units around the world. U.S. and Canadian 5 for women corresponds to Hungarian 37. 6 corresponds to Hungarian 38 and 8 to Hungarian 41.

3. Drogéria / Drugstore

Hasznos szavak
Useful words

Termékek	Products
alapozó (~k, ~t, ~ja)	foundation make up
arclemosó (~k, ~t, ~ja)	facial cleanser lotion
balzsam (~ok, ~ot, ~a)	balm
borotva (~́k, ~́t, ~́ja)	**razor**
borotvahab (~ok, ~ot, ~ja)	shaving foam
dezodor (~ok, ~t, ~a)	**deodorant**
egészségügyi betét/intimbetét (~ek, ~et, ~je)	sanitary pad
fertőtlenítőszer (~ek, ~t, ~e)	disinfectant
fésű (~k, ~t, ~je)	**comb**
fogkefe (~́k, ~́t, ~je)	**toothbrush**
fogkrém (~ek, ~et, ~e)	**toothpaste**
fogselyem (-selymek, -selymet, -selyme)	dental floss
fürdősó (~k, ~t, ~ja)	bath salts
hajbalzsam (~ok, ~ot, ~a)	hair conditioner
hajcsat (~ok, ~ot, ~ja)	hairclip
hajfesték (~ek, ~et, ~e)	hair dye
hajkefe (~́k, ~́t, ~́je)	**hairbrush**
hajlakk (~ok, ~ot, ~ja)	hair spray
hajzselé (~k, ~t, ~je)	hair gel
körömlakk (~ok, ~ot, ~ja)	nail polish
körömlakk-lemosó (~k, ~t, ~ja)	nail polish remover
körömolló (~k, ~t, ~ja)	nail scissors
körömreszelő (~k, ~t, ~je)	nail file
krém (~ek, ~et, ~je)	**lotion, cream**
arckrém	**facial cream**
kézkrém	hand cream
nappali/éjszakai arckrém	day/night facial cream
hidratáló krém	moisturizing cream
légfrissítő (~k, ~t, ~je) / illatosító (~k, ~t, ~ja)	air freshener
WC-illatosító	toilet freshener
mosogatószer (~ek, ~t, ~e)	**dishwashing liquid**
mosogatószivacs (~ok, ~ot, ~a)	dishwashing sponge
mosópor (~ok, ~t, ~a)	**laundry detergent powder**
napolaj (~ak, ~at, ~a) / naptej (~ek, ~et, ~e)	sunbathing lotion
olaj (~ak, ~at, ~a)	oil
fürdőolaj	bath oil
illóolaj	essential oil
masszázsolaj	massage oil
óvszer (~ek, ~t, ~e)	condom
öblítőszer (~ek, ~t, ~e) **/ öblítő** (~k, ~t, ~je)	**fabric softener**
papírzsebkendő (~k, ~t, ~je)	**facial tissues**
parfüm (~ök, ~öt, ~je)	**perfume**

pelenka (~́k, ~́t, ~́ja)	diaper
púder (~ek, ~t, ~e)	facial powder
rúzs (~ok, ~t, ~a)	**lipstick**
sampon (~ok, ~t, ~ja)	**shampoo**
sampon korpás hajra	dandruff shampoo
sebtapasz (~ok, ~t, ~a)	adhesive bandages
szájfény (~ek, ~t, ~e)	lip gloss
szájvíz (-vizek, -vizet, -vize)	mouthwash
szappan (~ok, ~t, ~ja)	**soap**
szemeteszsák (~ok, ~ot, ~ja)	garbage bag
szemfesték (~ek, ~et, ~e) / szemhéjpúder (~ek, ~t, ~e)	eyeshadow
szempillaspirál (~ok, ~t, ~a)	mascara
tampon (~ok, ~t, ~ja)	tampons
testápoló (~k, ~t, ~ja)	body lotion
tisztítószer (~ek, ~t, ~e)	detergent
toalettpapír/WC-papír (~ok, ~t, ~ja)	**toilet paper**
törlőkendő (~k, ~t, ~je)	wipes
tusfürdő (~k, ~t, ~je)	**shower gel**

Milyen lehet a haj?	What can hair be like?
dauerolt	permed
dús (~abb)	rich, thick
festett	dyed
göndör (~ebb)	curly
hosszú (hosszabb)	**long**
hullámos (~abb)	wavy
korpás (~abb)	dandruffy
normál	**normal**
ritka (~́bb)	**thin**
rövid (~ebb)	**short**
sűrű (~bb)	**dense**
száraz (~abb)	**dry**
töredezett (~ebb)	fragile
vékony (~abb)	**thin**
zsíros (~abb)	**oily**

Milyen lehet a bőr?	What can skin be like?
érett (~ebb)	mature
érzékeny (~ebb)	**sensitive**
fáradt (~abb)	tired, dull
feszes (~ebb)	supple
normál	**normal**
pattanásos (~abb)	pimply, blemished
puha (~́bb)	soft
ráncos (~abb)	wrinkled
rugalmas (~abb)	elastic
sima (~́bb)	smooth
száraz (~abb)	**dry**
szép (szebb)	nice
vegyes	mixed
vízhiányos (~abb)	dehydrated
zsíros (~abb)	**oily**

Milyen lehet a termék?	What can a product be like?
drága (~́bb)	**expensive**
folyékony (~abb)	liquid, fluid
hatékony (~abb)	effective
illatos (~abb)	fragrant
környezetbarát	environment-friendly
olcsó (~bb)	**cheap, inexpensive**
tartós (~abb)	durable, long-lasting

Hasznos mondatok ▪ A kozmetikai termékek használatáról
Useful sentences ▪ About the use of beauty products

Ilyen és hasonló mondatokat olvashatunk kozmetikai termékeken	You may find sentences like the following on beauty products
A krém kitűnően hidratálja a száraz bőrt.	The cream moisturizes dry skin perfectly.
A hatékonyság érdekében a krémet naponta legalább kétszer használjuk.	For maximum effect use lotion at least twice daily.
A krém növeli a bőr rugalmasságát.	Lotion promotes elasticity of skin.
A sampon rendszeres használata csökkenti a korpásodást.	Regular use of shampoo reduces dandruff.
A kondicionáló fényessé és könnyen fésülhetővé teszi a hajat.	Conditioner makes hair shiny and easy to comb.
A készítményt bő vízzel mossuk le.	Rinse preparation with generous amounts of water.
Gyermekek elől elzárva tartandó.	Keep away from children.
A termék használat előtt felrázandó.	Shake product before use.
Ha a készítmény a szembe kerül, azonnal mossuk ki.	If preparation gets in eye, flush with water immediately.
A készítmény tartósítószereket és színezőanyagokat nem tartalmaz.	Preparation does not contain preservatives or artificial colors.
A készítmény a szem és az ajkak ápolására ajánlott.	The preparation is suitable for eye and lip skin care.
A balzsam hidratálja, táplálja és védi a bőrt.	The balm moisturizes, nourishes and protects the skin.
A krém kisimítja a ráncokat, és regenerálja a sejteket.	The lotion smoothes wrinkles and regenerates cells.
A krém eltávolítja a méreganyagokat.	The lotion eliminates toxic substances.
A termék megakadályozza a pattanások és a mitesszerek kialakulását.	The product prevents the formation of pimples and blackheads.
A készítmény összetétele: …	Ingredients: … (*lit.* Ingredients of the preparation)
Minőségét megőrzi: …	Best before: … (*lit.* It keeps its quality)

4. Élelmiszerek / Food

Hasznos szavak
Useful words

Étkezések	Meals
reggeli (~k, ~t, ~je)	**breakfast**
villásreggeli	brunch
tízórai (~k, ~t, ~ja)	morning snack
ebéd (~ek, ~et, ~je)	**lunch**
uzsonna (~́k, ~́t, ~́ja)	afternoon snack
vacsora (~́k, ~́t, ~́ja)	**dinner**

Mit veszünk reggelire, tízóraira és uzsonnára?	What do we buy for breakfast, morning and afternoon snacks?
cukor (cukrok, cukrot, cukra)	**candy, sugar**
csokoládé/csoki (~k, ~t, ~ja)	**chocolate**
étcsokoládé	bitter chocolate
tejcsokoládé	milk chocolate
édesség (~ek, ~et, ~e)	**sweets**
felvágott (~ak, ~at, ~ja)	**coldcuts**
gyümölcslé (-levek, -levet, -leve)	**fruit juice**
joghurt (~ok, ~ot, ~ja)	**yogurt**
gyümölcsjoghurt	fruit yogurt
natúr joghurt	plain yogurt
szójajoghurt	soya yogurt
kakaó (~k, ~t, ~ja)	cocoa
kalács (~ok, ~ot, ~a)	coffee cake
kávé (~k, ~t, ~ja)	**coffee**
kefir (~ek, ~t, ~je)	kefir, fermented milk drink
kenyér (kenyerek, kenyeret, kenyere)	**bread**
fehér kenyér	white bread
barna kenyér	brown bread
rozskenyér	rye bread
kifli (~k, ~t, ~je)	**crescent shaped roll**
kolbász (~ok, ~t, ~a)	**sausage**
lekvár (~ok, ~t, ~ja)	**jam**
szilvalekvár	plum jam
margarin (~ok, ~t, ~ja)	margarine
méz (~ek, ~et, ~e)	**honey**
müzli (~k, ~t, ~je)	**granola, cereals**
perec (~ek, ~et, ~e)	pretzel
sajt (~ok, ~ot, ~ja)	**cheese**
sonka (~́k, ~́t, ~́ja)	**ham**

tea (~́k, ~́t, ~́ja)	**tea**
tej (~ek, ~et, ~e)	**milk**
zsírszegény tej	fat-free milk
tejföl (~ök, ~t, ~e)	**sour cream**
tejszín (~ek, ~t, ~e)	**cream**
tojás (~ok, ~t, ~a)	**egg**
lágy/kemény tojás	soft-boiled/hard-boiled egg
tojásrántotta	scrambled eggs
tükörtojás	fried egg (sunnyside up)
túró (~k, ~t, ~ja)	**cottage cheese**
vaj (~ak, ~at, ~a)	**butter**
zsemle (~́k, ~́t, ~́je)	**bread roll**

Gyümölcsök	Fruits
áfonya (~́k, ~́t, ~́ja)	cranberry
alma (~́k, ~́t, ~́ja)	**apple**
birsalma	quince apple
banán (~ok, ~t, ~ja)	**banana**
citrom (~ok, ~ot, ~a/~ja)	**lemon**
cseresznye (~́k, ~́t, ~́je)	**cherry**
datolya (~́k, ~́t, ~́ja)	date
dió (~k, ~t, ~ja)	**nut**
dinnye (~́k, ~́t, ~́je)	**melon**
görögdinnye	**watermelon**
sárgadinnye	**cantelope**
egres (~ek, ~t, ~e)	gooseberry
eper (eprek, epret, epre)	**strawberry**
füge (~́k, ~́t, ~́je)	fig
grapefruit (~ok, ~ot, ~ja)	grapefruit
kivi (~k, ~t, ~je)	kiwi
körte (~́k, ~́t, ~́je)	**pear**
málna (~́k, ~́t, ~́ja)	**raspberry**
mandarin (~ok, ~t, ~ja)	mandarine
mandula (~́k, ~́t, ~́ja)	almond
meggy (~ek, ~et, ~e)	**sour cherry**
mogyoró (~k, ~t, ~ja)	hazelnut
narancs (~ok, ~ot, ~a)	**orange**
őszibarack/barack (~ok, ~ot, ~ja)	**peach**
pisztácia (~́k, ~́t, ~́ja)	pistachio
ribiszke (~́k, ~́t, ~́je)	currant
feketeribiszke	black currant
sárgabarack (~ok, ~ot, ~ja)	**apricot**
szilva (~́k, ~́t, ~́ja)	**plum**
szőlő (~k, ~t, ~je)	**grape**

Zöldségek	Vegetables
articsóka (~́k, ~́t, ~́ja)	artichoke
bab (~ok, ~ot, ~ja)	**bean**
szójabab	soy bean
zöldbab	green bean
brokkoli (~k, ~t, ~ja)	**broccoli**
burgonya (~́k, ~́t, ~́ja) / **krumpli** (~k, ~t, ~ja)	**potato**
cékla (~́k, ~́t, ~́ja)	beetroot, red beet
cukkini (~k, ~t, ~ja)	zucchini
fokhagyma (~́k, ~́t, ~́ja)	**garlic**

gomba (~́k, ~́t, ~́ja)	**mushroom**
hagyma (~́k, ~́t, ~́ja)	**onion**
lilahagyma	red onion
medvehagyma	bear's onion
póréhagyma	leek
vöröshagyma	**regular onion**
káposzta (~́k, ~́t, ~́ja)	**cabbage**
karalábé (~k, ~t, ~ja)	turnip
karfiol (~ok, ~t, ~ja)	**cauliflower**
kelbimbó (~k, ~t, ~ja)	Brussels sprout
kukorica (~́k, ~́t, ~́ja)	**corn**
lencse (~́k, ~́t, ~́je)	lentil
padlizsán (~ok, ~t, ~ja)	eggplant
paradicsom (~ok, ~ot, ~a)	**tomato**
paprika (~́k, ~́t, ~́ja)	**pepper**
retek (retkek, retket, retke)	**radish**
fekete retek	black radish
saláta (~́k, ~́t, ~́ja)	**lettuce**
sárgarépa (~́k, ~́t, ~́ja)	**carrot**
sóska (~́k, ~́t, ~́ja)	sorrel
spárga (~́k, ~́t, ~́ja)	**asparagus**
spenót (~ok, ~ot, ~ja)	spinach
uborka (~́k, ~́t, ~́ja)	**cucumber**
torma (~́k, ~́t, ~́ja)	horseraddish
tök (~ök, ~öt, ~e)	pumpkin
sütőtök	red pumpkin
zöldborsó (~k, ~t, ~ja)	**green pea**

Fűszerek	**Spices**
ánizs (~t, ~a)	anise
babérlevél (-levelet, -levele)	bay leaf
bazsalikom (~ot, ~a)	basil
bors (~ot, ~a)	**pepper**
curry (~t, ~je)	curry
fahéj (~t, ~a)	cinnamon
gyömbér (~t, ~e)	ginger
kapor (kaprot, ~ja)	dill
kakukkfű (-füvet, -füve)	thyme
koriander (~t, ~e)	coriander
kömény (~t, ~e)	caraway
kurkuma (~́t, ~́ja)	turmeric
majoránna (~́t, ~́ja)	marjoram
mustár (~t, ~ja)	mustard
oregánó (~t, ~ja)	oregano
paprika (~́t, ~́ja)	**paprika**
édespaprika	sweet paprika
erőspaprika	red pepper
pirospaprika	**red pepper**
rozmaring (~ot, ~ja)	rosemary
sáfrány (~t, ~a)	saffron
só (~t, ~ja)	**salt**
snidling (~et, ~je) / metélőhagyma (~́t, ~́ja)	chive
szegfűszeg (~et, ~e)	cloves
tárkony (~t, ~a)	tarragon
zsálya (~́t, ~́ja)	sage

→ *Étteremben / In a restaurants: 206–212. oldal*

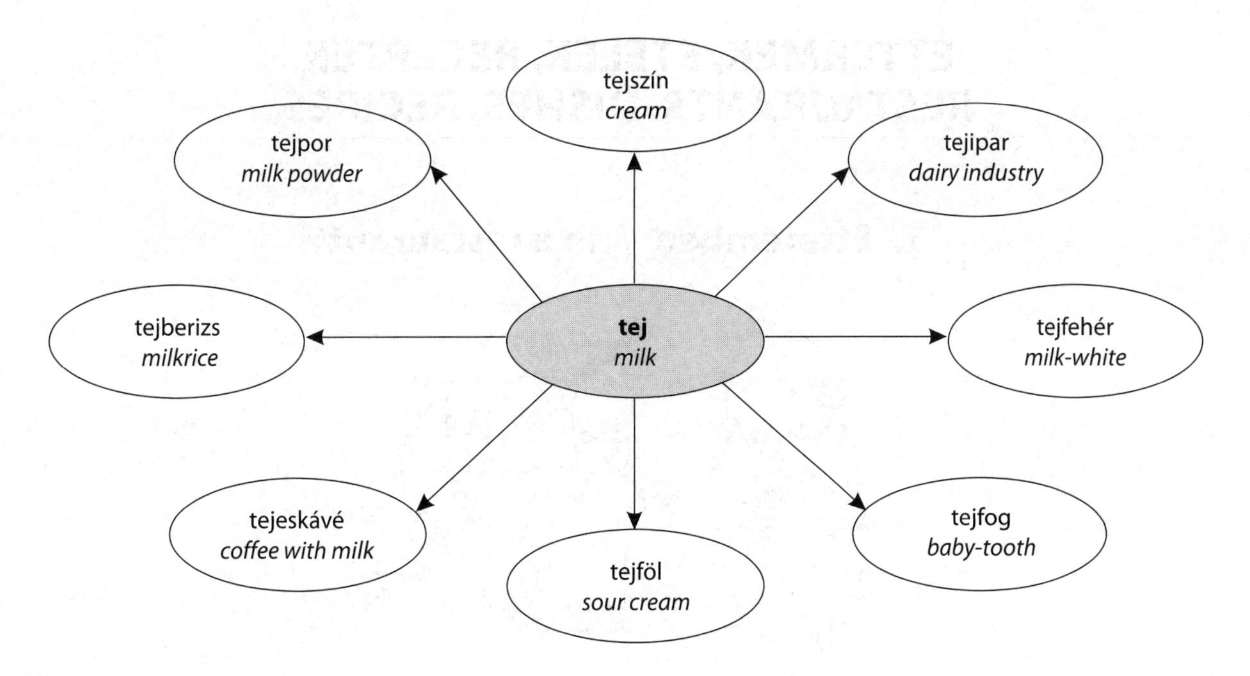

Hasznos mondatok ■ A piacon
Useful sentences ■ On the market

Mit mond az eladó?	What does the seller say?
Itt a friss paprika, csak tessék!	I have fresh peppers, take some!
Mit adhatok?	What can I give you?
Nagyon finom paradicsomot kaptam ma reggel. Nem visz belőle?	I got very tasty tomatoes this morning. Won't you take some?
Még valamit adhatok?	Can I give you anything else?
Más valamit?	Anything else?
Máris adom.	Right away.
Összesen 2150 forint lesz.	It will be 2150 forints in total.
Nincs véletlenül aprója?	Do you have change by any chance?
Adjak egy szatyrot?	Do you need a bag? (*lit.* Shall I give you a bag?)

Mit mond a vevő?	What does the buyer say?
Két kiló piros almát és tíz tojást kérek.	I'd like two kilos of red apples and ten eggs.
Két fej salátát is viszek.	I'll also take two heads of lettuce.
Legyen szíves, adjon húsz deka diót!	Give me 20 dkg of walnuts, please.
Friss a paradicsom?	Are the tomatoes fresh?
Köszönöm, más nem lesz.	Thank you, that will be all.
Mennyit fizetek?	How much do I pay?
Kaphatnék egy szatyrot?	Could I have a bag?

→ *Szolgáltatások / Services: 177–186. oldal*

ÉTTERMEK, ÉTELEK, RECEPTEK
RESTAURANTS, DISHES, RECIPES

1. Étteremben / In a restaurant

Hasznos szavak
Useful words

Hol étkezhetünk?	Where can we have meals?
gyorsbüfé/büfé (~k, ~t, ~je)	snack-bar
cukrászda (~k, ~t, ~ja)	pastry shop
élelmiszerbolt (~ok, ~ot, ~ja)	**grocery store**
étterem (éttermek, éttermet, étterme)	**restaurant**
gyorsétterem	fast-food restaurant
menza (~k, ~t, ~ja)	school canteen, school cafeteria
pizzéria (~k, ~t, ~ja)	pizzeria
salátabár (~ok, ~t, ~ja)	salad bar
vendéglő (~k, ~t, ~je)	**tavern, family-owned restaurant**

Mi van az étteremben?	What is in a restaurant?
asztal (~ok, ~t, ~a)	**table**
borravaló (~k, ~t, ~ja)	tip
borstartó (~k, ~t, ~ja)	pepper pot
étlap (~ok, ~ot, ~ja)	**menu**
gyertyatartó (~k, ~t, ~ja)	candlestick
hamutál (~ak, ~at, ~ja)	ashtray
helyiség (~ek, ~et, ~e)	room, area
dohányzó/nemdohányzó helyiség	smoking/non-smoking area
kanál (kanalak, kanalat, kanala)	**spoon**
evőkanál	table spoon
kávéskanál	coffee spoon
kiskanál	dessert spoon
merőkanál	ladle
teáskanál	teaspoon
kés (~ek, ~t, ~e)	**knife**
konyha (~k, ~t, ~ja)	**kitchen**
pohár (poharak, poharat, pohara)	**glass**
sótartó (~k, ~t, ~ja)	salt cellar
szalvéta (~k, ~t, ~ja)	**napkin**
számla (~k, ~t, ~ja)	**bill, check**
szék (~ek, ~et, ~e)	**chair**

szívószál (~ak, ~at, ~a)	straw
tányér (~ok, ~t, ~ja)	**plate**
kistányér	dessert plate, small plate
lapostányér	dinner plate
mélytányér	soup bowl, soup plate
terasz (~ok, ~t, ~a)	**terrace**
terítő (~k, ~t, ~je)	**tablecloth**
villa (~́k, ~́t, ~́ja)	**fork**
WC (WC-k, WC-t, WC-je)	**toilet**
férfi WC	**men's room**
női WC	**ladies' room**

Ki van az étteremben?	Who is in a restaurant?
bárpultos/pultos (~ok, ~t, ~a)	bartender
pincér (~ek, ~t, ~e) / felszolgáló (~k, ~t, ~ja)	**waiter**
pincérnő (~k, ~t, ~je)	**waitress**
szakács (~ok, ~ot, ~a)	**cook**
mesterszakács	chef
takarítónő (~k, ~t, ~je)	**cleaning lady**
vendég (~ek, ~et, ~e)	**guest**

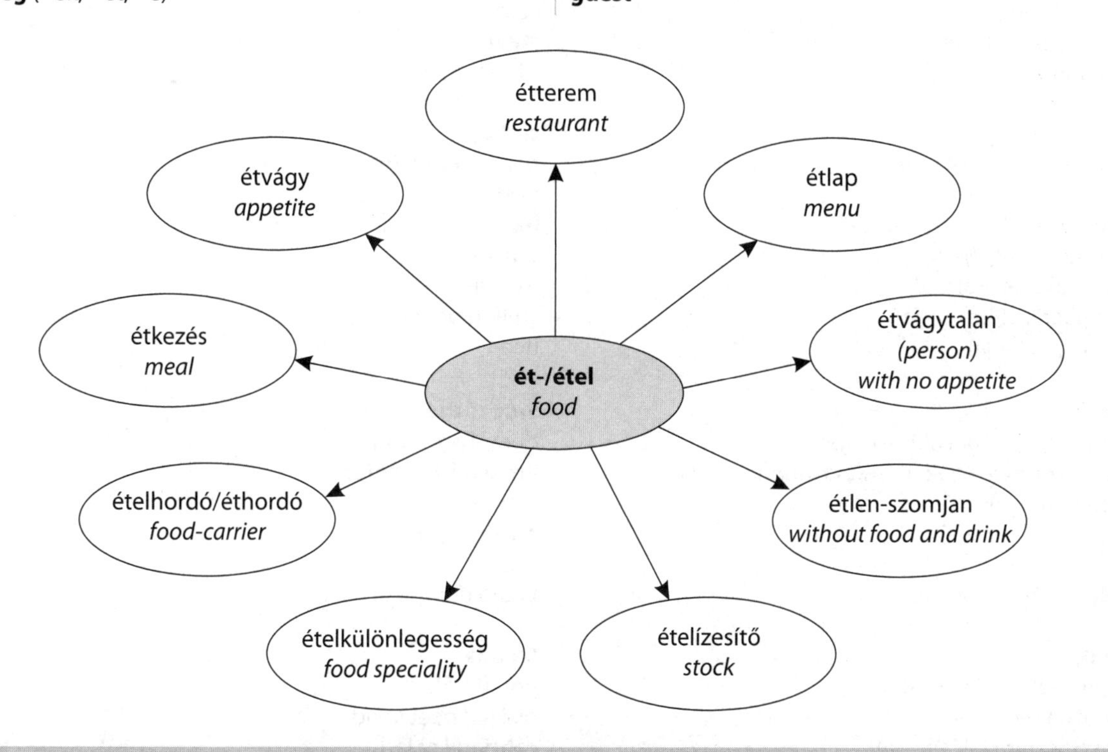

Mi van az étlapon?	What is on the menu?
Előételek	**Starters**
camembert (~ek, ~t, ~e)	Camembert
franciasaláta (~́k, ~́t, ~́ja)	mixed vegetable salad with mayonnaise
gomba (~́k, ~́t, ~́ja)	**mushroom**
rántott gomba	fried mushrooms
hortobágyi **palacsinta** (~́k, ~́t, ~́ja)	**pancake** *Hortobágy style*
libamáj (~ak, ~at, ~a)	goose liver
sajttál (~ak, ~at, ~a)	**cheese plate**
Levesek	**Soups**
erőleves (~ek, ~t, ~e)	bouillon, broth
gyümölcsleves (~ek, ~t, ~e)	**fruit soup**

fokhagymaleves (~ek, ~t, ~e)	garlic cream soup
gombaleves (~ek, ~t, ~e)	mushroom soup
gulyásleves (~ek, ~t, ~e)	**goulash soup**
halászlé (-levek, -levet, -leve)	**fish soup**
húsleves (~ek, ~t, ~e)	**meat soup**
májgombócleves (~ek, ~t, ~e)	liver dumplings soup
paradicsomleves (~ek, ~t, ~e)	tomato soup

Húsok, halak	**Meat, fish**
bárány (~ok, ~t, ~a)	lamb
bélszín (~ek, ~t, ~e)	tenderloin
brassói aprópecsenye (~́k, ~́t, ~́je)	cubed pork Brasov
csirke (~́k, ~́t, ~́je)	**chicken**
frissensült (~ek, ~et, ~je)	fresh-roast
kacsa (~́k, ~́t, ~́ja)	duck
készétel (~ek, ~t, ~e)	food that needs much preparation and has been cooked in advance (e.g. goulash)
máj (~ak, ~at, ~a)	liver
marha (~́k, ~́t, ~́ja)	**beef**
paprikás csirke (~́k, ~́t, ~́je)	paprika chicken
pecsenye (~́k, ~́t, ~́je)	roast meat
ponty (~ok, ~ot, ~a)	carp
pörkölt (~ek, ~et, ~je)	**stew**
marhapörkölt	beef stew
sertéspörkölt	pork stew
pulyka (~́k, ~́t, ~́ja)	**turkey**
rántott szelet (~ek, ~t, ~e)	**fried meat fillet**
sertés (~ek, ~t, ~e)	**pork**
sonka (~́k, ~́t, ~́ja)	**ham**
szalonna (~́k, ~́t, ~́ja)	**bacon**
tonhal (~ak, ~at, ~a)	tuna fish
töltött paprika (~́k, ~́t, ~́ja)	stuffed peppers
tyúk (~ok, ~ot, ~ja)	hen

Köretek	**Side dishes**
galuska (~́t, ~́ja) / nokedli (~t, ~je)	dumpling, noodles
hasábburgonya (~́t, ~́ja) / **sült krumpli** (~t, ~ja)	**French fries, chips**
krokett (~et, ~je)	croquet
krumplipüré (~t, ~je)	**mashed potatoes**
rizs (~t, ~e)	**rice**
zsemlegombóc (~ot, ~a)	bread dumpling

Saláták	**Salads**
burgonyasaláta (~́k, ~́t, ~́ja)	potato salad
céklasaláta (~́k, ~́t, ~́ja)	pickled beet salad
káposztasaláta (~́k, ~́t, ~́ja)	**cabbage salad**
kukoricasaláta (~́k, ~́t, ~́ja)	corn salad
paradicsomsaláta (~́k, ~́t, ~́ja)	**tomato salad**
uborkasaláta (~́k, ~́t, ~́ja)	**cucumber salad**
vegyes saláta (~́k, ~́t, ~́ja)	**mix salad**

Tészták	**Noodles, pasta**
káposztás kocka (~́k, ~́t, ~́ja)	cabbage pasta
spagetti (~k, ~t, ~je)	spaghetti
túrós csusza (~́k, ~́t, ~́ja)	cottage cheese pasta

Desszertek	**Desserts**
fagylalt (~ok, ~ot, ~ja) **/ fagyi** (~k, ~t, ~ja)	**ice cream**
fánk (~ok, ~ot, ~ja)	**Hungarian donut**

gesztenyepüré (~k, ~t, ~je)	**chestnut puree**
gombóc (~ok, ~ot, ~a)	**dumpling**
szilvás gombóc	plum dumplings
gyümölcssaláta (~́k, ~́t, ~́ja)	fruit salad
palacsinta (~́k, ~́t, ~́ja)	**sweet crèpes**
puding (~ok, ~ot, ~ja)	pudding
rétes (~ek, ~t, ~e)	**strudel**
torta (~́k, ~́t, ~́ja)	**cake, tart**
csokoládétorta	chocolate cake

A very popular "institution" on Hungarian beaches is the *strandbüfé (beach stand)*. The stands are open from spring to fall selling Hungarian fast-food such as *lángos (a kind of deep-fried dough), palacsinta (sweet crepes), főtt kukorica (cooked corn-on-the-cob), hurka (black pudding, blood sausage), kolbász (sausage), hekk (deep-fried fish)*. You can also buy a burger or a hot dog – prepared Hungarian style.

Italok	**Drinks**
alkohol (~ok, ~t, ~ja)	alcohol
almalé (-levek, -levet, -leve)	apple juice
ásványvíz (-vizek, -vizet, -vize)	**mineral water**
szénsavas/szénsavmentes ásványvíz	sparkling/still mineral water
bor (~ok, ~t, ~a)	**wine**
fehérbor	white wine
vörösbor	red wine
édes/félédes bor	sweet/semi-sweet wine
száraz/félszáraz bor	dry/semi-dry wine
gyümölcslé (-levek, -levet, -leve)	**fruit juice**
koktél (~ok, ~t, ~ja)	cocktail
kóla (~́k, ~́t, ~́ja)	**cola**
cukormentes kóla	diet cola
likőr (~ök, ~t, ~je)	brandy
pálinka (~́k, ~́t, ~́ja)	**schnapps**
pezsgő (~k, ~t, ~je)	**champagne**
egy pohár pezsgő	a glass of champagne
egy üveg pezsgő	a bottle of champagne
rozé (~k, ~t, ~ja)	rosé
rövidital (~ok, ~t, ~a)	spirit
sör (~ök, ~t, ~e)	**beer**
csapolt sör	beer on tap
egy korsó sör	a mug of beer
palackozott sör	bottled beer
egy pohár sör	a glass of beer
üdítő (~k, ~t, ~je)	**soda, soft drink**
víz (vizek, vizet, vize)	**water**
csapvíz	tap water
szódavíz	seltzer

Names for fruit juices can be easily formed by adding *-lé (juice)* to the name of the fruit, e.g. : *alma – almalé (apple – apple juice), körte – körtelé (pear – pear juice), barack – barcklé (peach – peach juice)* etc.

→ *Élelmiszerek / Food: 202–205. oldal*

Hungarians who like to chat in a pub while having an alcoholic drink, can be divided in two groups: those who drink *fröccs (wine spritzer)* and those who drink *sör (beer)*.
Fröccs is a mix of wine and sparkling water. According to the proportions of its ingredients, this drink has four different types:
kisfröccs (10 cl wine – 10 cl sparkling water),
nagyfröccs (20 cl wine – 10 cl sparkling water),
hosszúlépés (10 cl wine – 20 cl sparkling water),
házmester (3 dl wine – 2 dl sparkling water).
If you do not drink alcohol, you may ask for an *almafröccs*. The barman will put apple juice instead of wine in the glass. Similar to many Hungarians, you can also drink quality wine without adding any water to it. In this case, you can say to the waiter: *Tisztán iszom a bort.* (lit. *I drink the wine clean.*).

If you would like to have beer, you can say:
Egy pohár sört kérek. (I'd like a glass of beer. = appr. 1.3 cups),
Egy korsó sört kérek. (I'd like a mug of beer. = appr. 2.1 cups).

Milyen az étel?	**What is the food like?**
átsült	well-done
borsos (~abb)	peppery
bőséges (~ebb)	copious, plenty
diétás (~abb) / kímélő (~bb)	diet
fagyasztott	frozen
finom (~abb)	**delicious**
forró (~bb)	**hot**
főtt	**cooked**
friss (~ebb)	**fresh**
füstölt	**smoked**
fűszeres (~ebb)	spicy
grillezett	grilled
hagyományos (~abb)	traditional
házi/házias (~abb)	home-made
hideg (~ebb)	**cold**
húsos (~abb)	with meat
ízetlen (~ebb)	**tasteless**
ízletes (~ebb)	**tasty**
kihűlt	(food that) cooled down
könnyű (könnyebb)	**light, easy to digest**
langyos (~abb)	lukewarm
magyaros (~abb)	Hungarian style
nehéz (nehezebb)	**heavy, hard to digest**
nyers	**raw**
omlós (~abb)	tender
párolt	steamed
puha (~́bb)	**tender, soft**
rántott	**deep-fried**
ropogós (~abb)	**crispy**
sajtos (~abb)	with cheese
sült	**roasted**
félig sült	medium
sűrű (~bb)	thick
száraz (~abb)	**dry**
tejfölös (~ebb)	made with sour cream
töltött	**stuffed**
vegán	vegan
vegetáriánus	**vegetarian**
vegyes	**mixed**
véres (~ebb)	rare, bloody
zsíros (~abb)	**fatty**

Ízek	**Tastes**
csípős (~ebb)	**hot**
édes (~ebb)	**sweet**
erős (~ebb)	**hot, spicy**
keserű (~bb)	**bitter**
savanyú (~bb)	**sour**
sós (~abb)	**salty**
sótlan (~abb)	**unsalted**

Asztali fűszerek	**Tables spices**
bazsalikom (~ok, ~ot, ~ja)	basil
bors (~ok, ~ot, ~a)	**pepper**
fahéj (~ak, ~at, ~a)	cinnamon
kakukkfű (-füvek, -füvet, -füve)	thyme
ketchup (~ot, ~ja)	ketchup
köménymag (~ok, ~ot, ~ja) / kömény (~ek, ~t, ~e)	caraway seed. caraway
mustár (~ok, ~t, ~ja)	mustard
petrezselyem (petrezselymek, petrezselymet, petrezselyme)	parsley
pirospaprika (~́k, ~́t, ~́ja)	**red pepper**
rozmaring (~ok, ~ot, ~ja)	rosemary
só (~k, ~t, ~ja)	**salt**
szegfűszeg (~ek, ~et, ~e)	cloves

The truth of the matter is that Hungarian restaurants do not offer a large variety of vegetarian food. Hungarian cuisine is based on meat, not so much on vegetables.

Mi történik az étteremben?	What happens in a restaurant?
ad *vmit vkinek* (~ott, ~j)	**give** *sg to sy*
Nagyon jó volt a vacsora, ezért nagy borravalót adtam a pincérnek.	The dinner was excellent, so I gave the waiter a generous tip.
ajánl *vmit vkinek* (~ott, ~j)	**recommend** *sg to sy*
Ajánlhatok Önöknek előételt?	May I recommend you a starter?
ebédel (~t, ~j)	**have lunch**
Holnap Sárával ebédelek.	I'm going to have lunch with Sarah tomorrow.
elfogy (~ott, ~j)	**run** *out of sg*
Elfogyott a túrós rétes.	We ran out of cottage cheese strudel.
elvesz *vmit* (vett, vegyél/végy)	**take** *sg*
Elveszem a szomszéd asztalról a hamutartót.	I'll take the ashtray from the table next to ours.
fizet (~ett, fizess)	**pay**
Külön fizetünk.	We're paying separately.
foglal *vmit* (~t, ~j)	**book** *sg*, **reserve** *sg*
Két főre szeretnék foglalni egy asztalt.	I'd like to reserve a table for two.
hoz *vmit vkinek* (~ott, hozz)	**bring** *sg to sy*
Hozhatok Önöknek még valamit?	Can I bring you anything else?
idead *vmit* (~ott, ~j)	pass *sg*
Ideadnád a sót?	Would you pass me the salt?
ízlik *vmi vkinek* (ízlett)	**taste**
Ízlett Önöknek a vacsora?	Did you like your dinner? (*lit.* Did the dinner taste good to you?)
kér *vmit* (~t, ~j)	**ask** *for sg*
Mást nem kérek.	That'll be all. (*lit.* I don't ask for anything else.)
megfelel *vmi vkinek* (~t, ~j)	suit *sy*
Megfelel Önnek a bor?	Does the wine suit you?
meghív *vkit vhova* (~ott, ~j)	**invite** *sy to sg*
Szeretnélek meghívni vacsorára.	I'd like to invite you for dinner.
parancsol *vmit* (~t, ~j)	**order** *sg*
Mit parancsol?	What would you like? (*lit.* What would you like to order?)
reklamál *vmi miatt* (~t, ~j)	complain *about sg*
A vendég reklamál a sótlan étel miatt.	The guest is complaining about the unsalted food.
rendel *vmit* (~t, ~j)	**order** *sg*
Én nem gombalevest rendeltem.	I didn't order the mushroom soup.
vacsorázik (vacsorázott, vacsorázz)	**have dinner**
Holnap étteremben vacsorázunk.	Tomorrow we will have dinner in a restaurant.

In Hungary, the tip is not usually included in the bill. If you are happy with the service, it is recommended to give the waiter a 10% tip.

Hasznos mondatok ■ Az étteremben
Useful sentences ■ In the restaurant

Ezt mondja a vendég	The guest says
Szabad ez az asztal?	Is this table free?
Legyen szíves!	Excuse me! *(when calling the waiter)*
Rendelni szeretnénk.	We'd like to order.
Egy étlapot, legyen szíves.	The menu, please.
Hozna egy itallapot?	Could you bring us the drink list?
Van napi menü?	Do you have a daily menu?
Csak egy teát kérek.	Just a cup of tea, please. (*lit.* Just a tea please.)

Mi a napi ajánlat?	What's today's special?
Nem bírom a zsíros ételeket.	I can't stand fatty foods.
Vegetáriánus vagyok, nem eszem húst.	I'm a vegetarian, I don't eat meat.
Valamilyen helyi specialitást szeretnék megkóstolni.	I'd like to try some local specialty.
Egy négysajtos pizzát kérek.	We'd like to order a pizza with four cheeses.
Köszönöm, mást nem kérek.	Thank you, that will be all.
Ez minden.	That's all.
Ideadná a sótartót?	Could you pass me the salt holder?
Hozna még egy kis kenyeret?	Would you bring us some more bread?
Ez a leves hideg. Kérem, vigye vissza!	This soup is cold. Please take it back.
A számlát, legyen szíves!	The check, please!
Egybe fizetünk.	I'm paying for everyone.
Külön fizetünk.	We're paying separately.
Van házhoz szállítás?	Do you make house deliveries?

Ezt mondja a pincér	**The waiter says**
Inni mit hozhatok?	What would you like to drink? (*lit.* What can I bring you to drink?)
Tessék parancsolni!	Please./Here you go.
Étlapot parancsolnak?	Would you like to see the menu?
A gulyásleves sajnos elfogyott.	I'm sorry but we ran out of goulash soup.
Sajnos nem tudok vadpörköltet hozni, mert elfogyott.	Unfortunately, I can't bring you the game stew because we ran out of it.
Ajánlom a ház specialitását: ezt a háromfogásos menüt.	I recommend to you the specialty of the house: this three-course-menu.
Sikerült választani?	Are you ready to order? (*lit.* Have you managed to choose?)
Jó étvágyat kívánok!	Enjoy your meal. (*lit.* I wish you a good appetite.)
Ízlett a vacsora?	Did you like the dinner?
Még valamit?	Anything else?
Ajánlhatok desszertet vagy kávét?	May I suggest some dessert or coffee?
Ehhez az ételhez remekül illik az ecetes szilva.	Plum in vinegar goes with this food very well.

2. Főzés / Cooking

Hasznos szavak
Useful words

Mit használunk a konyhában?	What do we use in the kitchen?
botmixer (~ek, ~t, ~e)	handmixer
bögre (~́k, ~́t, ~́je)	**mug**
cukortartó (~k, ~t, ~ja)	sugar holder
csésze (~́k, ~́t, ~́je)	**cup**
csészealj (~ak, ~at, ~a)	saucer
dugóhúzó (~k, ~t, ~ja)	corkscrew
fagyasztó (~k, ~t, ~ja)	freezer
fakanál (-kanalak, -kanalat, -kanala)	wooden spoon
fazék (fazekak, fazekat, fazeka)	**pot**
fedő (~k, ~t, ~je)	**lid**
filter (~ek, ~t, ~e)	filter, bag
kávéfilter	coffee filter
teafilter	teabag
fokhagymaprés (~ek, ~t, ~e)	garlic press
fűszertartó (~k, ~t, ~ja)	spice holder
habverő (~k, ~t, ~je)	mixer, whisk
hűtőszekrény (~ek, ~t, ~e) / **hűtő** (~k, ~t, ~je)	**refrigerator, fridge**
kancsó (~k, ~t, ~ja)	pitcher
kávéfőző (~k, ~t, ~je)	**coffee machine, espresso machine**
kenyérsütő (~k, ~t, ~je)	breadbaking machine
konzervnyitó (~k, ~t, ~ja)	can opener
konyharuha (~́k, ~́t, ~́ja)	kitchen cloth
kötény (~ek, ~t, ~e)	apron
krumplinyomó (~k, ~t, ~ja)	potato press
lábas (~ok, ~t, ~a)	**saucepan**
mérleg (~ek, ~et, ~e)	scale
konyhai mérleg	kitchen scale
mikrohullámú sütő (~k, ~t, ~je)	microwave oven
mosogatógép (~ek, ~et, ~e)	dishwasher
nyújtódeszka (~́k, ~́t, ~́ja)	doughboard
papírszalvéta/szalvéta (~́k, ~́t, ~́ja)	**paper napkin, napkin**
pohár (poharak, poharat, pohara)	**glass**
borospohár	wine glass
vizespohár	water glass
pálinkáspohár	schnapps glass
reszelő (~k, ~t, ~je)	grinder
sajtreszelő	cheese grinder
serpenyő (~k, ~t, ~je)	pan
sörnyitó (~k, ~t, ~ja)	beer opener

sütő (~k, ~t, ~je)	**oven**
gázsütő	gas oven
villanysütő	electric oven
szagelszívó (~k, ~t, ~ja)	vent
szendvicssütő (~k, ~t, ~je)	sandwich maker
tál (~ak, ~at, ~a)	**bowl**
fatál	wooden bowl
kerámiatál	ceramic bowl
üvegtál	glass bowl
tálca (~́k, ~́t, ~́ja)	**tray**
tányér (~ok, ~t, ~ja)	**plate**
tepsi (~k, ~t, ~je)	**oven pan**
tésztaszűrő/szűrő (~k, ~t, ~je)	sieve
tető (~k, ~t, teteje)	**lid, top**
turmixgép (~ek, ~et, ~e)	mixer
tűzhely (~ek, ~et, ~e)	**stove**
gáztűzhely	gas stove
elektromos tűzhely	electric stove
vágódeszka (~́k, ~́t, ~́ja)	cutting board
wok (~ok, ~ot, ~ja)	wok

Mértékegységek, mennyiségek / Units and measures

csepp (~ek, ~et, ~je)	**drop**
néhány csepp olaj	few drops of oil
csipet (~ek, ~et, ~je)	pinch
egy csipet só	a pinch of salt
csokor (csokrok, csokrot, csokra)	**bunch**
egy csokor petrezselyem	a bunch of parsley
csomag (~ok, ~ot, ~ja)	**pack, bag**
egy csomag vaníliás cukor	a pack of vanilla sugar
darab (~ok, ~ot, ~ja)	**piece**
egy kis darab szalonna	a small piece of bacon
doboz (~ok, ~t, ~a)	**box, can**
egy doboz kukoricakonzerv	a can of corn
egész (~et, ~e)	**whole**
két egész tojás	two whole eggs
fej (~ek, ~et, ~e)	**head**
egy fej saláta	a head of lettuce
fél (felek, felet, fele)	**half**
egy fél cukkini	a half of a zucchini
gerezd (~ek, ~et, ~je)	clove
öt gerezd fokhagyma	five cloves of garlic
ízlés szerint	to taste
kanálnyi (~t)	a spoonful
evőkanálnyi	a tablespoonful
teáskanálnyi	a teaspoonful
kicsi/kis (kicsit)	**small, little**
kevés (keveset)	**a bit of, some**
egy kevés só	a bit of salt
közepes méretű	mid-sized, medium-sized
egy közepes méretű tojás	a medium-sized egg
nagy (~ot)	**big, large**
negyed (~ek, ~et, ~e)	**a quarter of**
pár (~ok, ~t, ~ja)	**a pair of**
két pár kolbász	two (pairs of) sausages
rúd (rudak, rudat, ~ja)	stick, whole
vaníliarúd	vanilla stick
egy rúd szalámi	a whole salami

szál (~ak, ~at, ~a)	stalk
két szál zeller	two stalks of celery
szelet (~ek, ~et, ~e)	**slice**
egy szelet kenyér	a slice of bread
hat szelet szalonna	six slices of bacon
szem	whole (*pepper, pea, potato*)
néhány szem bors	a few whole peppers
tábla (~́k, ~́t, ~́ja)	bar
egy tábla étcsokoládé	a bar of bitter chocolate

Hungarian recipes give the weight of ingredients in *kilogramm (2.2 pounds), dekagramm (dekagram)*, and *gramm (gram)*. Among them, *dekagramm* is the most common unit of measurement: *1 kilogramm (kg) = 100 dekagramm (dkg) = 1000 gramm (g).*
Fluids are measured in *liter (4.2 cups), deciliter (deciliter)*, and *(centiliter): 1 liter (l) = 10 deciliter (dl) = 100 centiliter (cl).*
Some units of measurement also have a frequently used short form: *kilogramm = kiló, dekagramm = deka, deciliter = deci.*

Mi történik főzés közben?	**What happens during cooking?**
áztat, beáztat *vmibe vmit* (~ott, áztass)	soak *sg in sg*
Fokhagymás tejbe áztatom a halat.	I soak the fish in milk with garlic.
A babot beáztatjuk éjszakára.	Soak the beans over night.
beledob *vmibe vmit* (~ott, ~j)	throw *sg into sg*
Beledobunk a levesbe néhány szem borsot.	Throw a few whole peppers in the soup.
beletesz *vmibe vmit* (tett, tegyél/tégy)	put *sg into sg*
Beletesszük a levestésztát a vízbe.	Put the pasta in the water.
előkészít *vmit* (~ett, készíts)	**prepare** *sg*
Előkészítek három nagy tálat.	I prepare three big bowls.
előmelegít *vmit* (~ett, melegíts)	preheat *sg*
200 fokra előmelegítjük a sütőt.	Preheat the oven to 200 degrees Celsius.
elsimít *vmit* (~ott, simíts)	smooth *sg*
A lekvárt elsimítjuk a piskótán.	Smooth the marmalade on the sponge cake.
felbont (~ott, bonts) **/ felnyit** *vmit* (~ott, nyiss)	**open** *sg*
Felbontom/Felnyitom a konzervet.	I open the can.
feldarabol *vmit* (~t, ~j)	chop *sg*
Feldaraboljuk a csirkemellet.	Chop the chicken breast.
felkarikáz *vmit* (~ott, karikázz)	cut *sg into round slices*
A citromot felkarikázzuk.	Cut the lemons into slices.
felkockáz *vmit* (~ott, kockázz)	cut *sg into cubes*
Felkockázzuk a szalonnát.	Cut the bacon into cubes.
felolvaszt *vmit* (~ott, olvassz)	melt *sg*
Gyenge lángon felolvasztjuk a vajat.	Melt the butter over low heat.
feltör (~t, ~j) **/ felüt** *vmit* (~ött, üss)	**break** *sg*
Feltöröm/Felütöm a tojásokat.	I break the eggs.
felvág, kettévág *vmit* (~ott, ~j)	**cut up** *sg*, **cut** *sg* **in two**
Felvágjuk a zöldségeket.	Cut up the vegetables.
Kettévágom a káposztát.	I cut the cabbage in two.
forr, felforr (~t, ~j)	**boil**
Ha forr a víz, lefedem a lábast.	When the water comes to a boil, I cover the saucepan.
Ha már felforrt a víz, beledobjuk a tésztát.	When the water comes (*lit.* came) to a boil, add the pasta.
forral, felforral *vmit* (~t, ~j)	**boil** *sg*, **bring** *sg* **to a boil**
Először vizet forralunk.	First, boil some water.
Felforralunk egy pohár sós vizet.	Bring a glass of salted water to a boil.
főz, megfőz *vmit* (~ött, főzz)	**cook** *sg*
A húst puhára főzzük.	Cook the meat until it is tender.
Megfőzöm a vacsorát.	I cook the dinner.

fűszerez, megfűszerez *vmit* (~ett, fűszerezz)	season *sg*
A levest köménymaggal fűszerezzük.	Season the soup with caraway seeds.
Megfűszerezzük a salátát.	Season the salad.
hozzáad *vmit* (~ott, ~j)	add *sg*
Hozzáadunk egy kevés reszelt sajtot.	Add some grated cheese.
ízesít *vmit vmivel* (~ett, ízesíts)	flavor sg *with sg*
Az öntetet kaporral ízesítjük.	We flavor the sauce with dill.
készít, elkészít *vmit* (~ett, készíts)	**prepare** *sg*, **make** *sg*
A legfinomabb halászlevet apukám készíti.	Dad makes the most delicious fish soup.
Már elkészítettem a süteményt.	I've already prepared the cake.
készül, elkészül (~t, ~j)	**be made, be ready**
Ez a sütemény sütés nélkül készül.	This cake is made without baking.
Gyertek, elkészült a vacsora!	Come, dinner is ready.
kettéválaszt *vmit* (~ott, válassz)	separate *sg*
Kettéválasztom a tojásokat.	I separate the eggs (yolks from whites).
kihűl (~t, ~j)	cool down
Kihűlt a sütemény.	The cake has cooled down.
kikever *vmit* (~t, ~j)	cream *sg*
Kikeverjük a cukrot a vajjal.	Cream the sugar and the butter.
kivajaz *vmit* (~ott, vajazz)	butter *sg*
Kivajazzuk a tepsit.	Butter the oven pan.
kivesz *vmit vhonnan* (vett, vegyél/végy)	**take** *sg out of sg*
Kivesszük a halat a sütőből.	Take the fish out of the oven.
lefed *vmit* (~ett, ~j)	cover *sg*
Ha forr a víz, lefedjük a lábast.	When the water comes to a boil, cover the saucepan.
lereszel *vmit* (~t, ~j)	grate *sg*
Lereszeljük a sajtot, és a tésztára szórjuk.	Grate the cheese and sprinkle it over the pasta.
megborsoz *vmit* (~ott, borsozz)	pepper *sg*
Megborsozzuk a halszeleteket.	Pepper the fish slices.
meghámoz *vmit* (~ott, hámozz)	peel *sg*
Meghámozok három almát.	I peel three apples.
megkínál *vkit vmivel* (~t, ~j)	**offer** *sg to sy*
Megkínálhatlak egy csésze finom teával?	May I offer you a nice cup of tea?
megkóstol *vmit* (~t, ~j)	**taste** *sg*
Meg akarod kóstolni a levest?	Do you want to taste the soup?
megmelegít *vmit* (~ett, melegíts)	**warm up** *sg*
Ha kihűlt a mártás, megmelegítem.	If the sauce cools down, I warm it up.
megmos *vmit* (~ott, moss)	**wash** *sg*
Megmosom a salátát.	I wash the lettuce.
megpárol *vmit* (~t, ~j)	steam *sg*
Megpároljuk a céklát.	Steam the red beets.
megpirul (~t, ~j)	get browned
Húsz perc alatt szépen megpirul a krumpli.	Potatoes get nicely browned in twenty minutes.
megpucol *vmit* (~t, ~j)	**clean, peel** *sg*
Megpucoljuk a sárgarépát.	Peel the carrots.
megpuhul (~t, ~j)	become tender, be tender
Mindjárt megpuhul a hús.	The meat will be tender soon.
megsóz *vmit* (~ott, sózz)	salt *sg*
Megsózzuk a halszeleteket.	Salt the fish slices.
megszárít *vmit* (~ott, száríts)	dry *sg*
A rozmaringot megszárítom.	I dry the rosemary.
megszór *vmit vmivel* (~t, ~j)	sprinkle *sg on sg*
A tortát mandulával szórjuk meg.	Sprinkle almonds on the cake.
megtisztít *vmit* (~ott, tisztíts)	clean *sg*
Megtisztítjuk a zöldségeket.	Clean the vegetables.
önt *vmit vmibe* (~ött, önts)	**pour** *sg into sg*
Öntök egy kis olajat a serpenyőbe.	I pour some oil into the pan.
összegyúr *vmit vmivel* (~t, ~j)	knead *together*
Összegyúrom a lisztet, a tojást és a vajat.	I knead the flour, eggs and butter together.

gyúr, meggyúr *vmit* (~t, ~j)	knead *sg*
Kenyértésztát gyúrok.	I am kneading the bread dough.
Korán reggel meggyúrom a kenyértésztát.	I knead the bread dough early in the morning.
összekever *vmit vmivel* (~t, ~j)	**stir together, mix** *sg with sg*
Összekeverjük a cukrot a fahéjjal.	Mix the sugar and the cinnamon.
összeturmixol *vmit vmivel* (~t, ~j)	mix *sg in a mixer*
Majonézzel és hagymával összeturmixoljuk a padlizsánt.	Mix the mayonaise, onions and eggplants in a mixer.
pirít, megpirít *vmit* (~ott, piríts)	**fry** *sg*, **brown** *sg*
Ha megpuhult a hús, ropogósra pirítom.	Once the meat is tender, I brown it.
Megpirítom a hagymát.	I fry the onion.
ráönt (~ött, önts) *vmit vmire*	pour *sg on sg*
A mártást ráöntjük a tésztára.	Pour the sauce on the pasta.
sül, megsül (~t, ~j)	**bake, roast**
A hús most sül.	The meat is roasting right now.
A sütemény már megsült.	The cake is already done (*lit.* baked).
süt, megsüt *vmit* (~ött, süss)	**bake** *sg*
Miért nem sütsz süteményt?	Why won't you bake a cake?
Már megsütöttem a tortát.	I have already baked the tart.
szeletel, felszeletel *vmit* (~t, ~j)	**cut** *sg* **into slices**
Ha kihűlt a sütemény, felszeleteljük.	When the cake has cooled down, cut it into slices.
tálal (~t, ~j)	serve
Minden elkészült, tálalhatunk.	Everything is ready, we can serve.
ver, felver *vmit* (~t, ~j)	whip *sg*
Kemény habbá verem a tojásfehérjéket.	I whip the egg-whites into stiff peaks.
Felverted már a tojásokat?	Have you whipped the eggs yet?

Hungarian recipes use the first person plural where English would use the imperative: *Az almákat megmossuk. (Wash the apples.); A hagymát felvágjuk. (Cut the onion into slices.).*

Hasznos mondatok ■ Három kedvenc recept
Useful sentences ■ Three favorite recipes

Bakonyi gombaleves	**Mushroom soup Bakony style**
Hozzávalók:	Ingredients:
1/2 kg vargányagomba	1,5 kg porcino mushrooms
15 dkg füstölt szalonna	15 dkg smoked bacon
20 dkg kolbász	20 dkg sausage
2 dl tejföl	2 dl sour cream
1 kis fej vöröshagyma	one small onion
1 evőkanál liszt	1 tablespoon of flour
pirospaprika	red pepper
só	salt
őrölt bors	ground pepper
1-1 teáskanálnyi finomra vágott zsálya és kakukkfű	1 teaspoon of finely diced sage and thyme
A szalonnát felkockázzuk, zsírjában kisütjük.	Cut the bacon into cubes and fry out the fat.
Ha megsült, kivesszük a serpenyőből.	Once fat is fried out, take it out of the pan.
A zsíron megpároljuk hagymát, a felszeletelt gombát.	Sautee the onion and the sliced mushrooms in the bacon fat until golden.
Sózzuk, borssal és zöldfűszerekkel ízesítjük.	Flavor with salt, pepper and herbs.
Hozzáadjuk a lisztet és a pirospaprikát.	Add the flour and the red pepper.
Felöntjük 2 liter vízzel, és felforraljuk.	Add 2 l of water and bring it to a boil.
Beletesszük a felkarikázott kolbászt meg a tejfölt, és ismét felforraljuk.	Add the sliced sausage and the sour cream, and bring it to a boil again.

Brassói aprópecsenye	**Roasted meat Brasov style**
Hozzávalók: 1,5 kiló sertéslapocka vagy csirkemell 2 kiló krumpli 4-5 nagy fej vöröshagyma 10-15 deka zöldborsó 6-7 gerezd fokhagyma	Ingredients: 1,5 kg pork shoulder or chicken breast 2 kg potatoes 4-5 large onions 100-150 g green peas 6-7 cloves of garlic
A vöröshagymát kockára vágjuk. A hagymát serpenyőben megpirítjuk, hozzáadjuk a húst, sózzuk, borsozzuk, és fedő alatt puhára pároljuk.	Cut the onions into cubes. Fry the onions in a frying pan, add the meat, salt and pepper, cover and let it simmer until tender (*lit.* let it simmer under a lid).
Beletesszük a zöldborsót és a fokhagymát. Közben egy másik serpenyőben pirosra sütjük a krumplit. Ha minden kész, összekeverjük.	Add the green peas and the garlic. Roast the potatoes until brown in another pan. When everything is ready, stir it together.

Túrófánk	**Cottage cheese donuts**
Hozzávalók: 25 dkg túró 10 dkg liszt fél csomag sütőpor 1 csomag vaníliás cukor 2 tojás 2 evőkanál cukor tetszés szerint mazsola és/vagy citrom reszelt héja.	Ingredients: 250 g cottage cheese 100 g flour half a packlet of baking powder 1 packlet of vanilla sugar 2 eggs 2 tablespoons of sugar raisins and/or ground lemon peel to taste
A hozzávalókat összekeverjük, és 10-15 percig állni hagyjuk. Aztán kiveszünk a tésztából egy evőkanállal, és forró olajba tesszük. Két-három perc alatt mindkét oldalát szép pirosra sütjük.	Mix all ingredients and let it rest for 10 to 15 minutes. Take one tablespoon of the dough, and put it into hot oil. Fry both sides for 2 or 3 minutes until browned.
Jó étvágyat!	Enjoy!

→ *Vendégség / Visitation: 44–47. oldal*

EGÉSZSÉG ÉS BETEGSÉG / HEALTH AND ILLNESS

1. Az emberi test / The human body

Hasznos szavak
Useful words

Egy kis anatómia	A little anatomy
ajak (ajkak, ajkat, ajka)	lips
agy (~ak, ~at, ~a)	**brain**
anyajegy (~ek, ~et, ~e)	mole
arc (~ok, ~ot, ~a)	**face**
áll (~ak, ~at, ~a)	chin
állkapocs (-kapcsok, -kapcsot, -kapcsa)	jaw
bél (belek, belet, bele)	intestine
vastagbél	large intestine
vékonybél	small intestine
boka (~́k, ~́t, ~́ja)	**ankle**
borda (~́k, ~́t, ~́ja)	rib
bőr (~t, ~e)	**skin**
comb (~ok, ~ot, ~ja)	**thigh**
csigolya (~́k, ~́t, ~́ja)	vertebra
csípő (~k, ~t, ~je)	hip
csont (~ok, ~ot, ~ja)	**bone**
csukló (~k, ~t, ~ja)	wrist
derék (derekat, dereka)	**waist**
ér (erek, eret, ere)	**vein**
érrendszer (~ek, ~t, ~e)	vascular system, circulatory system
fej (~ek, ~et, ~e)	**head**
fenék (fenekek, feneket, feneke)	**buttocks**
fog (~ak, ~at, ~a)	**tooth**
fogsor (~ok, ~t, ~a)	teeth
fül (~ek, ~et, ~e)	**ear**
gerinc (~ek, ~et, ~e)	**spine**
gyomor (gyomrok, gyomrot, gyomra)	stomach
haj (~ak, ~at, ~a)	**hair**
has (~ak, ~at, ~a)	**abdomen, belly**
hát (~ak, ~at, ~a)	**back**
homlok (~ok, ~ot, ~a)	forehead
hormon (~ok, ~t, ~ja)	hormone
hónalj (~ak, ~at, ~a)	armpit
húgyhólyag (~ok, ~ot, ~ja)	bladder

ideg (~ek, ~et, ~e)	**nerve**
idegrendszer (~ek, ~t, ~e)	nervous system
ínszalag (~ok, ~ot, ~ja)	ligament, tendon
izom (izmok, izmot, izma)	**muscle**
ízület (~ek, ~et, ~e)	joint
kar (~ok, ~t, ~ja)	**arm**
kéz (kezek, kezet, keze)	**hand**
koponya (~́k, ~́t, ~́ja)	skull
köldök (~ök, ~öt, ~e)	navel
köröm (körmök, körmöt, körme)	nail
könyök (~ök, ~öt, ~e)	**elbow**
láb (~ak, ~at, ~a)	**leg**
lábfej (~ek, ~et, ~e)	foot
lábujj (~ak, ~at, ~a)	toe
mandula (~́k, ~́t, ~́ja)	tonsils
máj (~ak, ~at, ~a)	**liver**
medence (~́k, ~́t, ~́je)	pelvis
méh (~ek, ~et, ~e)	uterus
mell (~ek, ~et, ~e)	**breast**
mellkas (~ok, ~t, ~a)	chest
nemi szerv (~ek, ~et, ~e)	genital organ
férfi nemi szerv	male organs
női nemi szerv	female organs
nyelv (~ek, ~et, ~e)	**tongue**
orr (~ok, ~ot, ~a)	**nose**
petefészek (-fészkek, -fészket, -fészke)	ovary
prosztata (~́k, ~́t, ~́ja)	prostate
sarok (sarkak, sarkat, sarka)	heel
száj (~ak, ~at, ~a)	**mouth**
szem (~ek, ~et, ~e)	**eye**
szemöldök (~ök, ~öt, ~e)	eyebrow
szempilla (~́k, ~́t, ~́ja)	eyelash
szemhéj (~ak, ~at, ~a)	eyelid
szív (~ek, ~et, ~e)	**heart**
szőr (~ök, ~t, ~e)	**(body) hair**
talp (~ak, ~at, ~a)	**footsole**
tarkó (~k, ~t, ~ja)	back of neck
tenyér (tenyerek, tenyeret, tenyere)	**palm**
térd (~ek, ~et, ~e)	**knee**
torok (torkok, torkot, torka)	**throat**
törzs (~ek, ~et, ~e)	torso
tüdő (~k, ~t, tüdeje)	**lung**
ujj (~ak, ~at, ~a)	**finger**
váll (~ak, ~at, ~a)	**shoulder**
vese (~́k, ~́t, ~́je)	**kidney**
végtag (~ok, ~ot, ~ja)	limbs
vér (~t, ~e)	**blood**
vért ad	give blood
vért vesz	draw blood

Parts of the body that come in two are used in the singular: *Fáj a lábam. (My feet are hurting.); Elfáradt a szemem. (My eyes are tired.).*
If such a part of the body is wounded or hurt, you can say to the doctor: *Csak a fél szememmel látok. / Csak az egyik szememmel látok. (I can see with one eye only.); A fél fülemmel hallok. / Csak az egyik fülemmel hallok. (I can hear with one ear only.); Fél lábon tudok csak járni. / Csak az egyik lábamon tudok járni. (I can walk on one foot only.)* etc.
If someone only has one shoe on his feet, you can say: *Csak a fél lábán van cipő. / Csak az egyik lábán van cipő. (He has a shoe on one foot only.).*

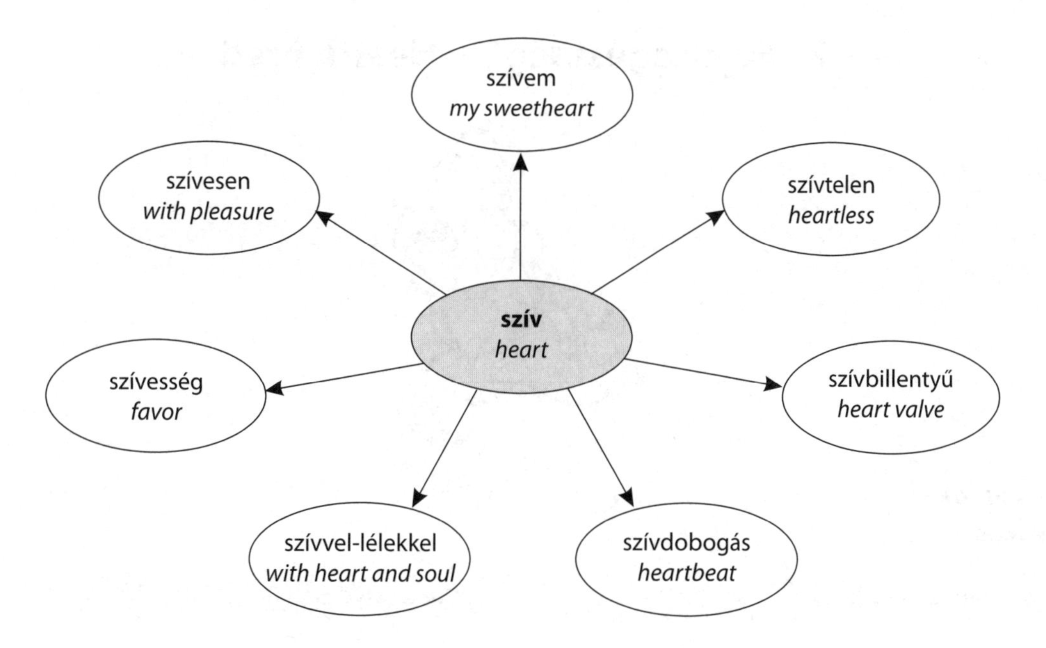

Hasznos mondatok ■ Nagy a baj!
Useful sentences ■ We have a big problem

Kiugrott az állkapcsom.	My jaw was dislocated.
Bedagadt az arcom.	My face is swollen up.
Kificamodott a bokám.	My ankle is sprained.
A fejem úgy fáj, hogy szétesik.	I have a splitting headache.
Lüktet a fogam.	My tooth is throbbing.
Nagyon fáj a lábam.	My leg is hurting bad.
Eldugult az orrom.	My nose is stuffy/congested.
Gerincferdülésem van.	I have scoliosis.
Hullik a hajam.	My hair is falling out.
Hasmenésem van.	I have diarrhea.
Hasogat a hátam.	My back hurts.
Rosszak az idegeim.	My nerves are sensitive.
Reumásak az ízületeim. / Reumás vagyok.	I have arthritis.
Eltört a lábam. / Eltörtem a lábamat.	My leg is broken.
Felrepedt a szám.	My lips are cracked.
Könnyezik a szemem.	My eyes are tearing.
Szúr a szívem.	I have a stabbing pain in my chest.
Begyulladt a torkom.	I have a sore throat.
Viszket a tenyerem. (= Meg akarok ütni valakit.) ☺	My palm is itching. (idiomatic: I want to beat somebody up. ☺)

2. Fő az egészség! / Health first!

Hasznos szavak
Useful words

Egészséges életmód és étkezés	Healthy lifestyle and diet
antioxidáns (~ok, ~t, ~a)	antioxidant
bio-	organic
biobolt (~ok, ~ot, ~ja)	organic food store
bioélelmiszer (~ek, ~t, ~e)	organic food
biogazdaság (~ok, ~ot, ~a)	organic farm
diéta (~́k, 't, ~́ja)	diet
egészség (~et, ~e)	**health**
életminőség (~et, ~e)	quality of life
étrend (~ek, ~et, ~je)	**eating habits**
fogyókúra (~́k, ~́t, ~́ja)	**diet**
fogyókúrát tart	be on a diet
folyadék (~ok, ~ot, ~a)	**liquid**
gyógytea (~́k, ~́t, ~́ja)	medicinal tea
harmónia (~́k, ~́t, ~́ja)	harmony
immunrendszer (~ek, ~t, ~e)	**immune system**
erős/gyenge immunrendszer	strong/weak immune system
mozgás (~t, ~a)	**exercise, movement**
pihenés (~t, ~e)	**rest**
aktív pihenés	active rest
rost (~ok, ~ot, ~ja)	fiber
rostban gazdag étel (~ek, ~t, ~e)	fiber rich food
sportolás (~t, ~a)	sport, doing sports
természetgyógyászat (~ot, ~a)	naturopathy
vitamin (~ok, ~t, ~ja)	**vitamin**
vitaminban gazdag	rich in vitamins

Mit tehetünk az egészségünkért?	What can we do for our health?
diétázik (diétázott, diétázz)	be on a diet
Két éve lisztérzékeny vagyok, azóta diétázom.	I became wheat intolerant two years ago, since then I have been on a diet.
dohányzik (dohányzott, dohányozz) / cigarettázik (cigarettázott, cigarettázz) / **cigizik** (cigizett, cigizz)	**smoke**
Két éve nem dohányzom.	I haven't smoked in the last two years.
érzi *magát* *vhogyan* (érezte magát, érezd magadat)	**feel** *somehow*
Ma remekül érzem magam.	I feel great today.
fogy (~ott, ~j)	**lose weight**
Milyen módszerrel fogytál ilyen sokat?	With what method did you lose so much weight?
fogyókúrázik (fogyókúrázott, fogyókúrázz)	be on a weight loss diet
Ági az esküvője előtt fogyókúrázott.	Ági was on a weight loss diet before her wedding.

hízik, meghízik (hízott, hízz)	**gain weight, put on weight**
Sokkal gyorsabban hízunk, mint fogyunk.	We gain weight a lot faster than we lose it.
Nagyon meghíztam az utóbbi időben.	I have gained a lot of weight lately.
jár *vhova* (~t, ~j)	**go** *somewhere regularly*
Hetente háromszor járok konditerembe.	I go to the gym three times a week.
jógázik (jógázott, jógázz)	do yoga
Hetente kétszer jógázom.	I do yoga twice a week.
kerül *vmit* (~t, ~j)	avoid *sg*
Kerülöm a dohányfüstös helyeket.	I avoid smokey places.
kialussza *magát* (kialudta magát, aludd ki magadat)	sleep in
Végre sikerült kialudni magamat.	At last I managed to sleep in.
kikapcsolódik (kapcsolódott, kapcsolódj)	**relax**
Hétvégén sem tudok kikapcsolódni.	I can't relax even on the weekend.
koncentrál *vmire* (~t, ~j)	**concentrate** *on sg*
Próbálok a pozitív dolgokra koncentrálni.	I try to concentrate on the positive things.
leszokik *vmiről* (szokott, szokj)	quit *sg,* stop doing *sg*
Sikerült leszoknom a cigarettázásról/cigiről.	I managed to quit smoking.
meditál (~t, ~j)	meditate
Megnyugszom, ha meditálok.	I feel at peace when I meditate.
mozog (mozgott, ~j)	**do exercise**
Rendszeresen kellene mozognunk.	We should do some exercise regularly.
pihen (~t, ~j)	**rest**
Nem pihenünk eleget.	We don't rest enough.
sétál (~t, ~j)	**take a walk**
Minden reggel sétálok a kutyámmal.	I take a walk with my dog every morning.
sportol (~t, ~j)	**do sports**
Mióta sportolsz rendszeresen?	How long have you been doing sports regularly?
szaunázik (szaunázott, szaunázz)	go to the sauna
Télen szeretek a legjobban szaunázni.	I like going to the sauna in winter the most.
törődik *vkivel/vmivel* (törődött, törődj)	**care** *about sy/sg*
Pál sokat törődik az egészségével.	Pál cares a lot about his health.
vigyáz *vkire/vmire* (~ott, vigyázz)	take care *of sy/sg*
Vigyázz magadra!	Take care of yourself.

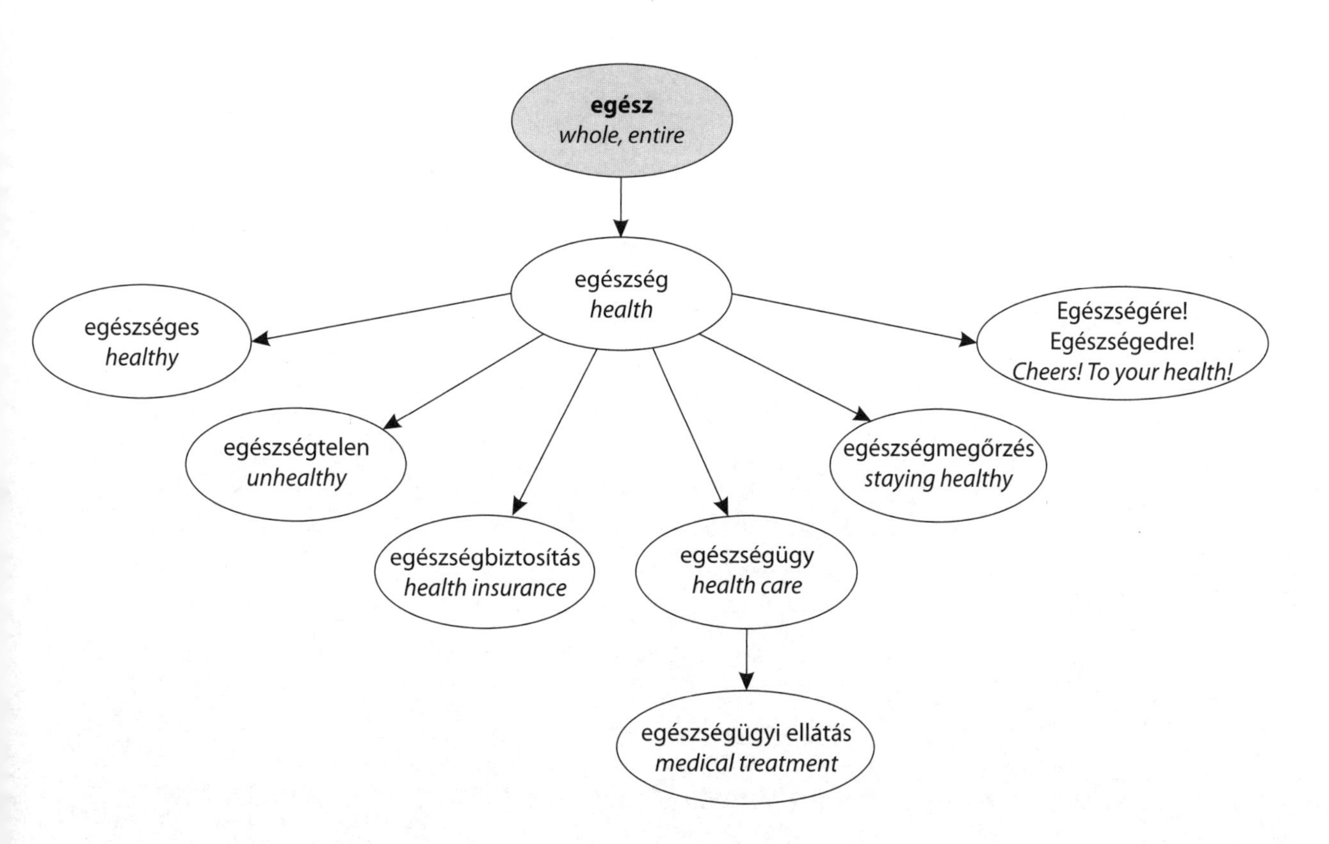

Hasznos mondatok ■ Jó tanácsok az egészséges életmódhoz
Useful sentences ■ Advices for a healthy lifestyle

Egyen/Egyél sok gyümölcsöt és zöldséget!	Eat a lot of fruits and vegetables.
Ne igyon/igyál sok alkoholt!	Don't drink a lot of alcohol.
Ne dohányozzon/dohányozz!	Don't smoke.
Vásároljon/Vásárolj biotermékeket!	Buy organic products.
Ne süssön/süss olajban!	Don't panfry in oil.
Sétáljon/Sétálj, amilyen gyakran tudsz!	Take walks as often as possible.
Sportoljon/Sportolj rendszeresen!	Do sports regularly.
Tornázzon/Tornázz reggelente!	Exercise every morning.
Negyvenöt percnél ne üljön/ülj tovább!	Don't sit for more than 45 minutes in a row.
Ne igyon/igyál sok kávét!	Don't drink a lot of coffee.
Hétvégén pihenjen/pihenj!	Rest on the weekend.
Ha teheti, jógázzon és meditáljon! / Ha teheted, jógázz és meditálj!	Do some yoga and meditation if you can.
Próbáljon/Próbálj pozitívan gondolkodni!	Try to think positive.
Kerülje/Kerüld a stresszt!	Avoid stress.
Járjon/Járj masszázsra!	Go get a massage regularly.
Ne egyen/egyél túl zsíros vagy sós vagy cukros ételeket!	Don't eat food that is too fatty, salty or contains lots of sugar.
Időnként tartson/Tarts tisztítókúrát!	Occasionally go on a detoxifying diet.
Nevessen/Nevess sokat!	Laugh a lot.
Találja/Találd meg az életben a szépséget!	Try to see the beauty of life.

3. Betegségek és gyógymódok / Illnesses and cures

Hasznos szavak
Useful words

Hol dolgoznak az orvosok?	Where do doctors work?
rendelő (~k, ~t, ~je)	**doctor's office, examining room**
magánrendelő	private office
klinika (~́k, ~́t, ~́ja)	clinic
kórház (~ak, ~at, ~a)	**hospital**
mentő (~k, ~t, ~je)	**ambulance**
ügyelet (~ek, ~et, ~e)	duty
éjszakai ügyelet	night duty

The titles of departments and names for specialists often derive from the same stem:

Szakorvos (Specialist)	**Osztály (Department)**
belgyógyász (internist)	*belgyógyászat (internal medicine)*
bőrgyógyász (dermatologist)	*bőrgyógyászat (dermatology)*
fogász/fogorvos (dentist)	*fogászat (dentistry)*
fül-, orr-, gégész (ENT specialist)	*fül-, orr-, gégészet (otolaryngology, ENT)*
gyermekorvos (pediatrician)	*gyermekgyógyászat (pediatrics)*
kardiológus (cardiologist)	*kardiológia (cardiology)*
onkológus (oncologist)	*onkológia (oncology)*
ortopéd szakorvos (orthopedic doctor)	*ortopédia (orthopedics)*
pszichiáter (psychiatrist)	*pszichiátria (psychiatry)*
radiológus (radiologist)	*radiológia (radiology)*
reumatológus (rheumatologist)	*reumatológia (rheumatology)*
sebész (surgeon)	*sebészet (surgery)*
szemész (optometrist)	*szemészet (optometrics)*
szülész – nőgyógyász (gynecologist)	*szülészet – nőgyógyászat (gynecology)*
urológus (urologist)	*urológia (urology)*

Some deparments are specialized further, e.g. *sebészet (surgery)*:
általános sebészet (general surgery)
baleseti sebészet (emergency surgery)
érsebészet (vascular surgery)
idegsebészet (neurosurgery)
lézersebészet (laser surgery)
plasztikai sebészet (plastic surgery)
szájsebészet (oral surgery)

Betegségek	Illnesses
agyhártyagyulladás (~t, ~a)	meningitis
agyrázkódás (~t, ~a)	concussion
agyvérzés (~ek, ~t, ~e)	**cerebral hemorrhage**
ájulás (~ok, ~t, ~a)	passing out, fainting
alkoholizmus (~t, ~a)	alcoholism
allergia (~́k, ~́t, ~́ja)	**allergy**
alvászavar (~ok, ~t, ~a)	insomnia
Alzheimer-betegség (~et, ~e)	Alzheimer disease, Alzheimer's
anorexia (~́t, ~́ja)	anorexia
aranyér (-erek, -eret, -ere)	hemorrhoid
asztma (~́t, ~́ja)	**asthma**
bárányhimlő (~t, ~je)	chickenpox
bokaficam (~ok, ~ot, ~ja)	sprained ankle
bőrgomba (~́k, ~́t, ~́ja)	fungus
bulimia (~́t, ~́a)	bulimia
ciszta (~́k, ~́t, ~́ja)	cyst
cukorbetegség (~et, ~e)	**diabetes**
csontritkulás (~t, ~a)	osteoporosis
csonttörés (~ek, ~t, ~e)	**broken bone**
daganat (~ok, ~ot, ~a)	**tumor**
jóindulatú daganat	benign tumor
rosszindulatú daganat	malignant tumor
depresszió (~t, ~ja)	**depression**
égés (~t, ~e)	**burn**
elhízás (~t, ~a)	**obesity**
epekő (-kövek, -követ, -köve)	gallstone
epilepszia (~́t, ~́ja)	epilepsy
fejfájás (~ok, ~t, ~a)	**headache**
fertőzés (~ek, ~t, ~e)	**infection, contagion**
vírusfertőzés	viral infection
baktériumfertőzés	bacterial infection
fogfájás (~ok, ~t, ~a)	**toothache**
fulladás (~ok, ~t, ~a)	choking
frontérzékenység (~et, ~e)	weather sensitivity
gerincsérv (~ek, ~et, ~e)	spinal hernia
gyomorfekély (~t, ~e)	gastric ulcer, ulcer
gyomorrontás (~ok, ~t, ~a)	**indigestion**
gyulladás (~ok, ~t, ~a)	**inflammation**
hasfájás (~ok, ~t, ~a)	**stomach-ache**
hasmenés (~ek, ~t, ~e)	**diarrhea**
herpesz (~ek, ~t, ~e)	**herpes**
hiperaktivitás (~t, ~a)	hyperactivity
hisztéria (~́t, ~́ja)	hysteria
horkolás (~t, ~a)	snoring
idegösszeomlás (~ok, ~t, ~a)	nervous breakdown
influenza (~́k, ~́t, ~́ja)	**flu**
inkontinencia (~́t, ~́ja)	incontinence
ínszalagszakadás (~ok, ~t, ~a)	torn ligament
ínybetegség (~ek, ~et, ~e)	gum infection
izomgörcs (~ök, ~öt, ~e)	muscle cramps
izomláz (~at, ~a)	**sore muscles**
járvány (~ok, ~t, ~a)	**epidemic**
kiszáradás (~t, ~a)	dehydration
kiütés (~ek, ~t, ~e)	rash
klimax (~ot, ~a)	menopause
köhögés (~ek, ~t, ~e)	**cough**
láz (~at, ~a)	**fever**
megfázás (~ok, ~t, ~a) **/ meghűlés** (~ek, ~t, ~e)	**cold**

meddőség (~et, ~e)	sterility
mérgezés (~ek, ~t, ~e)	be poisoned
migrén (~t, ~je)	migraine
mumpsz (~ot, ~a)	mumps
napszúrás (~t, ~a)	sunstroke
nátha (~́k, ~́t, ~́ja)	**cold, mild flu**
pánikbetegség (~et, ~e)	panic disorder
reflux betegség (~et, ~e)	reflux disease
rák (~ot, ~ja)	**cancer**
reuma (~́t, ~́ja)	**rheuma**
sárgaság (~ot, ~a)	jaundice
seb (~ek, ~et, ~e)	**wound**
sérv (~ek, ~et)	hernia
stressz (~ek, ~et, ~e)	**stress**
szalmonella (~́t, ~́ja)	salmonella
szédülés (~ek, ~t, ~e)	**dizziness**
székrekedés (~t, ~e) / szorulás (~t, ~a)	constipation
torokfájás (~t, ~a)	**sore throat**
vérszegénység (~et, ~e)	anemia
vesekő (-kövek, -követ, -köve)	kidney stone
vérnyomás (~t, ~a)	**blood pressure**
alacsony/magas vérnyomás	low/high blood pressure

There are numerous kinds of inflammations. A few examples:
arcüreggyulladás (maxillary sinusitis)
agyhártyagyulladás (meningitis)
agyvelőgyulladás (encephalitis)
csontvelő-gyulladás (osteomyelitis)
epehólyag-gyulladás (gallbladder disease)
ínhüvelygyulladás (tendonitis)
kötőhártya-gyulladás (conjunctivitis)
középfülgyulladás (middle ear inflammation)
hasnyálmirigy-gyulladás (pancreatitis)
homloküreg-gyulladás (frontal sinusitis)
mandulagyulladás (tonsillitis)
petefészek-gyulladás (ovaritis)
prosztatagyulladás (prostatitis)
tüdőgyulladás (pneumonia)
vakbélgyulladás (appendicitis)

There are several types of allergies. A few examples:
gyógyszerallergia (drug allergy)
lisztérzékenység (celiac disease)
napallergia (sun allergy)
tejérzékenység (lactose intolerance)
tojásallergia (egg allergy)
virágpor-allergia (pollen allergy)
vegyszerallergia (chemical allergy)

Milyen lehet a fájdalom? Milyen lehet a seb?	**What can pain be like? What can a wound be like?**
erős (~ebb)	**intense, strong**
görcsös (~ebb)	convulsive
gyulladt (~abb)	**inflamed**
lüktető (~bb)	spasmadical
pszichoszomatikus	psychosomatic
szúró	stabbing
tompa (~́bb)	blunt
véres (~ebb)	**bloody**

Milyen lehet a beteg?	**What can an ill person be like?**
alultáplált	malnourished
fáradékony (~abb)	easily exhausted
feszült (~ebb)	tense
gyenge (~bb)	**weak**
ideges (~ebb)	**nervous**
kimerült (~ebb)	exhausted
lázas (~abb)	**feverish**
lábadozó	convalescent
legyengült	weakened by illness
rekedt (~ebb)	hoarse
sápadt (~abb)	**pale**
túlsúlyos	overweight

Mit történhet, ha valaki beteg?	**What may happen when someone is ill?**
alszik (aludt, aludj)	**sleep**
Éjszaka nem tudok aludni.	I can't sleep at night.
bedagad (~t, ~j)	get swollen, swell up
Reggelre bedagadt a térdem.	My knee got swollen by morning.
begyullad (~t, ~j)	**inflame**
Nem tudom kinyitni a szememet, mert begyulladt.	I can't open my eyes because they are inflamed.
belázasodik (lázasodott, lázasodj)	have a fever
Estére belázasodott a lányom.	By evening my daughter had a fever.
elájul (~t, ~j)	**pass out**
A vizsga előtt majdnem elájultam.	I almost passed out before the exam.
elkap *vírust, fertőzést, betegséget* (~ott, ~j)	**get** *virus, infection, illness*
Azt hiszem, elkaptam valamilyen fertőzést.	I think I got some kind of infection.
elront *vmit* (~ott, ronts)	**upset** *sg*
Elrontottam a gyomromat.	I have an upset stomach.
elszakad (~t, ~j)	snap
Az összes bokaszalagom elszakadt.	All my ankle ligaments snapped.
eltörik (tört, törj)	**break**
Gyerekkoromban eltört a karom.	I broke my arm when I was a kid.
elveszti *az eszméletét* (vesztette, veszítse)	lose *consciousness*
A beteg a mentőben elvesztette az eszméletét.	The patient lost consciousness in the ambulance.
érez *vmit* (érzett, érezz)	**feel** *sg*
Hol érez fájdalmat?	Where do you feel the pain?
fáj (~t, ~j)	**hurt**
Nagyon fáj a fogam és a fejem.	My teeth and head hurt very bad.
fázik (fázott, fázz)	**be cold**
Nagyon fázik a lábam.	My feet are very cold.
görcsöl, begörcsöl (~t, ~j)	have cramps
Nagyon görcsöl a hasam.	I have stomach/menstrual cramps.
Éjszaka begörcsölt a lábam.	Last night I got cramps in my leg.
gyógyul, meggyógyul (~t, ~j)	heal, cure
Szépen gyógyul a seb.	The wound is healing just fine.
Úgy érzem, meggyógyultam.	I feel like I am cured.
hány (~t, ~j)	vomit, throw up
Tegnap éjszaka négyszer hánytam.	I threw up four times last night.
javul (~t, ~j)	improve
Sokat javult az állapota múlt hét óta.	His condition has improved a lot since last week.
kilyukad (~t, ~j)	have a cavity
Ez a fog sajnos kilyukadt.	Sadly, this tooth has a cavity.
kivesz *vmit* (vett, vegyél)	take *out sg*
Kivették a mandulámat.	They took out my tonsils.
köhög (~ött, ~j)	**cough**
Egész éjszaka köhögtem.	I was coughing all night.

megég (~ett, ~j)	get burnt
Kigyulladt egy lakás, és három ember megégett.	An apartment was set on fire, and three people got burnt.
megfázik (fázott, fázz)	**catch a cold**
Megfáztam a túrán.	I caught a cold on the hiking tour.
meghal (~t, ~j)	**die**
Kovács Pál hosszú betegség után meghalt.	Pál Kovács died after a long illness.
pisil (~t, ~j)	**urinate**
Félóránként pisilnem kell.	I have to urinate every half hour.
szédül (~t, ~j)	**feel dizzy**
Már akkor is szédülök, ha felállok egy székre.	I feel dizzy even when standing on a chair.
szenved *vmiben* (~ett, ~j)	suffer *from sg*
Nagyanyám Alzheimer-betegségben szenved.	My grandmother suffers from Alzheimer disease.
szenved *vmitől* (~ett, ~j)	**suffer** *from sg*
A frontoktól mindig szenvedek.	Changes in the weather always make me suffer. (*lit.* I always suffer from weather fronts.)
szúr (~t, ~j)	**get a stabbing pain**
Amikor levegőt veszek, szúr a tüdőm.	I get a stabbing pain in my lungs when I breath.
tüsszög (~ött, ~j)	**sneeze**
Allergiás vagyok: állandóan tüsszögök.	I have allergies: I sneeze all the time.
zsibbad (~t, ~j)	**be numb**
Állandóan zsibbad a lábujjam.	My toe is constantly numb.

Ami gyógyíthat, vagy a megelőzést segíti	What may cure or prevent
akupunktúra (~́t, ~́ja)	acupuncture
átültetés (~ek, ~t, ~e)	transplant
szervátültetés	organ transplant
beültetés (~ek, ~t, ~e)	implant
borogatás (~ok, ~t, ~a)	warm compress, cold pack
diéta (~́k, ~́t, ~́ja)	**diet**
ellátás (~ok, ~t, ~a)	care
elsősegély (~t, ~e)	**first aid**
elsősegélyt nyújt	give first aid
foghúzás (~ok, ~t, ~a)	tooth extraction
fogpótlás (~ok, ~t, ~a)	prosthetic dentistry
fogszabályozás (~ok, ~t, ~a)	orthodontia
gyógyfürdő (~k, ~t, ~je)	**therapeutic bath, spa**
gyógykezelés/kezelés (~ek, ~t, ~e)	therapy
gyógytorna (~́k, ~́t, ~́ja)	physiotherapy
gyomortükrözés (~ek, ~t, ~e)	gastroscopia
homeopátia (~́t, ~́ja)	homeopathy
masszázs (~ok, ~t, ~a)	**massage**
műtét (~ek, ~et, ~ je) / **operáció** (~k, ~t, ~ja)	**surgery, operation**
oltás/védőoltás (~ok, ~t, ~a)	**vaccination**
rákszűrés (~ek, ~t, ~e)	cancer screening
vérvétel (~ek, ~t, ~e)	drawing blood
vizsgálat (~ok, ~ot, ~a)	**examination, screening**
szűrővizsgálat	preventive screening
vizeletvizsgálat	urine examination

Kivel/mivel dolgoznak az orvosok?	What/who do doctors work with?
asszisztens (~ek, ~t, ~e)	**assistant**
CT (CT-k, CT-t, CT-je)	CT
csipesz (~ek, ~t, ~e)	pincers
injekció (~k, ~t, ~ja)	**injection**

lázmérő (~k, ~t, ~je)	**thermometer**
műtőasztal (~ok, ~t, ~a)	operating table
nővér (~ek, ~t, ~e)	**nurse**
főnővér	head nurse
röntgengép (~ek, ~et, ~e)	x-ray machine
szike (~́k, ~́t, ~́je)	scalpel
sztetoszkóp (~ok, ~ot, ~ja)	stethoscope
ultrahang (~ok, ~ot, ~ja)	ultrasound
vérnyomásmérő (~k, ~t, ~je)	blood pressure gauge

Mi van a gyógyszertárban?	What is in the pharmacy?
aszpirin (~ek, ~t, ~je)	**aspirin**
cseppek (~et)	drops
C-vitamin cseppek	vitamin C drops
orrcsepp (~ek, ~et, ~je)	nasal drops
fájdalomcsillapító (~k, ~t, ~ja)	**painkiller**
gyógyszer (~ek, ~t, ~e) **/ orvosság** (~ok, ~ot, ~a)	**drug, medicine**
vény nélkül kapható gyógyszer/orvosság	over-the-counter drug
gyógytea (~́k, ~́t, ~́ja)	herbal tea
hashajtó (~k, ~t, ~ja)	laxative
homeopátiás készítmény (~ek, ~t, ~e)	homeopathic product
illóolaj (~ak, ~at, ~a)	essential oil
kenőcs (~ök, ~öt, ~e)	**ointment**
kötszer (~ek, ~t, ~e)	bandage
lázcsillapító (~k, ~t, ~ja)	**antipyretic**
szirup (~ok, ~ot, ~ja)	**prescription**
tabletta (~́k, ~́t, ~́ja)	**syrup**
recept (~ek, ~et, ~je) / **vény** (~ek, ~t, ~e)	**pill, tablet**
kiváltja a receptet	buy a prescription drug
vitamin (~ok, ~t, ~ja)	**vitamin**
multivitamin	multi-vitamin

Mit csinálhat az orvos / a beteg?	What do doctors/patients do?
injekciót, gyógyszert bead *vkinek* (~ott, ~j)	give *injection/medication to sy*
Most beadok önnek egy injekciót.	Now, I will give you an injection.
begipszel *vmit* (~t, ~j)	put *sg* in a cast
Begipszelték a karomat.	My arm was put in a cast.
betöm *vmit* (~ött, ~j)	**fill** *sg*
Kilyukadt a fogam, be kell tömni.	My tooth has got a cavity, it has to be filled.
beutal *vkit vhova* (~t, ~j)	send *sy somewhere*
A háziorvos beutalt egy szakorvoshoz.	The doctor has sent me to a specialist.
bevesz *vmit* (vett, vegyél/végy)	**take** *sg*, **swallow** *sg*
Vegye be ezt a tablettát egy nagy pohár vízzel!	Take this pill with a big glass of water.
ecsetel *vmit* (~t, ~j)	apply an ointment *on sg*
A gyulladt fogat naponta kétszer kell ecsetelni.	Apply the ointment on the inflamed tooth twice a day.
ellát *vkit/vmit* (~ott, láss)	attend *to sy/sg*
Az orvos ellátja a beteget.	The doctor is attending to the patient.
ellenőriz *vmit* (őrzött, őrizz)	check *sg*, control *sg*
Az orvos egy újabb vérteszttel ellenőrizte az eredményt.	The doctor checks the results with another blood test.
előjegyez *vkit vmire* (jegyzett, jegyezz)	schedule *sy for sg*
A sebész előjegyzi a beteget a műtétre.	The surgeon schedules the patient for surgery.
felír *vmit vkinek* (~t, ~j)	**prescribe** *sg for sy*
Felírok Önnek egy antibiotikumot.	I will prescribe an antibiotic for you.
kérdez, megkérdez *vmit* (~ett, kérdezz)	ask *sg*
Doktor úr, szeretnék valami kérdezni.	Doctor, I'd like to ask you something.
Megkérdeztem az orvostól, milyen mellékhatásai vannak a gyógyszernek.	I asked the doctor about the possible side effects of the medication.

kifúr *vmit* (~t, ~j)	drill *sg*
Ezt a fogat ki kell fúrni.	This tooth must be drilled.
kihív *vkit* (~ott, ~j)	call *sy*
Ki kellett hívni a mentőket, mert a férjem éjszaka rosszul lett.	We had to call an ambulance because my husband felt ill during the night.
konzultál *vkivel vmiről* (~t, ~j)	consult *sy about sg*
Már több orvossal konzultáltam a betegségemről.	I consulted more than one doctor about my illness.
húz, kihúz *vmit* (~ott, húzz)	**pull** *sg*
Ma már ritkábban húznak fogat a fogorvosok.	Dentists pull teeth less often nowadays.
Kihúzom a tüskét a kezedből.	I pull the thorn from your hand.
receptet **kivált** (~ott, válts)	**buy** *a prescription drug*
Kiváltottam a receptet a gyógyszertárban.	I bought the prescription drug at the pharmacy.
kezel *vkit/vmit* (~t, ~j)	treat *sy/sg*
A legjobb specialista kezeli a húgomat.	My sister is being treated by the best specialist.
Ezt a betegséget gyógyszerrel kezeljük.	This illness is treated with medicine.
szülést levezet (~ett, vezess)	conduct *birth*
A nőgyógyász levezeti a szülést.	The gynocologist conducts the birth.
megmér *vmit* (~t, ~j)	**measure** *sg*, **weigh** *sg*
Az asszisztens megméri a beteg vérnyomását.	The assistant measures the patient's blood pressure.
megnéz *vkit/vmit* (~ett, nézz)	**check** *sy/sg*
Az orvos most megnézi a torkodat.	The doctor will check your throat now.
megnéz *vmit* (~ett, nézz)	check *sg*, look *at sg*
Az orvos megnézi a beteg kórlapját.	The doctor is checking the hospital chart of the patient.
meghallgat *vkit/vmit* (~ott, hallgass)	**listen** *to sy/sg*
Meghallgatom a szívét.	I'll listen to your heartbeat (*lit.* to your heart).
megröntgenez *vkit/vmit* (~ett, röngenezz)	X-ray *sy/sg*
Meg kell röntgenezni a kezemet.	My hand must be X-rayed.
megvizsgál *vkit/vmit* (~t, ~j)	**examine** *sy/sg*
Az orvos alaposan megvizsgálta a gyereket.	The doctor examined the child thoroughly.
műt, megműt *vkit/vmit* (~ött, műts)	**perform surgery** *on sy/sg*
A sérültet most műtik.	Surgery is being performed on the injured right now.
Pétert tegnap megműtötték.	Péter had surgery yesterday.
vizitel (~t, ~j)	visit patients
A főorvos nem ér rá, éppen vizitel.	The head of the department doesn't have time right now, he is visiting his patients.

Instructions on drugs usually use the helping verb *kell (must, have to)* where English would use the imperative: *A tablettát naponta kétszer kell bevenni. (Take this pill twice a day.); A gyógyszert gyerekek elől elzárva kell tartani. (Keep the drug out of children's reach.).*

Hasznos mondatok ▪ Az orvosi rendelőben
Useful sentences ▪ At the doctor's office

Mit mondhat az orvos?	What may the doctor say?
Foglaljon helyet!	Take a seat.
Hogy érzi magát?	How do you feel?
Hol fáj?	Where does it hurt?
Mi a panasza?	What is your complaint?
Mióta beteg?	For how long have you been ill?
Szed valamilyen gyógyszert?	Are you on any medication?
Feküdt már kórházban?	Have you ever been hospitalized?
Milyen súlyosabb betegsége volt korábban?	What kind of serious illness have you had in your life (*lit.* earlier)?
Milyen az étvágya?	How is your appetite?
Meghallgatom a szívét.	I'm going to listen to your heartbeat (*lit.* to your heart).
Megmérem a vérnyomását.	I'm going to measure your blood pressure.
Megnézem a torkát.	I am going to check your throat.

Vetkőzzön le!	Take off your clothes.
Lélegezzen mélyeket!	Breathe deeply.
Nyissa ki a száját!	Open your mouth.
Felírok Önnek egy gyógyszert.	I am going to prescribe a drug for you.
A gyógyszerből naponta kétszer egy szemet kell bevenni.	Take one of these pills twice a day.
Pihenjen sokat!	Get lots of rest.
Maradjon otthon három napig!	Stay home for three days.
Ha három nap múlva nem javul az állapota, jöjjön vissza!	If your condition does not improve in three days, come back.

Mit mondhat a beteg?	**What may the patient say?**
A vércsoportom AB-s.	My blood type is AB.
Csúnyán köhögök.	I have a bad cough.
Ég a gyomrom.	My stomach burns.
Éjszaka erősen izzadok.	I sweat heavily at night.
Étvágytalan vagyok. / Nincs étvágyam.	I have no appetite.
Fáj a fogam.	My tooth hurts.
Hányingerem van.	I am nauseous.
Lázas vagyok.	I have a fever.
Nagyon fáj a fülem.	My ears hurt very bad.
Nehezen kapok levegőt.	I can hardly breath.
Nincs lázam, csak hőemelkedésem.	I have no fever, only a mild temperature rise.
Rosszul vagyok.	I feel sick.
Zsibbad az egész lábam.	My entire leg is numb.
Gyakran szédülök.	I often feel dizzy.
Az utolsó vérzésem egy hete volt.	My last period was a week ago.
Rossz a közérzetem.	I'm not feeling well. (*lit.* My general feeling is bad.)

MÉDIA / MEDIA

1. Televízió, rádió / Television, radio

Hasznos szavak
Useful words

Készülékek, felszerelés	Devices, appliances
adó (~k, ~t, ~ja)	channel
rádióadó	**radio channel**
tévéadó	**TV channel**
antenna (~́k, ~́t, ~́ja)	antenna, dish
parabolaantenna	satellite dish
csatorna (~́k, ~́t, ~́ja)	**channel**
hírcsatorna	news channel
kereskedelmi csatorna	commercial channel
közszolgálati csatorna	public service channel
online tévécsatorna	online TV channel
gomb (~ok, ~ot, ~ja)	**button**
nyomógomb	push button
hangszóró (~k, ~t, ~ja)	speaker
hullámhossz (~ok, ~t, ~a)	wavelength
kábel (~ek, ~t, ~e)	cable
kábeltévé (~k, ~t, ~je)	cable TV
kapcsoló (~k, ~t, ~ja)	switch
képernyő (~k, ~t, ~je)	**screen**
plazmaképernyő	plasma screen
készülék (~ek, ~et, ~e)	device
rádiókészülék	radio
televíziókészülék/tévékészülék	television set, TV set
menü (~k, ~t, ~je)	**menu**
műhold (~ak, ~at, ~ja)	satellite
rádió (~k, ~t, ~ja)	**radio**
internetes rádió	web radio
újság (~ok, ~ot, ~ja)	**newspaper**
rádióújság	radio program
tévéújság	TV program
távirányító (~k, ~t, ~ja)	**remote control**
teletext (~et, ~je)	teletext
televízió (~k, ~t, ~ja) / **tévé** (~k, ~t, ~je)	**television, TV**

Ki tartozik a tévézéshez/rádiózáshoz?	Who is involved with TV/radio?
bemondó (~k, ~t, ~ja)	presenter
hallgató (~k, ~t, ~ja)	**listener**
hangmérnök (~ök, ~öt, ~e)	sound engineer
műsorvezető (~k, ~t, ~je)	**program host**
narrátor (~ok, ~t, ~a)	narrator
néző (~k, ~t, ~je)	**viewer**
operatőr (~ök, ~t, ~e)	**cameraman**
riporter (~ek, ~t, ~e)	**reporter**
szerkesztő (~k, ~t, ~je)	**editor**
hírszerkesztő	news editor
tudósító (~k, ~t, ~ja)	**correspondent**
politikai tudósító	political correspondent
vágó (~k, ~t, ~ja)	editor
világosító (~k, ~t, ~ja)	lighting technician

Műsorok	Programs
adás (~ok, ~t, ~a)	**broadcast**
élő adás	live broadcast
nemzetiségi adás	ethnic broadcast
híradó (~k, ~t, ~ja)	**newscast**
hírek (~et)	**news**
időjárás-jelentés (~ek, ~t, ~e)	**weather forecast**
film (~ek, ~et, ~je)	**film, movie**
közvetítés (~ek, ~t, ~e)	broadcast
sportközvetítés	broadcasting of a sports event
színházi közvetítés	live theater broadcast
krimi (~k, ~t, ~je)	detective movie
magazin (~ok, ~t, ~ja)	**magazine**
turisztikai magazin	travelers' magazine
mese (~́k, ~́t, ~́je)	**tale**
mise (~́k, ~́t, ~́je)	mass
műsor (~ok, ~t, ~a)	**program**
beszélgetős műsor / talkshow (show-k, show-t, show-ja)	talkshow
gyermekműsor/gyerekműsor	children's show
közéleti műsor	broadcast on public issues
kulturális műsor	cultural program
nemzetiségi műsor	minority program
politikai műsor	political discussion/program
sportműsor	sportscast
szórakoztató műsor	entertainment program
vitaműsor	debate
műsorajánló (~k, ~t, ~ja)	program preview
nyereményjáték (~ok, ~ot, ~a)	game show
rádiójáték/hangjáték (~ok, ~ot, ~a)	radio play, audio play
reklám (~ok, ~ot, ~ja)	**commercial**
sorozat (~ok, ~ot, ~a)	**series**
thriller (~ek, ~t, ~e)	thriller
valóságshow (show-k, show-t, show-ja)	reality show

Mi történik a tévében és a tévével?	What is happening on and with the TV?
átkapcsol *vmire* (~t, ~j)	switch *to sg*
Átkapcsolok egy másik csatornára.	I switch to another channel.
beállít *vmit* (~ott, állíts)	adjust *sg*, set *sg*
Melyik gombbal kell beállítani a hangerőt?	Which button adjusts the volume?

bedug *vmit vhova* (~ott, ~j)	plug *sg into sg*
Bedugom a tévékábelt a konnektorba.	I plug the TV cable into the socket.
bekapcsol *vmit* (~t, ~j)	**turn on** *sg*
Kapcsold be a tévét!	Turn on the TV.
betelefonál *vhova* (~t, ~j)	phone in *somewhere*
A hallgatók betelefonálhatnak az adásba.	The listeners may phone in to the program.
felhangosít *vmit* (~ott, hangosíts)	turn up *sg*
Felhangosíthatom a tévét?	May I turn the TV up?
csatornát fog (~ott, ~j)	get *a channel*
Hány csatornát tudsz fogni?	How many channels can you get?
csatornát vált (~ott, válts)	change *the channel*
Idegesít, ha a barátom minden percben csatornát vált.	I find it irritating when my friend changes the channel every minute.
hallgat, meghallgat *vkit/vmit* (~ott, hallgass)	**listen** to *sy/sg*
A sportközvetítést hallgatom.	I am listening to the sportscast.
A híreket mindig meghallgatom.	I always listen to the news.
kapcsolgat (~ott, kapcsolgass)	switch
Egész este kapcsolgattam a csatornák között.	I was switching the channels all night long.
kezdődik, elkezdődik (kezdődött, kezdődj)	**start**
Mikor kezdődik a híradó?	When does the newscast start?
Elkezdődött már a film?	Has the movie started yet?
kihúz *vmit vhonnan* (~ott, húzz)	unplug *sg from somewhere*
Kihúzom a kábelt a konnektorból.	I unplug the cable from the socket.
kikapcsol *vmit* (~t, ~j)	**turn off** *sg*
Kapcsold ki a tévét, és gyere vacsorázni!	Turn the TV off and come to dinner.
közvetít *vmit* (~ett, közvetíts)	cover *sg*
A tévé közvetíti a focimeccset.	The TV broadcast is covering the soccer game.
kommentál *vmit* (~t, ~j)	comment *on sg*
A meccset a kedvenc sportriporterem kommentálta.	The game was commented on by my favorite sports reporter.
lát *vkit/vmit* (~ott, láss)	**see** *sy/sg*
Láttad a tegnap esti thrillert?	Did you see the thriller last night?
lehalkít *vmit* (~ott, halkíts)	turn down sg
Hogyan kell lehalkítani a tévét?	How do you turn the TV down?
megy (ment, menj)	**be on**
Épp egy sorozat megy a tévében.	There is a series on TV.
megnyom *vmit* (~ott, ~j)	push *sg*
Nyomja meg a piros gombot!	Press the red button.
néz, megnéz *vmit* (~ett, nézz)	**watch** *sg*
Már megint horrorfilmet nézel?	Are you watching a horror movie again?
Néha megnézhetnéd a híradót is.	You could watch the newscast sometime.
rádiózik (rádiózott, rádiózz) **/ rádiót hallgat** (~ott, hallgass)	**listen to the radio**
Imádok rádiózni / rádiót hallgatni.	I love listening to the radio.
sugároz *vmit* (sugár(o)zott, sugározz)	broadcast *sg*
A tévé egy sportközvetítést sugároz.	The TV is broadcasting a sports event.
tévézik (tévézett, tévézz) **/ tévét néz** (~ett, nézz)	**watch TV**
Esténként tévézek / tévét nézek.	I watch TV in the evening.
tudósít *vmiről* (~ott, tudósíts)	report *about/from sg*
A konferenciáról riporterünk tudósít.	Our correspondent is reporting from the conference.
vetít *vmit* (~ett, vetíts)	screen *sg*, show *sg*
A hétvégén a Duna tévé egy jó filmet vetített.	Last weekend there was a good movie on Duna channel (*lit.* the Duna channel showed a good movie).
vezet *vmit* (~ett, vezess)	host *sg*
Ki vezeti az esti vitaműsort?	Who is hosting the evening debate?
vége van/lesz *vminek* (volt/lett, legyen)	*sg* **ends**
Mikor van/lesz vége a filmnek?	When is the movie going to end?

Hasznos mondatok ■ Tévénézési szokások
Useful sentences ■ TV watching habits

Ha szeret tévét nézni	If you like to watch TV
Elalvás előtt mindig tévét nézek.	I always watch TV before falling asleep.
Legszívesebben az egész napot a tévé előtt tölteném.	I could spend the entire day watching TV.
Legjobban a politikai műsorokat kedvelem.	I like political programs best.
A vígjátékokat is szeretem.	I also love comedies.
A talkshow-kat mindig megnézem.	I always watch talkshows.
Nagyon élvezem a nyereményjátékokat.	I enjoy prize game shows very much.
A híradóból tájékozódom a napi eseményekről.	I get information about current events from the newscast.
A műveltségemet dokumentumfilmekből szedtem fel.	I picked up my knowledge from documentaries.
Ha nem tetszik a műsor, átkapcsolok egy másik csatornára.	If I don't like a program, I switch to another channel.
Valamelyik csatornán mindig megy egy jó film.	There is always a good film on one of the channels.

Ha nem szeret tévét nézni	If you don't like to watch TV
Nincs unalmasabb dolog, mint tévét nézni.	There is nothing more boring than watching TV.
Az adások színvonala egyre alacsonyabb.	The standards of the programs are constantly getting lower.
Ráadásul egyre több az erőszak a filmekben.	Moreover, there is always more violence in the movies.
A valóságshow-kat ki nem állhatom.	I can't stand reality shows.
Ha volnának gyerekeim, megtiltanám nekik a tévénézést.	If I had children, I would forbid them to watch TV.
Minek nézzek tévét? Az interneten minden információhoz hozzájutok.	Why should I watch TV? I can access all the information on the Internet.
Van tévém, de mostanában egyszer sem kapcsoltam be.	I do have a TV but I have not turned it on once recently.

Here are a few sentences you are likely to hear when watching Hungarian TV programs or listening to Hungarian radio stations:
Kedves Nézőink! (Ladies and Gentlemen!)
Fogadják szeretettel meghívott vendégünket! (Please welcome our guest!)
Szeretettel köszöntöm a stúdióban szakértőnket. (I welcome our expert in our studio.)
Közvetítést adunk az újévi koncertről. (We are broadcasting from the New Year's Eve concert.)
A sorozat következő részét holnap 22.15 perckor láthatják. (You can watch the next episode of the series tomorrow, at 10:15 PM.)
A film megtekintését 18 éven aluliaknak nem ajánljuk. (Viewing this film is not recommended under the age of 18.)
A reklám után folytatjuk műsorunkat. (We'll be back after the commercial.)

2. Újságok, folyóiratok / Newspapers, magazines

Hasznos szavak
Useful words

A sajtó	The press
folyóirat (~ok, ~ot, ~a)	**review, journal**
irodalmi folyóirat	literary review
ismeretterjesztő folyóirat	educational journal
kulturális folyóirat	cultural journal
szakfolyóirat	technical journal, specialized periodical
lap (~ok, ~ot, ~ja)	paper
hetilap	weekly paper
napilap	**daily paper**
pletykalap	gossip paper
vicclap	humor magazine
magazin (~ok, ~t, ~ja)	**magazine**
bulvármagazin	tabloid
újság (~ok, ~ot, ~ja)	**newspaper**
gyermekújság/gyerekújság	children's magazine
rejtvényújság	crossword puzzle magazine

Rovatok	Columns
ajánló (~k, ~t, ~ja)	recommendation, review
filmajánló	movie review
könyvajánló	book review
programajánló	events review
egészség (~et, ~e)	**health**
életmód (~ok, ~ot, ~ja)	**lifestyle**
gasztronómia (~́t, ~́ja)	**gastronomy**
gazdaság (~ok, ~ot, ~a)	**economy**
horoszkóp (~ok, ~ot, ~ja)	**horoscope**
időjárás (~t, ~a)	**weather**
karrier (~ek, ~t, ~je)	**career**
környezetvédelem (-védelmet, -védelme)	**environmental protection**
kultúra (~́k, ~́t, ~́ja)	**culture**
lakberendezés (~t, ~e)	**interior design**
levél (levelek, levelet, levele)	**letter**
olvasói levél	reader's letter
szerkesztői levél	editor's letter
pletyka (~́k, ~́t, ~́ja)	rumor
politika (~́k, ~́t, ~́ja)	**politics**
publicisztika (~́k, ~́t, ~́ja)	article featuring the journalist's opinion
sport (~ok, ~ot, ~ja)	**sports**
szabadidő (~t, -ideje)	**spare time**
számítástechnika (~́t, ~́ja)	**computer science**
technika (~́k, ~́t, ~́ja)	**technology**
tudomány (~ok, ~t, ~a)	**science**
utazás (~ok, ~t, ~a)	**travel**

Mi minden lehet egy újságban?	What is there in a newspaper?
bekezdés (~ek, ~t, ~e)	paragraph
cikk (~ek, ~et, ~e)	**article**
vezércikk	headline article
cím (~ek, ~et, ~e)	**title**
alcím	subtitle
főcím	main title, headline
címlap	front page
esszé (~k, ~t, ~je)	essay
fénykép (~ek, ~et, ~e) **/ fotó** (~k, ~t, ~ja)	**photograph, photo**
forrás (~ok, ~t, ~a)	source
hasáb (~ok, ~ot, ~ja)	column
hír (~ek, ~t, ~e)	**news**
belföldi hír	domestic news
külföldi hír	foreign news
sporthír	sports news
hirdetés (~ek, ~t, ~e)	**classified, advertisement**
idézet (~ek, ~et, ~e)	**quotation**
impresszárium (~ok, ~ot, ~a) / **kapcsolat** (~ok, ~ot, ~a)	contact
interjú (~k, ~t, ~ja)	**interview**
karikatúra (~́k, ~́t, ~́ja)	cartoon
kritika (~́k, ~́t, ~́ja)	**critique**
melléklet (~ek, ~et, ~e)	supplement
novella (~́k, ~́t, ~́ja)	short story
nyilatkozat (~ok, ~ot, ~a)	public statement
oldal (~ak, ~t, ~a)	**page**
próza (~́t, ~́ja)	prose
recenzió (~k, ~t, ~ja)	review
recept (~ek, ~et, ~je)	**recipe**
regényrészlet (~ek, ~et, ~e)	excerpt from a novel
rovat (~ok, ~ot, ~a)	column
tanulmány (~ok, ~t, ~a)	study
tárca (~́k, ~́t, ~́ja)	feuilleton
tudósítás (~ok, ~t, ~a)	report
vélemény (~ek, ~t, ~e)	opinion
vers (~ek, ~et, ~e) / költemény (~ek, ~t, ~e)	**poem**

Ki készíti az újságot, és ki olvassa?	Who makes newspapers and who reads them?
célközönség (~ek, ~et, ~e)	target group
előfizető (~k, ~t, ~je)	subscriber
fényképész (~ek, ~t, ~e) **/ fotós** (~ok, ~t, ~a)	**photographer**
hírügynökség (~ek, ~et, ~e)	news agency
olvasó (~k, ~t, ~ja)	**reader**
riporter (~ek, ~t, ~e)	**reporter**
szakértő (~k, ~t, ~je)	specialist, expert
szerkesztő (~k, ~t, ~je)	**editor**
főszerkesztő	editor in chief
tudósító (~k, ~t, ~ja)	**correspondent**
újságíró (~k, ~t, ~ja)	**journalist**

Mit csinál az újságíró/olvasó? Mi történik?	What does a journalist/reader do? What is happening?
beszámol *vmiről* (~t, ~j)	report *about sg*
A sajtó részletesen beszámolt a konferenciáról.	The papers gave a detailed report on the conference.
előfizet *vmire* (~ett, fizess)	**subscribe** *to sg*
Előfizettem egy történelmi szakfolyóiratra.	I subscribed to a historical periodical.

érvel *vmi ellen/mellett* (~t, ~j)
Az újságíró a törvényjavaslat ellen/mellett érvelt.
ír, megír *vmit vkiről/vmiről* (~t, ~j)
Az újságíró egy regényről ír kritikát.
Végre megírtam a kritikát a könyvről!
járat *vmit* (~ott, járass)
Mióta járatod az *Élet és Irodalmat*?

kiad *vmit* (~ott, ~j)
Az újságot ötezer példányban adják ki.
közöl *vmit* (~t, ~j)
Az újság közölte a miniszter nyilatkozatát.
megjelenik (jelent, jelenj)
A *Jelenkor* havonta jelenik meg.
olvas, elolvas *vmit* (~ott, olvass)
Az *Élet és Tudomány*-t olvasom.
A rövid cikkeket mindig elolvasom.
szól *vkinek* (~t, ~j)
Ez a magazin gyerekeknek szól.
tájékozódik *vmiről* (tájékozódott, tájékozódj)
A napilapokból tájékozódom a politikáról.
tájékoztat *vmiről* (~ott, tájékoztass)
A miniszter az új törvényről tájékoztat.
történik (történt, történj)
Mi történt a héten a nagyvilágban?
utánajár *vminek* (~t, ~j)
A jó újságíró minden információnak utánajár.
utánanéz *vminek* (~ett, nézz)
Utánanézek, mi lett a választások eredménye.

argue *against/for sg*
The journalist argued against/for the passing of a bill.
write *sg about sy/sg*
The journalist is writing a review about a novel.
I'm finished writing a review of the book.
be a subscriber *to sg*
How long have you been a subscriber to *Life and Literature*?
publish *sg*
The newspaper is published in 5000 copies.
publish *sg*
The newspaper published the statement of the secretary.
appear
Jelenkor appears monthly.
read *sg*
I read *Élet és Tudomány.*
I always read the short articles.
be for *sy*
This magazine is for children.
get information *about sg*
I get information about politics from the daily papers.
inform *about sg*, hold a brief *on sg*
The secretary is holding a brief on the new law.
happen
What has happened in the world this week?
follow up *sg*
A good journalist follows up every piece of information.
look up *sg*, check *sg*
I am going to look up the outcome of the elections.

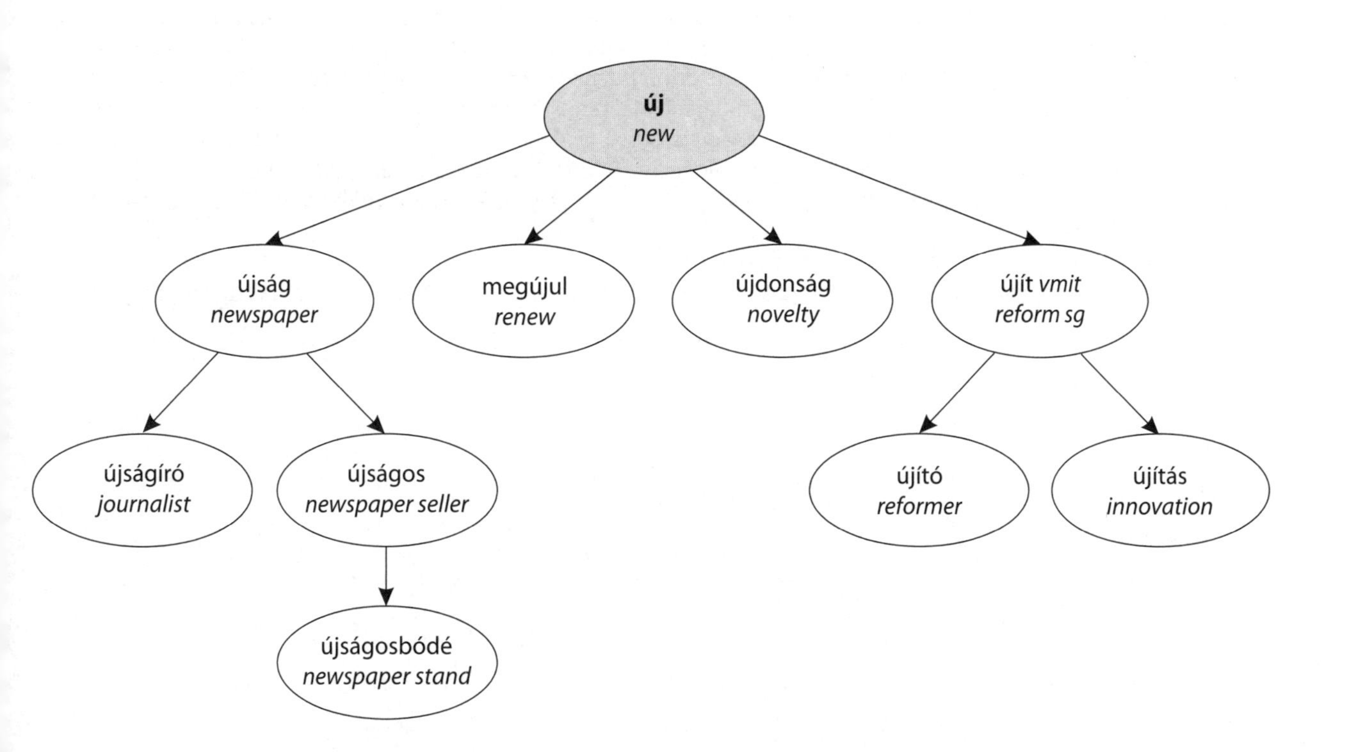

Hasznos mondatok ■ Milyen újságot olvas?
Useful sentences ■ What kind of newpaper do you read?

Milyen újságot olvas? Miért?	What kind of newspaper do you read? Why?
Én a *Nők Lapját* járatom. Hetente jelenik meg. Mindig aktuális a tartalma, és sok érdekes rovat van benne.	I subscribe to *Nők Lapja.* It appears weekly. Its content is always up-to-date and there are many interesting articles in it.
A gasztronómiai oldal érdekel a legjobban. A lap közéleti személyekkel készült interjúkat is közöl.	It's the gastronomic column that interests me most. The newspaper also publishes interviews with public personalities.
A feleségem az életmóddal kapcsolatos cikkeket olvassa. A vitaindító cikkeket mindketten szeretjük. Az olvasói leveleket is el szoktam olvasni.	My wife reads the articles related to lifestyle. We both like the articles that inspire debates. I usually read the readers' letters, as well.

Miért nem olvas újságot?	Why don't you read any newspaper?
Az az igazság, hogy ritkán olvasok újságot. Bosszantanak a politikusok. Nem érdekel, mi történik a világban. Egyedül a horoszkópomat nézem meg. A gazdasági cikkeket soha nem olvasom el. A pletykalapokat kifejezetten ízléstelennek tartom. Lehangol a sok rossz hír. Szeretnék egy olyan napilapot, amelyik csak jó híreket közöl. Erre biztosan előfizetnék.	The truth is that I rarely read the newspaper. Politicians annoy me. I'm not interested in what's happening in the world. The only thing I check is my horoscope. I never read the articles about economy. I find tabloids really tasteless. I get depressed by all the bad news. I'd like to have a newspaper that only publishes good news. I would definitely subscribe to it.

Many Hungarians still get the news from the online or printed version of newspapers. The largest daily newspapers are *Népszabadság, Magyar Nemzet, Magyar Hírlap*. At least as popular as national newspapers are regional and local newspapers such as *Dunántúli Napló (Pécs region), Délmagyar (Szeged region), Debreceni Napilap (Debrecen region)* etc.
Hungarian magazines, just like all other magazines in the world, target a particular group of people. Their title usually gives clear information about their content: *Heti Világgazdaság (World Economy Weekly), Kismama (Expectant Mother), Nők Lapja (Women's Paper), Élet és Tudomány (Life and Science), História (History), Lakáskultúra (Home Design).*
Hungary has a surprisingly large number of literary magazines such as *Holmi, Jelenkor, Alföld,* and *Tiszatáj* to name a few important ones.
Tabloids *(Blikk, Kiskegyed)* also have an extensive readership.
Among the foreign magazines *National Geographic, Le monde diplomatique* and a few more are available in Hungarian.

3. Politikai és gazdasági hírek / Political and economic news

Hasznos szavak
Useful words

Politikai fogalmak	Political terms
alkotmány (~ok, ~t, ~a)	**constitution**
alkotmányellenes intézkedés	anticonstitutional measure
alkotmányos jog	constitutional right
európai alkotmány	European Constitution
állam (~ok, ~ot, ~a)	**state**
államcsíny (~ek, ~t, ~e) / puccs (~ok, ~ot, ~a)	coup d'état, coup
államforma (~́k, ~́t, ~́ja)	**form of state**
államháztartás (~t, ~a)	national finances
állampolgárság (~ok, ~ot, ~a)	**citizenship**
agrárpolitika (~́t, ~́ja)	agricultural policy
anarchia (~́t, ~́ja)	anarchy
béke (~́t, ~́je)	**peace**
békét köt *vkivel*	make peace *with sy*
béketárgyalás (~ok, ~t, ~a)	peace negotiation
békeszerződés (~ek, ~t, ~e)	peace treaty
bizottság (~ok, ~ot, ~a)	**committee**
szakbizottság	special committee
demokrácia (~́k, ~́t, ~́ja)	**democracy**
diktatúra (~́k, ~́t, ~́ja)	**dictatorship**
diplomácia (~́t, ~́ja)	**diplomacy**
diplomáciai kapcsolatok (~at)	diplomatic relationships
egyezmény (~ek, ~t, ~e)	treaty, agreement
aláírja az egyezményt	ratify the treaty
egyezményt köt	reach/sign an agreement
döntés (~ek, ~t, ~e)	decision
döntést hoz	take a decision
ellenzék (~et, ~e)	**opposition**
együttműködés (~ek, ~t, ~e)	cooperation
gazdasági együttműködés	economic cooperation
Európai Unió (~t)	European Union
fegyverszünet (~ek, ~et, ~e)	ceasefire
forradalom (forradalmak, forradalmat, forradalma)	**revolution**
kitör a forradalom	the revolution breaks out
frakció (~k, ~t, ~ja)	fraction
gyűlés (~ek, ~t, ~e)	assembly meeting
gyűlést tart	hold an assembly meeting
hadsereg (~ek, ~et, ~e)	**army**
háború (~k, ~t, ~ja)	**war**
háborút indít *vki ellen*	initiate war *against sy*

hatóság (~ok, ~ot, ~a)	authority
hivatal (~ok, ~t, ~a)	**office**
Miniszterelnöki Hivatal	Prime Minister's Office
integráció (~́t, ~ja)	integration
intézkedés (~ek, ~t, ~e)	measure
szélsőséges intézkedés	radical measure
intézmény (~ek, ~t, ~e)	institution
javaslat (~ok, ~ot, ~a)	**suggestion, bill**
törvényjavaslat	bill
javaslatot tesz	make a suggestion
törvényjavaslatot benyújt	submit a bill
jog (~ok, ~ot, ~a)	**law, right**
emberi jog	human right
jogellenes döntés	unlawful decision
jogrendszer (~ek, ~t, ~e)	legal system
kabinet (~ek, ~et, ~je)	cabinet
kamara (~́k, ~́t, ~́ja)	chamber
kampány (~ok, ~t, ~a)	**campaign**
választási kampány	election campaign
királyság (~ok, ~ot, ~a)	**kingdom**
alkotmányos királyság	constitutional monarchy
kisebbség (~ek, ~et, ~e)	**minority**
kisebbségben van	be a minority
koalíció (~k, ~t, ~ja)	**coalition**
koalícióra lép *vkivel*	enter into a coalition *with sy*
koalíciós partner (~ek, ~t, ~e)	coalition partner
konfliktus (~ok, ~t, ~a)	**conflict**
nemzetközi konfliktus	international conflict
kormány (~ok, ~t, ~a)	**government**
kormánypárt (~ok, ~ot, ~ja)	governing party
korrupció (~t, ~ja)	**corruption**
költségvetés (~ek, ~t, ~e)	**budget**
közigazgatás (~t, ~a)	**administration**
közigazgatási szerv (~ek, ~et, ~e)	administrative agency
köztársaság (~ok, ~ot, ~a)	**republic**
köztársasági elnök (~ök, ~öt, ~e)	president of the republic
népköztársaság	people's republic
közvélemény (~t, ~e)	**public opinion**
közvélemény-kutatás (~ok, ~t, ~a)	survey, poll
lobbi (~k, ~t, ~ja)	**lobby**
mandátum (~ok, ~ot, ~a)	mandate
mandátumot szerez	get a mandate
megállapodás (~ok, ~t, ~a)	settlement
megállapodást köt	sign a settlement
minisztérium (~ok, ~ot, ~a)	**department**
belügyminisztérium	Department of the Interior
egészségügyi minisztérium	Department of Healthcare
külügyminisztérium	Department of Foreign Affairs
környezetvédelmi minisztérium	Department of Environmental Protection
honvédelmi minisztérium	Department of Defense
igazságügyminisztérium	Department of Justice
oktatásügyi minisztérium	Department of Education
pénzügyminisztérium	Department of Finance
monarchia (~́k, ~́t, ~́ja)	monarchy
nagykövetség (~ek, ~et, ~e)	**embassy**
nyilatkozat (~ok, ~ot, ~a)	public statement
nyilatkozatot tesz	make a public statement
oldal (~ak, ~t, ~a)	**wing**
baloldal	left wing
jobboldal	right wing

országgyűlés (~ek, ~t, ~e) / **parlament** (~ek, ~et, ~je)	**Parliament**
országgyűlési / parlamenti választások	parliamentary elections
önkormányzat (~ok, ~ot, ~a)	**local government**
parlament (~et, ~je)	**Parliament**
Európai Parlament	European Parliament
párt (~ok, ~ot, ~ja)	**party**
ellenzéki párt	opposition party
kormánypárt	governing party
politikai párt	political party
pártot alapít	found a party
párttag (~ok, ~ot, ~ja)	member of party
program (~ok, ~ot, ~ja)	**program, agenda**
pártprogram	party agenda
reform (~ok, ~ot, ~ja)	**reform**
reformokat vezet be	introduce reforms
régió (~k, ~t, ~ja)	region
sajtókonferencia (~́k, ~́t, ~́ja)	**press conference**
szabadság (~ot, ~a)	**freedom**
sajtószabadság	freedom of the press
vallásszabadság	freedom of religion
szankció (~k, ~t, ~ja)	sanction
szakszervezet (~ek, ~et, ~e)	**social union**
szavazat (~ok, ~ot, ~a)	**vote**
szavazás (~ok, ~t, ~a)	**vote, action of voting**
népszavazás	referendum
népszavazást tart	hold a referendum
szavazócédula (~́k, ~́t, ~́ja)	ballot card
szervezet (~ek, ~et, ~e)	**organization**
civilszervezet	civil organization
tagállam (~ok, ~ot, ~a)	Member State
alapító tagállam	founding Member State
csatlakozó tagállam	acceding Member State
találkozó (~k, ~t, ~ja)	meeting
csúcstalálkozó	summit
tárca (~́k, ~́t, ~́ja)	ministry
pénzügyi tárca	Ministry of Finance
tárgyalás (~ok, ~t, ~a)	**negotiation**
tárgyalásokat folytat	conduct negotiations
társadalom (társadalmak, társadalmat, társadalma)	**society**
többség (~ek, ~et, ~e)	**majority**
többségi döntés	majority decision
törvény (~ek, ~t, ~e)	law
törvényt hoz	pass a law
törvényhozás (~t, ~a)	legislation
tüntetés (~ek, ~t, ~e)	**demonstration**
ügy (~ek, ~et, ~e)	**affair**
belügy	internal affairs
külügy	foreign affairs
ülés (~ek, ~t, ~e)	meeting, session
parlamenti ülésszak	Parliamentary session
rendkivüli ülés	special session
ülést tart	hold a meeting
választás (~ok, ~t, ~a)	**election**

Ki vesz részt a politikában?	**Who is involved with politics?**
államférfi (~ak, ~t, ~ja)	politician
államfő (~k, ~t, ~je)	Head of State
állampolgár (~ok, ~t, ~a)	**citizen**

államtitkár (~ok, ~t, ~a)	Secretary of State
diplomata (~́k, ~́t, ~́ja)	**diplomat**
elnök (~ök, ~öt, ~e)	**President**
alelnök	Vice President
jelölt (~ek, ~et, ~je)	**candidate**
elnökjelölt	presidential candidate
kancellár (~ok, ~t, ~ja)	Chancellor
képviselő (~k, ~t, ~je)	**representative**
parlamenti/országgyűlési képviselő	member of Parliament
képviselő-testület (~ek, ~et, ~e)	Board of Representatives
király (~ok, ~t, ~a)	**King**
királynő (~k, ~t, ~je)	**Queen**
kormányfő (~k, ~t, ~je)	Head of Gouvernment
küldöttség (~ek, ~et, ~e) / delegáció (~k, ~t, ~ja)	delegation
lakosság (~ot, ~a)	**population**
miniszter (~ek, ~t, ~e)	**Secretary, minister**
miniszterhelyettes (~ek, ~t, ~e)	Deputy Secretary
miniszterelnök (~ök, ~öt, ~e)	**Prime Minister**
nagykövet (~ek, ~et, ~e)	**ambassador**
ombudsman (~ok, ~t, ~ja)	ombudsman
polgármester (~ek, ~t, ~e)	**mayor**
politikus (~ok, ~t, ~a)	**politician**
szóvivő (~k, ~t, ~je)	spokesman
kormányszóvivő	government spokesman
tüntető (~k, ~t, ~je)	demonstrator
vezető (~k, ~t, ~je)	**leader**
frakcióvezető	fraction leader

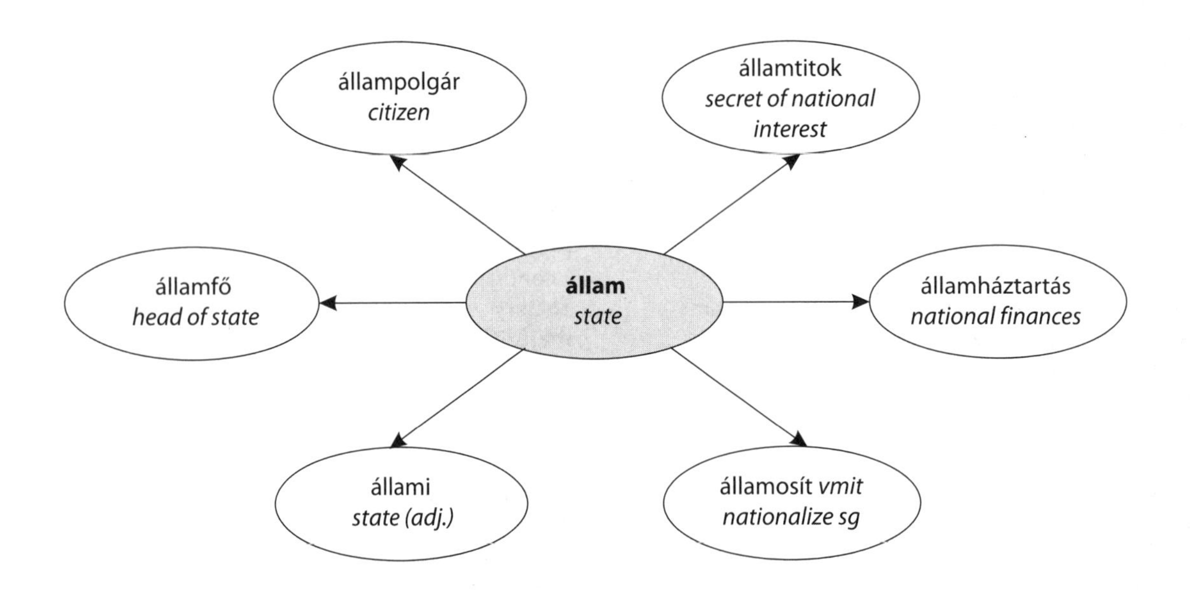

Milyen lehet a politika/politikus?	What can politics/politicians be like?
anarchista	anarchist
baloldali	**left wing**
demagóg	demagogue
demokrata	**democrat**
demokratikus (~abb)	**democratic**
jobboldali	**right wing**
kapitalista	**capitalist**
kommunista	**communist**
konzervatív (~abb)	**conservative**
liberális (~abb)	**liberal**
populista	populist
republikánus	republican
szabadgondolkodó	free-thinker
szélsőséges (~ebb)	**extreme**
szociáldemokrata	social democrat
szocialista	**socialist**

Gazdasági fogalmak	Economic expressions
adó (~k, ~t, ~ja)	**tax**
adósság (~ok, ~ot, ~a)	**debt**
ár (~ak, ~at, ~a)	**price**
árfolyam (~ok, ~ot, ~a)	**rate**
bank (~ok, ~ot, ~ja)	**bank**
Magyar Nemzeti Bank	National Bank of Hungary
befektetés (~ek, ~t, ~e)	investment
beruházás (~ok, ~t, ~a)	investment
bevétel (~ek, ~t, ~e)	**revenue**
csőd (~ök, ~öt, ~je)	bankruptcy
csődöt jelent be	announce bankruptcy
csődbe megy	go bankrupt
embargó (~k, ~t, ~ja)	embargo
embargó alatt áll	be under embargo
embargó alá helyez *vkit*	put *sy* under embargo
fizetés (~ek, ~t, ~e) / bér (~ek, ~t, ~e)	**wage**
fizetésképtelenség (~et, ~e)	insolvency
haszon (hasznok, hasznot, haszna) / profit (~ok, ~ot, ~ja)	**profit**
hitel (~ek, ~t, ~e)	**loan, credit**
infláció (~k, ~t, ~ja)	**inflation**
ipar (~ok, ~t, ~a)	**industry**
élelmiszeripar	food industry
gyógyszeripar	pharmaceutical industry
infrastruktúra (~́k, ~́t, ~́ja)	**infrastructure**
jövedelem (jövedelmek, jövedelmet, jövedelme)	**income**
nemzeti jövedelem	domestic income
egy főre eső nemzeti jövedelem	gross domestic product, GDP
kereskedelem (kereskedelmek, kereskedelmet, kereskedelme)	**commerce**
kiadás (~ok, ~t, ~a)	**expense**
konjunktúra (~́k, ~́t, ~́ja)	conjuncture
költség (~ek, ~et, ~e)	**cost**
költségmegtakarítás (~ok, ~t, ~a)	cost-saving
költségvetés (~ek, ~t, ~e)	budget
mezőgazdaság (~ok, ~ot, ~a)	**agriculture**
mutató (~k, ~t, ~ja)	index
gazdasági mutató	economic index
nyereség (~ek, ~et, ~e)	**earnings**
pénz (~ek, ~t, ~e)	**money, currency**
pénzforgalom (-forgalmak, -forgalmat, -forgalma)	flow of money
piac (~ok, ~ot, ~a)	**market**
piacgazdaság (~ok, ~ot, ~a)	market economy
recesszió (~k, ~t, ~ja)	recession
részvény (~ek, ~t, ~e)	**share**
részvényt kibocsát	issue shares
részvényt vásárol	buy shares
szektor (~ok, ~t, ~a)	sector
energiaszektor	energy sector
gazdasági szektor	economic sector
tőke (~́k, ~́t, ~́je)	capital
alaptőke/kezdőtőke	initial capital
tőzsde (~́k, ~́t, ~́je)	stock exchange, stock market
üzlet (~ek, ~et, ~e)	**business, deal**
üzleti terv (~ek, ~et, ~e)	business plan
üzletet köt	make a deal
vagyon (~ok, ~t, ~a)	wealth
valuta (~́k, ~́t, ~́ja)	foreign currency
Nemzetközi Valutaalap	International Monetary Fund

vállalat (~ok, ~ot, ~a)	**company**
leányvállalat	subdivision
vegyesvállalat	joint venture
vállalkozás (~ok, ~t, ~a)	**enterprise**
kisvállalkozás	small enterprise
vállalkozó (~k, ~t, ~ja)	entrepreneur, contractor
válság (~ok, ~ot, ~a)	**crisis**
gazdasági válság	economic crisis
válságba kerül	plunge into a crisis
válságban van	be in a crisis
verseny (~ek, ~t, ~e)	**competition**
szabadverseny	free competition
veszteség (~ek, ~et, ~e)	deficit, loss

Milyen lehet egy vállalkozás?	What can an enterprise be like?
dinamikus (~abb)	dynamic
eladósodott	in debt
lassan/gyorsan fejlődő	slowly/rapidly developing
fizetésképes	solvent, financially stable
fizetésképtelen	insolvent
innovatív	innovative
jövedelmező (~bb) / **nyereséges** (~ebb)	**profitable**
versenyképes (~ebb)	**competitive**
veszteséges (~ebb)	**deficient**
virágzó	flourishing

→ *Banki szolgáltatások / Bank services: 180–185. oldal*

Mi történik a politikában?	What happens in politics?
aláír *vmit* (~t, ~j)	**sign** *sg*
A két államfő aláírta az egyezményt.	The two Heads of States signed the treaty.
alapít, megalapít *vmit* (~ott, alapíts)	found *sg*
Új pártot alapít a baloldal.	The left wing is founding a new party.
A pártot 1978-ban alapították meg.	The party was founded in 1978.
alakul, megalakul (~t, ~j)	be found, be formed
Az utóbbi időben sok új párt alakult.	A lot of parties have been founded lately.
Megalakult az új kormány.	The new government has been formed.
befejeződik (fejeződött, fejeződj)	end
Befejeződött a parlament őszi ülésszaka.	The winter session of Parliament has ended.
befektet *vmibe* (~ett, fektess)	invest *in sg*
A cég az ingatlanpiacba fektet be.	The company invests in real estate.
benyújt *vmit* (~ott, nyújts)	**submit** *sg*
Az ellenzék új törvényjavaslatot nyújtott be.	The Opposition submitted a new bill.
bevezet *vmit* (~ett, vezess)	introduce *sg*, implement *sg*
A kormány reformokat vezet be az oktatásban.	The government is introducing educational reforms.
csatlakozik *vkihez/vmihez* (csatlakozott, csatlakozz)	**join** *sy/sg*
Magyarország 2004-ben csatlakozott az Európai Unióhoz.	Hungary joined the European Union in 2004.
eladósodik (adósodott, adósodj)	run into debt
Eladósodott a városi kórház.	The town hospital has run into debt.
fellendül (~t, ~j)	boom
Múlt évben fellendült a gazdaság.	There was an economic boom last year.
felszólal (~t, ~j)	speak at a meeting
A gyűlésen felszólalt a párt vezetője.	The leader of the party spoke at the meeting.
finanszíroz *vmit* (~ott, finanszírozz)	finance *sg*
A város finanszírozza az iskolák felújítását.	The city finances the renovation of the schools.
fogad *vkit* (~ott, ~j)	receive *sy*
A miniszterelnök fogadta a külföldi delegációt.	The Prime Minister received the foreign delegation.

hirdet *vmit* (~ett, hirdess) — **announce** *sg*
Sztrájkot hirdetnek a közalkalmazottak. — Civil servants announce a strike.
kilép *vhonnan* (~ett, ~j) — **quit** *sg*
Az ismert szociológus kilépett a pártból. — The well-known sociologist has quit the party.
kinevez *vkit* (~ett, nevezz) — appoint *sy*
Az államfő kinevezte a minisztereket. — The Head of State has appointed his Secretaries.
kizár *vkit vhonnan* (~t, ~j) — expel *sy from somewhere*
Az alelnököt kizárták a pártból. — The Vice President was expelled from the party.
lemond (~ott, ~j) — resign
Lemondott a miniszterelnök. — The Prime Minister has resigned.
létrehoz *vmit* (~ott, hozz) — establish *sg*
A NATO-t 1949-ben hozták létre. — NATO was established in 1949.
levált *vkit* (~ott, válts) — **dismiss** *sy*
Leváltották a pénzügyminisztert. — The Secretary of Economy was dismissed.
lobbizik *vkinél* (lobbizott, lobbizz) — lobby *sy*
A polgármesternél lobbizott a civilszervezet. — The civil organization lobbied the mayor.
megállapodik *vkivel* (állapodott, állapodj) — **settle** *with sy*, **make a deal** *with sy*
A kormány nem tudott megállapodni a tüntetőkkel. — The government was unable to settle with the demonstrators.
megegyezik *vkivel* (egyezett, egyezz) — reach an agreement *with sy*
A kormány megegyezett a tüntetőkkel. — The government reached an agreement with the demonstrators.
megkezdődik (kezdődött, kezdődj) — begin
A két ország között megkezdődtek a tárgyalások. — Negotiations between the two countries have begun.
megszavaz *vmit* (~ott, szavazz) — **vote** *in favor of sg*
Az országgyűlés megszavazta a törvényt. — The Parliament voted in favor of the bill.
összehív *vkit/vmit* (~ott, ~j) — call *for sy/sg*
A miniszterelnök kabinetülést hívott össze. — The Prime Minister called for a cabinet meeting.
szavaz *vkire/vmire* (~ott, szavazz) — **vote** *for sy/sg*
A legtöbb ember a liberális képviselőre szavazott. — The majority voted for the liberal representative.
szervez *vmit* (~ett, szervezz) — **organize** *sg*
Tüntetést szerveznek a környezetvédők. — The environmentalists are organizing a demonstration.
sztrájkol (~t, ~j) — be on strike
Sztrájkolnak a repülőtéri dolgozók. — Airport workers are on strike.
támogat *vkit/vmit* (~ott, támogass) — **support** *sy/sg*
Az ellenzék nem támogatja a törvényjavaslatot. — The Opposition does not support the bill.
tárgyal *vmiről* (~t, ~j) — discuss *sg*
A miniszterek a válság megoldásáról tárgyalnak. — The Secretaries are discussing the solution for the recession.
ülésezik (ülésezett, ülésezz) — be in session
A parlament mától ülésezik. — The Parliament is in session as of today.
vádol *vkit vmivel* (~t, ~j) — accuse *sy of sg*
Korrupcióval vádolták a politikust. — The politician was accused of corruption.
választ, megválaszt *vkit* (~ott, válassz) — **elect** *sy*
Képviselőket választ az ország. — The country is electing representatives.
Megválasztották az új polgármestert. — The new mayor has been elected.

The name for many international organizations is the same in Hungarian and in English (UNESCO, UNICEF, NATO, Greenpeace, Amnesty International etc.). However, the following important organizations have a Hungarian name:

- *Európai Unió (European Union)*
- *Európai Parlament (European Parliament)*
- *ENSZ / Egyesült Nemzetek Szervezete (UN/United Nations)*
- *az ENSZ Biztonsági Tanácsa (Security Council of the United Nations)*
- *Világbank (World Bank)*
- *Nemzetközi Valutaalap (International Monetary Fund)*
- *Nemzetközi Bíróság (International Court of Justice)*
- *Nemzetközi Vöröskereszt (International Red Cross)*
- *Nemzetközi Labdarúgó-szövetség / FIFA (Fédération International de Football Association/FIFA)*
- *Orvosok Határok Nélkül (Doctors Without Borders)*
- *Természetvédelmi Világszövetség (International Union for Conservation of Nature)*

Hasznos mondatok ▪ Hírek
Useful sentences ▪ News

Politika	Politics
Hazánkba látogatott a brit miniszterelnök.	The British Prime Minister visited our country.
Németországba utazott a magyar kormányfő.	The Hungarian Head of Government traveled to Germany.
Az osztrák oktatási miniszter fogadta francia kollégáját.	The Austrian Secretary of Education welcomed his French counterpart.
Kanadában tárgyal az amerikai külügyminiszter.	The American Secretary of Foreign Affairs is negotiating in Canada.
A miniszterek reformok bevezetéséről tárgyalnak.	The Secretaries are discussing the introduction of reforms.
Korrupciós botrány miatt leváltották az igazságügyminisztert.	The Secretary of Justice was dismissed because of a corruption scandal.
Lemondott a belügyminiszter. Döntését azzal indokolta, hogy …	The Secretary of the Interior has resigned. He explained his decision by saying that …
Megkezdődött az országgyűlés őszi időszaka.	The autumn session of the Parliament has begun.
Hétfőtől ismét ülésezik az Európai Parlament.	The European Parliament is in session again from Monday.
Megkezdődött a választási kampány.	The election campaign has begun.
Elnököt választanak az Egyesült Államokban.	The United States is holding presidential elections.
Megválasztották az új parlamenti képviselőket.	The new Members of Parliament have been elected.
Kinevezték az új ombudsmant.	The new ombudsman has been appointed.
Megalakult az új kormány.	The new government has been formed.
Holnapra tüntetést szerveznek a környezetvédők.	The environmentalists are organizing a demonstration for tomorrow.
Országszerte sztrájkolnak a buszsofőrök.	Bus drivers are striking nationwide.

Gazdaság	Economics
Nőtt/Csökkent az államháztartás hiánya.	The deficit in national finances has increased/decreased.
A parlament elfogadta a jövő évi költségvetést.	The Parliament has accepted next year's budget.
Emelkedett a dollár árfolyama.	Dollar rates rose.
Zuhantak a tőzsdei árfolyamok.	Stock exchange rates plunged.
A bank részvényei 10%-ot (százalékot) vesztettek az értékükből.	The value of the bank's shares decreased by 10 %.
Veszteséges hónapot zártak az autógyárak.	Car factories closed a deficitary month.

→ *Sporthírek / Sports news: 116. oldal*

Journalistst use many synonyms for *mond* in their articles:
nyilatkozik: A miniszterelnök azt nyilatkozta, hogy … (state: The Prime Minister stated that …)
elmond: A miniszterelnök nyilatkozatában elmondta, hogy … (tell: In his statement, the Prime Minister told that …)
közöl: A miniszterelnök közölte, hogy … (say: The Prime Minister said that …)
kijelent: A miniszterelnök kijelentette, hogy … (assert: The Prime Minister asserted that …)
bejelent: A miniszterelnök bejelentette, hogy … (declare: The Prime Minister declared that …)
cáfol: A miniszterelnök cáfolta azt a kijelentést, mely szerint … (deny: The Prime Minister denied the statement according to which …)
kifejez: A miniszterelnök egyetértését fejezte ki … (express: The Prime Minister expressed his approval …)
bírál: A miniszterelnök nyilatkozatában bírálta az ellenzéket. (criticize: In his public statement, the Prime Minister criticized the Opposition.)

KOMMUNIKÁCIÓS ESZKÖZÖK / MEANS OF COMMUNICATION

1. Telefon / Telephone

Hasznos szavak
Useful words

A telefonkészülék	**The telephone**
adapter (~ek, ~t, ~e)	adapter
alkalmazás (~ok, ~t, ~a)	application
billentyű (~k, ~t, ~je)	key
billentyűzet (~ek, ~et, ~e)	keyboard
csengőhang (~ok, ~ot, ~ja)	ringtone
előfizetés (~ek, ~t, ~e)	**subscription**
feltöltőkártya (~́k, ~́t, ~́ja)	top up card
funkció (~k, ~t, ~ja)	**function**
fülhallgató (~k, ~t, ~ja)	earphones
gomb (~ok, ~ot, ~ja)	**button**
hang (~ok, ~ot, ~ja)	**tone, voice**
hangposta (~́k, ~́t, ~́ja)	**voicemail**
hívás (~ok, ~t, ~a)	**call**
nem fogadott hívás	missed call
sürgős hívás	urgent call
kamera (~́k, ~́t, ~́ja)	camera
készülék (~ek, ~et, ~e)	**unit, device**
kijelző (~k, ~t, ~je)	display
márka (~́k, ~́t, ~́ja)	brand
mellék (~ek, ~et, ~e)	**extension**
MMS (~ek, ~t, ~e)	MMS
mobiltelefon/mobil (~ok, ~t, ~ja)	**cell phone, mobile phone**
modell (~ek, ~t, ~je)	model
SIM-kártya (~́k, ~́t, ~́ja)	**SIM card**
sípszó (~k, ~t, -szava)	beep
SMS (SMS-ek, SMS-t, SMS-e)	**text message**
szám (~ok, ~ot, ~a)	**number**
telefonszám	telephone number
hívószám	caller ID
munkahelyi telefonszám	work number
otthoni telefonszám	home number
telefon (~ok, ~t, ~ja)	**telephone**
vezetékes telefon	landline telephone
vezeték nélküli telefon	wireless telephone
térerő (~k, ~t, -ereje)	signal

üzenet (~ek, ~et, ~e)	**message**
üzenetrögzítő (~k, ~t, ~je)	**answering machine**
videó (~k, ~t, ~ja)	**video**
vonal (~ak, ~at, ~a)	**line**

A telefontársaság	The telephone company
díjcsomag (~ok, ~ot, ~ja)	price plan
egyenleg (~ek, ~et, ~e)	balance
kedvezmény (~ek, ~t, ~e)	**discount**
percdíj (~ak, ~at, ~a)	rate per minute
számla (~́k, ~́t, ~́ja)	**bill**
szolgáltatás (~ok, ~t, ~a)	**service**
szolgáltató (~k, ~t, ~ja)	provider
ügyfél (-felek, -felet, -fele)	**client**
tarifa (~́k, ~́t, ~́ja)	**tariff, rate**
kedvezményes tarifa	discount rate

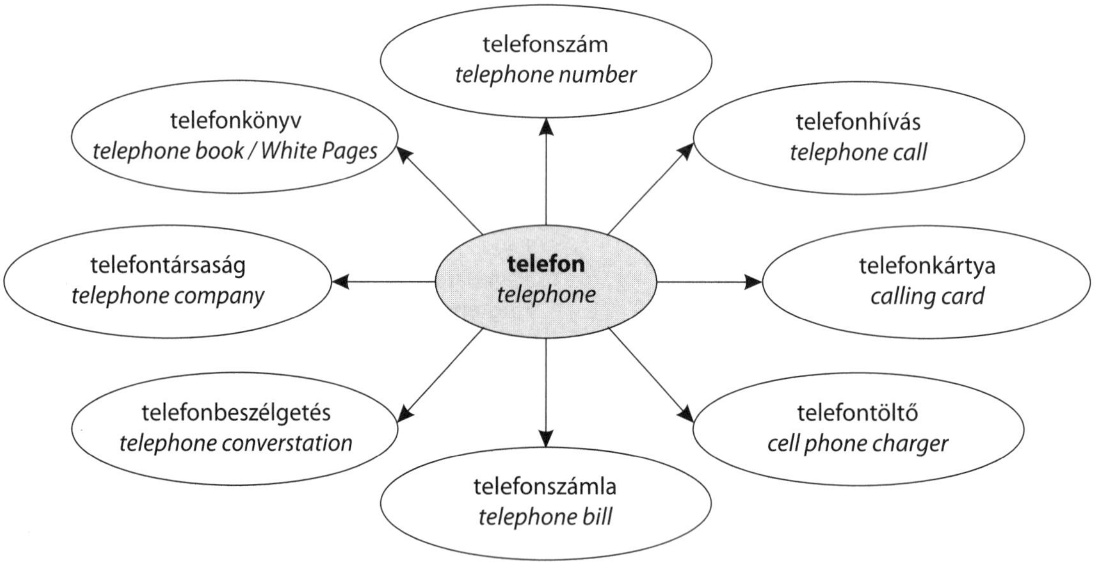

telefon
telephone

telefonszám
telephone number

telefonhívás
telephone call

telefonkártya
calling card

telefontöltő
cell phone charger

telefonszámla
telephone bill

telefonbeszélgetés
telephone converstation

telefontársaság
telephone company

telefonkönyv
telephone book / White Pages

Milyen lehet a telefon/vonal?	What can a telephone/line be like?
analóg	analogue
előfizetéses	monthly billing
foglalt	**busy**
digitális	digital
kártyás	pre-paid
modern (~ebb)	**modern**
okos	**smart**
régi (régebbi)	**old**
új (~abb)	**new**
vezetékes	land line
vezeték nélküli	wireless

Mit csinál a telefon/telefonáló?	What is the telephone/user doing?
bekapcsol *vmit* (~t, ~j)	**turn on** *sg*
Bekapcsolom a telefonomat.	I turn my phone on.
csörög (csörgött, ~j)	**ring**
Csörög a telefonod.	Your phone is ringing.

elment *vmit* (~ett, ments)	**save** *sg*
Várj, elmentem a számodat!	Hang on, I'm saving your number.
felhív *vkit* (~ott, ~j)	**call** *sy*
Felhívlak ma este, jó?	I'll call you tonight, okay?
feltölt *vmit* (~ött, tölts)	recharge *sg*
Fel kell töltenem a telefonomat.	I have to recharge my phone.
felvesz *vmit* (vett, vegyél/végy)	**pick up** *sg*
Robi soha nem veszi fel a telefont.	Robi never picks up his telephone.
fényképez *vmivel* (~ett, fényképezz)	**make a picture** *with sg*
Lehet a mobiloddal fényképezni?	Can you make pictures with your cell phone?
***üzenetet* hagy** (~ott, ~j)	**leave *a message***
Hagytam neked üzenetet, megkaptad?	I left you a message, did you get it?
hall *vkit* (~ott, ~j)	**hear** *sy*
Alig hallak.	I can barely hear you.
ír *vmit vkinek* (~t, ~j)	**write** *sg to sy*
Írok egy SMS-t Katának.	I'll write Kata a message.
jelez (jelzett, jelezz)	notify, signal
Nem jelzett a mobilom, hogy SMS-t kaptam.	My cell phone didn't signal me that I got a message.
jön (jött, gyere/jöjj)	**come**
Jött egy SMS-em.	I got an SMS. (*lit.* An SMS came for me.)
kap *vmit vkitől* (~ott, ~j)	**get** *sg from sy*
Kaptam egy SMS-t Csabától.	I got a text message from Csaba.
kapcsol *vkinek vkit* (~t, ~j)	put *sy through to sy*
Kapcsolom Önnek a marketingosztályt.	I'll put you through to the marketing department.
keres *vkit* (~ett, keress)	look *for sy*, want to talk *to sy*
Kovács Lajost keresem.	I'd like to talk to Mr. Lajos Kovács.
kicseng (~ett, ~j)	ring
Kicseng a telefon, de nem veszi fel senki.	The telephone is ringing but nobody picks it up.
kikapcsol *vmit* (~t, ~j)	**turn off** *sg*
Miért kapcsoltad ki a mobilodat?	Why did you turn your cell phone off?
küld *vmit vkinek* (~ött, ~j)	**send** *sg to sy*
Küldök Laurának egy SMS-t.	I'am sending a message to Laura.
lemerül (~t, ~j)	be dead *(battery)*
Lemerült a mobilom.	My battery is dead.
letesz *vmit* (tett, tegyél/tégy)	hang up *sg*
Most le kell tennem a telefont.	I have to hang up the telephone now.
megad *vmit vkinek* (~ott, ~j)	**give** *sg to sy*
Megadom Önnek a számomat.	I'll give you my number.
megbeszél *vmit vkivel* (~t, ~j)	**discuss** *sg with sy*
Megbeszélem az ügyet a főnökömmel.	I'll discuss the matter with my supervisor.
meghallgat *vkit/vmit* (~ott, hallgass)	**listen** *to sy/sg*
Meghallgatom az üzenetet.	I'm listening to the message.
megkap *vmit* (~ott, ~j)	**get** *sg*, **receive** *sg*
Megkaptad az üzenetemet?	Did you get my message?
megnyom *vmit* (~ott, ~j)	press *sg*
Nyomja meg az egyes gombot!	Press one. (*lit.* Press button one.)
megszakad (~t, ~j)	break off
Az előbb megszakadt a vonal.	The line just broke off.
mobilozik (mobilozott, mobilozz)	play with one's cell phone
Ne mobilozz, amikor ebédelünk!	Don't play with your cell phone when we are having lunch.
telefonál *vkinek* (~t, ~j)	**give** *sy* **a call**
Telefonálok az ügyfélnek.	I give the client a call.
visszahív *vkit* (~ott, ~j)	**call** *sy* **back**
Visszahívjalak?	Do you want me to call you back?
zavar *vkit* (~t, ~j)	**disturb** *sy*
Szia, Peti vagyok. Nem zavarlak?	Hi, it's Peti. Is it a good time to talk? (*lit.* Am I not disturbing you?)

Two messages that you are likely to hear if the number you have dialed doesn't answer:
A hívott szám pillanatnyilag nem kapcsolható. Kérjük, ismételje meg a hívást később! (The number you have dialed is not reachable at the moment. Please repeat your call later.), Kérem, a sípszó után hagyjon üzenetet! Köszönöm. (Please leave a message after the tone. Thank you.).

Hasznos mondatok ▪ Telefonbeszélgetés
Useful sentences ▪ Telephone conversation

Beszélgetés megkezdése	**Starting a conversation**
– Jó napot kívánok, Kiss úr! Ne haragudjon, hogy zavarom! – Nem zavar. Tessék.	– Good morning, Mr. Kiss. (*lit.* Excuse me for disturbing you.) – Yes, sure. (*lit.* You are not disturbing.) What can I do for you?
– Szia, Péter! Timi vagyok. Bocs, hogy zavarlak. – Egyáltalán nem zavarsz. Mondjad!	– Hi Péter! It's Timi. Is it a good time to talk? (*lit.* Sorry for disturbing you.) – Of course. (*lit.* No, you're not disturbing me at all.) What's up?
Hagytam Önnek/neked üzenetet. Már többször kerestem/kerestelek. Már többször próbáltam/próbáltalak hívni, de folyton foglalt volt a vonal. Megkapta/Megkaptad az üzenetemet?	I left you a message. I have tried to contact you several times. I have tried to call you several times but the line was constantly busy. Did you receive my message?

A hívás célja	**The reason of the call**
Azért keresem/kereslek, mert ... (Csak) azt akarom kérdezni, hogy ... (Csak) azt akarom mondani, hogy ... Arról van szó, hogy ...	The reason I'm calling is ... I (just) want to ask you if ... I (just) wanted to tell you that ... It is about ...

Problémák	**Problems**
Elnézést, rossz számot hívtam. Vártam, hogy visszahív/visszahívsz. Nagyon rossz a vonal, alig hallom/hallak. Elnézést, nem értettem, amit mondott/mondtál. Nincs térerő. Le fog járni a kártyám. Nincs több egység a kártyámon. Mindjárt lemerül a mobilom.	I'm sorry, I dialed the wrong number. I've been waiting for you to call me back. The line is pretty bad, I can barely hear you. I'm sorry, I didn't understand what you were saying. There is no signal. I'm running out of units on my phonecard. There are no more units on my phonecard. My battery will go dead within seconds.

Bemutatkozás, a hívott fél megnevezése	**Introduction, naming the called party**
– Compufix, tessék! – Jó napot kívánok! Lukács Ottó vagyok, Nagy Juliannával szeretnék beszélni. – Én vagyok az. Miben segíthetek?	– Compufix. How can I help you? – Good morning! My name is Ottó Lukács, I'd like to speak to Ms. Julianna Nagy. – Speaking. How can I help you?
– Jó napot kívánok! A 644-es melléket kérném. – Kapcsolom.	– Good morning! I'd like the extension number 644, please. – Connecting.

A hívott fél nincs telefonközelben	**The called party is not available**
– Jó napot kívánok! Nagy Juliannát keresem. – Mindjárt szólok neki ... Juliiiii, telefon! – Juli épp ebédel. Hagy neki üzenetet? – Nem, köszönöm, majd később visszahívom.	– Good morning! I'd like to speak to Julianna Nagy. – Hold on for a second, I'll call her ... Juliiii, telephone! – Juli is having lunch. Do you want to leave her a message? – No, thanks, I'll call her back later.

–Juli már elment, de holnap megint bent lesz. Mondjak neki valamit? – Megmondaná neki, hogy Lukács Ottó kereste a banktól? Ő már tudni fogja, miről van szó.	– Juli is already gone, but she'll be in tomorrow. Can I take a message? (*lit.* Shall I tell her something?) – Could you tell her that it was Ottó Lukács from the bank? She'll know what it's about.

Búcsúzás	**Saying good-bye**
Azt hiszem, minden fontosat megbeszéltünk. Ne haragudjon, de most le kell tennem. Kezdődik a megbeszélésem. Elnézést, de most mennem kell. Nem akarom/akarlak tovább feltartani. További szép napot! Viszonthallásra!	I think we've discussed all important points. Excuse me, but I have to hang up now. My meeting is about to begin. I'm sorry, but I have to go now. I don't want to hold you up any longer. Have a nice day. Bye!

Ha rosszkor hív valaki	**When somebody calls at an inappropriate time**
Elnézést, de most nem alkalmas. Ne haragudjon, de rosszkor hív. / Ne haragudj, de rosszkor hívsz. Most nem tudok beszélni. Visszhívhatom/Visszahívhatlak egy félóra múlva? Most nem érek rá, de este visszahívom/visszahívlak. Vissza tud/tudsz hívni egy óra múlva? Vissza tudna/tudnál hívni holnap?	I'm sorry, but this is not a good time. Excuse me, but this is not a good time (*lit.* you're calling at the wrong time). I can't talk to you right now. Can I call you back in half an hour? I'm busy right now but I'll call you back in the evening. Can you call me back in an hour? Could you call me back tomorrow?

Just like in any other part of the world, cell phone users in Hungary also identify themselves with their phone and talk about it as in the first person:
Mindjárt lemerülök. (My battery is dying.); Ki voltam kapcsolva. (I was switched off.), Holnap nem leszek bekapcsolva. (Tomorrow, I will not be switched on.); Mindig elmész. (You are always breaking off.); Este megcsörgetlek. / Este rád csörgök. (I'll give you a call tonight.)

→ *Internetes kommunikáció / Communication on the Internet: 261–263. oldal*

2. Levelezés / Correspondence

Hasznos szavak
Useful words

A postán	At the post office
ablak (~ok, ~ot, ~a)	**window, counter**
bélyeg (~ek, ~et, ~e)	**stamp**
boríték (~ok, ~ot, ~ja)	**envelope**
csekk (~ek, ~et, ~je)	**check**
csomag (~ok, ~ot, ~ja)	**parcel, package**
értesítő (~k, ~t, ~je)	notification
képeslap (~ok, ~ot, ~ja)	**postcard**
küldemény (~ek, ~t, ~e)	delivery item
levél (levelek, levelet, levele)	**letter, mail**
ajánlott levél	registered mail
expressz levél	express mail delivery
levélpapír (~ok, ~t, ~ja)	notepaper
okmánybélyeg (~ek, ~et, ~e)	fee stamp
összeg (~ek, ~et, ~e)	sum
nyomtatvány (~ok, ~t, ~a)	form
pénz (~ek, ~t, ~e)	**money**
portó (~k, ~t, ~ja)	postage
posta (~́k, ~́t, ~́ja)	**post office**
gyorsposta	special delivery service
légiposta	**air mail**
postafiók (~ok, ~ot, ~ja)	P. O. box
postahivatal (~ok, ~t, ~a)	post office
postaköltség (~ek, ~et, ~e)	postal charges
postaláda (~́k, ~́t, ~́ja)	mailbox
postás (~ok, ~t, ~a)	**postman**
sor (~ok, ~t, ~a)	**line**
sorban áll	be in line
súly (~ok, ~t, ~a)	**weight**
számla (~́k, ~́t, ~́ja)	**bill**
szolgáltatás (~ok, ~t, ~a)	**service**
távirat (~ok, ~ot, ~a)	telegram
utalvány (~ok, ~t, ~a)	voucher
utánvétel (~ek, ~t, ~e)	collect

Mit írunk a borítékra?	What do we write on the envelope?
cím (~ek, ~et, ~e)	**address**
címzett (~ek, ~et, ~je)	**recipient**
feladó (~k, ~t, ~ja)	**sender**
házszám (~ok, ~ot, ~a)	**(house) number**
irányítószám (~ok, ~ot, ~ja)	**zip code, code postal**
út (utak, utat, útja)	**road, way**
utca (~́k, ~́t, ~́ja)	**street**
település (~ek, ~et, ~e)	**township**
tér (terek, teret, tere)	**square**

Mit csinálunk a postán?	What do we do at the post office?
aláír *vmit* (~t, ~j) Elfelejtettem aláírni a nyomtatványt.	**sign** *sg* I forgot to sign the form.
átutal *vmit* (~t, ~j) Pénzt szeretnék átutalni.	**transfer** *sg* I'd like to transfer some money.
átvesz *vmit* (vett, vegyél/végy) A csomagot a postahivatalban lehet átvenni.	collect *sg* You can collect the parcel at the post office.
bedob *vmit* (~ott, ~j) A postás bedobja a levelet a postaládába.	drop *sg* The postman drops the mail in the mailbox.
befizet *vmit* (~ett, fizess) Ezt a csekket szeretném befizetni.	**pay** *sg* I'd like to pay these bills.
elront *vmit* (~ott, ronts) Elrontottam a csekket.	**make a mistake** *on sg* I made a mistake on the check.
elveszik (veszett, vessz) Elveszett a csomag.	get lost, be lost The package is lost.
felad *vmit* (~ott, ~j) Ezt a két levelet szeretném feladni.	**mail** *sg* I would like to mail these two letters.
felbont *vmit* (~ott, bonts) Ki bontotta fel a levelemet?	**open** *sg* Who opened my letter?
felvesz *vmit* (vett, vegyél/végy) A csomagot a postán kell felvenni.	**pick up** *sg* The package has to be picked up at the post office.
kér *vmit* (~t, ~j) Öt borítékot kérek szépen.	**ask** *for sg* Five envelopes, please. (*lit.* I'd like to ask for five envelopes.)
kézbesít *vmit* (~ett, kézbesíts) A postás ma kézbesítette a leveledet.	deliver *sg* The postman delivered your mail today.
kitölt *vmit* (~ött, tölts) Rosszul töltöttem ki a nyomtatványt.	**fill out** *sg* I filled out the form incorrectly.
lemér *vmit* (~t, ~j) Lemérem a csomagot.	weigh *sg* I'll weigh the parcel.
megcímez *vmit* (címzett, címezz) Rosszul címeztem meg a borítékot.	address *sg* I made a mistake addressing the envelope.
megérkezik (érkezett, érkezz) **/ megjön** (jött, gyere/jöjj) Tegnap megérkezett/megjött a csomag.	**arrive** The package arrived yesterday.
megkap *vmit* (~ott, ~j) Megkaptam a képeslapodat.	**get** *sg*, **receive** *sg* I got your postcard.
ráír *vmit vmire* (~t, ~j) Ráírom a címzett nevét a borítékra.	write *sg on sg* I write the name of the recipient on the envelope.
vesz *vmit* (vett, vegyél/végy) Vettél borítékot?	**buy** *sg* Did you buy any envelopes?

Hasznos mondatok ▪ Levélírás, levél feladása
Useful sentences ▪ Writing and mailing letters

Baráti levél	Friendly letter
Megszólítás	**Addressing the person**
Kedves Hilda!	Dear Hilda,
Szia, Hilda!	Hi Hilda,
Bevezetés	**Introduction**
Remélem, jól vagy.	I hope you're well.
Képzeld, mi történt!	Just imagine what happened!
Azért írok, mert …	I'm writing you because …
Kérés	**Request**
A segítségedet szeretném kérni. Arról van szó, hogy …	I'd like to ask your help. The thing is that …
Egy kérésem volna hozzád: …	I'd like to ask you a favor: …
Búcsúzás	**Goodbyes**
Vigyázz magadra!	Take care.
Puszi:/Millió puszi: Gabi	Kisses,/A million kisses, Gabi

Hivatalos levél	Formal letter
Megszólítás	**Addressing the person**
Tisztelt Cím!	Dear Sir or Madam, (*lit.* Dear Addressee)
Tisztelt Hölgyem/Uram!	Dear Madame/Sir,
Tisztelt Igazgató Asszony/Úr!	Dear Mrs./Mr. Director,
Tisztelt Takács Úr!	Dear Mr. Takács,
Tisztelt Horváth Ildikó!	Dear Ildikó Horváth,
Bevezetés	**Introduction**
Ne haragudjon, hogy ismeretlenül zavarom. Azért fordulok Önhöz, mert …	Please excuse me for writing you (*lit.* for disturbing) without you knowing me. The reason of my writing is …
Március 20-án kelt levelét köszönettel megkaptam.	I have received your letter of March 20 (*lit.* received with thanks).
Telefonos megbeszélésünk alapján mellékelten küldöm az ígért katalógust.	As discussed over the telephone, please find attached the promised catalogue.
Értesítjük, hogy … (január 15-től tarifáink emelkednek).	We would like to inform you that … (our tariffs will rise as of January 15).
Szolgáltatásaikkal kapcsolatban szeretnék felvilágosítást kérni.	I'd like some information about your services.
Kérdéseim a következők: …	My questions are the following: …
Levél zárása	**Finishing the letter**
Válaszát/Segítségét előre is köszönöm.	Thanking you (*lit.* I thank) in advance for your answer/help.
Megértését köszönjük.	Thank you for your understanding.
Tisztelettel: Lovas Áron	Sincerely yours, Áron Lovas
Köszönettel: Lovas Áron	Many thanks, Áron Lovas
Üdvözlettel: / Szívélyes üdvözlettel: Lovas Áron	Regards,/Best regards: Áron Lovas

A postán	At the post office
– Kanadába szeretném küldeni ezt a csomagot.	– I'd like to send this package to Canada.
– Légipostával vagy simán?	– Airmail or regular mail?
– Ajánlottan szeretném feladni ezt a levelet.	– I'd like to send this mail registered.
– Mennyi bélyeg kell egy ajánlott levélre Spanyolországba?	– How many stamps do I need for registered mail to Spain?
– Pénzt szeretnék külföldre utalni.	– I'd like to transfer some money abroad.
– Mekkora összeget? / Melyik országba?	– What amount?/To which country?
– Egy csomagot szeretnék felvenni.	– I'd like to pick up a parcel.
– Az értesítőt kérném.	– May I have the notification?
– Ezt a csekket szeretném befizetni.	– I'd like to pay this bill.
– Elkérhetem ezt a tollat egy pillanatra?	– May I have this pen for a moment?
– Tessék.	– Here you are.
– Elnézést, Ön is sorban áll?	– Excuse me! Are you also in line?

A SZÁMÍTÓGÉP / THE COMPUTER

1. A számítógép részei és használata / Parts and use of the computer

Although the word *gép* means *machine* and is part of many compound nouns such as *mosógép (washing machine), fúrógép (drilling machine), fényképezőgép (camera), varrógép (sewing machine),* in today's world this word stands as an abbreviation for *számítógép (computer)* when used on its own.

Hasznos szavak
Useful words

A számítógép fajtái	Types of computers
laptop (~ok, ~ot, ~ja)	**laptop**
netbook (~ok, ~ot, ~ja)	netbook
notebook (~ok, ~ot, ~ja)	noteboook
számítógép (~ek, ~et, ~e)	**computer**
személyi számítógép / PC (PC-k, PC-t, PC-je)	personal computer, PC

Hardver	Hardware
alaplap (~ok, ~ot, ~ja) / winchester (~ek, ~t, ~e)	motherboard, hard disk
billentyű (~k, ~t, ~je)	**key**
billentyűzet (~ek, ~et, ~e)	keyboard
cédé (~k, ~t, ~je)	**CD**
cédélejátszó (~k, ~t, ~ja)	CD reader, CD player
DVD (DVD-k, DVD-t, DVD-je)	**DVD**
DVD-lejátszó (~k, ~t, ~ja)	DVD reader, DVD player
egér (egerek, egeret, egere)	**mouse**
egérpad (~ok, ~ot, ~ja)	mouse pad
fejhallgató (~k, ~t, ~ja)	headphones
hangszóró (~k, ~t, ~ja)	speaker
kábel (~ek, ~t, ~e)	**cable**
kamera (~́k, ~́t, ~́ja)	**camera, webcam**
képernyő (~k, ~t, ~je)	**screen**
kód (~ok, ~ot, ~ja)	**code**
konnektor (~ok, ~t, ~ja)	**socket**
memória (~́k, ~́t, ~́ja)	**memory**
mikrofon (~ok, ~t, ~ja)	**microphone**
modem (~ek, ~et, ~e)	**modem**

nyomtató (~k, ~t, ~ja)	**printer**
lézernyomtató	laser printer
tintasugaras nyomtató	inkjet
operációs rendszer (~ek, ~t, ~e)	operating system
pendrive (~ok, ~ot, ~ja)	pendrive
processzor (~ok, ~t, ~a)	processor
szkenner (~ek, ~t, ~e)	**scanner**
tápegység (~ek, ~et, ~e)	power supply
touchpad (~ok, ~ot, ~ja)	touchpad
trackball (~ok, ~t, ~ja)	touchball
trackpad (~ok, ~ot, ~ja)	trackpad
vetítő (~k, ~t, ~je) / projektor (~ok, ~t, ~a)	projector

Szoftver	Software
ablak (~ok, ~ot, ~a)	**window**
adat (~ok, ~ot, ~a)	**data**
adatbázis (~ok, ~t, ~a)	database
adatvédelem (-védelmet, -védelme)	data protection
alkalmazás (~ok, ~t, ~a)	application
asztal (~ok, ~t, ~a)	**desktop**
beállítás (~ok, ~t, ~a)	settings
bekezdés (~ek, ~t, ~e)	paragraph
betű (~k, ~t, ~je)	**letter**
betűméret (~ek, ~et, ~e)	font size
betűtípus (~ok, ~t, ~a)	font
böngésző (~k, ~t, ~je)	browser
dokumentum (~ok, ~t, ~a)	**document**
eszköz (~ök, ~t, ~e)	tool
fájl (~ok, ~t, ~ja)	**file**
tömörített fájl	compressed file
csatolt fájl	attached file
funkció (~k, ~t, ~ja)	**function, task**
hálózat (~ok, ~ot, ~a)	network
helpdesk (~ek, ~et, ~je)	helpdesk
helyesírás-ellenőrző (~k, ~t, ~je)	spell check
hiba (~́k, ~́t, ~́ja)	**error**
hibajelzés (~ek, ~t, ~e)	error notification
honlap (~ok, ~ot, ~ja)	**website, homepage**
ikon (~ok, ~t, ~ja)	icon
internet (~et, ~e)	**Internet**
játék (~ok, ~ot, ~a)	game
játékprogram (~ok, ~ot, ~ja)	game program
számítógépes játék	computer game
jelszó (~k/-szavak, ~t/-szavat, -szava)	**password**
karakter (~ek, ~t, ~e)	**character**
kuka (~́k, ~́t, ~́ja)	recycle bin
kurzor (~ok, ~t, ~a)	cursor
link (~ek, ~et, ~je)	**link**
mappa (~́k, ~́t, ~́ja)	**folder**
menü (~k, ~t, ~je)	**menu**
menüpont (~ok, ~ot, ~ja)	menu point
módosítás (~ok, ~t, ~a)	modification, change
parancs (~ok, ~ot, ~a)	command
prezentáció (~k, ~t, ~ja)	presentation
program (~ok, ~ot, ~ja)	**program**
súgó (~k, ~t, ~ja)	help
szimbólum (~ok, ~ot, ~a)	symbol
szöveg (~ek, ~et, ~e)	**text**

szövegszerkesztő (~k, ~t, ~je)	word processor
táblázat (~ok, ~ot, ~a)	table
táblázatkezelő (~k, ~t, ~je)	table processor
vírus (~ok, ~t, ~a)	virus
vírusirtó (~k, ~t, ~ja)	anti-virus software

Aki számítógéppel dolgozik	People working with the computer
felhasználó (~k, ~t, ~ja)	**user**
grafikus (~ok, ~t, ~a)	**graphic artist**
informatikus (~ok, ~t, ~a)	**computer scientist**
programozó (~k, ~t, ~ja)	programmer
rendszergazda (~k, ~t, ~ja)	administrator, host
tesztmérnök (~ök, ~öt, ~e)	test engineer

A számítógép használata	Using a computer
beállít *vmit* (~ott, állíts)	set *sg*
A Google-t állítottam be kezdőoldalnak.	I set Google as my start page.
begépel *vmit* (~t, ~j)	type in *sg*
A jelszót ide kell begépelni.	The password has to be typed in here.
beilleszt *vmit vhova* (~ett, illessz)	paste *sg somewhere*
Beillesztettem egy képet a prezentációba.	I pasted the picture into the presentation.
bekapcsol *vmit* (~t, ~j)	**turn on** *sg*
Hogyan kell bekapcsolni a kamerát?	How do I turn on the camera?
bemásol *vmit vhova* (~t, ~j)	paste *sg somewhere*
Bemásoltam a cikkbe az idézetet.	I pasted the quotation into the article.
beszkennel *vmit* (~t, ~j)	scan *sg*
Beszkenneltem a rajzodat.	I scanned your drawing.
bevisz *vmit vhova* (vitt, vigyél)	enter *sg somewhere*
Bevittem az adatokat a gépbe.	I entered the data into the computer.
bezár *vmit* (~t, ~j)	**close** *sg*
Bezárhatom ezt az ablakot?	Can I close this window?
csatlakoztat *vmit vmihez* (~ott, csatlakoztass)	connect *sg to sg*
Nem tudom csatlakoztatni a laptophoz a nyomtatót.	I can't connect the printer to the laptop.
elment *vmit* (~t, ments)	**save** *sg*
Minden módosítást elmentettél?	Have you saved all the changes?
elromlik (romlott, romolj)	**be broken**
Elromlott a szkenner.	The scanner is broken.
fejleszt *vmit* (~ett, fejlessz)	develop *sg*
A cégem szoftvereket fejleszt.	My firm develops software.
futtat *vmit* (~ott, futtass)	run *sg*
Ezt az alkalmazást Apple-gépen is lehet futtatni.	This application can also be run on Apple machines.
használ *vmit* (~t, ~j)	**use** *sg*
Milyen programokat használsz?	What kind of programs do you use?
játszik (~ott, játssz)	play games
Szoktál játszani a számítógépen?	Do you play games on your computer?
kattint *vmire* (~ott, kattints)	click *on sg*
Kattintson az első menüpontra!	Click on the first menu point.
kiír *vmit cédére* (~t, ~j)	burn *a CD with sg*
Kiírom a prezentációt cédére.	I am burning a CD with the presentation on it.
kijavít *vmit* (~ott, javíts)	**correct** *sg*
Kijavítottad a hibákat a szövegben?	Did you correct the mistakes in the text?
kijelöl *vmit* (~t, ~j)	**mark** *sg*
Jelölje ki a másolandó részt a szövegben!	Mark the part to be copied within the text.
kikapcsol *vmit* (~t, ~j)	**turn off** *sg*
Kapcsold ki a számítógépet, ha végeztél!	Turn the computer off when you are done.
kitöröl *vmit* (~t, ~j)	**delete** *sg*
Véletlenül kitöröltem az e-mailedet.	I accidentally deleted your e-mail.

kivág *vmit vhonnan* (~ott, ~j)	cut *sg from somewhere*
A második bekezdést kivágtam a szövegből.	I cut the second paragraph from the text.
kiválaszt *vmit* (~ott, válassz)	**select** *sg*
Válassza ki a kívánt menüpontot!	Select the desired menu point.
leáll (~t, ~j)	shut down (unexpectedly)
A gépem hirtelen leállt.	My computer shut down unexpectedly.
leállít *vmit* (~ott, állíts)	**shut down** *sg*
Nem kapcsol ki a gép, amikor leállítom.	The computer just won't turn off when I shut it down.
lefagy (~ott, ~j)	**freeze**
Lefagyott a számítógépem.	My computer froze.
megad *vmit* (~ott, ~j)	**enter** *sg*
Adja meg a jelszavát!	Enter your password.
működik (működött, működj)	**work**
Nem működik a kamerám.	My camera doesn't work.
nyomtat, kinyomtat *vmit* (~ott, nyomtass)	**print** *sg*
Sokáig fogsz még nyomtatni?	Are you going to print for long?
Hány példányban nyomtassam ki a dokumentumot?	How many copies of this document should I print?
nyit, megnyit *vmit* (~ott, nyiss)	**open** *sg*
Új mappát nyitottam a leveleidnek.	I opened a new folder for your letters.
Nem tudom megnyitni a fájlt.	I cannot open the file.
programozik (programozott, programozz)	write computer programs
Az öcsém szabadidejében programozik.	My brother writes computer programs in his spare time.
rákeres *vmire* (~ett, keress)	search *for sg*
Rákerestem a moziműsorra az interneten.	I searched for the movie program on the Internet.
szerkeszt *vmit* (~ett, szerkessz)	edit *sg*, make *sg (by editing)*
Saját honlapot akarok szerkeszteni.	I want to make a personal website.
tárol *vmit* (~t, ~j)	store *sg*
A program minden módosítást tárol.	The program stores all the changes.
telepít *vmit* (~ett, telepíts)	install *sg*
Könyvelőprogramot akarok telepíteni a laptopomra.	I want to install a book keeping program on my laptop.
tesztel *vmit* (~t, ~j)	test *sg*
A cégünk szoftvert tesztel.	Our company tests software.
tömörít *vmit* (~ett, tömöríts)	compress sg
Tömörítem a fájlt, mielőtt elküldöm.	I compress the file before sending it.
újraindít *vmit* (~ott, indíts)	reboot *sg*, restart *sg*
A program telepítése után újraindítom a számítógépet.	After installing the program, I'll reboot the computer.
visszavon *vmit* (~t, ~j)	undo *sg*
A módosításokat a Ctrl + Z paranccsal lehet visszavonni.	You can undo changes by the command Ctrl+Z.

Hasznos mondatok ▪ Problémák a számítógép körül
Useful sentences ▪ Problems around the computer

Nem lehet bekapcsolni/kikapcsolni a gépet.	The computer cannot be turned on/off.
Nem lehet letölteni a fájlt.	The file cannot be downloaded.
Nem lehet megnyitni a dokumentumot.	The document cannot be opened.
A gép állandóan lefagy.	The computer keeps freezing.
A számítógép nem csatlakozik az internethez.	The computer does not connect to the Internet.
Elromlott a cédélejátszó.	The CD reader is broken.
Nem működik a kamera.	The webcam does not work.
A nyomtató nem nyomtat.	The printer does not print.
A nyomtatóból kifogyott a festék/papír.	The printer ran out of ink/paper.
Nem sikerült telepíteni a programot.	I failed to install the program.
A számítógép nem ismeri fel a szkennert.	The computer does not recognize the scanner.
Nem kapcsol ki a gép, amikor leállítom.	The computer won't turn off when I shut it down.
Egész nap nem tudtam belépni a blogomba.	I couldn't access my blog all day.
Vírusos lett a gépem.	My computer has got a virus.
Tegnap óta nincs internet.	The Internet has been down since yesterday.
Nincs elég memória a gépen.	There is not enough memory in the computer.
Elfelejtettem a jelszavamat.	I forgot my password.

2. Internetes kommunikáció / Communication on the Internet

Hasznos szavak
Useful words

Kommunikáció a számítógépen	Communication on the computer
bejelentkezés (~ek, ~t, ~e)	**login**
beszélgetés (~ek, ~t, ~e)	conversation
blog (~ok, ~ot, ~ja)	**blog**
címzett (~ek, ~et, ~je)	recipient
cset (~ek, ~et, ~je)	chat
e-mail (~ek, ~t, ~e)	**e-mail**
feladó (~k, ~t, ~ja)	sender
kapcsolat (~ok, ~ot, ~a)	**connection**
kapcsolatot *tart vkivel*	keep in touch *with sy*
keresőprogram (~ok, ~ot, ~ja)	search engine
kezdőlap (~ok, ~ot, ~ja)	**home page**
levél (levelek, levelet, levele)	**mail**
hírlevél	news mail
körlevél	circulating e-mail
oldal (~ak, ~t, ~a)	**page**
weboldal	web page
portál (~ok, ~t, ~a)	portal
keresőportál	search portal
postaláda (~́k, ~́t, ~́ja)	**inbox**
regisztráció (~k, ~t, ~ja)	**registration**
reklám (~ok, ~ot, ~ja)	advertisement
szolgáltató (~k, ~t, ~ja)	provider
tárgy (~ak, ~at, ~a)	subject
válasz (~ok, ~t, ~a)	reply
világháló (~t, ~ja)	world wide web

Számítógépes kommunikáció	Communication on the computer
aktivál *vmit* (~t, ~j)	activate *sg*
Jelszavát aktiváltuk.	Your password has been activated.
átküld *vmit vkinek* (~ött, ~j)	**send over** *sg to sy*
Átküldöm neked a megrendelést.	I'll send over the order to you.
bejelentkezik *vhova* (jelentkezett, jelentkezz)	**log in** *somewhere*
A fórum használatához be kell jelentkezni.	You must be logged in to use the forum.
belép *vhova* (~ett, ~j)	**access** *sg*
Nem tudok belépni a postaládámba.	I can't access my inbox.
blogol (~t, ~j)	write a blog, have a blog
Minden kollégám blogol.	All my colleagues have blogs.

csatol *vmit vmihez* (~t, ~j)	**attach** *sg to sg*
Csatolom a szerződés szövegét az e-mailhez.	I attach the text of the contract to the e-mail.
csetel *vkivel* (~t, ~j)	chat *with sy*
Épp a barátnőmmel csetelek.	I'm chatting with my girlfriend.
elment *vmit* (ment, menj)	**save** *sg*
Külön mappába mentem el a körleveleket.	I save circulating e-mails in a seperate folder.
e-mailezik (e-mailezett, e-mailezz)	send e-mails, write e-mails
Sokat e-mailezel a munkahelyeden?	Do you write a lot of e-mails at work?
feliratkozik *vmire* (iratkozott, iratkozz)	subscribe *to sg*
Feliratkozom a hírlevélre.	I subscribe to the newsletter.
felmegy *vhova* (ment, menj)	go *somewhere*
Felmegyek az internetre.	I'll go on the Internet.
feltesz *vmit vhova* (tett, tegyél/tégy) / **feltölt** *vmit vhova* (~ött, tölts)	**upload** *sg somewhere*
Feltettem/Feltöltöttem néhány új képet az internetre.	I uploaded a few new pictures to the Internet.
frissít *vmit* (~ett, frissíts)	**refresh** *sg*, **update** *sg*
A vírusirtó programokat rendszeresen frissíteni kell.	The anti-virus programs must be updated regularly.
internetezik (internetezett, internetezz)	**use the Internet**
Hétvégén sokat internetezem.	I use the Internet a lot during weekends.
ír, megír *vmit vkinek* (~t, ~j)	**write** *sg to sy*
Írok egy e-mailt Gábornak.	I write an e-mail to Gábor.
Megírom neki ezt a hírt.	I'll write him this piece of news.
kijelentkezik *vhonnan* (jelentkezett, jelentkezz)	**log off** *from somewhere*
Péter kijelentkezett a csetből.	Péter logged off from the chat.
kilép *vhonnan* (~ett, ~j)	**quit** *sg*
Kilépek a programból, jó?	I quit the program, okay?
kitöröl *vmit* (~t, ~j)	**delete** *sg*
Véletlenül kitöröltem egy fontos e-mailt.	I accidentally deleted an important e-mail.
kommunikál *vkivel* (~t, ~j)	communicate *with sy*
E-mailben kommunikálok a barátaimmal.	I communicate with my friends via e-mail.
küld, elküld *vmit vkinek* (~ött, ~j)	**send** *sg to sy*
Küldtem neked egy e-mailt, megkaptad?	I sent you an e-mail, did you get it?
Az utazási iroda végre elküldte a cégnek a prospektust.	The travel agency has finally sent the brochure to the company.
letölt *vmit* (~ött, tölts)	**download** *sg*
Letöltöttem egy könyvet az internetről.	I downloaded a book from the Internet.
leiratkozik *vmiről* (iratkozott, iratkozz)	unsubscribe *from somewhere*
Szeretnék leiratkozni a hírlevélről.	I would like to unsubscribe from the newsletter.
linkel *vmit* (~t, ~j)	paste a link *of sg*
Linkeltem egy klipet az üzenetemhez.	I pasted a link of a music video in my message.
messengerezik (messengerezett, messengerezz)	use web messenger, send instant messages
Egész délután messengereztem.	I sent instant messages all afternoon.
megoszt *vmit vkivel* (~ott, ossz)	share *sg with sy*
Ezt a fotót nem osztom meg senkivel.	I'm not sharing this photo with anyone.
regisztrál (~t, ~j)	**register**
Az oldal használatához regisztrálni kell.	You must register in order to use this page.
szkájpol (~t, ~j)	use Skype
A külföldi barátaimmal rendszeresen szkájpolok.	I use Skype with my foreign friends on a regular basis.
továbbít *vmit vkinek* (~ott, továbbíts) / továbbküld *vmit vkinek* (~ött, ~j)	forward *sg to sy*
Soha senkinek nem továbbítom/küldöm tovább a körleveleket.	I never forward any circulating mail to anyone.
twitterezik (twitterezett, twitterezz)	be on Twitter, tweet
Sok híres ember twitterezik.	A lot of celebrities tweet.
válaszol *vkinek/vmire* (~t, ~j)	**reply** *to sy/sg*
Még nem válaszoltam az ügyfélnek.	I haven't replied to the client yet.
Még nem válaszoltam erre az e-mailre.	I haven't replied to this e-mail yet.

Hasznos mondatok ▪ Mire és miért használhatjuk az internetet?
Useful sentences ▪ How and why do we use the Internet?

Könnyű kapcsolatot tartani a barátaimmal és a családommal.	It's easy to keep in touch with my friends and family.
Szkájpon tartom a kapcsolatot a barátaimmal.	I keep in touch with my friends via Skype.
Rendszeresen blogolok.	I blog regularly.
Több fórumnak is tagja vagyok.	I'm a member of more than one forum.
Az ügyfeleimmel és a barátaimmal is e-mailezek.	I communicate with both my clients and my friends via e-mail.
Az interneten minden információt megtalálok.	I can find all information on the Internet.
Könnyen utána tudok nézni bárminek.	I can look up anything easily.
A fórumokon sok kérdésre választ kapok.	I can get answers to many questions on forums.
Egyetemi előadásokat is le tudok tölteni.	I can download university lectures, too.
Munka közben zenét vagy rádiót is tudok hallgatni.	I can listen to music or the radio while working.
Az online-szótárak nagyon hasznosak, amikor idegen nyelven írok.	Online dictionaries are very useful when I write in a foreign language.
Csetprogramokon találkozom új emberekkel.	I meet new people via chat programs.
Soha nem volt még ilyen gyors a kommunikáció.	Communication has never been so fast.
Megoszthatom a barátaimmal a fényképeimet.	I can share my photos with my friends.
Bármit meg tudok rendelni interneten.	I can order anything on the Internet.
A banki ügyeimet is el tudom intézni interneten.	I can also do banking on the Internet.
Amire nincs szükségem, el tudom adni.	I can sell whatever I don't need anymore.
A honlapomon keresztül sok ember megismerheti a cégemet.	A lot of people can get to know my firm via my website.
Az internet lehetővé teszi a távmunkát.	Internet makes teleworking possible.
A cégem havonta egyszer videokonferenciát rendez.	My company has a video conference once a month.
Nem tudnám elképzelni az életemet internet nélkül.	I couldn't imagine my life without the Internet.
Minden este fenn vagyok az interneten.	I'm on the Internet every night.

→ *Média / Media: 233–248. oldal*

GYAKORI BESZÉDFORDULATOK / COMMON PHRASES

Az itt felsorolt beszédfordulatok többségét barátokkal, ismerősökkel és ismeretlenekkel is használhatjuk. Ahol a kifejezés egyértelműen a hivatalos vagy a baráti, informális nyelvhasználathoz tartozik, a fordításban a *(formal)* illetve *(informal)* szóval adtuk meg.

Most phrases listed below can be used when speaking to friends, aquaintances or strangers. Expressions that clearly belong to the formal or to the informal use of language are indicated with the words *(formal)* or *(informal)*.

1. Üdvözlés, elbúcsúzás és megszólítás / Greeting someone, saying goodbye, addressing someone

1.1. Formális üdvözlés	1.1. Formal greeting
Jó reggelt (kívánok)!	(I wish you a) Good morning!
Jó napot (kívánok)!	(I wish you a) Good day!
Jó estét (kívánok)!	(I wish you a) Good evening!
Csókolom!	Hello! (*lit.* I kiss you) (child to an adult)
Kezét csókolom!	Hello! (*lit.* I kiss your hand) (man to a woman, very polite, rarely used form)
Üdvözlöm!	Welcome! Greetings! (*lit.* I greet you.)

1.2. Informális üdvözlés	1.2. Informal greeting
Szia!/Sziasztok!	Hi! Hello! *(singular)*/Hi! Hello! *(plural)*
Helló!/Hellósztok!	Hi! Hello! *(singular)*/Hi! Hello! *(plural)*
Szervusz!/Szervusztok!	Hi! Hello! *(singular)*/Hi! Hello! *(plural)*
Szevasz!/Szevasztok!	Hi! Hello! *(singular)*/Hi! Hello! *(plural)*

1.3. Formális elbúcsúzás	1.3. Formal goodbye
Minden jót!	All the best!
Viszonthallásra! (telefonon)	Goodbye! (on the telephone)
Viszontlátásra!/Viszlát!	Goodbye! Bye-bye!
Jó éjszakát!	Good night!

1.4. Informális elbúcsúzás	1.4. Informal goodbye
Szia!/Sziasztok!	Bye-bye! *(singular)*/Bye-bye! *(plural)*
Helló!/Hellósztok!	Bye-bye! *(singular)*/Bye-bye! *(plural)*
Szervusz!/Szervusztok!	Bye-bye! *(singular)*/Bye-bye! *(plural)*
Szevasz!/Szevasztok!	Bye-bye! *(singular)*/Bye-bye! *(plural)*
Jó éjszakát!	Good night!

1.5. Megszólítás név, nem, kor, foglalkozás vagy státus szerint (szóban)	1.5. Addressing someone by name, according to age, profession or status (in speaking)
Péter!	Péter. *(informal)*
Hölgyem!	Lady!
Asszonyom!	Madam!
Kisasszony!	Miss! *(rarely used)*
Uram!	Sir!
Igazgatónő!/Tanárnő!/Doktornő!	Ms. Director!/Teacher!/Doctor *(female)*!
Professzor Asszony!	Professor! *(female)*
Igazgató Úr!/Tanár Úr!/Doktor Úr!/Professzor Úr!	Mr. Director!/Teacher!/Doctor! Professor!
Anna néni!/Péter bácsi!	Aunt Anna!/Uncle Peter! (used to address people who are older than you)

1.6. Ismeretlenek megszólítása	1.6. Addressing strangers
Tisztelt Hölgyeim és Uraim!	Ladies and Gentlemen! (*lit.* Honorable Ladies and Gentlemen!)
Legyen szíves!/Légy szíves!	Please *(formal)*/Please *(informal)*
Bocsánat, hölgyem!/Bocsánat, uram!	Excuse me, Madam!/Excuse me, Sir!
Elnézést, asszonyom/Elnézést, uram …!	I'm sorry, Madam!/I'm sorry, Sir!
Ne haragudjon/haragudj!	Excuse me! *(formal)*/Excuse me *(informal)* (*lit.* Don't be mad)

→ Levelezés / Correspondence: 254–256. oldal

2. Bemutatás és bemutatkozás / Introducing somebody and introducing yourself

2.1. Bemutatás	2.1. Introducing someone
(Kedves) Péter, ő Nagy Ági.	(Dear) Péter, this is Ági Nagy. *(informal)*
Péter, ő Ági.	Péter, this is Ági. *(informal)*
Bemutatom Kovács Péternek. / Bemutatlak Péternek.	I'd like to introduce you to Péter Kovács. *(formal)* / I'd like to introduce you to Péter. *(informal)*
Bemutatom kedves barátomat, Fodor Istvánt.	I'd like to introduce my dear friend, István Fodor to you. (formal and informal)
Bemutatlak kedves barátomnak, Fodor Istvánnak.	I'd like to introduce you to my dear friend, István Fodor. *(informal)*
Szeretném bemutatni Kovács Úrnak. / Szeretnélek bemutatni Péternek.	I'd like to introduce you to Mr. Kovács. *(formal)* / I'd like to introduce you to Péter. *(informal)*
Bemutathatom Nagy Ágnest / Ágit?	May I introduce Ágnes Nagy / Ági?
Professzor úr, bemutathatom (Önnek) Nagy kisasszonyt?	Professor, may I introduce Miss Nagy to you? *(formal)*
Hadd mutassam be (Önnek) Nagy kisasszonyt!	Let me introduce Miss Nagy to you! *(formal)*
Engedje meg, hogy bemutassam Kovács Úrnak. / Engedd meg, hogy bemutassalak Péternek!	Allow me to introduce you to Mr. Kovács. *(formal)* / Allow me to introduce you to Péter. *(informal)*
Ismeri Fodor Istvánt? / Ismered (Fodor) Istvánt?	Have you already met (*lit.* Do you know) István Fodor? / Have you already met István (Fodor)?

2.2. Bemutatkozás	2.2. Introducing yourself
Kata vagyok.	I'm Kata. *(informal)*
Pécsi Kata vagyok.	I'm Kata Pécsi.
Azt hiszem, még nem ismerjük egymást, Pécsi Kata vagyok.	I believe we have not met before; I'm Kata Pécsi.
Szeretnék bemutatkozni, Pécsi Katának hívnak.	I'd like to introduce myself: my name is Kata Pécsi. *(formal)*
Megkérdezhetem a nevét/nevedet?	May I ask your name?
Mit is mondott, hogy hívják? / Mit is mondtál, hogy hívnak?	What was your name again?
Nem találkoztunk mi már valahol?	Haven't we met somewhere before?

2.3. Válasz bemutatáskor és bemutatkozáskor	2.3. Reactions to an introduction
(Nagyon) örülök, hogy megismerhettem/ megismerhettelek.	I'm (very) pleased to make your aquaintance.
(Nagyon) örülök, hogy találkoztunk.	I'm very pleased to meet you.
Örvendek.	Pleased to meet you. *(formal)*
Helló./Szia.	Hi! Hello! *(informal)*

3. Véleménynyilvánítás / Expressing your opinion

3.1. Egyetértés kifejezése	3.1. Expressing agreement
(Igen,) valóban.	(Yes), that's true.
(Teljesen) egyetértek Önnel/veled.	I (completely) agree with you.
(Teljesen) igaza/igazad van.	You are (completely) right.
A számból vette/vetted ki a szót.	You took the words right out of my mouth.
Én is így gondolom.	I think the same.
Nem tudom megcáfolni.	I can't say it's not true. (*lit.* I can't say the contrary.)
Persze.	Sure. Of course.
Pontosan.	Exactly.
Csakugyan.	Indeed.
Ez igaz.	That's true.
Szerintem is.	I agree. (*lit.* In my opinion too.)
Szerintem sem.	I don't think so either.
Úgy van, ahogy mondja/mondod.	It's exactly as you say.
Tényleg.	Really.
Így van.	It's so.
Hogyne!	But surely!
Egyértelmű.	It's obvious.
Ebben egyetértünk.	We agree on this.
Annyiban igaza/igazad van, hogy …	You are right so far as …
Ebben igazat adok Önnek.	I give you that one.

3.2. Eltérő vélemények	3.2. Different opinions
Azt hiszem, téved/tévedsz.	I believe you're wrong.
Ellent kell, hogy mondjak.	I have to contradict you.
Én ezt (egészen/teljesen) másképp látom.	I see this (entirely/completely) different.
Én nem így hallottam.	I heard different.
Ez tévedés lesz.	This is probably a mistake.
Ezt el sem tudom képzelni.	I can't imagine that.
Kétlem, hogy …	I doubt that …
Lehetetlen.	It's impossible.
Nekem (erről) más a véleményem.	I have a different view (on that).
Nem vagyok benne biztos, hogy …	I'm not sure if …
Sajnálom, de nem győztek meg az érvei/érveid.	I'm sorry but your arguments failed to convince me.
Szerintem (pedig) igen.	I do think so.
Szerintem nem.	I don't think so.
Szerintem ez nem így van.	I don't think it's true.
Úgy látom, ebben nem tudunk egyetértésre jutni.	I see that we can't reach an agreement on this.
Úgy látszik, ebben eltér/különbözik a véleményünk.	We seem to have different views on that.

3.3. Javaslat, vélemény bevezetése	3.3. Making suggestions, expressing your opinion
A következő javaslatom volna: …	I'd like to make the following suggestion: …
Volna egy javaslatom.	I have a suggestion. (*lit.* I would have)
Azt javaslom/javasolnám, hogy …	I suggest/I'd suggest that …
A következő megjegyzésem volna: …	I'd like to comment on the following (*lit.* I would have the following remark): …
Azon a véleményen vagyok/volnék, …	My opinion is …
Azt gondolom, hogy … / Úgy gondolom, hogy …	I think/I would think that …
Az jutott eszembe, hogy …	It came to my mind that …
Erről az a véleményem, hogy …	My opinion in this matter is that …
Biztos vagyok benne, hogy …	I'm sure that …
Ha abból indulunk ki, hogy …	If we presume that …
Ha azt vesszük, hogy …	If we take that …
Azzal is számolnunk kell, hogy …	We need to take into account that …
Feltételezem, hogy …	I suppose that …
Gondolnunk kell arra is, …	We have to think about …
Arról sem szabad megfeledkeznünk, hogy …	We must not forget that …
Ne felejtsük el, hogy …	Don't forget …
Ahhoz képest, hogy …	Compared with …
Az világos/egyértelmű, hogy …	It is clear/obvious that …
Ebből (az) következik, hogy …	From this it follows that …
Ami engem illet, …	As far as I'm concerned …
Ahogy korábban már mondtam/említettem: …	As I've said/mentioned earlier, …
Örülök, hogy felvetette/felvetetted a kérdést.	I'm glad you raised this question.

3.4. Vélemény kérése	3.4. Asking for somebody else's opinion
(Ön) mit gondol?/(Te) mit gondolsz?	What do you think?
(Ön) mit tenne ebben a helyzetben? (Te) mit tennél ebben a helyzetben?	What would you do in this situation?
(Te) mit tennél a helyemben?	What would you do in my place?
Egyetért/Egyetértesz a javaslattal?	Do you agree with this suggestion?
Kíváncsi vagyok a véleményére/véleményedre.	I'm interested in your opinion.
Mi a véleménye/véleményed?	What's your opinion?
Mit szól/szólsz (hozzá)?	What do you say?
Véleménye/Véleményed szerint …	In your opinion…

3.5. Tanácstalanság, megoldáskeresés	3.5. Perplexity, seeking a solution
Ehhez (sajnos) nem értek.	(I'm sorry but) I'm not competent in this.
Erre nem tudok megoldást.	I have no solution for this.
Fogalmam sincs róla.	I have no idea. I have no clue.
Fogalmam sincs, mit csináljunk.	I have no idea what we should do.
Fogalmam sincs, mit kellene tenni.	I have no idea what would be the right thing to do.
Ilyen hirtelen nem tudok mit mondani.	It would be to quick to say anything. (*lit.* I can't say anything so suddenly.)
Korai volna még bármit is mondani.	It would be too early to say anything.
Nem is tudom, mit mondjak.	I don't know what to say.
Ebben a kérdésben nem tudok állást foglalni.	I can't take a stand in this matter.
Nem jut eszembe semmilyen konstruktív ötlet/javaslat.	I can't think of any constructive idea/suggestion.
Erre a kérdésre nem tudok válaszolni.	I can't answer this question.
Nincs ötletem.	I have no idea. I can't think of a solution.
Az a gond/baj/probléma, hogy …	The problem is that …
Esetleg …	Perhaps …
Talán …	Maybe …
Nem vagyok biztos, de azt hiszem, hogy …	I'm not sure but I believe that …
Valószínűleg …	It's likely that …

Erre aludnom kell egyet.	I need to sleep on it.
Ezt (nyugodtan) végig kell gondolnom, mielőtt véleményt mondok.	I need to think this out (calmly) before I can say anything (*lit.* I give my opinion).
Térjünk rá vissza legközelebb!	Let's talk about it again next time.
Hadd gondolkodjak egy kicsit!	Let me think about it a little.

3.6. Félreértés tisztázása, kérdés	3.6. Clearing up misunderstandings, asking questions
Elmondaná/Elmondanád még egyszer? Odáig értettem/követtem, hogy …	Could you repeat it once more? I could follow you so far as …
Elvesztettem a fonalat.	You lost me. I'm lost.
Ha jól értem, arra gondol/gondolsz, hogy …	If I understand it correctly, you mean that …
Mit ért/értesz az alatt, hogy …?	What do you mean by …?
Ne haragudjon/haragudj, de nem tudom követni, amit mond/mondasz.	I'm sorry but I can't follow you. (*lit.* what you are saying)
Nem egészen értem, amit mondani akar/akarsz.	I don't get your point. (*lit.* I don't understand what you want to say)
Hadd helyesbítsek: arra gondoltam, hogy …	Let me set this right: what I meant is that …
Rosszul értette/értetted, amit mondok.	You misunderstood me. You missed my point.
Arról van szó, hogy …	The point is that …
Úgy látszik, félreértettük egymást. Azt akartam mondani, hogy …	I think we misundertood each other (*lit.* there is a misunderstanding between us). I was trying to say that …

3.7. Közbeszólás	3.7. Interrupting someone
Azt szeretném kérdezni, hogy …	I'd like to ask you if …
Egy kérdésem volna Kis úrhoz.	I have a question for Mr. Kis.
Elnézést, hogy félbeszakítom/félbeszakítalak, de …	I'm sorry to interrupt you but …
Ne haragudjon/haragudj, hogy közbeszólok, de …	My apologies for interrupting but …
Kérdezhetek valamit?	May I ask you something?
Kérdezni szeretnék valamit.	I'd like to ask a question.
Csak azt akartam mondani, hogy …	All I wanted to say is …
(Kérem) ne szakítson/szakíts félbe!	(Please,) don't interrupt me.
Hadd fejezzem be a mondatot!	Let me finish the sentence.
Még nem fejeztem be.	I haven't finished yet.
Meg kell jegyeznem, hogy …	I have to remark that …
Szeretném hozzáfűzni, hogy …	I'd like to add that …
Szeretném megemlíteni, hogy …	I'd like to mention that …
Szeretném felhívni a figyelmet arra, hogy …	I'd like to draw your attention to the following: …
Erről jut eszembe, hogy …	This reminds me …
Biztos benne? / Biztos vagy benne?	Are you sure of this?

3.8. Vissza a tárgyhoz!	3.8. Back on the subject!
Elkanyarodtunk a tárgytól.	We have gotten off the subject.
Maradjunk a tárgynál!	Let's stick to the subject.
Ne térjünk el a tárgytól!	Don't get off the subject.
Térjünk vissza a tárgyhoz!	Let's get back on the subject.

4. Segítségkérés és bocsánatkérés / Asking for help, apologizing

4.1. Segítségkérés	4.1. Asking for help
Elnézést kérek, hogy megszólítom. Tudna segíteni?	Excuse me. Could you help me? (*lit.* Excuse me for addressing you).
Legyen szíves segíteni, kérem!	Please help me. *(formal)*
Lenne szíves segíteni?	Would you mind helping me? *(formal)*
Szeretnék segítséget kérni.	I need some help. (*lit.* I'd like to ask you for help.)
Segítene, kérem? /Segítenél?	Would you please help me? / Would you help me?
Tudna/Tudnál segíteni?	Could you help me?
Megkérhetem, hogy...	May I ask you to ...
Arra szeretném megkérni, hogy ...	I'd like to ask you to ...

4.2. Segítség felajánlása	4.2. Offering help
Segíthetek?	May I help you?
Segítek, ha megengedi.	I'll help you if you allow me.
Hadd segítsek!	Let me help you.
Ne segítsek?	Do you need help? (*lit.* Don't you)
Segítsek?	Do you need help?

4.3. Köszönet	4.3. Saying thank you
Köszönöm.	Thank you.
Igen, köszönöm.	Yes, please.
Még egyszer köszönöm.	Thank you again.
Ez (igazán) kedves Öntől/tőled.	That's very kind of you.
(Nagyon) kedves Öntől/tőled, hogy ...	It's very kind of you that ...
(Nagyon) hálás vagyok.	I'm truly grateful to you.
Nagyon szépen köszönöm.	Thanks a lot. *(formal)*
Köszi szépen.	Thanks very much. *(informal)*
Kösz.	Thanks. *(informal)*

4.4. A segítségnyújtó válasza	4.4. Reactions from the helping person
(Igazán) nincs mit.	There is nothing to thank me for (really).
Szóra sem érdemes.	Don't mention it.
Kérem.	Please.
(Nagyon) szívesen.	You're (very) welcome.
Szívesen, máskor is.	You're welcome anytime.

4.5. Bocsánatkérés	4.5. Apologizing
Bocsánat!	I'm sorry. My apologies.
Bocsánatot kérek.	I want to apologize. (*lit.* I apologize.)
Bocsásson/Bocsáss meg!	Forgive me.
Elnézést (kérek).	I'm sorry.
Ne haragudjon/haragudj!	I'm sorry. (*lit.* Don't be mad.)
Ne tessék haragudni! (nagyon udvarias, ált. idősebb embernek mondjuk)	I'm sorry. (very polite, usually used when speaking to elderly people)
(Igazán) nem akartam!	I (really) didn't mean it.
(Nagyon) sajnálom.	I'm (very) sorry.
Borzasztóan sajnálom.	I'm terribly sorry.
Pardon!	Pardon.
Sajnálom, hogy …	I'm sorry that …

4.6. Bocsánatkérés elfogadása	4.6. Accepting an apology
Felejtsük el!	Let's forget it.
Nem történt semmi.	It doesn't matter. (*lit.* Nothing happened.)
Nincs semmi gond./Nincs semmi baj./Nincs semmi probléma.	No problem.
Semmi baj.	No problem. Don't worry.

5. Meghívás, kínálás / Inviting someone, offering something to a guest

5.1. Kínálás	5.1. Offering something to someone
Megkínálhatom/Megkínálhatlak egy kávéval? Adhatok egy kávét? Kér/Kérsz egy kávét? Vegyen/Vegyél (egy kis) süteményt!	May I offer you a coffee? Can I get you a coffee? (*lit.* May I give) Would you like a coffee? Help yourself to some pastries (*lit.* Take).

5.2. Meghívás	5.2. Invitation
Meghívhatom/Meghívhatlak egy kávéra? Szabad meghívnom egy kávéra? Szeretném/Szeretnélek meghívni egy kávéra. Lenne kedve/kedved meginni egy kávét? Gyere, igyunk egy kávét! Szombaton kirándulni megyünk. Velünk tartana/tartanál? Szombaton kirándulni megyünk. Lenne kedve/kedved eljönni? Buli lesz nálam. Eljössz?	May I buy you a coffee? (*lit.* May I invite you for a coffee?) May I buy you a coffee? *(formal)* I'd like to buy you a coffee. (*lit.* I'd like to invite you) Do you want to have coffee with me? Come on, let's have coffee. *(informal)* We are going hiking on Saturday. Would you like to come? We are going hiking on Saturday. Do you want to come? There will be a party at my place tonight. Do you want to come? *(informal)*

5.3. Meghívás, kínálás elfogadása	5.3. Accepting food or drinks, accepting an invitation
Örömmel. Örömmel eljövök. Köszönöm, (kérek). Igen, köszönöm. Igen, legyen szíves.	With pleasure. I'd be happy to come. Yes, (I'd like some,) thank you. Yes, thank you. Yes, please.

5.4. Kínálás elutasítása	5.4. Turning down food or drink
Köszönöm, nem kérek (többet).	Thank you, I don't want anymore.

→ *Vendégség / Visitation: 44–47. oldal*

5.6. Meghívás elutasítása	5.6. Turning down an invitation
Sajnos, ma nem tudok elmenni. Sajnálom, de nem érek rá. Ne haragudjon/haragudj, de ma nagyon sok dolgom van. Ma nem érek rá. Sietnem kell haza. Sajnos, nem mehetek. Nagyon kedves Öntől/tőled, de … Talán majd legközelebb.	I'm sorry but I can't come today (*lit.* I can't go). I'm sorry but I don't have time. I'm sorry but I have so many things to do. I don't have time today. Today is not a good time. I need to rush home. Unfortunaltely, I can't come (*lit.* I can't go). It's very kind of you but … Maybe next time.

6. Jókívánságok / Good wishes

6.1. Jókívánság	6.1. Good wishes
Egészségére!/Egészségedre!	Cheers! To your health!
Érezze/Érezd jól magad!	Have a good time!
Jó szórakozást!	Have a good time!
Gratulálok!	Congratulations.
Isten éltesse/éltessen sokáig!	May God give you a long life. (congratulation on birthday or name day)
Jó étvágyat!	Good appetite. Enjoy your meal.
Jó utat!	Have a good trip.
Kellemes hétvégét!	Have a nice weekend.
Minden jót (Önnek/neked)!	All the best (to you).
Sok boldogságot!	I wish you a lot of happiness.
Sok sikert!	I wish you a lot of success
Sok szerencsét!	Good luck!

→ *Ünnepek / Holidays: 48–53. oldal*

6.2. Válasz	6.2. Reactions
Köszönöm, Önnek/neked is.	Thanks, you too.
Önnek/Neked is hasonlókat!	Thanks, the same to you.

7. Dicséret / Raising somebody

7.1. Dicséret	7.1. Praise
Ez csodálatos!	This is wonderful!
(Tényleg) nagyon szép.	It's (truly) beautiful.
Nagyon tetszik ez a táska.	I like this bag a lot.
Nagyon jól áll Önnek/neked ez a pulcsi.	This sweater looks very nice on you.
Milyen csinos ez a ruha!	This dress is so pretty!
Nagyon elegáns. / Nagyon elegáns vagy.	You look very elegant.
Remek ez a kávé.	This coffee is great.
Jaj, de szép ez a lakás!	What a nice apartment!
Milyen szép az a lakás!	What a nice apartment!

7.2. Dicséret fogadása	7.2. Reactions to praise
Köszönöm szépen.	Thank you so much.
(Nagyon) köszönöm.	Thanks (a lot).
Tényleg?	Do you think so?
Örülök neki.	I'm pleased to hear it.
Ugye?	Really?
Kedves Öntől/tőled.	That's very kind of you.

→ *Egyén / About yourself: 11–17. oldal*

8. Nemtetszés, panasz és vigasztalás kifejezése / Expressing dislike or complaint, comforting somebody

8.1. Valami nincs rendben	8.1. Something is not right
Nem szeretem, amikor ...	I don't like when ...
Utálom, amikor ...	I hate when ...
Ki nem állhatom, ha ...	I can't stand it when ...
Ezzel nem vagyok megelégedve.	I'm not satisfied with this.
Ennek nem örülök.	I'm not happy about this.
Teljesen mást vártam.	I expected something comepletely different.
Őszintén szólva jobbat vártam.	To tell you the truth, I expected something better.
Csalódtam Önben/benned.	You disappointed me. (*lit.* I'm disappointed in you.)
Nagyon rossz.	It's very bad.
Ez rosszul sikerült.	It turned out bad.
Ez pocsék.	It's awful.
Ez katasztrófa.	It's a disaster.
Ez felháborító!	This is abominable.
Ez rettenetes!	This is awful.
Ez borzasztó!	This is terrible.
Ez szörnyű!	This is horrible.
Ez rémes!	This is dreadful.
Ez hihetetlen!	This is unbelievable.

8.2. Vigasztalás, együttérzés kifejezése	8.2. Comforting someone, expressing compassion
Mi történt?	What happened?
Miért vagy ilyen szomorú?	Why are you so sad?
Mi a baj/probléma/gond?	What's the matter/problem/issue?
De kár!	What a pity! It's a shame!
Milyen kár, hogy ...	It's a pity that ...
Nagyon sajnálom, hogy ...	I'm sorry that ...
Szomorúan hallom, hogy mi történt.	I'm sorry to hear what happened.
Nem is tudom, mit mondjak.	I don't know what to say.
Teljesen megértelek.	I understand you perfectly.
Legközelebb majd sikerül.	Next time will be better. (*lit.* You will succeed next time.)
Aludjon/Aludj rá egyet!	Sleep on it.
Fel a fejjel!	Chin up.
Annyi baj legyen	Nevermind.

Járhatott/Járhattál volna rosszabbul is.	It could have been worse. (*lit.* You could have experienced worse.)
Nem lesz semmi baj.	Everything will be fine. (*lit.* There will be no problem.)
Minden rendben lesz.	Everything will be fine.
Ne is foglalkozzon/foglalkozz vele!	Don't think about it.
Ne is törődjön/törődj vele!	Don't worry about it.
Ne mérgelődjön/mérgelődj!	Don't upset yourself!
Nézze/Nézd a jó oldalát.	Look at the bright side.
Nyugodjon/Nyugodj meg!	Calm down. Take it easy.
Több is veszett Mohácsnál.	It could have been worse. (idiom, *lit.* More was lost at Mohács.)
Ne izgasd magad (emiatt)!	Don't worry about it! *(informal)*
Rá se ránts!	Don't worry about it! Take it easy. *(informal)*

9. Emlékezés, elbeszélés / Memories, talking about past events

Azt történt, hogy …	What happened is this: …
Abban az időben, amikor …	At the time when …
Én úgy emlékszem, …	What I remember is this: …
Emlékszem, amikor …	I remember when …
Ha jól emlékszem, …	If I remember well …
Velem is történt már hasonló.	The same thing happened to me.
Képzelje/Képzeld, mi történt!	Imagine what happened!
Hallotta/Hallottad, mi történt?	Did you hear what happened?
Meséltem már a nyaralásunkról?	Did I already tell you about our vacation?

10. Csodálkozás és meglepetés / Astonishment and surprise

Erre nem számítottam!	I didn't expect that.
Már nem is reméltem!	I lost hope in it.
Nagyon meglepett!	I was very surprised. (*lit.* It surprised me a lot.)
Ez aztán a meglepetés!	This is a surprise!
Micsoda meglepetés!	What a surprise!
Meglep, hogy …	I'm surprised that …
Nagyon csodálkozom, hogy …	I'm really astonished that …
Nem gondoltam volna, hogy …	I wouldn't have thought that …
Ki hitte volna, hogy …	Who would have thought that …
Hogy lehet, hogy …	How is it possible that …
Komolyan?	Are you serious? Really?
Hogyan?	What?
Micsoda????	What???
Tessék????	Excuse me???
Te jó ég!	Oh my gosh!
Úristen!	Oh my god!

SZÓKÉPZÉS / FORMING NEW WORDS

Az alábbi képzőkkel sok új szót képezhetünk.
We can form many new words with the affixes below.

1. Főnevek képzése / Forming nouns

1.1. Az *-ás/-és* képzővel igéből képez főnevet; gyakran tevékenység, sportág nevét.
The affix –ás/-és makes a noun from a verb; usually expresses the concept of an activity or sport.
kirándul → kirándul**ás** *(hike → hiking)*
úszik → úsz**ás** *(swim → swimming)*
vezet → vezet**és** *(drive → driving)*
főz → főz**és** *(cook → cooking)*

1.2. A *-ság/-ség* melléknévből vagy főnévből képez új főnevet. Az új főnév általában fogalom, eszme, tulajdonság vagy intézmény:
-ság/-ség makes a noun out of an adjective or a noun. The new noun expresses idea, concept, quality or institution.
barát → barát**ság** *(friend → friendship)*
szabad → szabad**ság** *(free → freedom)*
szép → szép**ség** *(beautiful → beauty)*
lakos → lakos**ság** *(inhabitant → population)*
pék → pék**ség** *(baker → bakery)*
rendőr → rendőr**ség** *(policeman → police)*

1.3. Az *-ász/-ész* képzővel főnévből képez foglalkozásnevet.
-ász/-ész makes a noun from a noun. The new noun refers to a profession.
hal → hal**ász** *(fish → fisherman),*
kert → kert**ész** *(garden → gardener)*
ékszer → ékszer**ész** *(jewel → jeweller)*

1.4. Az *-ó/-ő* képző igéből képez egyrészt foglalkozásnevet, másrészt melléknévi igenevet (ld. 5.2.).
The affix *-ó/-ő* makes a noun out of a verb. The new noun refers to a profession. The same affix is used to form present participle (s. 5.2)
fordít → fordít**ó** *(translate → translator)*
ír → ír**ó** *(write → writer)*
szerel → szerel**ő** *(repair → repairman)*

1.5. Az *-at/-et* képzővel igéből képzünk főnevet, amely gyakran egy tevékenység eredményét nevezi meg.
With *-at/-et* we can form a noun out of a verb. The noun often gives the result of an activity.
magyaráz → magyaráz**at** *(explain → explanation),*
képzel → képzel**et** *(imagine → imagination)*
gondol → gondol**at** *(think → thought)*

1.6. A *-ka/-ke, -(a)cska/-(e)cske* képzőkkel becézünk, kicsinyítünk.
-ka/-ke and *-cska/-cske* are diminuative affixes.
Kati → Kati**ka** *(Kate → little Kate)*
Péter → Péter**ke** *(Peter → little Peter)*
nap → napo**cska** *(sun → little sun)*
könyv → könyve**cske** *(book → little book)*

2. Melléknevek képzése / Forming adjectives

2.1. Főnevekből általában *–s (-as/-es/-ös)* képzővel képzünk melléknevet.
The affix *-s (-as/-es/-ös)* is used to form adjectives out of nouns.

eső → eső**s** idő *(rain → rainy weather)*
kép → kép**es** szótár *(picture → picture dictionary)*
vaj → vaj**as** kenyér *(butter → bread with butter)*

2.2. Az *-i* helyet, származási helyet vagy időt jelöl.
The *-i* indicates place, place of origin or time.
Afrika → afrika**i** ország *(African country)*
tél → tél**i** sport *(winter sport)*

2.3. Az *-ú/-ű* végű melléknév egy másik melléknévvel együtt nevez meg tulajdonságot.
Adjectives that end in *-ú/-ű* describe a quality together with another adjective.
jó humor**ú** fiú *(boy with good sense of humor)*
rossz íz**ű** leves *(bad tasting soup)*

2.4. Sok melléknév ellentétét az *-(a)tlan/-(e)tlen, -talan/-telen* képzőkkel képezzük.
With the endings *-(a)tlan/-(e)tlen* or *-talan/-telen,* we can form the opposite of many adjectives.
udvarias → udvaria**tlan** *(polite → impolite)*
egészséges → egészség**telen** *(healthy → unhealthy)*
komoly → komoly**talan** *(serious → not serious)*
önző → önz**etlen** *(selfish → unselfish)*

3. A módhatározó képzése / Forming adverbs out of adjectives

3.1. A legtöbb melléknévből *-an/-en* végződéssel képzünk módhatározót.
Most adverbs are formed with the ending *-an/-en.* The ending is added to the adjective.
izgatott → izgatott**an** *(excited → with excitement, excitedly)*
kedves → kedves**en** *(nice → nicely)*

3.2. Ritkább képző az *-l (-ul/-ül).*
The affix *-l (-ul/-ül)* is used more rarely.
jó → jó**l** *(well, fine)*
váratlan → váratlan**ul** *(unexpectedly)*
német → német**ül** *(in German)*

4. Igék képzése / Forming verbs

4.1. A *-hat/-het* képző bármelyik igéhez járulhat. Jelentése általában az angol *can* vagy *may* igének felel meg.
The affix *-hat/-het* can be added to any verb. Its meaning usually corresponds to that of the English verbs can or may.
lát → lát**hat** *(can/may see)*
fest → fest**het** *(can/may paint)*
mosakodik → mosakod**hat** *(can/may wash himself)*

4.2. Az *-at/-et, -tat/-tet* képző azt fejezi ki, hogy másvalaki végzi helyettünk a cselekvést.
Verbs with the affix *-at/-et, -tat/-tet* mean that we have someone else do a task for us.
megírom a leckét → megír**at**om a barátnőmmel a leckét
I write the homework → I have my girlfriend write the homework
kinyitom az ajtót → kinyit**tat**om a portással az ajtót
I open the door → I have the receptionist open the door

4.3. A *-gat/-get* azt fejezi ki, hogy kis intenzitással vagy többször csinálunk valamit.
-gat/-get means that the action is done lazily or with little concentration and/or is done frequently.
tanul → tanul**gat** *(learn → learn with little concentration),*
telefonál → telefonál**gat** *(call → call more than once)*
énekel → énekel**get** *(sing → sing frequently a little bit),*

4.4. A *-kodik/-kozik, -kedik/kezik, -ködik/közik* képző általában azt fejezi ki, hogy a cselekvés visszaható vagy kölcsönös.
The affix *-kodik/-kozik, -kedik/kezik, -ködik/közik* usually means that the action is reflexive or reciprocal.
mos valamit → mosa**kodik** *(wash sg → wash oneself),*
borotvál valakit → borotvál**kozik** *(shave sy → shave oneself),*
ver valakit → vere**kedik** *(beat sy → beat each other),*
fésül valakit → fésül**ködik** *(comb, brush sy's hair → comb one's hair)*
töröl valakit/valamit → töröl**közik** *(towel dry sg/sy → towel dry oneself)*

4.5. A gyakori *-zik (-ezik/-ozik/-özik)* képzővel igét képzünk főnévből. A *-zik* azt fejezi ki, hogy egy tárgyon vagy egy tárggyal végzünk cselekvést.
The affix *-zik (-ezik/-ozik/-özik)* is frequently used to form a verb from a noun. It means that the action is done on or with an object.
zongora → zongorá**zik** *(play the piano),*
pingpong → pingpong**ozik** *(play pingpong),*
sör → sör**özik** *(have a beer),*
autó → autó**zik** *(drive a car)*
internet → internet**ezik** *(surf the Internet)*

4.6. Az *-l (-ol/-el/-öl)* képzővel ma már ritkán képzünk új igéket. A képző azt fejezi ki, hogy egy adott tárggyal kapcsolatosan végzünk egy cselekvést vagy ezt a tárgyat a cselekvés elvégzéséhez használjuk.
The affix *-l (-ol/-el/-öl)* is not used to form new words anymore. This affix means that an action is related to this object or that we use the object to perform an action.
zene → zené**l** *(play music),*
válasz → válasz**ol** *(respond, give an answer)*
könyv → könyv**el** *(keep the books)*

4.7. Az **-ul/-ül** és az *-ít* képzőkkel ma már nagyon ritkán képzünk új igéket. A két képző sokszor ugyanahhoz a tőhöz járul, két különböző jelentést adva az igetőnek. Az *-ul/-ül* általában passzív jelentésű, tárgyatlan igét képez, míg az *-ít* aktív jelentésű tárgyas igét.
The affixes *-ul/-ül* and *-l* are rarely used today to form new verbs. They are usually added to the same stem to change its meaning in two different ways. *-Ul/-ül* indicates the result of an action and makes the verb intransitive. *-ít* gives an active meaning to the verb and makes it transitive.
ép-: ép**ül** *(get built),* ép**ít** vmit *(build sg),*
szép-: szép**ül** *(become more beautiful),* szép**ít** vmit/vkit *(beautify sth, embellish sg/sb),*
gyógy-: gyógy**ul** *(recover, heal),* gyógy**ít** vmit/vkit *(cure sg/sb)*

5. Igenevek képzése / Forming participles

5.1. A *-ni (-eni, -ani)* képzővel főnévi igenevet alkotunk.
The ending for the infinitive is *-ni (-eni, -ani).*
ad → ad**ni** *(give → to give)*
kér→ kér**ni** *(ask → to ask)*
hall→hall**ani** *(hear → to hear)*
épít→épít**eni** *(build → to build)*

5.2. Folyamatos melléknévi igenevet akkor használunk, ha egy személyt vagy dolgot folyamatban lévő cselekvéssel jellemzünk. Ez az igenév – a melléknévhez hasonlóan – a *milyen?* kérdésre válaszol. A folyamatos melléknévi igenév képzője: *-ó/-ő.*
Present participles answer the question *milyen? (What kind of?),* just like *adjectives.* The ending for this participle is *-ó/-ő.*
sír → a sír**ó** fiú *(cry → the crying boy)*
ugat → az ugat**ó** kutya *(bark → the barking dog)*
énekel → az énekel**ő** gyermek *(sing → the singing child)*

5.3. Befejezett melléknévi igenevet akkor használunk, ha egy személyt vagy dolgot egy cselekvés eredményével jellemzünk. Ez az igenév – a melléknévhez hasonlóan – a *milyen?* kérdésre válaszol. A befejezett melléknévi igenév képzője: *-t/-tt.*

Past participles are used to qualify a person or a thing by the result of an action. They answer the question *milyen? (What kind of?)*, just like *adjectives*. The ending for this participle is *-t/-tt*.
megválaszt → a megválaszt**ott** elnök *((elect → the president elected)*
elveszik → az elvesz**ett** igazolvány *(lose → the lost ID card)*

5.4. A *-ható/-hető* végű igenevek lehetőséget fejeznek ki.
Participles ending in *-ható/-hető* express possibilities and options.
hall → hall**ható** *(hear → audible)*
érez → érez**hető** *(feel → sensible)*

5.5. Az *-andó/-endő* végű beálló melléknévi igenevek a jövőben elvégzendő cselekvést, kötelességet neveznek meg.
Future participles with the ending *-andó/-endő* express obligations to be fulfilled in the future.
megír → a megír**andó** cikk *(the article to write)*
kitölt → a kitölt**endő** nyomtatvány *(the form to fill in)*

5.6. A határozói igenév a *hogyan?, milyen állapotban?* kérdésre válaszol. Igéből képezzük, *-va/-ve* toldalékkal, és két egyidejű vagy egymást követő cselekvés leírásánál használjuk.
Adverbial participles answer the question *hogyan? (How?)* or *milyen állapotban? (In which state?)*. They are formed out of a verb, with the ending *-va/-ve,* and are used when telling about two simultaneous actions or actions happening one after the other.
ír → ír**va** *(in writing, written)*
zár → zár**va** *(close → closed)*
nevet → nevet**ve** *(laugh → laughing)*

A MAGYAR MINT IDEGEN NYELV NYELVVIZSGA TÉMAKÖREI
TOPICS OF THE LANGUAGE EXAMINATION FOR HUNGARIAN AS A FOREIGN LANGUAGE

Az ECL nyelvvizsga témakörei	Topics of the ECL language exam
B1 szint (küszöbszint)	Level B1 (threshold/pre-intermediate)
1. Az egyén	1. About yourself
2. Társas kapcsolatok	2. Interpersonal relationships
3. Család	3. Family
4. Lakás, lakóhely	4. Housing and habitation
5. Utazás, közlekedés	5. Traveling, traffic
6. Vásárlás, üzletek	6. Shopping, stores
7. Kommunikáció, kapcsolattartás	7. Communication, keeping contact
8. Szolgáltatások	8. Services
9. Kultúra, szórakozás	9. Culture and leisure
10. Idő, időjárás	10. Wheather
11. Egészség, betegségek	11. Health and illnesses
12. Sport	12. Sports
13. Média	13. Media
14. Hobbi	14. Hobby
15. Tanulás, munka	15.Studying and work
16. Az Európai Unió	16. The European Union
17. Országismeret	17. Information about the target country
További témák B2 (középfok) szinten:	Additional topics for the B2 (intermediate) level:
18. Közélet	18. Public life
19. Környezetvédelem	19. Environmental protection
20. Aktuális témák, események	20. Actualities, ongoing events

Az Origó nyelvvizsga témakörei	Topics of the Origó language exam
1. Én és a családom	1. My family and I
2. Az otthon és a szűkebb környezet	2. Home and immediate environment
3. A munka világa, napi tevékenység	3. The world of work, daily routine
4. A tanulás világa	4. The world of learning and studying
5. Kommunikáció	5. Communication
6. Kapcsolatok más emberekkel: magánélet és közélet	6. Relationships with others: private and public life
7. Szabadidő, szórakozás, kultúra	7. Spare time, leisure, culture
8. Egészség, egészségmegőrzés, sport	8. Health, staying healthy, sports
9. Vásárlás és szolgáltatások	9. Shopping and services
10. Étkezés	10. Food and meals
11. Közlekedés	11. Traffic
12. Utazás	12. Traveling
13. Tágabb környezetünk, a természet világa	13. Larger environment: the world of nature
14. Magyarország	14. Hungary
15. A vizsgázó országa	15. Home country of the candidate